锅炉压力容器无损检测

主　编　宋崇民　李玉军

副主编　党林贵　魏跃杰　杨孝勇

　　　　王建华　杨自明　庄　源

黄河水利出版社

·郑州·

内 容 提 要

本书根据国内锅炉压力容器无损检测的现状,结合多年来无损检测人员培训教学的特点,分锅炉压力容器基础知识、射线检测、超声波检测、磁粉检测、渗透检测五个独立的篇章,简明扼要地讲述了锅炉压力容器分类、结构、材料、制造工艺方面的基础知识以及四大常规无损检测手段的基本原理、仪器设备、检测方法、工艺要求、质量评定、相关专业技术标准等主要内容。本书在编写过程中参考了国内外相关的教材及文献资料,采用现行无损检测专业的国家标准及有代表性的部颁标准,力求满足《考核规则》的要求,简明实用,易于无损检测人员学习掌握要领。本书可作为锅炉压力容器无损检测人员的培训教材,也可供相关专业的工程技术人员阅读参考。

图书在版编目(CIP)数据

锅炉压力容器无损检测/宋崇民,李玉军主编 . —郑州:黄河水利出版社,2000.11
ISBN 7-80621-403-8

Ⅰ.锅⋯ Ⅱ.①宋⋯②李⋯ Ⅲ.锅炉-压力容器-无损检验 Ⅳ.TK226

中国版本图书馆 CIP 数据核字(2000)第 57975 号

责任编辑:王路平　　　　　　　　　　　　封面设计:郭　琦
责任校对:赵宏伟　　　　　　　　　　　　责任印制:常红昕

出版发行:黄河水利出版社
　　　　地址:河南省郑州市金水路 11 号　邮编:450003
　　　　发行部电话:(0371)6302620　传真:(0371)6302219
　　　　E-mail:yrcp@public2.zz.ha.cn
印　　刷:黄河水利委员会印刷厂

开　本:787 mm×1 092 mm　1/16　　　　印　张:25.5
版　次:2000 年 11 月　第 1 版　　　　　印　数:1—3 500
印　次:2000 年 11 月　郑州第 1 次印刷　字　数:590 千字

定价:50.00 元

前　言

　　无损检测是一门应用范围极为广泛的新兴综合性学科,对于控制和改进生产过程和产品质量,保证材料、零件和产品的可靠性及提高生产率起着关键作用。无损检测技术在材料加工、零件制造、产品组装直至产品的使用整个过程中,不仅起到保证质量、保障安全的监督作用,还在节约能源及资源、降低成本、提高成品率和劳动生产率方面起到积极的促进作用。

　　本书针对锅炉压力容器行业的技术特点,主要介绍了锅炉压力容器的基础知识及四大常规无损检测方法的基本原理;常用检测仪器设备特点、性能、操作方法及维护保养要求;相关技术规范和标准的要点;检测工艺要求、结果分析及质量评定等方面内容。

　　在编写过程中,依照《考核规则》(初级、中级),结合多年来无损检测人员培训及考核情况,从实际应用出发,基础理论部分避繁就简,与实际应用密切相关的内容则重点阐明。

　　本书共分五篇,其中:锅炉压力容器篇由党林贵、于淑琴、王建华、杨自明、庄源编写;射线篇由宋崇民、李玉军、黄新超、吕声音编写;超声篇由魏跃杰、刘达荣、王少甲、崔卫东编写;磁粉篇由杨孝勇、鲍顺尧、闫军政编写;渗透篇由何汇、李宗业、肖晖、张新刚编写。全书由宋崇民、李玉军统稿。

　　由于经验不足,水平有限,加上编写时间仓促,书中难免存在不当之处,敬请批评指正。

编　者

2000 年 4 月

目　　录

射 线 篇

超 声 篇

渗 透 篇

锅炉压力容器篇

第一章　概　述

第一节　锅炉压力容器的用途

一、锅炉压力容器的定义

1. 锅炉

利用燃料燃烧放出的热量或工业生产的余热来加热水生产蒸汽或热水的设备称为锅炉。锅炉由"锅"和"炉"两部分组成,"锅"是指接受热量,并把热量传给水的受热面系统,"炉"是指把燃料的化学能转变为热能的空间和烟气流通的通道,即炉膛和烟道。

2. 压力容器

承受流体介质压力的密闭设备称为压力容器。

二、锅炉压力容器的用途

1. 锅炉的用途

锅炉生产的蒸汽,可以成为发电设备、机车、轮船的动力;也可以为石油、化工、纺织、印染、造纸、医药等工业部门生产过程提供所需的热能;锅炉生产的热水或蒸汽还可用于供热采暖、食品加工、卫生消毒等人民生活的诸多方面。

2. 压力容器的用途

压力容器广泛用于石油、化工、冶金、医药以及人民生活的各个领域。尤其在石油、化工等行业,使用更为普遍。因为这些部门的生产所涉及的各种工艺过程在许多场合下,需要在有压力的特定容器中进行或完成。

压力容器的用途以其工艺特点而言,主要用于压力流体的物理或化学反应;介质的热量交换;介质流体压力平衡缓冲和气体净化分离;储存、盛装和运输气体、液体、液化气体等介质。

第二节　锅炉压力容器的特殊性和发生事故的危害性

一、锅炉压力容器的特殊性

锅炉压力容器是工业生产中的常用设备。实践证明,它又是一种事故率比较高、事故危害严重的特殊设备。它的特殊性主要表现在:这类设备事故易发,破坏力强,危害性大。这是由于锅炉压力容器运行的特殊工况所决定的,这些工况归纳起来主要有以下几个方面。

1. 压力的作用

由于锅炉压力容器受压元件承受着一定的压力载荷,若存在某些缺陷,或使用操作不当,就会发生事故,甚至爆炸。造成重大的损失。如果压力容器中盛装的是有毒或易燃介质,一旦发生破坏或爆炸,将会造成恶性的连锁反应,后果不堪设想。

2. 温度的影响

锅炉是在高温下运行的,温度控制不当或超温运行,轻则会提前发生蠕变、水蒸气腐蚀或使强度下降,重则可能发生烧干或爆炸。压力容器既有在高温状态下工作的,也有在低温以至深冷状态下工作的。随着温度的下降,多数金属材料的塑性明显下降,温度低到一定程度,材料就会发生脆性转变。一旦焊缝中存在缺陷,特别是易扩展的线性缺陷,缺陷敏感性急剧上升,就可能发生因缺陷扩展而爆炸的事故。

3. 腐蚀的危害

锅炉受热面金属与高温烟气及汽水介质长期接触,前者会产生高温氧化、硫腐蚀,燃油锅炉还会产生钒腐蚀,后者则会产生蒸汽腐蚀、氧腐蚀、苛性腐蚀、疲劳腐蚀等现象。如果压力容器中的介质具有腐蚀性,也会造成各种形式的腐蚀。在有应力的情况下,还会产生应力腐蚀。无论是腐蚀导致的厚度减薄甚至穿孔,还是应力腐蚀裂纹的产生和发展,都可能造成锅炉压力容器的失效事故,严重的可能发展为突然破坏或爆炸。

4. 连续运行

锅炉压力容器一旦投入运行,一般都要求连续运行,而不能任意停车,否则,往往会影响到一条生产线、一个厂甚至一个地区的生活和生产,其直接和间接经济损失巨大,有时还会造成灾难性的后果。

二、锅炉压力容器发生事故的危害性

锅炉压力容器的特殊工况条件决定了锅炉压力容器的特殊性,这就是:存在着多种的失效可能,特别是存在着爆炸的危险;而且一旦失效,会对整个系统造成影响,甚至停产;一旦爆炸,造成的损失就难以估量。

1955 年 4 月 25 日,国营天津第一棉纺织厂的二号锅炉发生爆炸,伤亡职工和市民 77人,其中死亡 8 人,重伤 17 人。厂房、机器设备等直接损失达 33.9 万余元,全厂停工 80 h。

1979 年 3 月,南阳柴油机厂浴池热交换器爆炸,一个封头炸开,整个热交换器在强大后座力推动下,朝相反方向飞出 17 m,打穿 2 道墙,又将第三道墙撞个大窟窿。巨大的冲击波将浴池墙几乎全部摧倒,大梁折断,屋顶塌下,浴池中洗澡的人全部被砸在里面,加上高温蒸汽蒸烫,造成死亡 44 人,伤 37 人的惨重事故。

1979 年 9 月,浙江省温州市某厂由于一个液氯钢瓶发生粉碎性爆炸,碎片击中 4 个钢瓶同时爆炸。爆炸中心的水泥地面被炸成一个直径 6 m、深 1.82 m 的大坑,冲击波将414 m^2 的钢筋混凝土厂房全部摧倒。厂区周围 200 多间民房遭破坏。10.2 t 液氯外溢扩散,波及范围达 7.35 km^2。在 12 km 范围的花草树木发生了程度不同的枯萎和中毒现象。这次事故,炸死、中毒死亡 59 人,因中毒住院治疗 779 人,门诊治疗 421 人,共伤亡千余人,经济损失 63 万元。

1979 年 12 月,吉林省吉林市某液化石油气厂,一个储存液化石油气的 400 m^3 球罐突然破裂,大量液化石油气喷出,蔓延,遇明火发生燃烧,另一个球罐在大火烘烤下,严重超压,发生强烈爆炸,响声远及百余里,火焰高达百余米。4块十多吨重的球罐碎片飞出百余米。使整个罐区遭到破坏。大火持续 23 h,死 32 人,伤 54 人。直接损失 539 万元,间接损失 89 万元。

第三节 锅炉压力容器安全监察和法规体系

基于锅炉压力容器的上述特点,保证锅炉压力容器的安全运行是至关重要的。一旦发生事故,不仅毁坏设备,破坏生产,造成重大的经济损失,而且会造成人员伤亡和社会不安定,后果十分严重。因此,我国和世界上大多数国家都在政府部门设有专管机构,专门从事这类设备的安全监督和检验工作。

对锅炉压力容器,设计和制造单位要保证质量,设计和生产出安全可靠的产品;使用单位要加强安全管理,确保安全运行;锅炉压力容器安全监察部门代表国家依据有关法规对锅炉、压力容器进行综合管理和监察,即实行国家监察制度。

1982 年 2 月,国务院颁发了《锅炉压力容器安全监察暂行条例》,这是我国锅炉压力容器安全工作的基本法规。《条例》对锅炉压力容器设计、制造、安装、使用、检验、修理、改造等七个环节作了明确的规定,要求各有关单位贯彻执行。同时,原劳动人事部(或原劳动部)颁布了《锅炉压力容器安全监察暂行条例》、《锅炉压力容器安全监察暂行条例实施细则》和《蒸汽锅炉安全技术监察规程》、《压力容器安全技术监察规程》、《气瓶安全监察规程》等一系列具体的法规。《锅炉压力容器无损检测人员资格考核规则》就是其中的一个。

一、锅炉压力容器安全监察法规体系

锅炉压力容器安全监察法规体系如图 1-1。

二、主要安全技术监察规程的适用范围

1.《蒸汽锅炉安全技术监察规程》

规程适用于承压的以水为介质的固定式蒸汽锅炉及锅炉范围内管道的设计、制造、安装、使用、检验、修理和改造。

汽水两用锅炉除应符合本规程的规定外,还应符合《热水锅炉安全技术监察规程》的有关规定。

本规程不适用于水容量小于 30 L 的固定式承压蒸汽锅炉和原子能锅炉。

2.《热水锅炉安全技术监察规程》

规程适用于同时符合下列条件的以水为介质的固定式热水锅炉:

(1)额定热功率大于或等于 0.1 MW。

(2)额定出水压力大于或等于 0.1 MPa

3.《有机热载体炉安全技术监察规程》

规程适用于固定式的有机热载体气相炉和有机热载体液相炉,但电器加热部分除外。

4.《压力容器安全技术监察规程》

规程适用于同时具备下列条件的压力容器:

(1)最高工作压力(P_w)大于等于 0.1 MPa(不含液体静压力,下同);

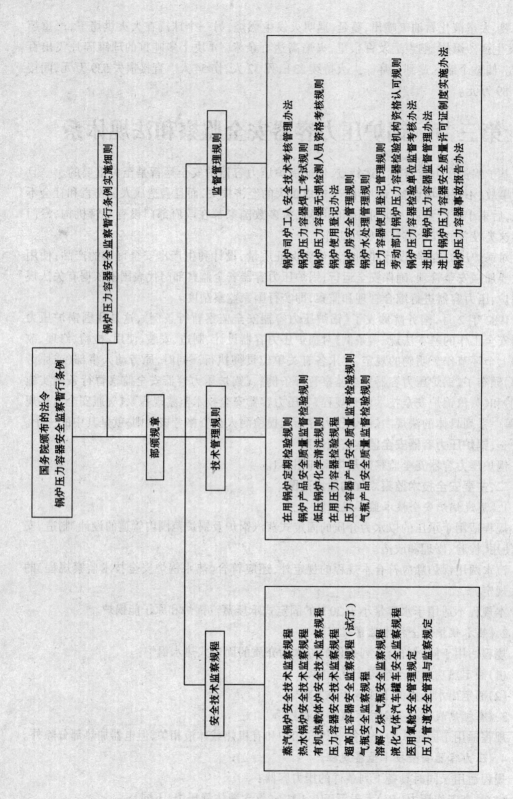

图 1-1　锅炉压力容器法规体系

国务院颁布的法令
锅炉压力容器安全监察暂行条例

锅炉压力容器安全监察暂行条例实施细则

部颁规章

监督管理规则
- 锅炉司炉工人安全技术考核管理办法
- 锅炉压力容器焊工考试规则
- 锅炉压力容器无损检测人员资格考核规则
- 锅炉使用登记办法
- 锅炉房安全管理规则
- 锅炉水处理管理规则
- 压力容器使用登记管理规则
- 劳动部门锅炉压力容器检验机构资格认可规则
- 锅炉压力容器检验单位监督管理办法
- 进出口锅炉压力容器安全质量监督管理办法
- 进口锅炉压力容器安全质量许可证制度实施办法
- 锅炉压力容器事故报告办法

技术管理规则
- 在用锅炉定期检验规则
- 锅炉产品安全质量监督检验规则
- 低压锅炉化学清洗规则
- 在用压力容器检验规则
- 压力容器产品安全质量监督检验规则
- 气瓶产品安全质量监督检验规则

安全技术监察规程
- 蒸汽锅炉安全技术监察规程
- 热水锅炉安全技术监察规程
- 有机热载体炉安全技术监察规程
- 压力容器安全技术监察规程
- 超高压容器安全技术监察规程（试行）
- 气瓶安全监察规程
- 溶解乙炔气瓶安全监察规程
- 液化气体汽车罐车安全监察规程
- 医用氧舱安全管理规定
- 压力管道安全管理与监察规定

· 4 ·

(2)内直径(非圆形截面指其最大尺寸)大于等于 0.15 m,且容积(V)大于等于 0.025 m³;

(3)盛装介质为气体、液化气体或最高工作温度高于等于标准沸点的液体。

规程设计、材料和制造部分适用于下列压力容器:

(1)与移动压缩机一体的非独立的容积小于等于 0.15 m³ 的储罐、锅炉房内的分汽缸;

(2)容积小于 0.025 m³ 的高压容器;

(3)深冷装置中非独立的压力容器、直燃型吸收式制冷装置中的压力容器、空分设备中的冷箱;

(4)螺旋板换热器;

(5)水力自动补气气压给水(无塔上水)装置中的气压罐,消防装置中的气体或气压给水(泡沫)压力罐;

(6)水处理设备中的离子交换或过滤用压力容器、热水锅炉用膨胀水箱;

(7)电力行业专用的全封闭式组合电器(电容压力容器);

(8)橡胶行业使用的轮胎硫化机及承压的橡胶模具。

规程不适用于下列压力容器:

(1)超高压容器。

(2)各类钢瓶。

(3)非金属材料制造的压力容器。

(4)核压力容器、船舶和铁路机车上的附属压力容器、国防或军事装备用的压力容器、真空下工作的压力容器(不含夹套压力容器)、各项锅炉安全技术监察适用范围内的直接受火焰加热的设备(如烟道式余热锅炉等)。

(5)正常运行最高工作压力小于 0.1 MPa 的压力容器(包括在进料或出料过程中需要瞬时承受压力大于等于 0.1 MPa 的压力容器,不包括消毒、冷却等工艺过程中需要短时承受压力大于等于 0.1 MPa 的压力容器)。

(6)机器上非独立的承压部件(包括压缩机、发电机、泵、柴油机的气缸或承压壳体等,不包括造纸、纺织机械的烘缸、压缩机的辅助压力容器)。

(7)无壳体的套管换热器、波纹板换热器、空冷式换热器、冷却排管。

5.《超高压容器安全监察规程(试行)》

规程适用于同时具备下列条件的超高压容器:

(1)最高工作压力大于等于 100 MPa、小于等于 1 000 MPa;设计温度为零至 425 ℃;

(2)内直径大于等于 100 mm;

(3)介质为气体或气—液体。

规程不适用下列超高压容器:

(1)军事装备用的超高压容器;

(2)机械上非独立的超高压部件(超高压压缩机、超高压泵的缸体等)。

6.《液化气体汽车罐车安全监察规程》

规程适用于运输最高工作压力大于等于 0.1 MPa、设计温度不大于 50 ℃的液化气体、且为钢制罐体的汽车罐车。

本规程不适用于罐体为有色金属材料和非金属材料制造的汽车罐车。

7.《医用氧舱安全管理规定》

规定中的医用氧舱是指：

(1)医疗用空气加压舱和氧气加压舱；

(2)兼作高压氧治疗用途的多功能载人压力舱。

本规定中的医用氧舱不包括飞行器、船舶、海洋上作业的载人压力容器。

8.《气瓶安全监察规程》

规程适用于正常环境温度(−40~60 ℃)下使用的、公称工作压力为 1.0~30 MPa、公称容积为 0.4~1 000 L,盛装永久气体或液化气体的气瓶。

本规程不适用于盛装溶解气体,吸附气体的气瓶,灭火用的气瓶,非金属材料制成的气瓶,以及运输工具上和机器设备上附属的瓶式压力容器。

9.《溶解乙炔气瓶安全监察规程》

规程适用于钢质瓶体内装有多孔填料和溶剂、可重复充装乙炔气的移动式乙炔瓶。

本规程不适用于盛装乙炔气体的固定式压力容器。

第四节　锅炉压力容器与无损检测

什么叫无损检测? 顾名思义,无损检测是在不损坏和不破坏材料及设备的情况下,对它们进行检测的一种方法。目前用于锅炉压力容器无损检测的方法主要有:射线探伤、超声波探伤、磁粉探伤、渗透探伤等。

一、无损探伤的目的

1. 确保工件或设备的质量,保证设备的安全运行

用无损检测来保证产品质量,使之在规定的使用条件下,在预期的使用寿命内,产品的部分或整体都不发生破坏,从而防止设备和人身事故的发生。例如锅炉、压力容器的无损检测,从原材料的无损检测开始,到成品安装,及使用过程中的定期检查,都是为了尽量减少其发生损坏、引起事故的可能性。

2. 改进制造工艺

无损检测不仅仅是要把工件中的缺陷检测出来,而且能帮助其改进制造工艺。我们可先根据预定的制造工艺,制作试样或试制品,对试样或试制品进行无损检测,用无损检测结果检查试样或试制品的工艺是否合格,这样一边检查,一边改进工艺,直到最后确定满足质量要求的制造工艺。例如焊接锅炉或压力容器,为了确定焊接规范,可根据预定的焊接规范制成试样,然后用射线照相检查该试样焊缝,随后根据探伤结果,修正焊接规范,最后确定能够达到质量要求的焊接规范。

3. 降低制造成本

通过无损检测可以达到降低成本的目的。在产品制造过程中,适当而且正确地进行无损检测,就能防止工件在最后加工完后报废和白白浪费工时,从而降低了制造成本。例如,焊接容器时,不是把整个容器焊接完后才进行无损检测,而是在焊接完工前的中间工序先进行无损检测,提前发现不合格的缺陷,及时修补,这样就可避免在容器焊完后,由

于出现缺陷而使整个容器不合格,从而节约了原材料和工时,达到降低制造成本的目的。

二、无损检测的应用特点

1.正确选用实施无损检测的时间

在进行无损检测时,必须根据无损检测的目的,正确选用无损检测实施的时间。例如,要检查高强钢焊缝有无延迟裂纹,无损检测实施的时间,就应安排在焊接后一昼夜以后进行。要检查热处理工艺是否正确,就应将无损检测实施时间放在热处理之后进行。所以,只有正确地选用实施无损检测的时间,才能正确评价产品质量。

2.无损检测要与破坏性检测相配合

无损检测的最大特点是在不损坏材料、工件及结构的前提下进行检测,但是无损检测不能代替破坏性检测,例如制造容器前用焊接试板的机械性能试验来验证是否能满足产品的工艺要求。也就是说,必须把无损检测的结果与破坏性检测的结果互相对比和配合,才能作出准确的评定。

3.正确选用最适当的无损检测方法

无损检测应用中,由于检测方法本身特点的所限,缺陷不能完全检出。为了提高检测结果的可靠性,必须在检测前,根据被检物的材质、加工种类,加工过程或使用过程,预计可能产生什么种类、什么形状的缺陷,在什么部位、什么方向产生,根据以上种种情况分析,然后根据无损检测方法各自的特点选择最合适的检测方法。

4.综合应用各种无损检测方法

在无损检测应用中,必须认识到任何一种无损检测方法都不是万能的,每种无损检测方法都有它自己的优点,也有它的缺点。因此,在无损检测的应用中,不要采用一种无损检测方法,而应尽可能多地同时采用几种方法,以便保证各种检测方法相互取长补短。另外,还应利用有关材料、焊接、加工工艺的知识及产品结构的特点,综合起来进行判断。

三、无损检测的应用范围

无损检测应用最多的是检查材料、铸锻件和焊缝中的缺陷。它大致可分两种情况:一种是在制造加工过程中进行检查,另一种是在使用过程中定期检查。这些检查是为了达到两种目的:

(1)质量评定。制造过程中对原材料、铸锻件和焊缝进行检查,其主要目的是评定原材料、铸锻件和焊缝的质量是否按规定的标准进行制造加工,是否符合质量要求。

(2)寿命评定。锅炉压力容器在使用过程中,每隔一定的时间要进行一次检查,目的是要检查出设备在使用条件下,新产生的缺陷,根据检查出缺陷的种类、形状、大小、产生的部位、应力水平、应力方向等等,预测在下次检查时会发展到什么程度,并确定设备是否需要修补或者报废。

第五节 锅炉压力容器无损检测
人员的资格考试、复试

为了提高锅炉压力容器无损检测工作质量,保证锅炉压力容器安全运行。从事锅炉压力容器无损检测的人员,必须按《锅炉压力容器无损检测人员资格考核规则》的要求参加资格考核,取得锅炉压力容器安全监察机构颁发的相应资格证书。

一、无损检测人员报考条件

报考无损检测人员须同时满足下列条件:

(1)从事无损检测工作经历应满足表1-1的要求;

(2)双眼矫正视力应在1.0以上,并具有报考的无损检测方法所要求的颜色分辨能力。

表1-1 无损检测报考人员基本条件

报考人员的学历	报考级别			
	Ⅰ	Ⅱ	Ⅲ	
	从事所报考无损检测方法的实习时间(月)	持所报考无损检测方法Ⅰ级证的时间(年)	持Ⅱ级证(个)	其中持所报考无损检测方法Ⅱ级证的时间(年)
无损检测、焊接专业大专以上学历	3	1		2
其他理工科大专以上学历	3	2	2*	3
中专以上学历	6	3		4
其他学历	12	4		5

注:* 其中一个Ⅱ级证必须是RT或UT。

二、考核方法、内容及合格标准

无损检测人员的资格考核方法分笔试和实际操作考试。Ⅲ级人员要求必须口试。

(1)Ⅰ级无损检测人员笔试内容有:是非题、选择题、问答题、计算题。合格标准为70分。实际操作考试内容有:检测仪器的调试,典型检测对象的检测操作;识别缺陷的信号、指示及影像;记录检测数据;整理检测资料。合格标准为80分。

(2)Ⅱ级无损检测人员笔试内容有:是非题、选择题、问答题、计算题。合格标准为75分。实际操作考试内容有:检测仪器的调试;检测规范的选择;典型检测对象的检测操作;识别缺陷的信号、指示和影像,根据标准评定检测结果;填写检测报告。合格标准为80分。

三、无损检测人员复试

持证人员的资格证书有效期为5年,有效期期满前9个月内,持证人员须向锅炉压力容器安全监察机构提交复试申请表。经监察机构同意后方可参加复试,复试内容分为笔试和实际操作考试。笔试内容侧重于考察报考人员对有关的无损检测新技术、新标准的熟知程度,实际操作考试是考察其操作技能是否达到相应级别的要求。复试合格标准同取证考核相同。如果有违犯下列之一的无损检测人员不得参加复试。

(1)连续中断无损检测时间超过18个月的;

(2)转让无损检测资格证书的;

(3)因弄虚作假、玩忽职守,造成严重责任事故的;

(4)私自外出从事锅炉压力容器无损检测工作的。

四、监督管理

(1)锅炉压力容器无损检测持证人员只能从事与其证书级别相应的无损检测工作,其中:

Ⅰ级人员可在Ⅱ、Ⅲ级人员的指导下进行无损检测操作,记录检测数据,整理检测资料。

Ⅱ级人员可编制一般的无损检测程序,并按Ⅲ级无损检测人员编制的无损检测工艺独立进行检测操作,评定检测结果,签发检测报告。

Ⅲ级人员可根据标准编制无损检测工艺,审核或签发检测报告,解释检测结果,仲裁Ⅱ级人员对检测结论的技术争议。

无损检测的实习人员只能在持证人员的指导下,从事无损检测的辅助工作。

(2)如果持证人员不再从事锅炉压力容器无损检测工作,或工作单位发生变动时,持证人员所在单位应书面向地市级监察机构备案,并报发证机构。

(3)在外地报考人员应将成绩分别转至报考人员所在地的地市级和省级监察机构,由监察机构对考核合格人员签发资格证书。

【复习思考题】

1. 什么是锅炉?什么是压力容器?
2. 锅炉压力容器的特殊性表现在哪些方面?
3. 锅炉压力容器的主要用途有哪些?
4. 为什么要对锅炉压力容器实行国家安全监察?
5. 试述《蒸汽锅炉安全技术监察规程》、《热水锅炉安全技术监察规程》、《压力容器安全技术监察规程》、《气瓶安全监察规程》四者的适用范围。
6. 用于锅炉压力容器无损检测的方法有几种?
7. 无损检测的目的是什么?
8. 无损检测的应用范围是什么?
9. 报考Ⅱ级以上无损检测人员应具备哪些条件?
10. 哪些人员不能参加复试考核?

第二章　锅炉基础知识

第一节　锅炉分类及型号编制方法

一、锅炉的分类

(1)按安装位置分类有固定式锅炉、移动式锅炉两种。

(2)按用途分类有电站锅炉、工业锅炉、采暖锅炉、机车锅炉和船舶锅炉五种。

(3)按出口介质状态分类有蒸汽锅炉、热水锅炉和汽水两用锅炉。

(4)按压力分类：

低压锅炉——额定工作压力≤2.5 MPa；

中压锅炉——额定工作压力 = 3.8 MPa；

高压锅炉——额定工作压力≥9.8 MPa；

超高压锅炉——额定工作压力 > 13.5 MPa；

亚临界锅炉——额定工作压力 = 15.70 ~ 17.66 MPa；

超临界锅炉——额定工作压力 = 24.13 ~ 26.49 MPa。

(5)按结构分类有火管锅炉、水管锅炉和水火管组合锅炉。

(6)按燃料分类有燃煤锅炉、燃油锅炉、燃气锅炉和原子能锅炉。

(7)按燃烧方式分类有层燃炉、沸腾炉和室燃炉三种；层燃炉又分手烧炉、链条炉排炉、往复炉排炉、双层炉排炉、振动炉排炉和抛煤机炉等多种。

(8)按循环方式分类有自然循环锅炉、强制循环锅炉和直流锅炉三种。

二、锅炉型号编制方法

1. 工业锅炉的型号编制

凡蒸发量不大于 65 t/h 或介质出口压力不大于 2.5 MPa 的固定式蒸汽锅炉和热水锅炉的型号均由三部分组成,各部分之间用短横线相连。表示方法如下:

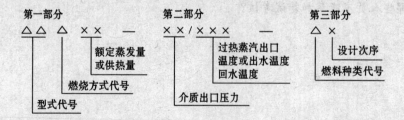

(1)第一部分共分三段,第一段用两个汉语拼音字母代表锅炉总体型号(见表2-1);第二段用一个汉语拼音字母代表燃烧方式(见表2-2);第三段用阿拉伯数字表示蒸汽锅炉的额定蒸发量,或热水锅炉额定供热量。各段应连续书写,互相衔接。

(2)第二部分表示介质参数,共分两段,中间以斜线相连。第一段用阿拉伯数字表示介质出口压力;第二段用阿拉伯数字表示过热蒸汽温度或出水温度/回水温度。蒸汽温度为饱和温度时,型号的第二部分无斜线和第二段。

(3)第三部分表示燃料种类和设计次序,共分两段。第一段以汉语拼音字母代表燃料种类,同时以罗马数字代表燃料分类与其并列(见表2-3),如同时使用几种燃料,主要燃料放在前面;第二段以阿拉伯数字表示设计次序,和第一段连续书写,原型设计无第二段。

表2-1 锅炉总体型式及代号

锅 壳 锅 炉		水 管 锅 炉			
锅炉总体型式	代 号	锅炉总体型式	代 号	锅炉总体型式	代 号
立式水管	LS(立水)	单锅筒立式	DL(单立)	双锅筒横置式	SH(双横)
立式火管	LH(立火)	单锅筒纵置式	DZ(单纵)	纵横锅筒式	ZH(纵横)
卧式外燃	WW(卧外)	单锅筒横置式	DH(单横)	强制循环式	QX(强循)
卧式内燃	WN(卧内)	双锅筒纵置式	SZ(双纵)		

表2-2 燃烧方式代号

燃烧方式	代 号	燃烧方式	代 号
固定炉排	G(固)	振动炉排	Z(振)
活动手摇炉排	H(活)	下饲炉排	A(下)
链条炉排	L(链)	沸腾炉	F(沸)
往复推动炉排	W(往)	半沸腾炉	B(半)
抛煤机	P(抛)	室燃炉	S(室)
倒转炉排加抛煤机	D(倒)	旋风炉	X(旋)

表2-3 燃烧种类代号

燃烧品种	代 号	燃烧品种	代 号	燃烧品种	代 号
Ⅰ类、石煤、煤矸石	SⅠ	Ⅰ类烟煤	AⅠ	稻糠	D
Ⅱ类、石煤、煤矸石	SⅡ	Ⅱ类烟煤	AⅡ	甘蔗渣	G
Ⅲ类、石煤、煤矸石	SⅢ	Ⅲ类烟煤	AⅢ	油	Y
Ⅰ类无烟煤	WⅠ	褐煤	H	气	Q
Ⅱ类无烟煤	WⅡ	贫煤	P	油母岩	YM
Ⅳ类无烟煤	WⅣ	木柴	M		

例 1:WNGl – 0.7 – AⅡ

卧式内燃固定炉排额定蒸发量 1 t/h,额定出口蒸汽压力为 0.7 MPa,饱和温度,燃用Ⅱ类烟煤,原型设计。

例 2:SHL20 – 2.5/400 – AⅠ2

双锅筒横置式,链条炉排,额定蒸发量为 20 t/h,额定出口压力为 2.5 MPa,额定出口蒸汽温度 400 ℃,燃用Ⅰ类烟煤,第二次设计。

2.电站锅炉的型号编制

电站锅炉产品型号由三部分组成,各部分之间用短横线相连。表示方法如下:

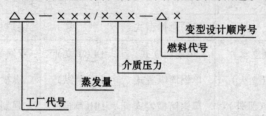

(1)第一部分为锅炉制造厂工厂代号,用二位汉语拼音字母表示。

(2)第二部分为锅炉基本参数,分二段,中间用斜线分开。斜线前第一段用阿拉伯数字表示蒸发量,单位为 t/h;斜线后第二段用阿拉伯数字表示介质出口压力,单位为 MPa。

(3)第三部分为锅炉设计燃料代号和变型设计顺序号。燃煤炉用 M 表示,燃油炉用 Y 表示,燃气炉用 Q 表示,燃其他燃料炉用 T 表示。

例 3:HG – 670/13.73 – M2

哈尔滨锅炉厂制造的 670 t/h、13.73 MPa 的电站锅炉,设计燃料为煤,第二次变型设计。

第二节　锅炉结构

一、要求

对锅炉结构总的要求是安全可靠、高效低耗。具体要求是:①各部分在运行时应能按设计预定方向自由膨胀;②保证各循环回路的水循环正常,所有受热面都应得到可靠的冷却;③各受压部件应有足够的强度;④受压元、部件结构的形式、开孔和焊缝的布置应尽量避免或减少复合应力和应力集中;⑤水冷壁炉膛的结构应有足够的承载能力;⑥炉墙应具有良好的密封性;⑦承重结构在承受设计载荷时应具有足够的强度、刚度、稳定性及防腐蚀性;⑧便于安装、运行操作、检修和清洗内外部;⑨燃煤粉的锅炉,其炉膛和燃烧器的结构及布置应与设计的煤种相适应,并防止炉膛结渣或结焦。

二、主要组成

尽管锅炉的结构形式很多,其制造的难易程度也悬殊很大,但它们一般都包含下述部分受压元件。

(1)锅筒:又称为汽包,被用来汇集、贮存、分离汽水和补充给水。锅筒由锅炉钢板卷成圆筒形,两端加封头组成。锅筒上开有许多管孔,用来连接水冷壁管、对流管束、下降管以及安装其他管道阀门。上下锅筒的封头上还开有人孔。锅筒是锅炉设备中最重要的受压部件,因为它的直径大,汽水容积大、筒壁厚,制造工艺复杂,应力也大,容易发生事故的因素多,而且事故造成的损失也最大,所以设计、制造和检验锅筒时须格外认真。

(2)封头:在立式锅炉中又称炉顶,卧式锅炉中又称管板,起联接锅壳、炉胆和烟管的作用。一般用与锅筒相同的材料压制而成,再与锅筒对接焊成。

(3)联箱:又称集箱,按其用途分为水冷壁联箱、过热器联箱、省煤器联箱等。按其所处位置分为上联箱、下联箱或进口联箱、出口联箱。水冷壁上联箱是用来汇集汽水混合物,然后通过导管引入上锅筒,下联箱接受锅筒或下降管的供水并分配给水冷壁管,同时通过底部的排污孔定期将沉积泥渣排出。联箱由较大直径的锅炉管和两个端盖焊接而成。

(4)水冷壁:水冷壁管布置在炉膛内,直接受辐射热,用锅炉无缝钢管制成。水冷壁除有吸收炉膛辐射热起主要受热面的作用外,还有对炉墙起保护作用和防止煤层结焦的作用。

(5)对流管束:对流管束布置在炉膛后部,受烟气冲刷,用无缝钢管制成。对流管束有顺排和错排两种布置方式,根据布置对流管束分隔成的几个不同区域,烟气温度高的区域的对流管束为上升管,烟气温度低的区域的对流管束为下降管。

(6)省煤器:它的作用是使给水在进入锅筒之前,被预先加热到某一温度。省煤器又分铸铁式和钢管式两种。

(7)过热器:它是把锅筒出来的饱和蒸汽加热成过热蒸汽,以满足生产工艺的需要。过热器也是由蛇形管组成,蛇形管采用锅炉钢管或耐热合金钢管弯制而成。

(8)炉胆及炉胆顶:炉胆,又称火筒,是燃料燃烧的地方。只在立式锅炉和卧式内燃锅炉中有。主要用锅炉钢板弯卷后焊接而成。

炉胆顶又称炉胆封头,常用与炉胆相同的材料压制成凸形或平板形,再与炉胆一端连接。

三、几种锅炉结构

1. 立式弯水管锅炉

立式锅炉是锅筒中心线与地面垂直的锅炉,这种锅炉尺寸小,移运安装迅速,容易操作,但蒸汽压力低、蒸发量低、金属耗量大、热效率较低,清除水垢困难,不宜烧低热值煤。立式锅炉种类很多,这里只对立式弯水管锅炉作简单介绍。结构如图2-1。主要受压部件有锅壳、封头、炉胆、炉胆顶、内外弯水管。锅壳封头上设有人孔一个,锅壳下部设 3～4 个手孔,以备检查清洗之用。燃烧设备是固定炉排。燃烧火焰直接冲刷炉胆和内弯水管,高温烟气由喉管进大锅壳中部的烟箱,然后分左右两路各旋转 180°,对部分锅壳和外弯水管作横向冲刷,最后汇集于烟箱前部,从烟囱排出。

2. 卧式快装锅炉

卧式锅炉是锅筒中心线与地面平行的锅炉,根据燃烧设备的位置又分为卧式内燃与卧式外燃锅炉。由于它结构紧凑,体积小,热效率较高,整装出厂,便于移运和安装,投资省,所以它已被广泛用于生产和生活用炉。

卧式快装锅炉的结构如图2-2所示。主要受压部件有锅壳、前后管板、烟管、水冷壁管、下降管和联箱,整个锅炉是在一个直径较大的锅筒内布置许多烟管,在锅筒两侧布置

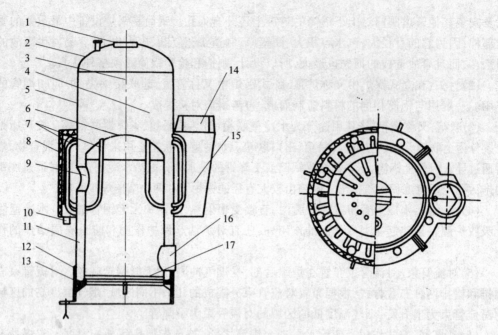

1—人孔；2—封头；3—压力表孔；4—水位表孔；5—炉壳；6—炉胆顶；7—弯水管；8—隔热层；9—烟道口；
10—出灰口；11—炉胆；12—手孔；13—U形脚；14—烟囱；15—烟箱；16—炉门；17—炉排

图 2-1 立式弯水管锅炉

水冷壁。它属于水火管组合式锅炉，煤在锅筒底部的炉排上燃烧，炉排上方的锅筒底部和两侧的水冷壁管组成辐射受热面。燃烧后的高温烟气从炉膛向后流入左侧的烟管(第一束烟管)，由后向前流入前烟箱，在前烟箱内折入右侧的烟管(第二束烟管)，再由前向后流入尾部受热面，最后通过引风机从烟囱排出。水循环回路有两条，一条是锅筒下部的炉水经下降管流入两侧水冷壁管，吸收炉膛辐射热量后形成汽水混合物向上流入锅筒，构成独立的循环回路；另一条是第一束烟管周围的炉水因吸热多而向上流动，第二束烟管周围的炉水因吸热少而向下流动，构成锅筒内部的水循环回路。

3．水管锅炉

水管锅炉的汽、水在管内流动，锅筒一般不受热。主要受压部件有锅筒、集箱、水冷壁管、对流管、过热器、省煤器等。现将水管锅炉 SHL－20－1.25 型的锅炉结构(图 2-3)简介如下：

锅炉本体主要由上、下锅筒、对流管束、水冷壁管和集箱、下降管等部件组成，尾部有省煤器和空气预热器，锅炉前部是炉膛，炉膛四周布满水冷壁管，前后墙的水冷壁管上端直通上锅筒，下端分别与前后联箱连接。为便于在炉膛内砌筑拱墙，将前后墙水冷壁弯成适当的形状，分别构成前拱管和后拱管，侧水冷壁管左右各分成两组，上端与上联箱相连，并经汽水导管与上锅筒相连，下端与分成两段的防焦箱相连。上下锅筒横置在炉膛后部，两锅筒之间有三组对流管束，前一组只有一排管子，位于炉膛出口处，与后墙水冷壁管叉排，构成防渣排管。防渣排管与对流管束之间可以布置过热器，后二组管束中间有三道隔烟墙。

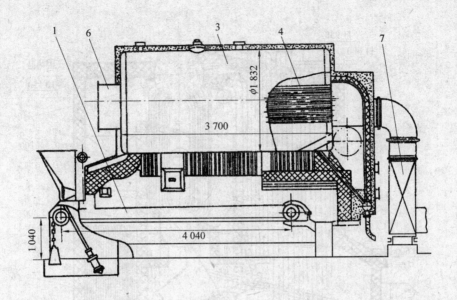

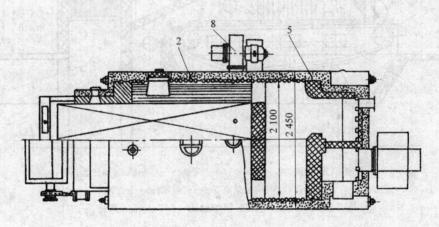

1—链条炉排;2—水冷壁管;3—锅筒;4—烟管;5—下降管;6—前烟管;7—铸铁省煤器;8—送风机

图 2-2　卧式快装锅炉（单位:mm）

烟气流程:高温烟气由炉膛后上方进入对流管束区,先向下再向后转 180°呈 s 形曲折向上冲刷第二、三组管束,然后从第三组管束的上部向下折入省煤器、空气预热器,最后经烟道出口进入除尘器由引风机引出,通过烟囱排出。

水循环回路除对流管束循环回路外,还有炉膛的前后左右四组水冷壁管循环回路。炉膛循环回路都是由下锅筒引管向四个下联箱供水,其中前后水冷壁管内的汽水混合物直接流入上锅筒,而两侧水冷壁管内的汽水混合物先汇集到上联箱再经导管流入上锅筒。

四、锅炉安全附件

锅炉安全附件主要是指锅炉上使用的安全阀、压力表、水位计、水位警报器、排污阀等。这些附件是锅炉运行中不可缺少的组成部分,特别是安全阀、压力表、水位计是司炉工正常操作的耳目,是保证锅炉安全运行的基本附件,常被人们称之为锅炉三大安全附件。

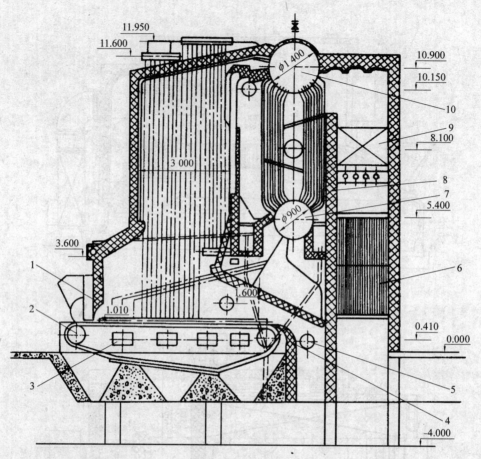

1—煤闸板；2—链条炉排；3—风室；4—老鹰铁；5—人孔门；6—空气预热器；
7—下锅筒；8—旁路烟道管；9—省煤器；10—下锅筒

图 2-3　SHL－20－1.25 锅炉结构　（尺寸:mm,高程:m）

第三节　锅炉的无损探伤要求

无损探伤是锅炉检验的重要手段之一,无论是制造、安装和定期检验,均离不开无损探伤。

一、蒸汽锅炉的无损探伤要求

(1)锅筒(锅壳)的纵向和环向对接焊缝、封头(管板)、下脚圈的拼接焊缝以及集箱的纵向对接焊缝无损探伤检查的数量如下:

①额定蒸汽压力小于或等于 0.1 MPa 的锅炉,每条焊缝应进行 10% 射线探伤(焊缝交叉部位必须在内)。

②额定蒸汽压力大于 0.1 MPa 但小于或等于 0.4 MPa 的锅炉,每条焊缝应进行 25% 的射线探伤(焊缝交叉部位必须在内)。

③额定蒸汽压力大于 0.4 MPa 但小于 2.5 MPa 的锅炉,每条焊缝应进行 100% 射线探

伤。

④额定蒸汽压力大于或等于 2.5 MPa 但小于 3.8 MPa 的锅炉,每条焊缝应进行 100%超声波探伤。焊缝交叉部位及超声波探伤发现的质量可疑部位应进行射线探伤。

⑤额定蒸汽压力大于或等于 3.8 MPa 的锅炉,每条焊缝应进行 100%超声波探伤加至少 25%射线探伤。焊缝交叉部位及超声波探伤发现的质量可疑部位必须进行射线探伤。

封头(管板)、下脚圈的拼接焊缝的无损探伤应在加工成型后进行。

电渣焊焊缝的超声波探伤应在焊缝正火热处理后进行。

(2)炉胆的纵向和环向对接焊缝、回燃室的对接焊缝及炉胆顶的拼接焊缝的无损探伤数量如下:

①额定蒸汽压力小于或等于 0.1 MPa 的锅炉,每条焊缝应进行 10%射线探伤(焊缝交叉部位必须在内)。

②额定蒸汽压力大于 0.1 MPa 的锅炉,每条焊缝应进行 25%的射线探伤(焊缝交叉部位必须在内)。

(3)额定蒸汽压力小于或等于 1.6 MPa 的内燃锅壳锅炉,其管板与炉胆、锅壳的角接连接焊缝的探伤数量如下:

①管板与锅壳的 T 形连接部位的每条焊缝应进行 100%超声波探伤;

②管板与炉胆、回燃室及其 T 形连接部位的焊缝应进行 50%的超声波探伤。

(4)集箱、管子、管道和其他管件的环焊缝(受热面管子接触焊除外),射线或超声波的探伤数量规定如下:

①当外径大于 159 mm,或者壁厚大于或等于 20 mm 时,每条焊缝应进行 100%的探伤。

②外径小于或等于 159 mm 的集箱环缝,每条焊缝长度应进行 25%的探伤,也可不少于每台锅炉集箱环缝条数的 25%。

③工作压力大于或等于 9.8 MPa 的管子,其外径小于或等于 159 mm 时,制造厂内为接头数的 100%,安装工地至少为接头数的 25%。

④工作压力大于或等于 3.8 MPa 但小于 9.8 MPa 的管子,其外径小于或等于 159 mm 时,制造厂内至少为接头数的 50%,安装工地至少为接头数的 25%。

⑤工作压力大于或等于 0.1 MPa 但小于 3.8 MPa 的管子,其外径小于或等于 159 mm 时,制造厂内及安装工地应各至少抽查接头数的 10%。

(5)额定蒸汽压力大于或等于 3.8 MPa 的锅炉,集中下降管的角接接头应进行 100%射线或超声波探伤;每个锅筒和集箱上的其他管接头角接接头,应进行至少 10%的无损探伤抽查。

(6)对接接头的射线探伤应按 GB3323《钢熔化焊对接接头射线照相和质量分级》的规定执行。射线照相的质量要求不应低于 AB 级。

额定蒸汽压力大于 0.1 MPa 的锅炉,对接接头的质量不低于Ⅱ级为合格;额定蒸汽压力小于或等于 0.1 MPa 的锅炉,对接接头的质量不低于Ⅲ级为合格。

(7)对接接头的超声波探伤,当壁厚小于或等于 120 mm 时,应按 JB1152《锅炉和钢制压力容器对接焊缝超声波探伤》的规定执行;当壁厚超过 120 mm 时,可按 GB11345《钢焊缝手工超声波探伤方法和探伤结果分级》的规定进行;管子和管道的对接接头超声波探伤可按 SDJ67《电力建设施工及验收技术规范(管道焊缝超声波检验篇)》的规定进行;超出 SDJ67 适用范围的,按企业标准执行。

采用超声波探伤时,对接接头的质量不低于Ⅰ级为合格。

(8)集中下降管的角接接头的超声波探伤可按 JB3144《锅炉大口径管座角焊缝超声波探伤》的规定执行。

卧式内燃锅壳锅炉的管板与炉胆、锅壳的 T 形接头的超声波探伤按有关规定进行。

(9)焊缝用超声波和射线两种方法进行探伤时,按各自标准均合格者,方可认为焊缝探伤合格。

(10)经过部分射线或超声波探伤检查的焊缝,在探伤部位任意一端发现缺陷有延伸可能时,应在缺陷的延长方向做补充射线或超声波探伤检查。在抽查或在缺陷的延长方向补充检查中有不合格缺陷时,该条焊缝应做抽查数量的双倍数目的补充探伤检查。补充检查后,仍有不合格时,该条焊缝应全部进行探伤。

受压管道和管子对接接头做探伤抽查时,如发现有不合格的缺陷,应做抽查数量的双倍数目的补充探伤检查。如补充检查仍不合格,应对该焊工焊接的全部对接接头做探伤检查。

二、热水锅炉的无损探伤要求

(1)锅筒的纵向和环向对接焊缝、封头(管板)的拼接焊缝以及集箱的纵向对接焊缝的射线探伤数量如下:

①对于额定出口热水温度高于或等于 120 ℃的锅炉,每条焊缝 100%。

②对于额定出口热水温度低于 120 ℃的锅炉,每条焊缝至少 25%(必须包括焊缝交叉部位)。

(2)炉胆的纵向和环向对接焊缝,炉胆顶的拼接焊缝,其射线探伤数量为每条焊缝至少 25%(必须包括焊缝交叉部位)。

(3)对于集箱、管子、管道和其他管件的环焊缝,射线探伤的数量规定见表 2-4。

表 2-4 不同元件的环焊缝射线探伤数量

外 径 (mm)	锅 炉 额 定 出 口 热 水 温 度 (℃)			
	≥120		<120	
	集　　箱	管道、管子、管件	集　　箱	管道、管子、管件
>159	100%		≥25%	
≤159	≥25%	≥2%	≥10%	可免查

(4)对接焊缝的射线探伤应按 GB3323《钢熔化焊对接接头射线照相和质量分级》的规定执行。射线照相的质量要求不应低于 AB 级。

对于额定出口热水温度高于或等于 120 ℃的锅炉,对接焊缝的质量不低于Ⅱ级为合格;对于额定出口热水温度低于 120 ℃的锅炉,对接焊缝的质量不低于Ⅲ级为合格。

(5)经过部分射线探伤检查的焊缝,在探伤部位两端发现有不允许的缺陷时,应在缺陷的延长方向做补充射线探伤检查。补充检查后,对焊缝质量仍有怀疑时,该焊缝应全部进行射线探伤。

锅炉范围内的受压管道和管子对接接头,如发现有不能允许的缺陷,应做双倍数目的补充探伤检查。如补充检查仍不合格,应对该焊工焊接的全部对接接头做探伤检查。

三、锅炉的定期检验及无损探伤要求

1. 锅炉定期检验

为确保及时发现在用锅炉的不安全隐患并采取措施,防止事故的发生,锅炉安全技术监察规程明确规定对锅炉必须进行定期检验。

锅炉定期检验工作包括外部检验、内部检验和水压试验三种:

外部检验是在锅炉运行状态下对锅炉安全状况进行的检验;

内部检验是在锅炉停炉状态下对锅炉安全状况进行的检验;

水压试验是指锅炉以水为介质,以规定的试验压力对锅炉受压部件强度和严密性进行的检验。

锅炉的外部检验一般每年进行一次,内部检验一般每二年进行一次,水压试验一般每六年进行一次。

2. 工业锅炉定期检验的无损探伤要求

(1)锅筒(壳)、封头、管板、炉胆、回燃室和集箱:

①内、外表面和对接焊缝及热影响区有无裂纹等缺陷,必要时应采用表面探伤或其他探伤方法;

②拉撑件、人孔圈、手孔圈、下降管、立式锅炉的炉门圈、吼管、进水管等处的角焊缝是否有裂纹等缺陷,必要时应采用表面探伤;

③部件扳边区有无裂纹、沟槽,高温烟区管板有无泄漏和裂纹,必要时应采用表面探伤;

④受高温辐射和较大应力的部位是否有裂纹和严重的变形;

⑤胀接口是否严密,胀接管口和孔桥有无裂纹和苛性脆化,必要时应采用表面探伤方法或附加金相分析。

(2)管子表面是否有裂纹,必要时应采用表面探伤检查。

(3)对于采用T形接头的焊缝,应检验其是否有变形和焊缝的表面裂纹,必要时应进行表面探伤和超声波探伤。

3. 电站锅炉内部检验的无损探伤要求

(1)锅筒:

①检验内表面是否有裂纹、腐蚀等缺陷,必要时应进行测厚、无损探伤、腐蚀产物及垢样分析;

②检查下降管孔、给水套管及管孔、加药管孔、再循环管孔、安全阀管座等有无裂纹、腐蚀、冲刷情况,必要时应进行探伤检查;

③内部预埋件的焊缝有无裂纹,必要时应进行表面探伤检查;

④水位计的汽水连通管、压力表连通管、蒸汽加热管、汽水取样管、连续排污管等是否完好、畅通,加强型管座是否有裂纹,必要时应进行无损探伤检查;

⑤对于运行时间超过 5 万 h 的锅炉锅筒还应增加以下的无损探伤检验：

对内表面纵、环焊缝及热影响区应进行不少于 25% 的表面探伤(应包括所有的 T 字焊缝)；对纵、环焊缝进行超声波探伤或射线探伤检查，探伤比例一般为：纵缝 25%，环缝 10%(应包括所有的 T 字焊缝)；对集中下降管、给水管角焊缝进行 100% 超声波探伤检查；对安全阀、对空排气阀、引入管、引出管等管座角焊缝进行表面探伤抽查，发现裂纹时应进行超声波探伤复查。

(2)水冷壁与上下集箱：

①防渣管是否有过热、涨粗、变形、鼓包和疲劳裂纹等缺陷，必要时应增加测厚或表面探伤检查；

②管座角焊缝有无超标缺陷、裂纹，必要时应进行表面探伤；

③集箱支座接触是否良好，吊耳与集箱焊缝有无裂纹，必要时应进行表面探伤；

④对于已运行 10 万 h 或调峰机组的锅炉，应对集箱封头焊缝、孔桥部位、管角座焊缝、环形集箱弯头对接焊缝进行表面探伤，探伤比例不少于 25%，必要时应进行超声波探伤。

(3)省煤器进出口集箱：

①集箱短管角焊缝是否有裂纹，必要时应进行表面探伤；

②集箱支座接触是否良好，吊耳或吊挂管与集箱焊缝是否有裂纹，必要时应进行表面探伤；

③对于已运行 10 万 h 的集箱，应对集箱封头焊缝进行表面探伤，探伤比例不应小于 25%。

(4)过热器和再热器集箱：

①环焊缝是否有裂纹等缺陷，必要时应进行无损探伤；

②吊耳、支座与集箱和管座角焊缝是否有裂纹，必要时应进行表面探伤；

③与集箱连接的大直径管等焊缝是否有裂纹等缺陷，必要时应进行无损探伤；

④对于运行时间已达 5 万 h 的，应对集箱外表面的主焊缝和角焊缝进行表面探伤检查，探伤比例应不少于 25%，必要时应进行超声波探伤或射线探伤；

⑤对于出口集箱引入管孔桥部位宜进行超声波探伤检查，以确定是否有内部裂纹。

(5)减温器：

①筒体环焊缝、封头焊缝是否有裂纹等缺陷，必要时进行无损探伤；

②吊耳、支座与集箱和管座角焊缝是否有裂纹，必要时应进行表面探伤；

③对于运行时间已达 5 万 h 的，应对筒体外表面的主焊缝和角焊缝进行表面探伤检查，探伤比例应不少于 25%，必要时应进行超声波探伤或射线探伤。

(6)外置式分离器、集中下降管及分配管：

表面是否有腐蚀、裂纹、变形等缺陷，必要时应进行测厚和无损探伤。

(7)锅炉范围内管道：

①导气管、主蒸汽管、再热蒸汽管、给水管、旁路管等是否有腐蚀、裂纹等缺陷，抽查弯头厚度；应用无损探伤检查是否有裂纹或其他缺陷；

②其他承压管道是否有腐蚀、裂纹、变形等缺陷，必要时应进行测厚和无损探伤。

四、锅炉定期检验中的安全注意事项

对锅炉内部检验时,必须注意以下安全措施:

(1)提前停炉,放净锅炉内的水,打开锅炉上的人孔、头孔、手孔、检查孔和灰门等一切门孔装置,使锅炉内部得到充分冷却,并通风换气;

(2)采取可靠措施隔断受检锅炉与热力系统相连的蒸汽、给水、排污等管道及烟、风道并切断电源,对于燃油、燃气的锅炉还需可靠地隔断油、气来源并进行通风置换;

(3)排除妨碍检查的汽水挡板、分离装置及给水、排污装置等锅筒内件,并准备好用于照明的安全电源;

(4)对于需要登高检验作业(离地面或固定平面3 m以上)的部位,应搭脚手架;

(5)进入锅筒、炉膛、烟道等进行检验时,应有可靠通风和专人监护。

【复习思考题】

1. 锅炉如何分类?

2. 举例说明工业锅炉产品型号的编制方法。

3. 锅炉结构应满足哪些基本要求?

4. 什么是卧式快装锅炉?它由哪些受压元件所组成?

5. 工业锅炉上的主要安全附件有哪些?各有什么作用?

6. 锅炉在无损探伤方面有哪些要求?

7. 锅炉定期检验有哪几种?内部检验在无损探伤方面有哪些要求?

8. 在进行锅炉内部检验时,应做好哪些安全工作?

第三章 压力容器基础知识

第一节 压力容器的分类

一、按压力容器的设计压力分类

按压力容器的设计压力(p)分为：

(1)低压(代号 L)0.1 MPa$\leqslant p <$1.6 MPa；

(2)中压(代号 M)1.6 MPa$\leqslant p <$10 MPa；

(3)高压(代号 H)10 MPa$\leqslant p <$100 MPa；

(4)超高压(代号 U)$p \geqslant$100 MPa。

二、按压力容器在生产工艺过程中的作用原理分类

按压力容器在生产工艺过程中的作用原理可分为：

(1)反应压力容器(代号 R)：主要用于完成介质的物理、化学反应的压力容器,如反应器、反应釜、分解锅、硫化罐、分解塔、聚合釜、高压釜、超高压釜、合成塔、变换炉、蒸煮锅、蒸球、蒸压釜、煤气发生炉等；

(2)换热压力容器(代号 E)：主要用于完成介质的热量交换的压力容器,如管壳式余热锅炉、热交换器、冷却器、冷凝器、蒸发器、加热器、消毒锅、染色器、烘缸、蒸炒锅、预热锅、溶剂预热器、蒸锅、蒸脱机、电热蒸汽发生器、煤气发生炉水夹套等；

(3)分离压力容器(代号 S)：主要用于完成介质的流体压力平衡缓冲和气体净化分离的压力容器,如分离器、过滤器、集油器、缓冲器、洗涤器、吸收塔、铜洗塔、干燥塔、汽提塔、分汽缸、除氧器等；

(4)储存压力容器(代号 C,其中球罐代号 B)：主要用于储存、盛装气体、液体、液化气体等介质的压力容器,如各种型式的储罐。

三、按制造方法分类

按制造方法的不同分为：焊接容器、锻造容器、铆接容器、铸造容器和组合式容器。

四、按制造材料分类

按制造材料的不同分为：钢制容器、有色金属容器、非金属容器。

五、按壁厚分类

按壁厚可分为：薄壁容器和厚壁容器两种($K = D_w/D_n \leqslant 1.1 \sim 1.2$ 者为薄壁容器,超过这个范围者为厚壁容器。D_w 为容器外径,D_n 为容器内径)。

六、按壁温分类

按壁温可分为：高温容器($t \geqslant 450\ ℃$)、常温容器($-20\ ℃ < t < 450\ ℃$)、低温容器($t \leqslant -20\ ℃$)。

七、按形状分类

按形状可分为：球形容器、圆筒形容器、圆锥形容器、矩形容器和组合形容器。

八、按承压方式分类

按承压方式可分为：内压容器(壳体内部承压)和外压容器。

九、按使用方式分类

按使用方式分为：固定式容器和移动式容器。移动式容器一般包括铁路罐车、汽车罐车、罐式集装箱和各类气瓶(钢制无缝气瓶、钢质焊接气瓶、溶解乙炔气瓶、液化石油气钢瓶等)。

十、按安全监察要求分类

《压力容器安全技术监察规程》适用范围内压力容器可划分为三类：

(1)下列情况之一的,为第三类压力容器：

①高压容器；

②中压容器(仅限毒性程度为极度和高度危害介质)；

③中压储存容器(仅限易燃或毒性程度为中度危害介质,且 pV 乘积大于等于 10 MPa·m³)；

④中压反应容器(仅限易燃或毒性程度为中度危害介质,且 pV 乘积大于等于 0.5 MPa·m³)；

⑤低压容器(仅限毒性程度为极度和高度危害介质,且 pV 乘积大于等于 0.2 MPa·m³)；

⑥高压、中压管壳式余热锅炉；

⑦中压搪玻璃压力容器；

⑧使用强度级别较高(指相应标准中抗拉强度规定值下限大于等于 540 MPa)的材料制造的压力容器；

⑨移动式压力容器,包括铁路罐车(介质为液化气体、低温液体)、罐式汽车(液化气体运输(半挂)车、低温液体运输(半挂)车、永久气体运输(半挂)车)和罐式集装箱(介质为液化气体、低温液体)等；

⑩球形储罐(容积大于等于 50 m³)；

⑪低温液体储存容器(容积大于 5 m³)。

(2)下列情况之一的,为第二类压力容器(符合三类要求的除外)：

①中压容器；

②低压容器(仅限毒性程度为极度和高度危害介质)；

③低压反应容器和低压储存容器(仅限易燃介质或毒性程度为中度危害介质)；

④低压管壳式余热锅炉；

⑤低压搪玻璃压力容器。

(3)低压容器为第一类压力容器(符合三类和二类要求的除外)。

上述分类涉及压力容器中化学介质毒性程度和易燃介质的划分参照 HG20660《压力容器中化学介质毒性危害和爆炸危险程度分类》的规定。无规定时,按下述原则确定毒性程度：

(1)极度危害(Ⅰ级)最高容许浓度 <0.1 mg/m³；

(2)高度危害(Ⅱ级)最高容许浓度 0.1~ <1.0 mg/m³；

（3）中度危害（Ⅲ级）最高容许浓度 1.0 ~ < 10 mg/m³;

（4）轻度危害（Ⅳ级）最高容许浓度 ≥ 10 mg/m³。

第二节　压力容器结构

一、对压力容器结构的要求

（1）足够的强度：压力容器的受压元件都应有足够的强度，否则就不能保证安全。

（2）刚度：即构件在外力作用下保持原来形状的能力。有时压力容器构件主要决定于刚度而不是强度，例如承受外压的元件。

（3）一定的耐久性：根据所要求的使用年限来决定压力容器的耐久性，它大多决定于腐蚀情况，在某些情况下，还决定于设备的疲劳、蠕变等。

（4）可靠的密封性：密封的可靠性直接关系到安全生产，这是由于生产的介质往往易燃易爆或有毒有害，介质泄露可能导致爆炸或中毒事故。

（5）制造、操作和运输方便：压力容器结构应考虑便于制造和检查，以保证质量和长期运行，并尽量采用标准部件，还要便于操作和日常维修，设置必要的人孔、检查孔。此外还应注意陆路运输的方便，其直径、长度和重量应符合运输部门的规定。

二、压力容器的主要组成元件

压力容器的结构型式是多种多样的。它是根据容器的作用、工艺要求、加工设备和制造方法等因素确定的。但容器的基本结构是由承受压力的壳体、连接件、密封件和支座等主要部件组成的。

压力容器按其结构特征，主要有圆筒形容器、管壳式换热容器和球形容器。

三、圆筒形容器的结构

1. 筒体

图 3-1 所示，容器的筒体为圆筒形，因此称圆筒形容器。筒体是压力容器的最主要部分，贮存物料或完成化学反应所需的压力空间，大部分是由它构成的。圆筒筒体按其结构又可分整体式和组合式两大类：

（1）整体式筒体也就是器壁只有一层。中低压容器由于壁厚较薄，因此多为整体式筒体，其中除直径较小时采用无缝管制作外，大部分均采用单层卷板这一制造方式。整体式筒体结构简单、工序少、制造方便、生产率高。

（2）组合式筒体，即筒体的壁厚在厚度方向是由两层或两层以上互不连续的材料构成的。组合式筒体厚度没有限制，能充分发挥不同材料的特性，节省贵重钢材，另外运行时的安全性能优于整体式筒体，它不易发生脆性破坏，且破坏时不易产生碎片，危害性较小。整体式筒体和组合式筒体虽各有优劣，但它们又不能互相代替。

2. 封头

根据几何形状的不同，封头可以分为球形封头、椭圆形封头、锥形封头和碟形封头等数种。当容器组装后不再需要开启时，上、下封头应直接和筒体焊在一起，这样有效地保证密封、节省材料和减少加工制造的工作量。对于因检修和更换内件的需要而必须开启的容器，封头与筒体的连接应做成可拆式的，此时封头与筒体之间就必须要有一个密封结构。

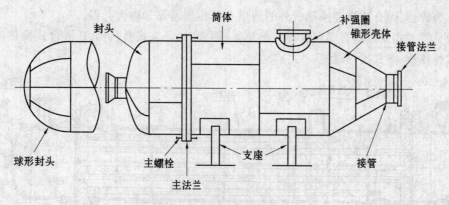

图 3-1　圆筒形容器的结构

3. 法兰

法兰是容器及管道连接中的重要部件,它的作用是通过螺栓和垫片的连接与密封,保证系统不致发生泄露。法兰按其连接的部件分为管法兰和容器法兰。用于管道连接的叫管法兰,用于容器端盖与筒体或管板与容器连接的叫容器法兰。法兰通过螺栓连接,是容器中用得最多的一种连接结构,如封头与筒体、各种接管以及人孔、手孔。法兰螺栓连接虽开启不十分方便,但其结构简单,使用可靠。

4. 密封元件

密封元件放在两个法兰的接触面之间,借助于螺栓等连接件压紧,从而使容器内的液体或气体被封住不致泄露。密封元件按所用材料的不同,分为非金属密封元件(如石棉垫、聚四氟乙烯垫等)、金属密封元件(如紫铜垫、铝垫、软钢垫等)和组合式密封元件(如铁包石棉垫、钢丝缠绕石棉垫),密封元件按其截面形状的不同,可分为平垫片、三角形垫片、八角形垫片、透镜式垫片等。密封结构是压力容器的一个重要组成部分。压力容器能否正常工作在很大程度上取决于密封结构的完善性,因为介质是有毒、易燃气体,不允许有一点泄露。

5. 开孔与接管

因工艺要求与检修的需要,在筒体或封头上开设各种孔或安装接管,如人孔、手孔、物料孔或安装各种仪表、阀门等接管开孔。开孔是容器中一个主要薄弱环节,对容器的疲劳寿命影响较大,因而,容器上要尽量减少开孔的数量,避免开大孔。对于高压容器要尽量避免在筒体上开孔,而要把开孔位置移到安全裕度较大的封头。

6. 支座

容器靠支座支撑在基础上。随着圆筒形容器的安装位置不同,有立式容器支座和卧式容器支座两类。常用的立式容器支座有悬挂式支座、支撑式支座、裙式支座等。卧式容器支座主要采用鞍式支座。

上述六大部分即构成了一台压力容器的外壳。

四、管壳式换热器的结构

常见的换热器有管壳式、盘管式、螺旋板式和波纹板式等,其中以管壳式用得最多。

管壳式换热容器的介质通常有两种流体通道,介质流经换热管内的通道及其相贯通部分称为管程,而介质流经换热管外的通道及其相贯通部分称为壳程。

常见管壳式换热器有固定管板式换热器(图 3-2)、浮头式换热器、U 形管式换热器、填料函式换热器、釜式换热器等。

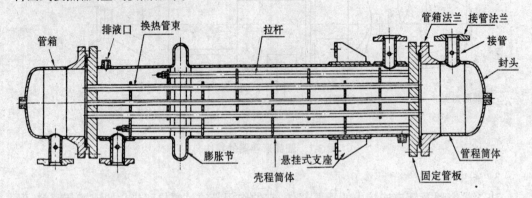

图 3-2　固定管板式换热器

1. 壳程筒体

壳程筒体一般为圆筒形,既是换热管束布置空间,也是一种换热介质流动的腔体。筒体两侧与固定管板连接,但对釜头式或活动管板式换热容器,两侧则与壳体法兰连接。

2. 管箱

管箱一般由管程筒体、封头(或平盖)管箱法兰组成。管箱与壳体的连接用管板或设备法兰连接。

3. 管板

管板是换热容器中受力最复杂的零件,其主要作用为连接换热管束,也可兼作壳体法兰或不兼壳体法兰。管板和换热管的连接可以是焊接、胀接或先胀后焊。

4. 封头(平端盖)

管箱一般常带封头。封头一般为椭圆形封头、锥形封头或平端盖。对 U 形管换热器、壳程筒体一侧也带封头。

5. 主法兰

主法兰称设备法兰,一般指壳体法兰和管箱法兰。

6. 主螺栓

连接壳体法兰(或管板)和管箱法兰的螺栓。

7. 密封件

壳体法兰(或管板)和管箱之间用密封垫片作为密封件。函式换热器则用填料函结构来密封。

8. 换热管

主要换热部件常见的有列管、U 形管、刺刀管等型式。

9. 膨胀节

膨胀节用在外壳上以补偿壳体与换热管胀缩不同而引起的应力。根据筒体的长度和管壳温差,来决定所需膨胀节的型式和数量。

10. 接管

换热器接管主要包括换热介质进出口接管和放气口、排液口及仪表管等。

五、球形容器的结构

球形容器本体是一个球壳。从壳体受力情况看,最适宜的形状就是球形。在相同压力下,球形壳体所受压力最小。在相同容积下,表面积最小。若选用同样材料,表面积小,壁厚薄,即最省材料,但制造比较困难,故一般只用来做大型贮存容器。

球壳结构形式分橘瓣式和混合式。常见的有三带、四带、五带等不同结构的球罐。图3-3为五带混合式球形容器。

1. 球壳板

球壳各带及上下两板均由多块球壳板组成。球壳板也称瓣片。球壳板采用热压或冷压成型,先预制成球瓣,然后在现场组焊成球罐。

2. 支柱

球壳与支柱的连接一般为赤道正切型式。用钢管制作的支柱,沿赤道等距离布置,并正切于球形容器的赤道。连接处一般采用支柱翻边结构或加托板的结构型式。支柱之间由拉杆相联。拉杆可分为可调式和固定式两种。

六、压力容器内件

压力容器作为一种生产工艺设备,有些

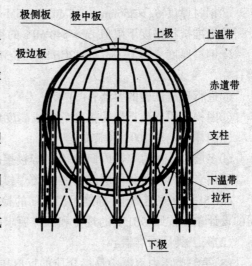

图 3-3 五带混合式球罐

容器内部还装有工艺所要求的内件。如塔板、塔盘、搅拌器、各种分布器、隔板、折流板等。本节不再做专门介绍。

七、安全附件

为了确保压力容器的安全运行,防止因超温、超压等原因而发生事故,除了从设计制造、使用、管理和检验等环节采取措施外,还应根据需要在容器上装设必要的安全附件。如安全阀、爆破片、易熔塞、紧急切断阀、压力表、温度计、液位计等,在压力容器的使用过程中,必须加强安全附件的维护保养和定期校验,确保安全附件齐全、灵敏、可靠。

第三节　压力容器无损探伤要求

一、压力容器无损探伤要求

1. 压力容器的焊接接头,应先进行形状尺寸和外观质量的检查,合格后,才能进行无损检测。有延迟裂纹倾向的材料应在焊接完成24 h后进行无损检测;有再热裂纹倾向的材料应在热处理后再增加一次无损检测。

2. 压力容器的无损检测方法包括射线、超声、磁粉、渗透和涡流检测等。压力容器制造单位应根据设计图样和有关标准的规定选择检测方法和检测长度。

3. 压力容器的对接焊接接头的无损检测比例,一般分为全部(100%)和局部(20%)两种。对铁素体钢制低温容器,局部无损检测的比例大于等于50%。

4. 符合下列情况之一时,压力容器的对接接头,必须进行全部射线或超声检测:

(1)GB150及GB151等标准中规定进行全部射线或超声检测的压力容器。

GB150—1998标准规定如下:凡符合下列条件之一的容器及受压元件,需采用图样规定的方法,对其A类和B类焊接接头,进行百分之百射线或超声检测。

①钢材厚度 $\delta_S > 30$ mm 的碳素钢、16MnR;

②钢材厚度 $\delta_S > 25$ mm 的 15MnVR、15MnV、20MnMo 和奥氏体不锈钢;

③标准抗拉强度下限值 $\sigma_b > 540$ MPa 的钢材;

④钢材厚度 $\delta_S > 16$ mm 的 12CrMo、15CrMoR、15CrMo;其他任意厚度的 Cr - Mo 低合金钢;

⑤进行气压试验的容器;

⑥图样注明盛装毒性为极度危害或高度危害介质的容器;

⑦图样规定须 100% 检测的容器;

⑧多层包扎压力容器内筒的 A 类焊接接头;

⑨热套压力容器各单层圆筒的 A 类焊接接头。

GB151—89 规定如下:焊缝无损探伤的检查要求和评定标准应根据换热器管、壳程不同的设计条件按照 GB150 的规定和图样要求执行。

(2)第三类压力容器。

(3)第二类压力容器中易燃介质的反应压力容器和储存压力容器。

(4)设计压力大于 5.0 MPa 的压力容器。

(5)设计压力大于等于 0.6 MPa 的管壳式余热锅炉。

(6)设计选用焊缝系数为 1.0 的压力容器(无缝管制筒体除外)。

(7)疲劳分析设计的压力容器。

(8)采用电焊渣的压力容器。

(9)使用后无法进行内外部检验或耐压试验的压力容器。

(10)符合下列之一的铝、铜、镍、钛及其合金制压力容器:

①介质为易燃或毒性程度为极度、高度、中毒危害的;

②采用气压试验的;

③设计压力大于等于 1.6 MPa 的。

5. 压力容器焊接接头检测方法的选择要求如下:

(1)压力容器壁厚小于等于 38 mm 时,其对接接头应采用射线检测;由于结构等原因,不能采用射线检测时,允许采用可记录的超声检测。

(2)压力容器壁厚大于 38 mm(或小于等于 38 mm,但大于 20 mm,且使用材料抗拉强度规定值下限大于等于 540 MPa)时,其对接接头如采用射线检测,则每条焊缝还应附加局部超声检测;如采用超声检测,则每条焊缝还应附加局部射线检测。无法进行射线检测或超声检测时,应采用其他检验方法进行附加局部无损检测。附加局部无损检测应包括所有的焊缝交叉部位,附加局部检测的比例为第 3 条规定的原无损检测比例的 20%。

(3)对有无损检测要求的角接接头、T 形接头,不能进行射线或超声检测时,应做 100%的表面检测。

(4)铁磁性材料压力容器的表面检测应优先选用磁粉检测。

(5)有色金属制压力容器对接接头应尽量采用射线检测。

6. 除上述第 4 条规定之外的其他压力容器,其对接接头应做局部无损检测,并应满足第 3 条、第 5 条的规定。局部无损检测由制造单位检验部门根据实际情况指定。但对所有的焊缝交叉部位以及开孔区将被其他元件覆盖的焊缝部分必须进行射线检测,拼接封头(不含先成型后组焊的拼接接头)、拼接管板的对接接头必须进行 100%无损检测(检测方法的选择按第 5 条规定),拼接补强圈的对接接头必须进行 100%超声或射线检测,其合格级别与压力容器壳体相应的对接接头一致。

拼接接头应在成型后进行无损检测,若成型前进行无损检测,则成型后应在圆弧过渡区再做无损检测。

搪玻璃设备上、下接环与夹套组装焊接接头、公称直径小于 250 mm 的搪玻璃设备接管焊接接头可免做无损检测,但应按 JB4708 做焊接工艺评定,编制切实可行的焊接工艺规程,经制造单位技术负责人或总工程师批准后严格执行。上、下接环与筒体连接的焊接接头,应做渗漏试验。

经过局部射线检测或超声检测的焊接接头,若在检测部位发现超标缺陷时,则应进行不少于该条焊接接头长度 10%的补充局部检测;如仍不合格,则应对该条焊接接头全部检测。

7. 压力容器的无损检测按 JB4730《压力容器无损检测》执行。

对压力容器对接接头进行全部(100%)或局部(20%)无损检测:当采用射线检测时,其透照质量不应低于 AB 级,其合格级别为Ⅲ级,且不允许有未焊透;当采用超声检测时,其合格级别为Ⅱ级。

对 GB150、GB151 等标准中规定全部(100%)无损检测的压力容器、第三类压力容器、焊缝系数 1.0 的压力容器以及无法进行内外部检测或耐压试验的压力容器,其对接接头进行全部(100%)无损检测:当采用射线检测时,其透照质量不低于 AB 级,其合格级别为Ⅱ级;当采用超声检测时,其合格级别为Ⅰ级。

公称直径大于等于 250 mm(或公称直径小于 250 mm,其壁厚大于 28 mm)的压力容器接管对接接头的无损检测比例及合格级别应与压力容器壳体主体焊缝要求相同;公称直径小于 250 mm,其壁厚小于等于 28 mm 时仅做表面无损检测,其合格级别为 JB4730 规定的Ⅰ级。

有色金属制压力容器焊接接头的无损检测合格级别、射线透照质量按相应标准或由设计图样规定。

8. 压力容器的对接接头进行全部或局部无损检测,采用射线或超声两种方法进行时,均应合格。其质量要求和合格级别,应按各自合格标准确定。

9. 进行局部无损检测的压力容器,制造单位也应对未检测部分的质量负责。

10. 压力容器表面无损检测要求如下:

(1)钢制压力容器的坡口表面、对接、角接和 T 形接头、临时吊耳和拉筋的垫板割除后,当使用材料抗拉强度规定值下限大于等于 540 MPa 时,应按 GB150、GB151、GB12337 等标准的有关规定进行磁粉或渗透检测。检查结果不得有任何裂纹、成排气孔、分层,并应符合 JB4730 标准中磁粉或渗透检测的缺陷显示痕迹等级评定的Ⅰ级要求。

(2)有色金属制压力容器应按相应的标准或设计图样规定进行。

11. 现场组装焊接的压力容器,在耐压试验前,应按标准规定对现场焊接的焊接接头进行表面无损检测;在耐压试验后,应按有关标准规定进行局部表面无损检测,若发现裂纹等超标缺陷,则应按标准规定进行补充检测,若仍不合格,则应对该焊接接头做全部表面无损检测。

12. 制造单位必须认真做好无损检测的原始记录,检测部位图应清晰、准确地反映实际检测的方位(如射线照相位置、编号、方向等),正确填发报告,妥善保管无损检测档案和底片(包括原缺陷的底片)或超声自动记录资料,保存期不应少于 7 年。7 年后若用户需要可转交用户保管。

二、气瓶的无损探伤要求

1. 钢质无缝气瓶无损探伤要求

采用淬火后回火处理的瓶体,应进行逐只无损探伤,且不得有裂纹或裂纹性缺陷。

2. 钢质焊接气瓶无损探伤要求

(1)采用焊缝系数 $\varphi = 1$ 设计的钢瓶,每只钢瓶的纵、环焊缝均必须进行 100% 射线透照检测。

采用焊缝系数 $\varphi = 0.9$ 设计的钢瓶,对于只有一条环缝的,按生产顺序每 50 只抽取 1 只(不足 50 只时,也应抽取 1 只)进行焊缝全长的射线透照检测;对于有一条纵焊缝,两条环焊缝的钢瓶,每只钢瓶的纵、环焊缝均必须进行不少于该焊缝长度的 20% 的射线透照检测。如发现有超过标准规定的缺陷时,应在缺陷两端各延长焊缝总长的 20% 检验。一端长度不够时,在另一端补足。若仍有超过标准规定的缺陷时,则应进行 100% 焊缝检验。

(2)射线透照的部位应包括纵、环焊缝的交接处。

(3)焊缝射线透照检测按 JB4730 进行,射线透照底片质量为 AB 级,焊缝缺陷等级不低于Ⅱ级。

(4)未经射线透照的瓶体对接焊缝质量也应符合(3)条的要求。如经复验发现仅属于气孔超标的缺陷,可由钢瓶制造单位和用户协商处理。

3. 溶解乙炔气瓶

溶解乙炔气瓶瓶体无损探伤要求与钢质焊接气瓶无损探伤要求完全相同。

4. 液化石油气钢瓶无损探伤要求

(1)YSP－10 型和 YSP－15 型钢瓶,按生产顺序每 50 只抽取 1 只(不足 50 只时,也应抽取 1 只),对环焊缝进行 100% 射线照相检验。如不合格,应再抽取 2 只检验。如仍有 1 只不合格时,则应逐只检验。

(2)YSP－50 型钢瓶,对于采取局部射线照相检验的,应逐只检验。每只应进行不少于纵、环焊缝总长 20% 的射线照相检验,并包括纵、环焊缝的交接处。如发现有超过标准规定的缺陷时,应在缺陷两端各延长焊缝总长的 20% 检验。一端长度不够时,在另一端补足。若仍有超过标准规定的缺陷时,则应进行 100% 焊缝检验。

(3)焊缝射线照相检验结果按 JB4730 评定,Ⅲ级为合格。

(4)未经射线照相检验的焊缝质量也应符合(3)条的规定。

三、压力容器定期检验无损探伤要求

1. 压力容器定期检验

压力容器定期检验分为:

(1)外部检查:是指在用压力容器运行中的定期在线检查,每年至少一次。外部检查可由检验单位有资格的压力容器检验员进行,也可由经安全监察机构认可的使用单位压力容器专业人员进行。

(2)内外部检验:是指在用压力容器停机时的检验。内外部检验应由检验单位有资格的压力容器检验员进行。其检验周期分为:

①安全状况等级为 1、2 级的,每 6 年至少一次。

②安全状况等级为 3 级的,每 3 年至少一次。

(3)耐压试验:是指压力容器停机检验时,所进行的超过最高工作压力的液压试验或气压试验。对固定式压力容器,每两次内外部检验期间内,至少进行一次耐压试验;对移动式压力容器,每 6 年至少进行一次耐压试验。

2. 压力容器定期检验的无损探伤要求

(1)内外部检验应以宏观检查、壁厚测定为主,必要时可采用以下的检验方法:①表面探伤;②射线探伤;③超声波探伤;④硬度测定;⑤金相检验;⑥应力测定;⑦声发射检测;⑧耐压试验。

(2)内表面的焊缝(包括近缝区),应以肉眼或 5～10 倍放大镜检查裂纹。有下列情况之一的,应进行不小于焊缝长度 20% 的表面探伤检查:

材料强度级别 $\sigma_b > 540$ MPa 的;Cr－Mo 钢制的;有奥氏体不锈钢堆焊层的;介质有应力腐蚀倾向的;其他有怀疑的焊缝。

如发现裂纹,检验员应根据可能存在的潜在缺陷,确定增加表面探伤的百分比;如仍发现裂纹,则应进行全部焊缝的表面探伤检验。同时要进一步检查外表面的焊缝可能存在的裂纹缺陷。内表面的焊缝已有裂纹的部位,对其相应外表面的焊缝应进行抽查。

(3)对应力集中部位、变形部位、异种钢焊接部位、补焊区、工卡具焊迹、电弧损伤处和易产生裂纹部位,应重点检查。

(4)绕带式压力容器的钢带始、末端焊接接头,应进行表面裂纹检查。

(5)焊缝咬边检查。对焊接敏感性材料,还应注意检查可能发生的焊趾裂纹。

(6)利用超声波测厚仪测定壁厚时,如遇到母材存在夹层缺陷,应增加测定点或用超声波探伤仪,查明夹层分布情况,以及与母材表面的倾斜度。测定临氢介质的压力容器壁厚时,如发现壁厚"增值",应考虑氢腐蚀的可能性。

(7)有下列情况之一时,一般应进行射线探伤或超声波探伤抽查,必要时还应相互复验:①制造中焊缝经过两次以上返修或使用过程中焊缝补焊过的部位;②检验时发现焊缝表面裂纹,认为需要进行焊缝埋藏缺陷检查的;③错边量和棱角度有严重超标的焊缝部

位;④使用中出现焊缝泄露的部位及其两端延长部位;⑤用户要求或检验员认为有必要的部位。

已进行过此项检查,再次检验时,如无异常情况,一般可不再复查。

(8)检查方法和抽查数量,由检验员根据具体情况确定。

(9)紧固件检查:对高压螺栓应逐个清洗,检查其损伤和裂纹情况,必要时应进行表面无损探伤。应重点检查螺纹及过渡部位有无环向裂纹。

四、压力容器定期检验安全注意事项

1．影响内外表面检验的附设部件或其他物体,应按检验要求进行清理或拆除。

2．为检验而搭设的脚手架、轻便梯等设施,必须安全牢固,便于进行检验和检测工作。

3．对槽、罐车检验时,应采取措施防止车体移动。

4．高温或低温条件下运行的压力容器,应按照操作法的要求缓慢地降温或升温,防止造成损伤。

5．检验前,必须切断与压力容器有关的电源,拆除保险丝,并设置明显的安全标志。

6．如需现场射线探伤时,应隔离出透照区,设置安全标志。

7．进行内外部检验时,还应符合下列条件:

(1)必须将内部介质排除干净,用盲板隔断所有液体、气体或蒸汽的来源,设置明显的隔离标志。

(2)具有易燃、助燃、毒性或窒息性介质的,必须进行置换、中和、消毒、清洗,并取样分析,分析结果应达到有关规范、标准的规定。取样分析的间隔时间,应在使用单位的有关制度中作出具体规定。

人孔和检查孔打开后,必须注意清除所有可能滞留的易燃、有毒、有害气体。压力容器内部空间的气体含氧量应在 18% ~ 23%(体积比)。必要时,还应配备通风、安全救护等设施。

具有易燃介质的,严禁用空气置换。

(3)能够转动的或其中有可动部件的压力容器,应锁住开关,固定牢靠。

(4)需要进行检验的表面,特别是腐蚀部位和可能产生裂纹性缺陷部位,应彻底清扫干净。

(5)检验用灯具和工具的电源电压,应符合 GB3805《安全电压》的规定。

(6)内部检验时,应有专人监护,并有可靠的联络措施。

8．检验用的设备和器具,应在检定有效期内,经检查和校验合格后方可使用。

【复习思考题】

1．压力容器的主要分类方式有哪些?

2．《压力容器安全技术监察规程》对压力容器如何分类?

3．对压力容器结构有何原则要求?

4．试述圆筒形压力容器、管壳式换热器、球形容器的主要组成元件。

5. 压力容器的主要安全附件有哪些？
6. 压力容器在无损探伤方面有哪些要求？
7. 各类气瓶在无损探伤方面有哪些要求？
8. 压力容器定期检验有哪几种形式？内外部检验对无损探伤有哪些要求？
9. 在进行压力容器内外部检验时,应做好哪些安全工作？

第四章 金属材料及热处理

第一节 钢和钢的表示方法

一、钢的定义

含碳量在 0.02% ~ 2.06% 的铁碳合金称为钢。碳钢是除碳以外尚有少量其他元素存在的钢。常见的元素有硅、锰、磷、硫等。

含碳量≤0.25%的碳钢称为低碳钢,含碳量在 0.25% ~ 0.6% 的碳钢称为中碳钢,含碳量 >0.60% 的称为高碳钢。

二、铁碳合金状态图

含碳量小于 2.06% 的铁碳合金状态图又称为钢的状态。如图 4-1 所示。图上的纵坐标表示温度,横坐标表示碳的含量,即铁碳合金中碳的百分比含量。

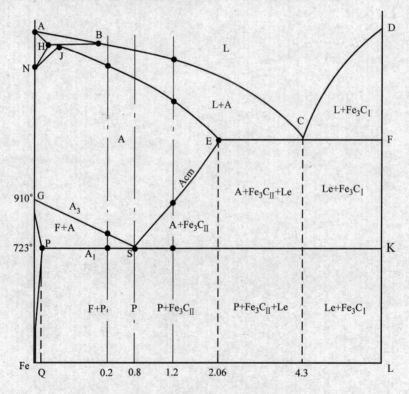

图 4-1 简化后的铁碳合金状态图

纯铁液体凝固后得到一种金属晶体构造中称为体心立方晶格的铁,称为 δ - Fe,在 1 390 ℃以下,δ - Fe 转变为面心立方晶格的 γ - Fe,当温度降至 910 ℃时,γ - Fe 又转变成为体心立方晶格的 α - Fe。

合金的构造可分为以下三类：

固溶体：组成合金各组元在凝固后仍然保持溶解的状态而形成的均匀固相，就称为固溶体。固溶体是单相。碳溶于 $\gamma-Fe$ 中形成的固溶体称为奥氏体，如相图曲线 GS 和 SE 上部区域所示。碳溶于 $\alpha-Fe$ 中形成的固溶体称为铁素体，即 GS 线以下部分。

金属化合物：是合金各组元相互化合而形成的一种新晶体，化合物也是单相。例如，钢中的碳与铁结合生成稳定的化合物 Fe_3C，这种化合物称为渗碳体，即 SE 线以下部分。

机械混合物：机械混合物是由两种以上的相混合而成的。例如，某些条件下，钢中的铁素体和渗碳体可以混合形成机械混合物，这种混合物称为珠光体，即 PSK′线以下部分。

铁碳合金图中的特性线是不同成分的合金具有相同意义的临界点的连线。它们的物理意义如下：

ABCD 线：即液相线。此线以上全部为液体，钢加热到此线所表示的温度时，全部熔化成液体，而冷却到此线时则开始结晶。

AHJECF 线：为固相线。合金冷却到此线以下全部结晶为固体，此线以下为固态区。钢加热到此线所表示的温度时，开始出现液体。

在液相线与固相线之间的为合金的结晶区域，在这个区域内液体与固体并存。

含碳量在 0.02% ~ 2.06% 之间的铁碳合金称为钢。从锅炉压力容器用材出发，我们主要研究钢。因此，只要抓住状态图左下角部分的两点（E、S）、三线（GS、ES、PSK），就能掌握钢的组织随成分和温度变化的规律。

(1)PSK 线，又称 A_1 线。它表示钢在缓慢冷却时，奥氏体开始转变为珠光体的温度线。或在缓慢加热时珠光体转变为奥氏体的温度线。合金冷却到此线时，在恒温（723℃）下从奥氏体中同时析出铁素体和渗碳体。此反应称为共析反应。反应产物为珠光体（F + FeC）。

(2)GS 线，又叫 A_3 线。它表示钢在缓慢冷却时，由奥氏体开始析出铁素体的温度线，或在缓慢加热时铁素体转变为奥氏体的终止温度线，它表示含碳量低于 0.8% 的钢在缓慢冷却时，由奥氏体开始转变为铁素体的温度线。

(3)ES 线，又叫 Acm 线。它表示钢在缓慢冷却时，由奥氏体开始析出渗碳体的温度。即含碳量大于 0.8% 小于 2.06% 的钢，冷却时从奥氏体中析出二次渗碳体的起始线。

(4)S 点，又叫共析点。对应于此点的钢的含碳量为 0.8%。此种成分的钢由液态冷却结晶后成单一的奥氏体组织。继续冷却直至 723℃时即 S 点，单一的奥氏体组织发生共析反应，由奥氏体全部转变为珠光体。继续冷却，直至室温，珠光体不发生变化。称此钢为共析钢。

含碳量小于 0.8% 的钢（S 点以左），称为亚共析钢，室温下的组织为铁素体 + 珠光体。含碳量大于 0.8% 的钢叫过共析钢（S 点以右），室温下的组织为珠光体 + 二次渗碳体。

(5)E 点，它是钢和铸铁的分界点，其对应的含碳量为 2.06%，含碳量在 E 点以左的铁碳合金称为钢，含碳量在 E 点以右的铁碳合金称为铸铁（生铁）。

从以上铁碳合金状态图及其点、线的特性可以看出：

①按含碳量的不同，可将钢与铁分类。含碳量小于 2.06% 为钢。因此，钢与铁最基本的区别就在于含碳量的不同。

②在钢的部分,含碳量 0.8%(S 点)的铁碳合金称为共析钢。含碳量小于 0.8% 的铁碳合金称为亚共析钢。含碳量大于 0.8% 的铁碳合金称为过共析钢。

③钢加热到高于 723 ℃时出现奥氏体组织。

三、钢的分类与表示方法

1.钢的分类

钢的分类方法很多,按冶炼方法、化学成分、钢的品质、供货状态等分类,如表 4-1 所示。

2.钢的表示方法

1)碳素钢表示方法

(1)普通碳素钢:碳素钢的牌号由代表屈服点的字母(Q)、屈服点数值(×××MPa)、质量等级(A、B、C、D 四级,后者技术要求、质量高于前者)、脱氧方法四部分组成。如 Q235B,为质量等级为 B 级的镇静钢。

(2)优质碳素钢:

①一般用途优质碳素钢:优质碳素钢中的硫、磷含量均小于 0.035%,它的牌号由化学成分的表示符号和脱氧程度两部分组成:平均含碳量用阿拉伯数字表示(以万分之几计);含锰量为 0.7% ~ 1.0% 时用"Mn"表示,含锰量小于 0.7% 无符号。

例如:平均含碳为 0.1% 的半镇静钢的牌号表示为"10b";平均含碳量为 0.5%、含锰量为 0.7% ~ 1.0% 的镇静钢的牌号表示为"50Mn"。

②高级优质碳素钢:高级优质碳素钢含 S≤0.03%、含 P≤0.035%,它的牌号除按优质碳素钢的表示方法外,尚需在牌号尾部加符号"A"。

例如,平均含碳量为 0.2% 的高级优质碳素结构的牌号用"20A"表示。

表 4-1　钢的分类

分 类 名 称	钢 种 名 称 说 明
冶炼方法	氧气转炉钢 ⎱镇静钢、半镇静钢、沸腾钢 平炉钢 ⎰酸性钢、碱性钢 电炉钢 电渣炉钢 真空炉钢
化学成分(%)	碳素钢 ⎱普通碳素钢 ⎱低碳钢 C≤0.25 ⎰优质碳素钢 ⎱中碳钢 C:0.25 ~ 0.55 ⎰高碳钢 C>0.55 合金钢 ⎱低合金钢:合金元素含量 <3.5 ⎱中合金钢:合金元素含量 3.5 ~ 10 ⎰高合金:合金元素含量 >10
钢的品质	普通钢(P≤0.045%,S≤0.035%) 优质钢(P≤0.035%,S≤0.035%)⎱优质碳素钢 ⎰优质合金钢 高级优质钢(P≤0.025%,S≤0.025%)

分 类 名 称	钢 种 名 称 说 明
供货状态	热轧、正火、调质(淬火 + 回火)
用途和组织	低碳钢、低合金高强度钢 { 铁素体－珠光体型钢 / 低碳贝氏体钢 / 马氏体型调质高强度钢 } 耐热钢 { 低合金珠光体型钢 / 高铬马氏体型钢 / 奥氏体型钢 } 低温钢 { 铁素体型钢 / 低碳马氏体型钢 / 奥氏体型钢 } 不锈钢 { 铁素体型钢 / 奥氏体型钢 / 奥氏体铁素体型钢 / 马氏体型钢 }
专 业	船舶用钢 锅炉用钢 压力容器用钢 桥梁用钢

③专门用途的优质碳素钢:专门用途优质碳素钢的牌号,除按优质碳素钢的表示方法外,尚需在牌号尾部加代表产品用途的符号(如表4-2)。

表 4-2 专门用途钢代表符号

用 途	符 号	用 途	符 号
锅炉钢	g	低温压力容器用钢	DR
压力容器用钢	R	焊接气瓶用钢	HP

例如,锅炉用钢的牌号:20g、22g;压力容器用钢的牌号:20R;焊接气瓶用钢的牌号:HP295。

2)合金钢表示方法

(1)低合金钢:低合金钢是加入合金元素总量在 3.5% 以下的合金钢,它由二位数字代表的平均含碳量(以万分之几计)、合金元素符号、合金元素含量和用途符号组成。合金元素含量用阿拉伯数字表示。例如,低合金钢的牌号:16MnR、12MnHP、16Mng、15MnMoVg、15CrMo、12Cr3MoVSiTiB 等。

(2)不锈钢、耐酸钢和耐热钢:不锈钢、耐酸钢和耐热钢的牌号由平均含碳量、合金元素及含量两部分组成,例如,钢的牌号:0Cr13、0Cr18Ni9、2Cr13、1Cr18Ni12Mo2Ti 等。

第二节　金属的机械性能

金属材料的机械性能,即金属材料在一定的温度条件和受外力(载荷)作用下,抵抗变形和断裂的能力,也称材料的力学性能。金属材料的常规机械性能指标主要包括强度、塑性、硬度、韧性等。通过金属材料在不同受力条件下所表现出来的不同特性指标,来衡量金属材料的机械性能。

对于锅炉压力容器的材料,从其对机械性能的要求来说,最关心的是材料的强度指标、塑性指标和韧性指标。

一、强度

1. 屈服极限

屈服极限(或称屈服点):材料在拉伸过程中,载荷不再增加而试样仍继续伸长的现象,称为屈服。材料开始发生屈服时所对应的应力,称为屈服点,用 σ_s 表示。

屈服强度:除退火或热轧的低碳钢和中碳钢等少数合金有屈服现象外,多数工程材料的屈服点不明显或没有屈服点,此时规定以产生 0.2% 残余伸长的应力,作为屈服强度,或称条件屈服极限,用 $\sigma_{0.2}$ 表示。

2. 强度极限

金属试样拉伸时,在拉断前所承受的最大负荷与试样原始截面之比,称为强度极限或抗拉强度,用 σ_b 表示。

3. 疲劳极限

金属材料在重复或交变的应力作用下,可以经受无数周次的应力循环而不断裂的最大应力,称为疲劳极限,以 σ_{-1} 表示。

某些金属材料在重复或交变的应力作用下,没有明显的疲劳极限。因此,通常规定循环一定周次后断裂时所承受的最大应力,称为疲劳强度,也称条件疲劳极限,以 σ_N 表示。此时,N 称为材料的疲劳寿命。

4. 持久极限

持久极限,又称持久强度,是指金属材料在给定温度下,经过规定时间使材料发生断裂的应力。常用符号 σ_b 带有一个或两个指数来表示。例如 $\sigma_b 700/1\,000$,表示在试验温度为 700 ℃时,持久时间为 1 000 h 的应力,即所谓高温持久强度。

5. 蠕变极限

蠕变极限又称蠕变强度,一般有两种表示方法。一种是在给定温度 T 下,使试样产生规定蠕变速度时的应力值,用符号 σ_ε^T 表示,其中 ε 为蠕变速度。例如 $\sigma_{1\times10^{-5}}^{600}$,即表示在试验温度为 600 ℃时,蠕变速度为 1×10^{-5}%/h 的蠕变极限。另一种是在给定温度 T 下和规定试验时间 t 内,使试样产生一定蠕变变形量(δ,%)的应力值,用符号 $\sigma_{\delta/t}^T$ 表示之。

6. 热疲劳

材料在工作中经受多次重复加热和冷却时所产生的温度循环变化,使金属材料内部产生交变的热应力,同时伴随有弹塑性变形的循环,由此引起塑性变形逐渐积累损伤,最后导致破坏的过程称为热疲劳。由热疲劳引起的破坏称为热疲劳破坏。

7. 高温疲劳强度

在高温交变应力作用下的零件,往往不是产生蠕变断裂,而是出现疲劳断裂,所以高温疲劳强度是耐热钢的一个重要特性。一般说来,在高温下没有明显的疲劳极限。高温疲劳强度是指在一定温度下一定循环次数内材料不发生断裂的最大交变应力。

二、塑性

1. 伸长率

金属材料在拉伸试验时,试样拉断后,其标距部分所增加的长度与原标距长度的百分比,称为伸长率,也叫延伸率,用 δ 表示。

2. 断面收缩率

金属试样在拉断后,其缩颈处横截面积的最大缩减量与原横截面面积的百分比,称为断面收缩率,用 Ψ 表示。

3. 冷弯性能

金属材料在常温下能承受弯曲而不破裂的能力,称为冷弯性能。出现裂纹前能承受的弯曲程度愈大,则材料的冷弯性能愈好。弯曲程度一般用弯曲角度或弯芯直径 d 对材料厚度 a 的比值来表示。

冷弯试验是用以考核材料弯曲变形的能力并且显示其缺陷,是锅炉压力容器用钢必须了解的一种重要指标。

4. 压扁试验

压扁试验用以检验金属管压扁到规定尺寸的变形性能,并显示其缺陷。试验时将试样放在两个平行板之间,用压力机或其他方法,均匀地压至有关技术条件中规定的压扁距,用管子外壁压扁距或内壁压扁距表示。实验后检查试样弯曲变形处,如无裂纹、裂口或焊缝开裂,则认为试样合格。

三、韧性

1. 冲击韧性

冲击韧性是评定金属材料在动载荷下承受冲击抗力的机械性能指标。用一定尺寸和形状的试样,在规定类型的试验机上,用大能量一次冲击,将冲断试样所消耗的功 $A_K(J)$ 除以试样缺口处的原始截面积 $F_0(cm^2)$,即为冲击韧性,用 α_K 表示,单位为 J/cm^2。试验证明,α_K 值对组织缺陷非常敏感,能够灵敏地反映出材料品质、宏观缺陷和纤维组织方面的微小变化。因此是检验材料冶金质量和脆性倾向的有效手段。

冲击试样有梅氏、夏氏、艾氏、DVM 等数种,其中以夏比 V 型缺口和梅氏试样为最常用。目前多数国家均采用夏比 V 型缺口试样。我国在压力容器中也广泛采用夏比 V 型缺口试样作为检验指标,并用冲击吸收功 A_K(单位为 J)来表示。

2. 脆性转变温度

工程上常用的结构钢均会产生冷脆断现象,即当试验温度低于某一温度 T_K 时,材料将转变为脆性状态,其冲击值明显下降,这种现象称为冷脆。温度 T_K 称为材料的脆性转变温度或冷脆转变温度。

钢材的脆性转变温度愈低,表明钢材的韧性能保持到较低的温度,低温性能愈好。工程上使用的中、低强度钢具有明显的冷脆性。一般说来,镇静钢低温韧性优于沸腾钢,因此,沸腾钢不能用于低温结构。面心立方金属的冲击韧性基本上与温度无关而优于体心立方金属,所以铜、铝和奥氏体不锈钢在低温设备中有广泛应用。

3. 无塑性转变温度(NDT)

使用落锤试验方法测定的材料由韧性断裂向脆性断裂转变的温度称作无塑性转变温度,用 NDT 表示。

常用的落锤试验采用长方形板状试样(25 mm × 90 mm × 350 mm, 19 mm × 50 mm × 125 mm, 16 mm × 50 mm × 125 mm),在试样一面沿长度方向堆焊一层脆性金属,焊道中部横向锯开一小缺口,用以诱发裂纹。将试样冷至不同温度,测量落锤缺口韧性与试验温度的关系。当温度低至一定数值时,冲断试样所消耗的能量很小,塑性变形趋近于零,相应断口为 100% 结晶区,开始出现这一现象的温度,即无塑性转变温度。

四、硬度

硬度是衡量材料软硬程度的一种性能指标,根据试验方法和试验原理的不同,常用有布氏硬度(HB)、洛氏硬度(HRA、HRB、HRC)、维氏硬度(HV)等,均属于压入法硬度试验,其值表示材料表面抵抗更硬的物体压入的能力。而肖氏硬度(HS)则属于回跳法硬度试验,其值代表金属弹性变形功的大小。因此,硬度值不是一个单纯的物理量,而是反映材料的弹性、塑性、形变强化、强度和韧性等的综合性能指标。金属材料的各种硬度值之间,硬度值与强度值之间具有近似的相应关系,可以由对照表或换算公式进行换算。

五、刚度

刚度是表示材料弹性变形的抗力。材料刚度的大小在弹性变形范围内,可由弹性模数 E 来表示。E 愈大,材料在一定应力下发生弹性变形的量愈小,刚度就愈大。当温度升高时,材料 E 值减小,刚度也随之降低。

材料的弹性模数主要取决于金属本身,对金属及合金的纤维组织变化不敏感,所以热处理和少量合金化对 E 值的影响不大。工程上往往将构件产生弹性变形的难易程度叫做构件刚度,用 $F_0 E$ 表示。$F_0 E$ 愈大,构件弹性变形愈小,所以在设计、选材时,除了应选用 E 值高的材料外,还应设计足够的截面积 F_0。

压力容器在稳定性计算时,弹性强度是设计的主要依据,即设备结构的设计主要决定于刚度而不决定于强度,这时可以把刚度理解为构件在外力作用下保持原来形状的能力。

第三节　钢的热处理

一、热处理的基本概念

改善钢的性能,通常可以通过两种途径来实现,即:①调整钢的化学成分;②对钢进行热处理。

钢的热处理是指对钢在固态下加热、保温和冷却,以改变其内部组织结构,从而改变钢的性能的一种工艺方法。其目的是充分发挥材料潜力,节约钢材;也是提高产品质量,延长使用寿命的手段。

热处理种类虽多,但其工艺都包括加热、保温和冷却三个阶段。因此,加热温度、保温时间、冷却速度称为热处理的三大工艺参数。通常可用温度—时间坐标图形表示,称为热处理工艺曲线(如图4-2)。

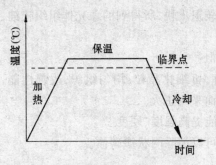

图4-2　热处理基本工艺曲线图

二、钢的热处理工艺

根据不同的要求和目的,以及采取的加热、保温和冷却规范,可将钢的热处理分为:退火、正火、淬火、回火等四种基本工艺方法。

1. 退火

退火是将钢件加热至 Ac_1、Ac_3 以上或 A_1 以下某一温度(如图4-3),保温一定时间,然后随炉冷却,从而得到近似平衡组织的热处理方法,称退火。退火的目的是为了降低硬度,细化晶粒,提高强度、塑性和韧性,消除内应力等。根据退火的目的不同,又可分为完全退火、消除应力退火等。

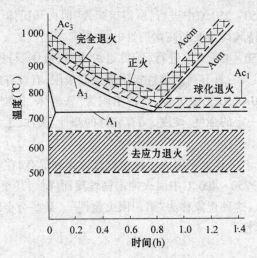

图4-3　各种退火、正火工艺的加热温度范围

(1)完全退火(又称重结晶退火):将钢加热到 Ac_3 以上 20～40 ℃,使钢组织完全重结晶,可以细化晶粒,均匀组织,降低硬度。但随炉冷却时间长,生产率低。

(2)消除应力退火(又称低温退火):将钢加热到 A_1 以下,一般为 500～650 ℃,保温缓冷到 300 ℃空冷。主要用于消除焊接、热轧件、冷挤压件等的内应力。钢无组织变化,残余应力是通过塑性变形或蠕变变形产生松弛而消除的。

2. 正火

正火是将钢加热到 Ac$_3$ 或 Accm 以上 40～60 ℃,保温后从炉中取出空冷的热处理方法。由于正火的冷却速度较退火快,所得到的珠光体组织较细,强度、硬度都有提高,具有较好的综合机械性能。

正火的目的与退火相似:

(1)对低碳钢正火处理,可细化晶粒,均匀组织,改善性能,而工艺过程短,生产效率高,故低碳钢不采用退火,而采用正火。

(2)中碳钢正火处理,能提高强度、硬度。

(3)高碳钢正火处理,可以消除网状渗碳体。

三、淬火

淬火是将钢材加热到临界点以上(或 Ac$_1$ + 30～50 ℃),经过保温,使钢的组织全部转变为奥氏体,然后快速冷却(淬水或油),得到马氏体组织的一种热处理方法。

冷却速度大于钢的临界冷却速度,奥氏体将被过冷到 240 ℃以下转变为马氏体组织,但含碳量小于 0.25% 的普通低碳钢,由于含碳量低,临界冷却速度很大,故不宜淬火而获得马氏体组织。

四、回火

回火是将淬火后的钢材加热到 A$_1$(723 ℃)以下的某一温度,保温一段时间,然后在空气中或油中冷却的一种热处理方法。回火的目的是降低钢材的脆性,消除内应力,稳定工件尺寸和获得所要求的机械性能。钢的回火组织变化按温度可分为:

(1)低温回火:在 150～250 ℃中进行,所得组织为"回火马氏体"。回火后降低了淬火钢的内应力和脆性,保持其高硬度和高耐磨性的特点。

(2)中温回火:在 350～450 ℃中进行,所得组织为"铁素体"与极细的粒状"渗碳体",组成"回火屈氏体"。回火后具有高的弹性极限和屈服极限,有较好的韧性。

(3)高温回火在 500～650 ℃中进行,所得组织为"铁素体"与粒状"渗碳体",组成"回火索氏体"。钢件具有一定的强度、硬度,又有较好的塑性、韧性,工厂惯用"淬火 + 高温回火"称调质处理。

(4)回火脆性:理论上讲淬火钢回火后冲击韧性要得到提高,在 400 ℃以上尤为显著,但在有些结构中发现在 250～400 ℃中回火冲击韧性反而降低,甚至比 150～200 ℃低温回火时的冲击韧性值还低,这种现象称为"第一回火脆性"。某些合金结构钢在 450～575 ℃时,出现"第二次回火脆性"。

第四节　碳钢、合金高强度钢及不锈钢的特点与应用

一、碳钢

碳钢就是指含碳量为 0.02%～2.06% 的铁碳合金。由于碳钢价格低廉,工艺性能良好,因而在锅炉压力容器中得到广泛应用。如 Q235、20g、20R 等。

1．化学元素对碳钢的影响

碳钢中的基本元素是碳，它对钢材的性能起决定作用。在碳钢中除碳元素外，还含少量的锰、硅、硫、磷等元素，现分别讨论它们对钢的性能的影响。

(1)锰(Mn)：锰具有一定的脱氧能力，能够清除钢中的氧化铁(FeO)，能与硫化合成硫化锰(MnS)，减轻硫的有害作用。含 Mn 量适当，能提高钢的强度和硬度，增加钢的耐磨性，减少气孔，提高焊缝的抗热裂性能，但塑性和冲击值降低。当 Mn 含量 ≤1% 时将增加焊缝的强度和韧性，当 Mn 含量 >1% 则焊缝易产生裂纹和夹渣。

锰对碳钢的性能有良好的影响，是一种有益元素。锅炉压力容器中碳钢中的含锰量一般为 0.35% ~ 0.65%。

(2)硅(Si)：硅是强脱氧剂，能消除氧化铁(FeO)对钢的不良影响。硅能溶入铁素体中提高钢的强度，能使焊缝致密均匀，但含量过大时易使焊缝中形成夹渣，同时降低抗弯角度和冲击韧性。锅炉压力容器用碳钢中的含硅量一般为 0.15% ~ 0.30%。

(3)硫(S)：硫是钢中的有害杂质，含硫量多时，晶界处存在低熔点组成相，在热加工过程中容易产生热裂现象，即热脆。焊接时容易导致焊缝热裂，焊接过程中硫易氧化生成 SO_2，造成焊缝中产生气孔和疏松，故应限制其含量。锅炉压力容器用碳钢中含硫量一般控制在 0.045% 以下。

(4)磷(P)：磷是钢中的有害杂质，磷能与碳化合，并析出脆性化合物 Fe_3P，使钢的塑性、韧性特别是冲击值明显下降。在低温时尤为显著，即出现冷脆现象。磷的存在使钢的可焊性变坏，焊接时易产生裂纹。锅炉压力容器用碳钢的含磷量一般控制在 0.040% 以下。

(5)碳(C)：碳是一种强化元素，随着含碳量的增加，钢的强度和硬度提高，但塑性、韧性降低。随着含碳量的增加钢的可焊性变坏。锅炉压力容器用钢的含碳量必须控制在 0.25% 以下。

(6)氧(O)：氧是钢中的有害元素，随着含氧量的增加，钢的强度、塑性和韧性降低。故在炼钢时应尽量做到完全脱氧。

(7)氮(N)：氮也是钢中的有害元素，氮过饱和地溶解在铁素体中，加热时会发生氮化物的析出(时效现象)，使钢的硬度、强度提高，塑性降低。

(8)氢(H)：氢也是钢中的有害元素，特别是高温高压下的氢对碳钢有严重的应力腐蚀作用，出现氢脆现象，使钢材产生裂纹、白点和氢脆。

2．碳素钢的分类

(1)按钢的含碳量分类：

①低碳钢——含碳量小于 0.25%；

②中碳钢——含碳量在 0.25% ~ 0.55%；

③高碳钢——含碳量大于 0.55%。

(2)按脱氧方法分类：

①沸腾钢——用弱脱氧剂，锰铁不完全脱氧，在浇注凝固时，由于碳和 FeO 发生反应，钢液中不断析出 CO 而沸腾，称沸腾钢。这种钢组织不致密，性能不均匀，冲击韧性差。

②镇静钢——经过完全脱氧，凝固时不沸腾，称镇静钢。这种钢结构致密，质量较高，但成材率较低。

③半镇静钢——介于沸腾钢和镇静钢之间。

二、低合金高强度钢

1. 低合金高强度钢的应用特点与要求

低合金高强度钢是一种低碳结构用钢,其合金元素含量较少,但强度(尤其是屈服强度 σ_s)比相同含碳量的碳钢要高得多。

(1)性能特点:有良好的焊接性能和耐蚀性能,还有良好的塑性和比碳钢更低的脆性转变温度,有较高的屈服极限。

(2)使用特点:能减轻结构重量,减少钢材的消耗量,具有良好的经济性。

(3)工艺要求:工艺要求比碳钢要严格得多,为了防止焊接缺陷,这类钢一般焊前要预热;选用低氢性焊条,焊材要严格烘烤;焊接时选用最佳焊接线能量等。

锅炉压力容器采用低合金高强度钢代替碳钢,不仅能减薄容器壁厚,节省钢材,同时对不同的使用场合还具有不同的优越性,如:对移动的压力容器能降低运输费用;对大型高压容器能解决碳钢厚壁容器所存在的制造、检验、运输、吊装等困难。因此,锅炉压力容器用低合金高强度钢的研制与使用发展很快。

2. 化学元素对合金钢的影响

在低合金钢中,目前使用较多的合金元素有锰、硅、铬、钼、钒等。它们对合金钢的性能均有较大的影响。

(1)锰(Mn):钢中含锰量超过 1% 时,称为锰钢。锰对提高低碳钢的强度有显著的作用,但使钢的塑性、韧性下降,焊接性能变坏,耐蚀性能降低。故其含量要适当,一般控制在 $1.10\% \sim 1.64\%$。

(2)硅(Si):硅能提高钢的抗腐蚀和抗氧化能力,冷加工硬化程度的能力极强,但硅会使钢的焊接性能恶化。作为合金元素加入钢中,一般不应少于 0.40%。

(3)铬(Cr):铬能提高钢的淬透性和强度,具有良好的抗氧化性和腐蚀能力。但其含量超过 10% 时会使塑性和可焊性明显降低。

(4)钼(Mo):钼能大大提高钢的淬透性及热强性,也可以消除或降低钢的热脆性和回火脆性,可以改善钢在高温高压下抗氢腐蚀能力。

(5)钒(V):钒有较好的细化晶粒的作用,使钢的强度和韧性同时得到改善,提高钢的耐磨性及回火稳定性,改善钢的焊接性能。但其含量不宜过多,否则会降低钢的热稳性。

3. 低合金钢的分类

按强度级别和金相组织的不同,低合金钢可分为以下三类:

(1)屈服强度 σ_s 在 $294 \sim 441$ MPa 之间的以锰为主要合金元素。其组织为铁素体 + 珠光体。如 16Mn 和 16MnR 等。

(2)屈服强度 σ_s 在 $490 \sim 539$ MPa 之间以锰、钼为主要元素,其组织为低碳贝氏体及少量珠光体。如:14MnMoV 等。

(3)屈服强度 σ_s 在 $588 \sim 981$ MPa 之间的钢材,以铬、锰、铜为主要合金元素,组织为低碳马氏体。

对于屈服强度在 $294 \sim 441$ MPa 的低合金高强度钢,碳和合金元素含量很低,其强度和韧性较高,焊接性能好。屈服强度高于 441 MPa 的合金元素含量较高,焊接时的主要问题是淬硬倾向大,易产生裂缝。钢中碳和合金元素含量越高淬硬性就越大。

三、不锈钢

在化学工业中,一些设备都在化学介质(如酸、碱、盐及活性气体等)中工作,其失效原因大都由于腐蚀所致。因此不仅要求材料有一定的机械性能,而且要求有较高的耐蚀不锈性能。能抵抗大气腐蚀的钢称为不锈钢。在某些浸蚀性强烈的介质中能抵抗腐蚀作用的钢称为耐酸钢。不锈钢不一定耐酸,而耐酸钢同时又称不锈钢。

1. 不锈钢中主要合金元素及其影响

(1)铬(Cr):铬是决定不锈钢耐酸性能的主要元素。不锈钢中铬的最低需要量为11.7%。考虑到钢中的部分铬会与碳形成铬的碳化物,故实际应用中的不锈钢铬含量一般不低于13%。

(2)碳(C):不锈钢的组织和性能很大程度上取决于钢中的含碳量。一方面碳能稳定奥氏体并提高钢的强度;另一方面能与铬形成铬的化合物,降低钢的耐酸性。

(3)镍(Ni):能扩大奥氏体区,使钢在室温时保持奥氏体组织,但不单独使用镍。铬、镍配合使用,抗腐蚀效果更好。

(4)钼(Mo):钼可以增加不锈钢的钝化作用和耐蚀性,阻止点腐蚀倾向。

(5)钛(Ti)和铌(Nb):都是强碳化合物形成元素,加入不锈钢中可以与碳形成稳定的碳化物,以提高抗晶间腐蚀能力。

2. 不锈钢的分类

按其性能、成分和组织,不锈钢可分为:

(1)抗腐蚀性能分类 { 不锈钢——在空气中能抗腐蚀的钢 / 耐酸钢——在化学浸蚀中能抵抗腐蚀的钢

(2)按成分、组织分类 { 铬不锈钢 { 马氏体不锈钢 / 铁素体不锈钢 / 铬镍奥氏体不锈钢 / 铁素体-奥氏体双相不锈钢 / 铬锰氮不锈钢

第五节 锅炉压力容器用钢

一、锅炉用钢的基本要求

锅炉是在高温高压下受直接火加热的设备,因此对钢材的质量要求是严格的。具体有以下几项要求:

(1)较高的强度。

(2)良好的塑性、韧性和一定的冷弯性能。

(3)较低的缺口敏感性。锅炉制造中,往往开很多孔,焊很多管接头,容易引起应力集中,对缺口敏感性质量差的钢材容易引起破坏,故一般锅炉用钢的新钢种都必须进行缺口敏感性试验,但不作为钢材的验收标准。

(4)良好的中温性能。对承受高温高压的锅炉受压元件用的钢材,应有良好的中温性

能。如用做过热器的钢材,就应提供 450～570 ℃的持久强度和蠕变极限的数据。

(5)良好的焊接性能和加工工艺性能。锅炉的加工过程比较复杂,大多数结构采用焊接,因此要求锅炉用钢具有良好的焊接性能和剪切、气割、冷卷和热加工性能。

(6)良好的低倍组织。锅炉用钢的分层、白点、非金属夹杂等缺陷要严格控制。

二、压力容器用钢的基本要求

压力容器用途广,使用条件复杂,除了温度、压力、介质外,还有地理位置的因素。因此,在压力容器用钢的要求中包括一般要求和附加要求两部分。

1. 一般要求

(1)良好的综合力学性能。即在保证屈服点、抗拉强度和屈强比(一般小于 0.7)的情况下,具有良好的塑性和韧性。

(2)良好的可焊性。由于化工、石油设备有的容积大,需现场安装,故尽可能使用可焊性好的钢材,使钢材尽可能焊前不需预热,焊后不需热处理。

(3)良好的冷加工性能。如良好的冷卷性能,并保证热冲压及热卷不产生裂纹。

(4)表面质量好,厚度均匀。压力容器用钢的表面质量比结构钢要求严格,有的容器,尤其是多层容器,厚度均匀才能保证层板之间能够卷紧和密贴,提高用材的经济性。

2. 附加要求

(1)盛装腐蚀介质的设备用钢应有良好的抗腐蚀性能。

(2)低温用钢应有良好的低温冲击韧性,避免脆性断裂。

三、常用锅炉压力容器钢材

常用锅炉压力容器钢材详见表4-3。

表4-3　常用锅炉压力容器钢材

钢材名称	钢　种　名　称　及　标　准		钢　材　牌　号
板　材	普通碳素钢	碳素结构钢(GB700)	Q235A、B、C、D
	优质碳素钢	锅炉用钢板(GB713)	20g、22g
		压力容器用钢板(GB6654)	20R
		焊接气瓶用钢板(GB6653)	HP245、HP265 等
	低合金钢	低合金锅炉钢板(GB713)	12Mng、16Mng、15MnVg、14MnMoVg、18MnMoVg 等
		低合金压力容器钢板(GB6654)	16MnR、15MnVR、15MnVNR 等
		焊接气瓶用钢板(GB6653)	HP295、HP325 等
		低温压力容器用钢板(GB3531)	16MnDR、15MnNiDR 等
	高合金钢	不锈耐酸和耐热钢板(GB/T4237、GB/T4238)	0Cr18Ni9、0Cr18Ni10Ti、00Cr19Ni10 等
	复合钢板	不锈钢复合钢板(GB/T8165、JB4733) 钛－不锈钢复合钢板(GB/T8546) 钛－钢复合钢板(GB/T8547)	

钢材名称	钢 种 名 称 及 标 准		钢 材 牌 号
管　材	输送液体用无缝钢管(GB8163)		10、20
	中低压锅炉无缝钢管(GB3087)		10、20
	高压锅炉无缝钢管(GB5310)		20G、20MnG、15CrMoG、1Cr18Ni9Ti 等
	石油裂化用钢管(GB9948)		10、20、12CrMo、1Cr5Mo、1Cr19Ni9Ti 等
	化肥用高压无缝钢管(GB6479)		10、16Mn、15CrMo、12Cr2Mo 等
	不锈钢无缝钢管(GB13296、GB/T14976)		0Cr18Ni9、0Cr18Ni10Ti 等
锻　件	锅炉锻件(JB/T9626)		20、12CrMo、12Cr1Mo1V、1Cr18Ni9Ti 等
	压力容器锻件	碳素钢、低合金钢锻件(JB4726)	20、16Mn、15MnV、35CrMo 等
		低温压力容器锻件(JB4727)	20D、16MnD、20MnMoD 等
		不锈钢锻件(JB4728)	0Cr13、1Cr13、0Cr18Ni9、00Cr19Ni9 等
棒、丝材	低碳钢棒、低合金钢棒、不锈钢棒、耐热钢棒焊接用钢丝、焊接用不锈钢丝		
型　材	碳钢型材		
	低合金型材		

【复习思考题】

1. 什么是钢？如何分类？

2. 什么是奥氏体、铁素体、渗碳体、珠光体？

3. 绘出简化的钢的状态图，解释主要特性点和线的含义，并填上各区域的组织。

4. 什么叫亚共析钢、共析钢和过共析钢？

5. 金属材料有哪些基本的机械性能？并叙述其意义。

6. 什么叫钢的热处理？为什么热处理能改变钢的性能？

7. 什么叫正火？正火的目的是什么？

8. 什么叫退火？分哪几种？目的是什么？

9. 什么叫回火？其目的是什么？

10. 去应力退火时钢中有无组织变化？为什么？

11. 钢中的硫、磷对钢的性能带来什么危害？原因是什么？

12. 试述沸腾钢与镇静钢的异同。

13. 试比较碳素钢和低合金钢的性能特点。

14. 对锅炉压力容器用钢有哪些要求？

第五章　焊接基本知识

第一节　锅炉压力容器焊接方法及其特点

一、焊接

焊接是利用原子之间的扩散与结合,使分离的金属材料牢固地连接起来,成为一个整体的过程。

如何达到原子之间的扩散与结合呢? 通常采用加热、加压或两者并用。可以用填充材料(或不用),将金属加热到熔化状态,最有利于促进两工件的金属原子的相互扩散与结合。如果将金属加热到塑性状态,同时施加压力,也能很好地完成焊接过程。

二、焊接方法的分类

根据焊接过程的特点,习惯上把金属的焊接分为熔化焊、压力焊和钎焊三大类。常见焊接方法及分类如下:

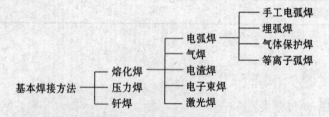

三、锅炉压力容器常用的焊接方法及其特点

在锅炉压力容器制造中,焊接占十分重要的地位,从某种意义上讲,焊接接头的质量反映了锅炉压力容器制造的质量,并直接影响结构的使用安全性。应用的焊接方法以熔化焊为主,目前普遍采用的焊接方法有手工电弧焊、埋弧自动焊和气体保护焊等。

1. 手工电弧焊

1)手工电弧焊原理

焊接电弧的产生是利用具有一定电压的焊条与被焊工件之间瞬时接触而造成短路,在短路时,短路电流集中在两个电极(焊条与工件)的几个接触点上,这几个接触点上的电流密度特别高,瞬时即把接触点加热到熔化状态并产生金属蒸气。

当焊条离开焊件,而保持较小的距离时,在电压的作用下,两极间气体电离,保证了电流通过两极的空间,阴极放出电子,这些电子正负离子分别奔向两极,即产生了焊接电弧。利用电弧所产生的热量将被焊金属和焊条金属熔化,并形成一种永久接头的过程,称为电弧焊。

手工电弧焊是用手工操作焊条进行焊接的电弧焊方法,焊接过程中,焊条药皮熔化分解生成气体和熔渣,在气、渣的联合保护下,有效地排除了周围空气的有害影响,通过高温下熔化金属与熔渣间的冶金反应,还原与净化金属得到优质的焊缝。

手工电弧焊的过程如图 5-1 所示。电弧在焊条与焊件之间燃烧,电弧热使焊条和焊件同时熔化形成熔池,焊条金属熔滴借重力和电弧气体吹力向熔池过渡,当焊条向前移动时,焊条和焊件继续熔化汇成新的熔池,原先的熔池则不断冷却凝固构成连续的焊缝,覆盖在熔池表面的熔渣也随之凝固成渣壳。

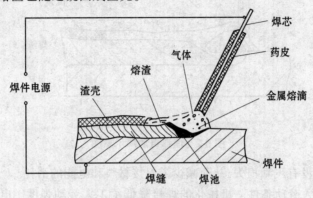

图 5-1 手工电弧焊示意图

2)手工电弧焊的特点

手工电弧焊能广泛应用,主要是它具有:工艺灵活、适应性强,对各种位置、常用钢种、不同厚度的工件都能适用。特别是对不规则的焊缝、短焊缝、仰焊缝、高空和狭窄位置的焊缝,更显得机动灵活。采用手工电弧焊,还可以通过工艺调整,如跳焊、逆向、分段焊、对称焊等方法,来减少变形和改善应力分布。在锅炉压力容器制造中多用于内部零件和接管、补强、支座等部位的焊接以及球罐、绕带容器的焊接。

手工电弧焊的缺点是:生产效率低,焊接质量受焊工水平的影响,劳动强度大。

2.埋弧自动焊

1)埋弧自动焊的原理

埋弧自动焊是电弧在焊剂层下燃烧的一种电弧焊方法。在焊剂层下,电弧在焊丝末端与焊件之间燃烧,使焊剂熔化、蒸发,形成气体,在电弧周围形成一个封闭空腔,电弧在这个空腔中稳定燃烧,焊丝不断送入,以熔滴状进入熔池,与熔化的母材金属混合,并受到熔化焊剂的还原、净化及合金化作用。随着焊接过程的进行,电弧向前移动,熔池冷却凝固后形成焊缝,比重较轻的熔渣浮在熔池的表面,有效地保护熔池金属,冷却后形成渣壳,如图 5-2 所示。

2)埋弧自动焊的特点

(1)生产效率高。由于可以使用大电流,增大了单位时间内焊丝的熔化量,显著地提高了生产效率。特别是双丝(或多丝)以及带状电极的采用,更加提高了埋弧自动焊的生产效率。

(2)焊缝质量稳定,表面美观。焊缝的质量不受焊工的情绪及其疲劳程度的影响,焊缝的质量主要取决于自动焊机调整的优劣,以及原材料(即焊件、焊丝和焊剂)的质量,所以在正确的工艺参数下,就可以获得表面光滑、平直的优质焊缝。

(3)节省焊接材料和电能。埋弧自动焊电弧熔透力强,对一定厚度的焊件,不开坡口

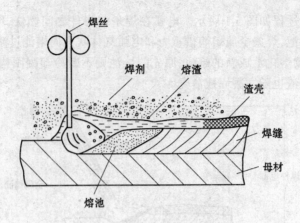

图 5-2 埋弧自动焊示意图

也可以焊透,同时没有飞溅损失,从而减少了焊接材料和电能的消耗。

(4)改善了工人劳动条件。机械化的焊接降低了工人劳动强度。电弧在焊剂层下燃烧,消除了弧光及烟尘对焊工的有害影响。

(5)坡口精度要求高。由于是机械化焊接,对坡口精度、组对间隙等的要求就比较严格。

(6)应用范围比较窄。一般限于平焊位置、形状简单的长焊缝。主要用于焊接碳钢、低合金高强度钢,也可用于焊接不锈钢等。在锅炉及压力容器的制造中,埋弧自动焊得到了最广泛的应用,通常用来焊接壳体的纵、环对接焊缝。

3. 气体保护焊

气体保护焊是采用气体将空气和熔化金属机械地隔开,免受空气的氧化与氮化的焊接方法,所用的保护气体应不对熔化金属起有害作用。常用的气体有氩气、二氧化碳气体等。

气体保护焊与其他焊接方法比较有下列优点:

(1)它是明弧焊,电弧和弧池清晰可见,便于调整焊接参数,控制焊接质量。

(2)由于保护气流对弧柱的压缩作用,使电弧热量集中,熔池小,结晶快,利于空间位置和薄板焊接。

(3)焊接过程没有熔渣,便于实现机械化、自动化,同时降低了成本,减少了辅助劳动,提高了工效。

(4)采用氩、氮等惰性气体保护焊接活泼金属时,具有良好的焊接质量。

在锅炉压力容器制造中,应用较广的是氩弧焊和 CO_2 气体保护焊。

1)氩弧焊

氩弧焊是以氩气作保护气体的一种电弧焊方法(见图5-3)。

氩气从焊枪或焊炬的喷嘴喷出,在焊接区形成连续封闭的氩气层,对电极和焊接熔池起着机械保护的作用。

按所用电极不同,可分为非熔化极(即钨极)氩弧焊和熔化极氩弧焊两种。

钨极氩弧焊是采用高熔点的钨棒作为电极,在氩气的保护下,依靠钨棒和焊件间产生

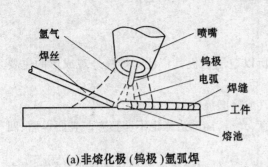

(a)非熔化极（钨极）氩弧焊

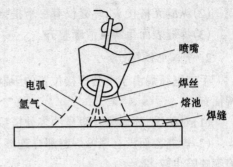

(b)熔化极氩弧焊

图 5-3　氩弧焊示意图

的电弧热,来熔化基本金属及填充焊丝的一种焊接方法,见图 5-3(a)。钨极氩弧焊的电极本身不熔化,只起发射电子产生电弧的作用。因焊接电流受到钨棒的限制,电弧功率较小,只适用于薄板的焊接,在锅炉压力容器制造中广泛应用于管道环缝的封底焊、换热器管子和管板焊接等。

　　熔化极氩弧焊是采用连续送进的焊丝作电极,在氩气的保护下,依靠焊丝和焊件间产生的电弧热,来熔化基本金属及焊丝的一种焊接方法,见图 5-3(b)。由于可以采用较大的电流,电弧功率大,所以熔化极氩弧焊可用来焊接厚板。压力容器生产中熔化焊常用于焊接铝及不锈钢。

　　2)二氧化碳气体保护焊

　　二氧化碳(CO_2)气体保护焊是一种先进焊接方法,有自动和半自动两种。它具有快、好、省的优点,所以得到广泛应用。它与其他焊接方法相比较,具有以下优点:

　　(1)生产效率高。采用的电流密度大,熔敷率高,熔深大,没有熔渣,节省了清渣时间。

　　(2)成本低。CO_2 气体是工业副产品,价格相当于氩气的 40%。

　　(3)抗裂性好。CO_2 气体在高温时具有强烈的氧化性,可以减少金属熔池中游离态氢的含量,降低焊后出现冷裂纹的倾向。CO_2 气体保护焊对锈污敏感性小,焊前对工件的清理要求不高。

　　CO_2 气体保护焊多用于低碳钢和低合金钢的焊接。

四、不同焊接方法焊缝外观成形特征

　　无损探伤人员在分析和判断各种焊接缺陷性质时,往往需要确定焊缝所采取的焊接方法。而通过观察焊缝外观成形的某些特征,可以帮助判断所采用的焊接方法。当然,我们知道影响焊缝成形的因素很复杂,既与材料的种类、焊材、焊接设备性能、工艺参数的选择有关,也与焊工技术水平、认真程度、思想状态有关。因此,我们在此只讨论锅炉压力容器对接焊缝常见的一些外观成形特征。

　　1. 埋弧自动焊

　　埋弧自动焊是锅炉压力容器行业中,焊接纵、环焊缝所采用的主要方法。焊缝的外观成形特征主要有:

　　(1)焊缝表面光滑,焊道平直,边缘整齐。

（2）纵缝无搭接头，环缝仅有一个搭接头（或搭接头修磨痕迹）。

（3）焊缝表面鱼鳞纹清晰整齐。

2. 手工电弧焊

手工电弧焊由于不受焊接位置的限制，所以应用也极其广泛。焊缝外观成形的主要特征有：

（1）对接纵、环焊缝有明显的多处搭接头（或修磨痕迹）。

（2）焊缝表面没有埋弧焊缝那样连续平直、光滑，局部边缘也不够整齐。表面焊瘤、凹陷等缺陷也较多。

（3）焊接位置不同，仔细观察，除平焊外，横、立、仰焊缝表面熔融金属有明显的由重力引起的向下侧流动的痕迹。焊瘤类缺陷更为明显。

3. 氩弧焊

氩弧焊多用于不锈钢及有色金属材料的焊接，也用于单面焊打底焊缝。焊缝外观成形的主要特征有：

（1）焊缝成形好，焊道平直整齐，焊缝表面光滑，表面缺陷极少。

（2）纵缝一般无明显搭接头，环缝一般只有一处搭接头（或修磨痕迹）。

（3）表面鱼鳞纹细腻清晰。

第二节　焊接材料

一、电焊条

1. 电焊条的构成

电焊条一般由焊芯、药皮组成（如图 5-4 所示），为了满足施焊中夹持和引弧的要求，制造电焊条时，形成了夹持端和引弧端。

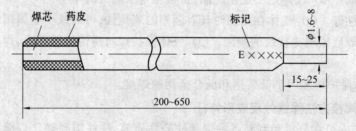

图 5-4　焊条的组成　（单位：mm）

1）焊芯

焊芯是焊条中的金属芯部。焊芯在电弧高温作用下熔化，与焊件金属母材熔合形成焊缝。焊芯的成分对焊缝有很大的影响。用作焊芯的钢丝通常使用平炉冶炼的优质钢，先轧制成盘条，然后再拔制成不同直径的焊芯。

在焊接过程中，焊芯主要起填充金属的作用，熔敷金属的合金成分主要是从焊芯中获得的。

2)药皮

(1)焊条药皮的作用:焊条药皮在焊接过程中起着极为重要的作用,主要有:①提高焊接电弧的稳定性;②造气、造渣,防止空气侵入熔滴和熔池;③保证焊缝金属顺利脱氧、脱硫和脱磷;④向焊缝金属渗入合金元素,提高机械性能。

(2)药皮的组成:焊条药皮的组成较为复杂,每种焊条的药皮配方中,一般由7~9种以上原料配成,根据原料的作用特点可分为:稳弧剂、脱氧剂、造渣剂、造气剂、合金剂、粘合剂、增塑剂及稀释剂等。

(3)焊条药皮的类型:根据药皮材料中主要成分的不同,焊条药皮可分为各种不同的类型,不同类型的焊条药皮具有不同的操作工艺性能及特点。

手工电弧焊的药皮可分为以下13种类型:钛铁矿型、钛钙型、铁粉钛钙型、高纤维素钾型、高纤维素钠型、高钛钾型、高钛钠型、铁粉钛型、氧化铁型、铁粉氧化铁型、低氢钠型、低氢钾型、铁粉低氢型。

按药皮的酸碱性可分为酸性焊条和碱性焊条。如焊条药皮中的氧化物多为酸性氧化物,其熔渣的化学性质呈酸性,此类焊条称酸性焊条。反之,药皮中含大量碱性氧化物,同时还含有氟化钙的焊条为碱性焊条。

酸性焊条药皮中主要有 TiO_2、MnO_2、FeO、SiO_2 等氧化物,氧化性强,元素烧损量大,含氧、氮高,故机械性能差。又因酸性渣脱硫磷能力差,所以抗裂性能差,但其工艺性好,对油、锈、水不敏感,抗气孔能力强,可用交直流电源。

碱性焊条药皮中主要有 $CaCO_3$、CaF_2、SiO_2、$MgCO_3$ 及大量铁合金,脱氧能力强,脱硫、脱磷能力也较强,故机械性能和抗裂性均较好;但工艺性差,对油、锈、水敏感,易产生气孔,又因含有 CaF_2,影响电弧稳定,只能用直流电源施焊。碱性焊条含氢量低,故又称低氢焊条。

各类焊条中型号符号的尾数为15、16者为碱性焊条。

2.焊条的分类、型号和牌号

1)焊条的分类

我国的焊条基本是以施焊的母材类别来分类的。主要有碳钢焊条、低合金钢焊条、不锈钢焊条、堆焊焊条、铸铁焊条、铜及铜合金焊条和铝及铝合金焊条等。

2)焊条的型号和牌号

焊条的型号是根据熔敷金属的机械性能、化学成分、药皮类型、焊接位置和焊接电流种类来划分的,并有相应的标准规定了各项要求。

焊条的牌号是对焊条不同种类的另一种标注方式,它和型号是不同的。符合国家标准的各类焊条,同一型号可以有多种牌号焊条与之相对应。国家标准规定以外的焊条,目前也都用牌号称之。生产焊条厂家习惯用牌号,但在销售的焊条包装上必须注上相应的国家标准的型号。

3.锅炉压力容器焊条的选用

1)选用原则

锅炉压力容器焊条的选用,要根据钢材的类别、化学成分及机械性能、结构的工作条件(载荷、温度、介质)和结构的刚度特点等进行综合考虑,必要时,尚须进行焊接试验来确定焊条型号和牌号。

2)碳钢焊条的选用

一般按焊缝与母材等强的原则选用,但在焊缝冷却速度较大(如薄板施焊、单层焊)时,往往也选用比母材低一级的焊条。而厚板的多层焊及焊后须进行正火处理的情况,为防止焊缝强度低于母材,可选用强度高一级的焊条。不同强度级别的母材施焊,应选用强度级别较低的焊条。

3)低合金钢焊条的选用

对强度级别较低的钢材,其选用原则与低碳钢焊条相同,基本上是等强原则。对于强度级别较高的钢材,特别是高强度钢,选用焊条时,应侧重于考虑焊缝的塑性。对于铬钼钢,则着眼于接头的高温性能;对于镍钢,则着重考虑焊缝的低温韧性。低合金异种钢焊接时,则应该按照强度级别较低钢种选用焊条,而施焊工艺则按照强度级别较高钢种的工艺,同时还要注意其他因素。

4)不锈钢焊条的选用

主要依据熔敷金属化学成分和母材相同或相近的原则,以满足焊缝的耐腐蚀性能。对于 Cr5Mo、Cr9Mo、Cr13、Cr27 类钢。为简化工艺,往往选用铬镍奥氏体不锈钢焊条来施焊。

5)焊条的保管和烘干

焊条入库后要严格管理,焊条库应有干燥通风和保温装置,在潮湿季节或常年湿度较大地区,库内应配置吸湿机。低氢性焊条室内温度应不低于 5 ℃,相对湿度应低于 60%。

焊条按分类、按型号分批码放,焊条置于架子上,距地面和墙壁间距不小于 300 mm。

焊条使用前要烘干。一般酸性焊条视受潮情况不同可在 75～150 ℃烘干 1～2 h,其中纤维素焊条烘干不得超过 100 ℃。碱性焊条烘干温度视不同型号为 350～400 ℃,烘干 1～2 h。碱性焊条烘干后可置于 100 ℃左右保温箱存放,随用随领。焊工领用焊条特别是碱性焊条,应存放在保温筒内,施焊完毕,剩余焊条可放回保温箱。不在保温筒内的焊条,退回库后要重新烘干,焊条重复烘干的次数不宜超过 3 次。

二、焊丝

实心焊丝适应于埋弧焊、气体保护焊和电渣焊。碳素钢、合金钢焊丝表面涂油或镀铜交货,不锈钢焊丝除铬钢涂油外,一般薄涂一层白灰交货。

三、焊剂

1. 埋弧焊焊剂的作用及分类

焊剂是埋弧焊过程中保证焊接质量的重要焊接材料,它由十余种氧化物组成,在施焊中起如下作用:

(1)保护作用:焊剂熔化后,形成熔渣,保护熔池,防止氧氮侵入,还起到减少元素烧损和蒸发的作用。

(2)渗合金作用:焊接过程中,焊剂和液态金属进行冶金反应,向熔池过渡有益的合金元素,从而改善焊缝性能。

(3)成形作用:焊剂熔化覆盖在熔池表面,使焊缝具有良好的成形。

(4)稳弧作用:焊剂中有部分电离物质可起到稳定电弧的作用。

焊剂可按如下分类：

按制造方法可分为：熔炼焊剂和非熔炼焊剂；

按化学性质可分为：酸性焊剂和碱性焊剂；

按化学成分可分为：高锰焊剂和中锰焊剂。

2. 焊剂的保管与烘干

焊剂库内存放条件应和焊条相同，焊剂库房一般和焊条库分开。

旱季使用前需烘干，酸性焊剂烘干温度为 250 ℃保温 2 h，酸性焊剂烘干温度为 350 ~ 400 ℃保温 2 h。焊剂烘干后应立即使用。

四、焊接用气体

1. 氩气

氩气是钨极及熔化极氩弧焊的关键焊接材料。氩气是一种惰性气体，无色、无味，比空气重，符号为 Ar。氩沸点是 -185 ℃，由液化空气分馏而制取。氩气作为保护气体，它既不溶于施焊金属，又不与其起化学反应，仅起保护作用。氩气的纯度对焊接质量有较大影响，氩气中所含氧、氮、氢、水分等杂质的含量超过标准规定时，会使电弧不稳、焊缝机械性能下降、焊缝缺陷增加、成形恶化等。

氩含量为 99.99% 时，完全满足使用要求。满瓶氩气压力为 15.0 MPa，气瓶涂灰色。当气瓶压力用至表压为 2.0 ~ 3.0 MPa 时，因此时含水量有所增加，应停止使用。

2. 二氧化碳

二氧化碳是二氧化碳气体保护焊关键的焊接材料。二氧化碳是无色、无味气体，比空气重，分子式为 CO_2，常温下加压可液化或固化，焊接用的 CO_2 气体是由钢瓶装的液态 CO_2 经气化后供给的。液态 CO_2 沸点为 -78 ℃，常温下即气化。

CO_2 气钢瓶一般为 40 L，可装液态 CO_2 25 kg，钢瓶涂黑色。

CO_2 气钢瓶使用到压力低于 1.0 ~ 2.0 MPa 时停止使用。CO_2 气瓶要避免受热和曝晒。此外，因为 CO_2 有严重的窒息性（人吸气中有 5% CO_2 时即刺激呼吸中枢），故使用中应注意。

第三节 锅炉压力容器用钢的焊接

一、金属材料的焊接性能

金属材料的焊接性能又称为可焊性。是指金属材料在一定的条件下通过焊接形成优质接头的性能。如果一种材料用最普通、最简单的焊接工艺条件就可获得优质接头，则说明这种材料具有良好的可焊性。反之，如果一种金属材料要用特殊的复杂的焊接工艺条件才能获得优质接头，就说明它的可焊性差。

金属的可焊性通常分为工艺可焊性和使用可焊性两大类：

(1)工艺可焊性：主要指在一定的焊接条件下，焊接接头中出现各种裂纹及其他缺陷的可能性。

(2)使用可焊性：主要指在一定的焊接工艺条件下，一定金属的焊接接头对使用要求的可靠性。包括焊接接头的机械性能（如强度、塑性、韧性、硬度以及抗裂纹扩展的能力等)和其他特殊性能(如耐热、耐蚀、耐低温、抗疲劳等)。

二、金属材料的可焊性试验

1. 工艺可焊性试验

1)碳当量法

这是一种常用的间接试验法。在钢中随着含碳量和合金元素含量的增加,其淬硬倾向增大。钢的淬硬倾向的大小对产生冷裂纹影响很大。把各种合金元素按其对裂纹影响的程度折合成相当的碳含量,用以估计钢材产生焊接裂纹的倾向,即为碳当量法。

碳当量的计算公式很多,对于碳钢及低合金钢,国际焊接学会推荐的碳当量公式为

$$C_E = C + Mn/6 + (Cr + Mo + V)/5 + (Ni + Cu)/15$$

当 $C_E < 0.4\%$ 时,可焊性良好,焊接时不必预热。

当 $C_E = 0.4\% \sim 0.6\%$,可焊性尚好,但需适当预热。

当 $C_E > 0.6\%$ 时,可焊性差。

2)自拘束试验法

常用的自拘束试验法有三种:

(1)Y 型坡口试验法(小铁研法)。此方法主要试验钢材热影响区和焊缝的冷裂倾向。试验有两种坡口型式:斜 Y 型(用于试验母材)和正 Y 型(用于试验焊缝)。

(2)刚性固定对接试验法。即将试板的四周焊接固定,冷至室温后再按实际焊接规范进行焊接。

(3)十字接头试验法。

2. 使用性、可焊性试验

这类试验主要鉴别焊接接头在使用情况下的性能。如强度、韧性、延伸率、抗腐蚀性、抗裂纹扩展能力等。在使用新钢种、新焊接材料时这类试验必须做。试验内容和方法可根据使用条件合理选择。如常规机械性能试验、V 型缺口冲击试验、腐蚀试验等。

三、焊接接头的组织和性能

1. 焊接接头的形成

在焊接结构中,各零部件之间用焊接方法连接的部分称为焊接接头。焊接接头包括焊缝和热影响区两部分金属。

1)焊缝的结晶

焊缝熔池的边缘是液态金属和母材金属的交界处,称为熔合线。此处的母材金属处于半熔化状态,焊缝的结晶就从熔合线的晶粒表面开始。因为熔合线是熔池中温度最低的部位,散热条件好,熔池金属就沿散热相反方向结晶,最后形成柱状晶粒(如图 5-5 所示)。

2)热影响区

在焊接热源的影响下,靠近熔池的一部分基本金属被加热到很高的温度,随后又迅速冷却。由于各点离焊缝的距离不同,所以各点所达到的最高温度也不同,又因为热传导需要一定的时间,所以各点是在不同时间到达该点最高温度的(如图 5-6 所示)。

总的来看,在焊接过程中,各点都相当于受到了一次不同程度的热处理。因此,必然会引起这部分金属相应的组织和性能变化,故称这部分金属为"热影响区"。因为热影响

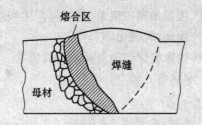

图 5-5　焊缝的结晶形式示意图

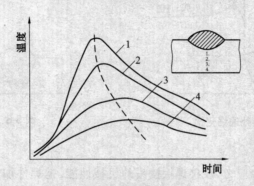

图 5-6　热循环示意图

区各点被加热的温度不同,所以它们的组织和性能也不同。

　　2. 影响焊接接头性能的主要因素

　　热影响区组织和性能的变化,以及焊接过程中引起的残余应力和变形等,都会影响焊接接头的性能。

　　1)焊缝金属

　　影响焊缝金属的主要因素为焊缝金属的化学成分和固态时的冷却条件。

　　焊缝金属的化学成分对机械性能的影响:

　　碳——能提高焊缝金属的强度,但也是焊缝金属热裂纹的敏感元素。锅炉压力容器用钢含碳量应低于 0.25%。

　　锰——能提高焊缝金属的强度,改善冲击韧性。当含锰量低于 2% 时可以细化晶粒,降低脆性转变温度,并有脱硫、降低对热裂纹的敏感性等作用。

　　硅——能提高焊缝金属的强度,含量不超过 0.25%～0.5% 时,对冲击韧性影响不大。它也是良好的脱氧剂。

　　硫——为杂质,能使焊接性能变坏,是产生热裂纹的敏感元素。

　　磷——为杂质,含量高会使钢的塑性、韧性下降,并导致焊缝及热影响区产生冷裂纹。

　　2)热影响区

　　热影响区组织的变化会引起其性能的变化,其中主要是机械性能的变化。

　　由图 5-7、图 5-8 可见:

　　(1)非热处理强化钢热影响区的强度、硬度有所提高,塑性、韧性有所下降,但总的变化不大。

　　(2)热处理强化钢热影响区金属强度、硬度下降较大,范围较宽,这部分称为软化区。

而在熔合线处又会出现硬度、强度偏高的现象,且容易产生裂纹,这给焊接带来一些困难。同时,热循环还可能对接头产生腐蚀、氧化等。

(3)焊接热输入量是影响热影响区组织变化的主要因素。热输入量提高,则热影响区晶粒粗大,使韧性下降,故应对热输入量进行控制。

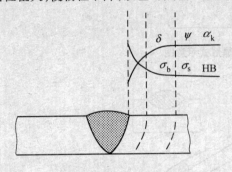

图 5-7　非热处理强化钢

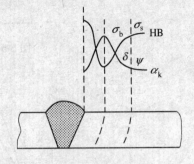

图 5-8　热处理强化钢

3)焊后热处理

为了消除焊接残余应力,改善焊接接头的机械性能,把焊件加热到适当的温度,并保温,然后缓慢冷却,这一过程叫焊后热处理。可根据母材的化学成分、焊接性能、厚度、焊接接头的拘束度、容器使用条件和有关标准综合确定是否需要进行焊后热处理及热处理工艺。

四、低碳钢的焊接

低碳钢的焊接性能良好,不需要采用特殊的工艺措施就可以获得优质接头。只有在母材成分不合格(含碳量偏高,硫、磷含量过高等)或施焊环境恶劣,焊件刚性过大等,才有可能出现焊接裂纹。锅炉压力容器常用的钢材为 Q235 系列钢、20R、20g 等,它们的含碳量都在 0.2% 左右,并且含硫、磷等都很低,所以可焊性良好,表现在以下两个方面:

(1)塑性好,淬硬倾向很小,焊缝和近缝区不易产生裂纹。

(2)镇静钢杂质少,偏析很少,对裂纹不敏感。

故对低碳钢焊接时一般焊前不需要预热,焊后不需要热处理;只有当壁厚大于一定程度时,焊后才进行热处理。

五、低合金钢的焊接

普通低合金钢是在低碳钢的基础上,通过添加少量多种合金元素(一般总量在 3.5% 以内),以提高其强度或改善其使用性能。根据所加元素的不同,其强度等级相差很大。在锅炉压力容器制造中,目前主要使用的钢材,如 16Mng、16MnR、15MnVR、18MnMoNbR 等,由于强度等级不同,焊接性能差异也很大。

1. 普通低合金钢的可焊性分析

普通低合金钢的可焊性随其强度而异,强度等级低者可焊性良好,焊接时不需采用复杂的工艺措施即可获得满意的焊接接头。如 16MnR 等。

强度等级较高者可焊性较差,焊接时必须采取一定的工艺措施方能保证焊接质量。如 18MnMoNbR,焊前必须预热,焊后立即进行热处理,自动焊时应控制一定的层间温度。

2. 普通低合金钢的焊接特点

1）热影响区的淬硬倾向

热影响区有比较大的淬硬倾向，是普通低合金钢焊接的重要特点之一。在普通低合金钢中，强度等级较低而且含碳量较低的一些钢种，如 09MnV 等，焊接热影响区的淬硬倾向并不大，但随着强度等级的提高，热影响区的淬硬倾向也相应增加。为了减缓热影响区的淬硬倾向，必须选择合理的工艺规范。

影响热影响区淬硬程度的因素为：

（1）材料及结构型式：如钢材的种类、板厚、接头型式及焊缝尺寸等。

（2）工艺因素：如工艺方法、焊接规范、焊口附近的起焊温度。在工艺因素中，往往通过选择合适的工艺规范，如适当增加焊接电流、减缓焊接速度来避免热影响区的淬硬。

2）焊缝金属和热影响区的冷裂纹

随着钢材强等级的提高，冷裂纹倾向也会加剧。冷裂纹一般主要发生在高强度钢的厚板中。

影响普通低合金钢产生冷裂纹的主要因素为：

（1）焊缝及热影响区的含氢量，含氢量增加，冷裂纹的倾向增加。

（2）热影响区的淬硬程度，淬硬程度增加，产生冷裂纹的倾向增加。

（3）焊接残余应力的影响，残余应力增加，产生冷裂纹的倾向增加。

六、奥氏体不锈钢的焊接

不锈钢具有优良的化学稳定性和一定的抗腐蚀性能。合金中铬是提高抗腐蚀性能的主要元素，但钢中含铬量大于 13% 时才具有抗腐蚀性，所以不锈钢中铬含量必须大于 13%。常用的奥氏体不锈钢为 0Cr18Ni9、1Cr18Ni9Ti 等。

1. 奥氏体不锈钢的焊接特点

奥氏体不锈钢的韧性、塑性都很好；焊前不需预热，焊后不需要热处理；可焊性良好。但若焊接工艺不合理或焊接材料选择不当时，会降低抗晶间腐蚀能力及产生热裂纹。

2. 焊接接头的晶间腐蚀

1）晶间腐蚀的特点

在腐蚀介质作用下，晶粒内部虽仅呈微弱腐蚀，工件表面也看不出有什么明显的损坏，但晶界却迅速被溶解，并不断深入，完全破坏了晶粒之间的联系，最后导致性能明显下降而破坏。它是一种危险性很大的破坏形式。

2）晶间腐蚀产生的原因

焊接时，工件被加热，碳和铬都会从奥氏体晶粒内部向晶间扩散，并在晶界上产生碳化铬（一般为 Cr_4C），致使晶界产生"贫铬"现象。当晶界上铬的含量下降到 13% 以下时，就失去了防腐作用。在腐蚀介质的作用下，晶界就会被迅速腐蚀，即产生"晶间腐蚀"。

3）影响晶间腐蚀的因素

晶界贫铬是固态下原子扩散的结果，故除化学成分外，温度和时间也是影响晶界腐蚀的主要因素。

（1）温度：它能影响碳的扩散能力。温度低时，碳原子无能力扩散，铬的碳化物不可能产生,不会产生贫铬现象。温度升高,碳的扩散能力增加,因而晶界"贫铬"倾向增加。温度很高时(超过1 000 ℃),铬的碳化物不稳定,碳析出后又会重新溶入奥氏体中,所以不会造成晶界"贫铬"现象。

(2)时间:时间短,碳来不及析出,在晶界上碳化铬未能形成,"贫铬"不会发生。时间很长,则铬已经充分扩散到晶界进行补充,使晶界的"贫铬"消失。

4)预防晶间腐蚀的措施

(1)调整焊缝的化学成分。加入稳定元素,减少形成碳化铬的可能性,如加入合金元素钛或铌等。

(2)减少焊缝的含碳量。可以减少和形成铬的碳化物,从而降低形成晶间腐蚀的倾向。如果焊缝中的含碳量控制在0.04%以下,就可以避免铬的碳化物生成(成为"超低碳"不锈钢)。

(3)工艺措施。控制在危险温度区的停留时间,防止过热,快焊快冷(尽量采用小的线能量),使碳来不及析出。

七、异种钢焊接时存在的主要问题

1. 熔合区生成马氏体组织

经验表明,奥氏体钢与非奥氏体钢焊接接头的破坏,大多数发生在熔合区。这是因为异种钢焊接时尽管焊缝区是奥氏体组织,在非奥氏体母材与奥氏体焊缝的分界面上却出现硬度很高的马氏体组织,在焊接时或使用中很可能形成裂纹。

2. 熔合区的碳扩散

异种钢接头在熔合区内还存在合金元素的再分配,特别是碳的扩散。由于碳的扩散,会使熔合区产生碳浓度不均匀,从而导致熔合区的组织和性能不均匀等。

3. 异种钢接头的热应力

由于异种钢的热膨胀系数不同(不锈钢的热膨胀系数比低合金钢约大30%~55%),可以设想异种钢接头的熔合区存在较大的热应力,这也是大部分异种钢接头破坏的原因之一。当异种钢焊接接头受到加热作用时,由于奥氏体钢有较大的热膨胀系数,会助长熔合区碳的扩散。热膨胀系数的差异也可能促使熔合区内组织结构缺陷的发展和聚集。

接头在冷却、热处理或者运行时的加热和冷却过程中,由于奥氏体钢的导热系数较低,热膨胀系数较大,当温度变化较大的时候,产生的热应力要比在正常高温下工作时存在的应力大得多。容易使异种钢接头在热应力的作用下产生裂纹。

第四节　锅炉压力容器的焊接缺陷及防止措施

一、焊缝形式与接头形式

1. 焊缝形式

焊缝形式主要是指由坡口和接头的结构形式而形成的焊接连接方式。一般可分为对接焊缝、角焊缝、塞焊缝、端接焊缝、点焊缝(缝焊缝)。

(1)对接焊缝是在焊件的坡口面间或一焊件的坡口面与另一焊件表面间焊接的焊缝。

对接焊缝可以在平板之间、管子之间、管与板之间焊接形成。此类焊缝多用在结构的主要受力部位。

(2)角焊缝是沿两直交或近直交焊件的交线所焊接的焊缝。角焊缝同样可以在板之间、管之间及管与板之间形成。

(3)塞焊缝是两焊件相叠,其中一块开有圆孔,然后在圆孔中焊接所形成的填满圆孔的焊缝。

2. 接头形式

焊接接头形式主要是由相焊的两焊件相对位置所决定的。可分为对接接头、T形接头、十字接头、搭接接头、角接接头、端接接头、套管接头、卷边接头等。

(1)对接接头是两焊件端面相对平行的接头。

在对接接头中。还有一种较为特殊的形式,锁底对接接头,这种接头是带垫板对接形式的改变,便于安装。

(2)角接接头是两焊件端面间构成大于 30°、小于 135°夹角的接头。

(3)T形接头是一焊件端面与另一焊件表面构成直角或近似直角的接头。

接头形式一般根据焊缝在结构中的受力状态及部位选择。对接接头和对接焊缝能承受较大的静载荷和动载荷,在结构中是常用的接头和焊缝形式;T形接头在焊接结构中也是较常用的,但是整个接头承受载荷,特别是承受动载荷的能力较对接接头差,一般在受力部位的 T形接头多采用对接焊缝形式;角接接头一般用在不太重要的焊接结构或连接焊缝中;搭接接头强度较低,在锅炉压力容器的主体焊接接头中很少采用。其他一些接头一般均在特殊情况下使用。

表 5-1 为常见的焊缝与接头形式。

二、焊接接头的缺陷及防止措施

焊接接头质量的好坏,将直接影响到产品的使用寿命及安全性。特别是对于锅炉压力容器,如焊接质量不好,则有产生破坏事故的可能,造成生命和财产的严重损失。因此,必须认真对待焊接接头缺陷产生的原因和防止措施,以提高焊件质量。

1. 缺陷的分类

焊接接头缺陷的类型很多,按在接头中的位置可分为外部缺陷和内部缺陷两大类。

1)外部缺陷

位于接头的表面,用肉眼或低倍放大镜就可看到,如咬边、焊瘤、弧坑、表面气孔和裂纹等。

2)内部缺陷

位于接头的内部,必须通过各种无损检测方法或破坏性试验才能发现。内部缺陷有未焊透、未熔合、夹渣、气孔、裂纹等,这些缺陷是我们无损探伤人员检查的主要对象。

2. 内部缺陷产生的原因及防止措施

1)未焊透

焊接时接头根部未完全熔透的现象叫未焊透(见图 5-9)。

表 5-1　焊缝与接头形式

序号	简　图	坡口形式	接头形式	焊缝形式	序号	简　图	坡口形式	接头形式	焊缝形式
1		I 形	对接接头	对接焊缝(单面焊)	12		单边 V 形(带钝边)	对接接头	对接焊缝
2		I 形(有间隙,带垫板)	对接接头	对接焊缝	13			锁底接头	对接焊缝
3		I 形	对接接头	对接焊缝(双面焊)	14		单边 V 形	T 形接头	对接焊缝
4		V 形(带钝边)	对接接头	对接焊缝	15		I 形	T 形接头	角焊缝
5		V 形(带垫板)	对接接头	对接焊缝	16		K 形(带钝边)	T 形接头	对接焊缝
6		V 形(带钝边)	对接接头	对接焊缝(有根部焊道)	17			塞焊搭接接头	塞焊缝
7		X 形(带钝边)	对接接头	对接焊缝	18		单边 V 形(带钝边)	角接接头	对接焊缝
8		U 形(带钝边)	对接接头	对接焊缝	19			角接接头	角焊缝
9		双 U 形(带钝边)	对接接头	对接焊缝	19	>30° <150°	角接接头	角焊缝
10		X 形(带钝边)	对接接头	对接焊缝	20			角接接头	角焊缝
11		I 形	对接接头	角焊缝					

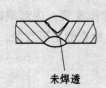
未焊透

未焊透

未焊透

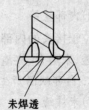
未焊透

图 5-9　未焊透示意图

未焊透缺陷不仅降低了焊接接头的机械性能,而且在未焊透处的缺口和端部形成应力集中点,承载后往往会引起裂纹,是一种危险性缺陷,在锅炉压力容器的受压焊缝中,这类缺陷一般是不允许存在的。

产生的原因:坡口钝边间隙太小,焊接电流太小或运条速度过快,坡口角度小,运条角度不对以及电弧偏吹等。

防止措施:合理选用坡口型式、装配间隙和采用正确的焊接工艺等。

2)未熔合

熔焊时,焊道与母材之间或焊道与焊道之间未完全熔化结合的部分,点焊时母材与母材之间未完全熔化结合的部分(见图5-10)。

产生原因:坡口不干净,焊速太快,电流过小或过大,焊条角度不对,电弧偏吹等。

防止措施:正确选用坡口和焊接电流,坡口清理干净,正确操作防止焊偏等。

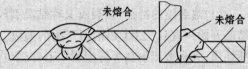

图5-10 未熔合示意图

3)夹渣

夹渣:是指焊后残留在焊缝中的熔渣、金属氧化物夹杂等。

夹钨:是指钨极气体保护焊时由于钨极局部熔化而坠入熔池留在焊缝中的钨粒。

夹渣是焊缝常见的缺陷,其形状有条状和点状,外形不规则。

产生的原因:焊接电流太小,速度过快,熔渣来不及浮起,焊接坡口和各层焊缝清理不净,基本金属和焊接材料化学成分不当,含硫、磷量较多等。

防止措施:正确选用焊接电流,焊接件的坡口角度不要太小,焊前必须把坡口清理干净。多层焊时必须层层清除焊渣;并合理选择运条角度和焊接速度等。

4)气孔

在焊接过程中,由于焊缝内部存在的或外界侵入的气体,在熔池金属凝固之前来不及逸出,而残留在焊缝金属内所形成的空穴。按其分布情况可分为单个气孔、密集气孔和链状气孔(见图5-11)。

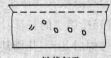

单个气孔　　　　　　　密集气孔　　　　　　　链状气孔

图5-11 焊缝中的气孔

产生原因:焊材未按规定温度烘干,焊条药皮变质脱落、焊芯锈蚀,焊丝清理不干净,手工焊时电流过大,电弧过长;埋弧焊时电压过高或网路电压波动太大;气体保护焊时保护气体纯度低等,均易产生气孔。

焊缝中存在气孔,既破坏了焊缝金属的致密性,又使焊缝有效截面积减少,降低了机械性能,特别是存在链状气孔时,弯曲和冲击韧性会有比较明显的降低。

防止措施:不使用药皮开裂、剥落、变质及焊芯锈蚀的焊条,生锈的焊丝必须除锈后才能使用。所用焊接材料应按规定温度烘干,坡口及其两侧应清理干净,并要选用合适的焊接电流、电弧电压和焊接速度等。

3. 焊接裂纹及防止措施

裂纹是指在焊接过程中或焊后,在焊缝或热影响区局部破裂的缝隙。焊接裂纹是一种危害性最大的缺陷,它除降低焊接接头的强度外,还因裂纹的末端呈尖锐的缺口,焊件承载后,引起应力集中,成为结构断裂的起源。因此,在焊接结构中,不允许有裂纹存在。

按照焊接裂纹产生的时间和温度的不同,裂纹一般可分为热裂纹、冷裂纹和再热裂纹三种。

1)热裂纹及其防止措施

(1)热裂纹的特征:热裂纹又称结晶裂纹,产生在结晶时的冷却过程中,即焊缝金属有结晶开始一直到723℃以前所产生的裂纹。主要发生在晶界,为沿晶界裂纹,具有晶间破坏性质,大多数产生在焊缝金属中心和弧坑处,纵向为多。当裂纹贯穿表面与外界空气相通时,断口有明显的氧化色,即发蓝或发灰色。

(2)热裂纹产生的原因:

①冶金因素:焊接时熔池的冷却速度很快,很容易造成偏析(所谓偏析就是合金中纯金属或其他杂质分布不均匀的现象)。被偏析出来的物质大多数为低熔点共晶和杂质,它们的熔点比焊缝金属低,在结晶过程中以"液态间层"存在。

②应力的因素:当焊缝金属开始冷却时,体积要缩小,由于焊缝受热不均匀,周围冷金属势必阻止它的收缩,故必须产生拉应力,这种拉应力是在结晶尚未完毕,且有"液态间层"时呈现,就必然产生"热裂纹"。

(3)防止措施:

①限制母材和焊接材料中易偏析元素和有害杂质的含量,主要限制硫含量,提高锰含量。

②提高焊条或焊剂的碱度,以降低杂质含量,改善偏析程度。

③改进焊接结构型式,采用合理的焊接顺序,提高焊缝收缩时的自由度。

2)冷裂纹及其防止措施

(1)冷裂纹的特征:冷裂纹是焊后冷却到300℃以下产生的,有时在焊接后立即出现,有时在焊后几天、几周甚至更长的时间才出现,此种裂纹也称延迟裂纹或氢致裂纹。冷裂纹常产生在热影响区熔合线附近的过热区中,裂纹平行于熔合线,穿晶扩展。裂纹表面无明显氧化色彩,属脆性断口。

(2)冷裂纹产生的原因:在焊缝热影响区的淬硬组织、焊接接头中的氢气和焊接应力三个因素(氢、淬硬组织、应力)的共同作用下,导致冷裂纹的产生。

①淬硬组织:被焊材料的淬硬倾向较大时,在冷却过程中,热影响区将产生马氏体组织转变,而引起体积膨胀,金属的塑性下降,脆性增加,当受到大的焊接拉力作用时易裂开。

②氢的作用:在焊接高温作用下,氢以原子状态进入焊接溶池中,随着溶池温度的不断降低,氢在金属中的溶解度急剧下降;在金属发生相变时其溶解度将发生突变。焊接时

冷却速度很快,氢来不及逸出而残留在焊缝中,过饱和的氢就向热影响区扩散,聚集在溶合线附近,氢原子结合成氢分子,以气体状态进到金属的细微空隙中,并造成很大的压力,使局部金属产生很大的应力而形成冷裂纹。

氢的扩散在不同材料中速度不同,因此这类冷裂纹产生的迟早也不同,有的具有延迟性,这类焊接冷裂纹又称延迟裂纹。

③焊接应力的作用

当焊接应力为拉应力并与氢的析集和淬硬组织同时发生时,极易产生冷裂纹。

(3)防止冷裂纹的措施:

①焊前预热,焊后缓慢冷却,使热影响区的奥氏体分解能在足够高的温度区间内进行,避免脆硬组织的产生,同时也有减少焊接应力的作用。

②焊接后及时进行低温退火、去氢处理,消除焊接时产生的应力,并使氢及时扩散到外界去。

③选用低氢型焊条和碱性焊剂或奥氏体不锈钢焊条焊丝等。焊材按规定烘干,并严格清理坡口。

④加强焊接时的保护和被焊处表面的清理,避免氢的侵入。

⑤选用合理的焊接规范,采用合理的装焊程序,以改善焊件的应力状态。

3)再热裂纹及其防止措施

(1)再热裂纹的特征:对于某些含有沉淀强化元素的钢种(如珠光体耐热钢、某些低合金高强度钢等)厚壁容器,在焊后并未发现裂纹,而在焊后热处理过程中却产生裂纹。或在 500~600 ℃条件下长期工作,也会产生裂纹,故称其为再热裂纹。

再热裂纹一般产生在焊缝热影响区的粗晶粒部位,沿晶界开裂。

(2)再热裂纹产生的原因:

①沉淀强化的影响:具有沉淀强化的金属材料具有再热裂纹的敏感性,在热处理过程中,在焊接热影响区的粗晶粒部位,沉淀相析出(Cr、Mo、V、Ti、Nb 碳化物)引起粗晶部位的塑性不足。

②应力作用:当焊接接头中存在较大残余应力,且有应力集中的才会产生再热裂纹。

③再热温度的作用:再热裂纹一般在 550~650 ℃范围内最敏感,再热处理温度作用下,由于应力松弛而引起较大的附加变形,当粗晶粒部位的塑性不足以适应应力松弛所产生的附加变形,则沿晶界发生开裂。

(3)防止再热裂纹的措施:

①选用低匹配的焊接材料,适当降低焊缝金属的强度,提高其塑性变形能力,降低焊接接头应力集中程度,可以降低再热裂纹的敏感性。

②选用合适的焊接接头形式,改善应力状态。

③预热可以有效地防止再热裂纹的产生

④选用合理的焊接工艺,根据不同的材料选用合适焊接线能量。

【复习思考题】

1. 什么叫焊接？焊接方法分哪几类？
2. 电弧是如何产生的？
3. 手工电弧焊有何特点？
4. 埋弧自动焊有何特点？
5. 氩弧焊有何特点？
6. 焊条药皮有何作用？
7. 什么叫酸性焊条？什么叫碱性焊条？
8. 选用焊条时应考虑哪些条件？
9. 为什么对焊条、焊剂要进行烘干？各自的烘干温度是多少？
10. 什么叫金属材料的可焊性？可焊性包括哪几个方面？
11. 碳当量公式有何意义？
12. 焊接接头包括哪几部分？影响焊接接头机械性能的主要因素有哪些？
13. 低碳钢与低合金钢的焊接性能有何不同？
14. 什么叫晶间腐蚀？奥氏体不锈钢产生晶间腐蚀的原因是什么？采取哪些措施可以防止不锈钢焊接接头的晶间腐蚀？
15. 焊接接头的内部缺陷主要有哪些？产生的原因是什么？如何防止？
16. 简述热裂纹、冷裂纹、再热裂纹产生的原因及防止措施。

射 线 篇

第一章　射线的产生及与物质的相互作用

第一节　射线的产生及性质

一、射线的分类

射线是宏观上直线高速运动的微观粒子流。物理学上的射线又称辐射。射线种类很多,其性质、产生机理、与物质作用时的行为也各不相同,有人为产生的射线,也有客观存在的射线。按射线粒子是否带有电荷可做如下分类。

1. 带有电荷的射线

带有电荷的射线种类很多。根据所带电荷性质不同又可把它们分为带正电荷的射线和带负电荷的射线。前者如 α 射线、质子射线等;后者如 β 射线(电子束)等。

2. 不带电荷的射线

这类射线如 x 射线、γ 射线、中子射线等。这些微观粒子本身都不带电荷,其中中子射线是一种实际存在的物质粒子,有质量、大小;而 x 射线、γ 射线是没有静止质量、几何尺寸,但有一定能量的光量子。实质上,x 射线、γ 射线的本质都是电磁波的一部分。如图 1-1 所示。

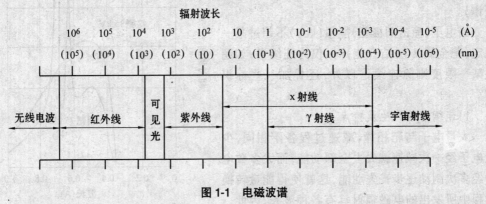

图 1-1　电磁波谱

因为 x 射线、γ 射线不带电荷,没有质量,所以它们不受电磁场的影响,在与物质作用时有较强的穿透力,一般射线探伤用的都是 x 射线、γ 射线,而中子射线和高能射线探伤只在很小范围内使用,所以这里只对 x 射线、γ 射线进行讨论。

二、x 射线

1895 年德国物理学家伦琴在从事阴极射线研究时,偶然发现了一种能使某些荧光物质发光,又能穿透物质使胶片感光的射线,当时对这种射线的性质不甚了解,就称为 x 射线,亦称"伦琴射线"。

1. x 射线的产生

根据经典的电磁理论,高速运动的带电粒子受阻会产生电磁辐射,亦称韧致辐射。在射线管两极高电压的作用下,从阴极发出的电子会得到加速,高速运动的电子在受到阳极靶的阻遏时将产生韧致辐射,使一部分能量转变成 x 射线,而绝大部分则以热能形式释放出来。

以上所述即 x 射线产生的理论依据。从而我们可以获知产生 x 射线的基本条件:①要有一定数量的电子;②电子向一定方向高速运动;③在电子前进的路径上,有阻止电子运动的障碍物。

2. 射线的能量与强度

x 射线、γ 射线的能量是指单个的光量子的能量或多个光量子的能量的平均值。光量子的能量(E)与频率(ν)成正比。

$$E = h\nu = hc/\lambda \tag{1-1}$$

式中　λ——射线的波长;

　　　c——射线传播速度;

　　　h——普朗克常数($h = 6.626 \times 10^{-34}$)。

能量越高,线质越硬,穿透力越强。

x 射线、γ 射线的强度是指单位时间内通过单位面积的所有光量子的能量和。

3. x 射线的波谱分布

x 射线是由于韧致辐射所产生的,所以它的本质是电磁波。图 1-2 是 x 射线的波谱分布图,从图中可以看出 x 射线分为连续谱和标识谱(特征谱)。

当电子(撞击阳极靶)能量(keV)不超过某一限定(靶金属 k 层结合能)时,仅为连续谱;如超过某一限度则除连续谱以外,还叠加一些标识谱。

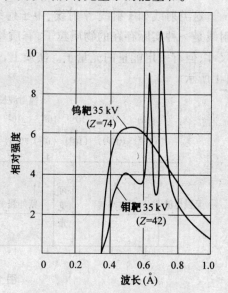

图 1-2　x 射线波谱分布

1)连续谱的产生及特点

大量电子与靶相撞,减速过程各不相同,少量电子经一次减速就失去全部动能,而大多数电子经多次制动逐步丧失动能,这就使得能量转换过程中所发出的电磁辐射具有各种波长,因此,x 射线的波谱呈连续分布。

连续谱存在着一个最短波长 $\lambda_{\min}$,其数值只依赖于外加电压,而与靶材料无关,如果一个电子在电场中得到动能 $E = eV$ 与靶一次撞击,这些动能全部转换为辐射能,则辐射的波长可按下式计算

$$E = eV = h\nu = hc/\lambda_{\min} \tag{1-2}$$

则
$$\lambda_{min} = \frac{hc}{eV} = \frac{12.4 \times 10^{-7}}{V}(m) = \frac{12.4}{V(kV)}(\text{Å}) \tag{1-3}$$

式中　h——普朗克常数$(h = 6.626 \times 10^{-34})$；

$\quad\quad c$——光速$(c = 3 \times 10^8\ m/s)$；

$\quad\quad e$——电子电量$(e = 1.6 \times 10^{-19}\ C)$；

$\quad\quad V$——管电压,kV。

连续谱中最大强度对应的波长

$$\lambda_{IM} = 1.5\lambda_{min} \tag{1-4}$$

在实际检测中,以最大强度波长 λ_{IM} 为中心的邻近波段的射线起主要作用。

连续 x 射线的总强度 I_T 可用连续谱曲线下所包含的面积表示(积分法)。

试验证明,I_T 与管电流 i、管电压 V、靶材料原子序数 Z 有以下关系

$$I_T = K_i iZV^2 \tag{1-5}$$

式中　K_i——比例常数,$K_i \approx (1.1 \sim 1.4) \times 10^9$。

管电流越大,表明单位时间撞击靶的电子数越多;管电压增加时,虽然电子数目未变,但每个电子所获得的能量增大,因而短波成分射线增加,且碰撞发生的能量转换过程增加;靶材料的原子序数越高,核库仑场越强,韧致辐射作用越强,所以靶一般采用高原子序数的钨制作。上述关系可见图1-2和图1-3。

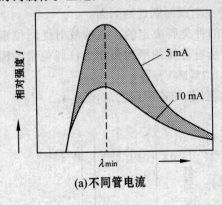

(a)不同管电流

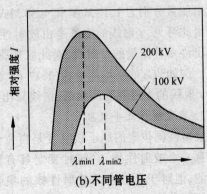

(b)不同管电压

图 1-3　x 射线谱

x 射线的产生效率 η 等于连续 x 射线的总强度 I_T 与管电压 V 和管电流 i 的乘积之比,即

$$\eta = \frac{I_T}{iV} = \frac{K_i iZV^2}{iV} = K_i ZV \tag{1-6}$$

可见 x 射线的产生效率与管电压和靶材料原子序数成正比。在其他条件相同的情况下,管电压越高,x 射线的产生效率越高;管电压的高压波形越接近恒压,x 射线的产生效率也越高。当电压为 100 kV 时,x 射线的转换效率约为 1%,而产生 4 MeV x 射线的加速器,其转换效率约为 36%。

由于输入能量绝大部分转换为热能,所以 x 射线管必须有良好的冷却装置,以保证阳极不被烧坏。

2)标识谱的产生和特点

当 x 射线管两端所加的电压超过某个临界值 V_K 时,波谱曲线上除连续谱外,还将在特定波长位置出现强度很大的线状谱线,这种线状谱的波长只依赖于阳极靶面的材料,而与管电压和管电流无关,因此,把这种标识靶材料特征的波谱称为标识谱,V_K 称为激发电压。不同靶材的激发电压各不相同,例如图 1-2 中,管电压 35 kV 时,低于钨的激发电压($V_K = 69.34$ kV),高于钼的激发电压($V_K = 20.0$ kV),所以,钼靶的波谱上有标识谱,而钨靶的波谱上没有标识谱。

标识 x 射线强度只占 x 射线总强度的极少一部分,能量也很低,所以在工业射线检测中,标识谱不起什么作用。

三、γ 射线

1. 同位素及放射性衰变

质子数相同而中子数不同的元素称为同位素。同位素有稳定和不稳定两种,不稳定同位素也叫放射性同位素,它会自发蜕变,变成另一种元素,同时放出各种射线,这种现象称为放射性衰变。

γ 射线是放射性同位素经过 α 衰变或 β⁻ 衰变后,从激发态向稳定态过渡的过程中,从原子核内发出的。

以放射性同位素 ^{60}Co 为例,^{60}Co 经过一次 β⁻ 衰变成为处于 2.5 MeV 激发态的 ^{60}Ni,随后放出能量分别为 1.17 MeV 和 1.33 MeV 的两种 γ 射线而跃迁到基态。

由此可见,γ 射线的能量是由放射性同位素的种类所决定的。一种放射性同位素可能放出许多种能量的 γ 射线,对此取其所辐射的所有能量的平均值作为该同位素的辐射能量。例如 ^{60}Co 的平均能量为 $(1.17 + 1.33)/2 = 1.25$(MeV)。

γ 射线的光谱称为线状谱,谱线只出现在特定波长的若干点上,如图 1-4。

2. 衰变规律及半衰期

放射性同位素的原子核衰变是自发进行的,对于任意一个放射性核,它何时衰变具有偶然性,不可预测,但对于足够多的放射性核的集合,它的衰变规律服从统计规律,是十分确定的。

设在 dt 时间内发生的核衰变数目为 $-dN$,它必定正比于当时存在的原子核数 N,也显然正比于时间 dt,于是有

$$-dN = \lambda N dt \tag{1-7}$$

λ 是比例系数,称作衰变常数;dN 代表 N 的减少量,所以前面要加负号,设 $t = 0$ 时原子核的数目为 N_0,则式(1-7)积分后得

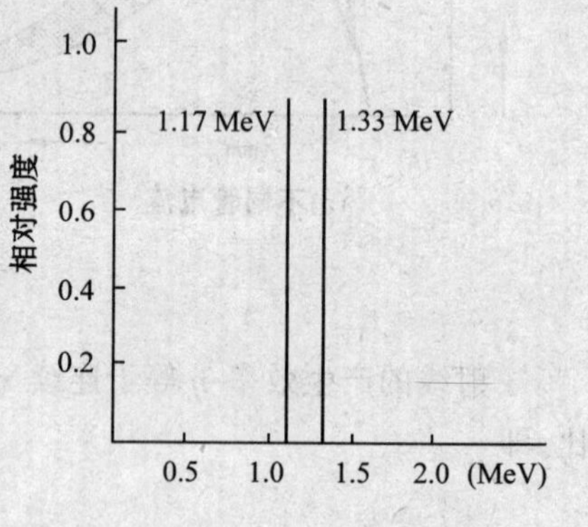

图 1-4　^{60}Co 的 γ 射线的线状光谱

$$N = N_0 e^{-\lambda t} \tag{1-8}$$

即放射性同位素的衰变服从指数规律。

衰变常数 λ 反映了放射性物质的固有属性,λ 值越大,说明该物质越不稳定,衰变得越快。

放射性同位素衰变掉原有核一半所需时间,称为半衰期,用 $T_{1/2}$ 表示,当 $t = T_{1/2}$ 时,

$N = N_0/2$,由式(1-8)可得

$$\frac{N_0}{2} = N_0 e^{-\lambda T_{1/2}}$$

$$T_{1/2} = \ln 2/\lambda = 0.693/\lambda \qquad (1-9)$$

$T_{1/2}$也反映了放射性物质的固有属性,λ值越大,$T_{1/2}$越小。

例1:已知^{60}Co放射性同位素的半衰期为5.3年,其衰变常数是多少?8年后其放射强度衰变到初始强度的百分之几?

解:由式(1-9) $T_{1/2} = 0.693/\lambda$

得:$\lambda = 0.693/T_{1/2} = 0.693/5.3 = 0.131/$年

由式(1-8) $N = N_0 e^{-\lambda t}$

得 $N/N_0 = e^{-\lambda t} = e^{-0.131 \times 8} = 0.35$

答:^{60}Co衰变常数为0.131/年,8年后其放射强度衰变到初始强度的35%。

3.几种常用γ源

探伤常用的γ源目前多采用人工放射性同位素制造,通常所用γ源有^{60}Co(钴)、^{137}Cs(铯)、^{192}Ir(铱)、^{170}Tm(铥)等,其特性与参数见表2-2。

四、x射线、γ射线的性质及探伤应用中的比较

1.x射线、γ射线的性质

x射线、γ射线就其本质而言都是电磁波,正因为它们是比可见光波长更短的电磁波,所以除了具有一些可见光所具有的特性外,还有其特有的性质。概括起来,它们有如下性质:

(1)不可见,以光速直线传播。

(2)不带电荷,不受电磁场的干扰。

(3)能穿透金属等可见光不能穿透的物质。

(4)有反射、折射、衍射、干涉现象,但不太明显。

(5)能被物质吸收和散射。

(6)能使气体电离。

(7)能使某些物质发生荧光作用。

(8)能使胶片感光。

(9)能杀伤有生命的细胞。

2.x射线、γ射线在探伤应用中的比较

x射线、γ射线的相同点是都属于电磁波,而不同之处在于它们产生机理不同。x射线是由于高速运动的电子被阻遏时的跃迁产生的,而γ射线是由于放射性同位素在自发衰变时原子核能级之间的跃迁产生的。正是由于它们的产生机理不同,所以它们在探伤中就各有优缺点。

(1)x射线可通过调节管电压、管电流透照在穿透情况下的任意厚度;而γ射线的能量只取决于源的种类,对同种源来讲射线能量和穿透能力一般是固定的,即使可以调换源的种类,造价也是昂贵的。

(2)γ射线与x射线相比,它的波长更短,穿透能力更强。但物质对γ射线的吸收要

比 x 射线弱,所以用 γ 射线拍出的底片对比度小。又因为 γ 射线源的焦点就是放射性同位素的几何尺寸,所以往往焦点比 x 射线机焦点要大,得到底片的几何不清晰度较大。

(3)γ 射线源发出的射线在整个空间中都有,而对 x 射线机即使周向机也只有在一个环周上有射线存在。所以对于大型容器,尤其是球型容器,γ 射线可以一次透照整个容器,在这种情况下,它的效率要比 x 射线机的效率高。

(4)因为 x 射线机受电力支配,而 γ 射线源不需电源,不需冷却,所以对于缺少电源缺少自来水的现场工地,γ 射线比 x 射线机更方便,更因为 γ 射线源比一般 x 射线机要小巧,所以对一些形状特殊的工作,γ 射线探伤更显出其优越性。

(5)因为 γ 射线设备不能随意关闭,所以从安全因素上对环境污染与操作方面十分麻烦,防护与管理上的要求也更高,更主要是因为 γ 射线照相得到的射线底片的灵敏度和清晰度都远不及 x 射线照相,所以现在作为常规照相的仍然是 x 射线照相,更何况随着高能射线的发展,x 射线也能获得足够的射线能量,弥补了它原先的不足。

第二节　射线与物质的相互作用

射线通过物质时,会与物质发生相互作用而强度减弱,导致强度减弱的原因可分为两类,即吸收和散射。吸收是一种能量转换,光子的能量被物质吸收后变为其他形式的能量;散射会使光子的运动方向改变,其效果等于在束流中移去入射光子。

在 x 射线和 γ 射线能量范围内,光子与物质作用的主要形式有:光电效应、康普顿效应、电子对效应,当光子能量较低时,还必须考虑瑞利散射。除此之外,还存在一些其他形式的相互作用,例如光核反应和核共振反应,因其发生几率极小,所以不作介绍。

射线通过物质时的强度衰减遵循指数规律,衰减情况不仅与吸收物质的性质和厚度有关,而且还取决于辐射自身的性质。

一、光电效应

当光子与物质原子的束缚电子作用时,光子把全部能量转移给某个束缚电子,使之发射出去,而光子本身消失掉,这一过程称为光电效应。光电效应发射出的电子叫光电子,该过程如图 1-5 所示。

原子吸收了光子的全部能量,其中一部分消耗于光电子脱离原子束缚所需的电离能(电子在原子中的结合能),另一部分就作为光电子的动能。所以,发生光电效应的前提条件是光子能量必须大于电子的结合能。释放出来的光电子能量 E_e 与入射光子能量 $h\nu$ 以及电子所在壳层的结合能 E_i 之间有如下关系

$$E_e = h\nu - E_i \tag{1-10}$$

光电效应的发生几率与射线能量和物质原子序数有关,它随着光子能量增大而减小,随着原子序数 Z 的增大而增大。

二、康普顿效应

在康普顿效应中,光子与电子发生非弹性碰撞,一部分能量转移给电子,使它成为反冲电子,而散射光子的能量和运动方向发生变化,如图 1-6 所示,$h\nu$ 和 $h\nu'$ 为入射和散射光子能量,θ 为散射光子与入射光子方向间夹角,称为散射角,φ 为反冲电子的反冲角。

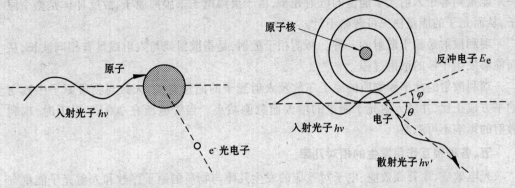

| 图 1-5　光电效应的示意图 | 图 1-6　康普顿效应的示意图 |

康普顿效应总是发生于自由电子或原子的束缚最松的外层电子上,入射光子的能量和动量在反冲电子和散射光子两者之间进行分配,散射角越大,散射光子的能量越小,当散射角 θ 为 180°时,散射光子能量最小。

康普顿效应的发生几率大致与物质原子序数成正比,与光子能量成反比。

三、电子对效应

当光子从原子核旁经过时,在原子核的库仑场作用下,光子转化为一个正电子和一个负电子,这种过程称为电子对效应,如图 1-7 所示。

根据能量守恒定律,只有当入射光子能量 $h\nu$ 大于 $2m_0c^2$,即 $h\nu > 1.02\,\mathrm{MeV}$ 时,才能发生电子对效应,入射光子的能量除一部分转变为正负电子对的静止质量($1.02\,\mathrm{MeV}$)外,其余就作为它们的动能。

与光电效应相似,电子对效应除涉及入射光子和电子对外,必须有一个第三者——原子核参加,才能满足动量和能量守恒。

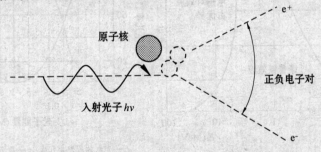

图 1-7　在原子核库仑场中的电子对效应

电子对效应产生的快速正电子和电子一样,在吸收物质中通过电离损失和辐射损失消耗能量,很快被慢化,然后与吸收物质中一个电子相互转化为两个能量为 $0.51\,\mathrm{MeV}$ 的光子,这种现象称电子对湮没。

四、瑞利散射

瑞利散射是入射光子和束缚较牢固的内层轨道电子发生的弹性散射过程(也称为电子的共振散射)。在此过程中,一个束缚电子吸收入射光子而跃迁到高能级,随即又放出一个能量约等于入射光子能量的散射光子,由于束缚电子未脱离原子,故反冲体是整个原子,从而光子的能量损失可忽略不计。

瑞利散射是相干散射的一种。所谓相干散射,是指散射线与入射线具有相同波长,从而能够发生干涉的散射过程。

瑞利散射的几率和物质的原子序数及入射光子的能量有关,大致与物质原子序数 Z 的平方成正比,并随入射光子能量的增大而急剧减小。当管电压在 200 kV 以下时,瑞利散射的影响不可忽略。

五、各种相互作用发生的相对几率

光电效应、康普顿效应、电子对效应的发生几率与物质的原子序数和入射光子能量有关,对于不同物质和不同能量区域,这三种效应的相对重要性不同。图 1-8 表示各种效应占优势的区域,可以看出:

(1)对于低能量射线和原子序数高的物质,光电效应占优势。

(2)对于中等能量射线和原子序数低的物质,康普顿效应占优势。

(3)对于高能量射线和原子序数高的物质,电子对效应占优势。

图 1-9 表示射线与铁相互作用时,各种效应的发生几率,由图中可见看出:当光子能量为 10 keV 时,光电效应占优势,随着能量的增大,光电效应逐渐减小,而康普顿效应的作用却逐渐增大,稍过 100 keV,两种效应相等,瑞利散射在此能量附近发生比率达到最大,但也不超过 10%。在 1 MeV 左右,射线强度的衰减几乎都是康普顿效应造成的。光子能量继续增大,由电子对效应引起的吸收逐渐增大,在 10 MeV 左右,电子对效应与康普顿效应作用大致相等。超过 10 MeV 以后,电子对效应的比率越来越大。

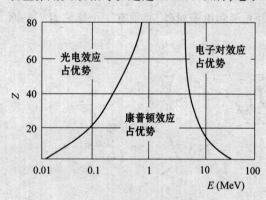

图 1-8 按光子能量和原子序数来表示的三种相互作用占优势的区域

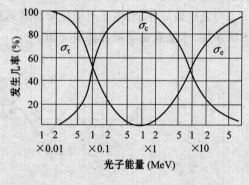

σ_τ—光电效应发生几率;σ_c—康普顿效应发生几率;

σ_e—电子对效应发生几率

图 1-9 铁中各种效应的发生几率

各种效应对射线照相质量产生不同的影响。例如,光电效应和电子对效应引起的吸收有利于提高照相对比度,而康普顿效应产生的散射则会降低对比度。对轻金属试件照相质量往往比重金属试件照相质量差。使用 1 MeV 左右能量的射线照相,其对比度往往不如较低能量射线或更高能量射线,这些都是康普顿效应的影响造成的。

射线与物质相互作用导致强度减弱以及能量转化结果可用图 1-10 来总结表示。

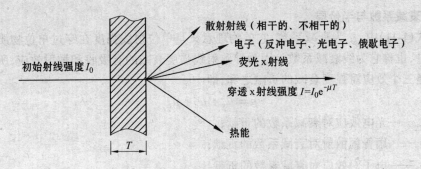

图 1-10　x 射线与物质的相互作用

第三节　射线在物质中的衰减规律

一、射线在物质中的衰减规律

射线通过物质后,总强度衰减了,射线强度的衰减来自于两个方面——吸收和散射。当射线通过物质时,随着贯穿行程的增加,射线强度衰减增大。射线的衰减程度不仅与穿透物质的厚度有关,而且还与射线的线质(即能量)有关,与物质的密度和原子序数等都有关。一般来说,射线的波长越短,能量越大,衰减就越小;物质的原子序数越大,密度越大,衰减就越大。但它们之间并不是简单的直线关系,而是呈指数规律衰减。对于单色单束射线(一种频率的平行射线束),它在物质中的衰减规律为

$$I = I_0 e^{-\mu T} \tag{1-11}$$

式中　I_0——入射线的初始强度值;

　　　I——射线通过物质层以后的强度;

　　　μ——物质对射线的衰减系数;

　　　T——通过物质层的厚度;

　　　e——自然对数的底。

然而在实际探伤工作中,使用的 x 射线和 γ 射线并非是理想的单色单束,x 射线为多色多束,而 γ 射线为单色多束。对于多色多束射线来说,它的衰减规律和单色单束射线在物质中的传播规律是有区别的。

首先,探伤时所使用的射线一般为连续射线,这就使得衰减系数 μ 实际上是个变量,在射线穿过物质的初始部分,μ 值较大,随着穿透层的深入,射线的线质逐渐变硬,衰减系数 μ 也就减小了。考虑到这种情况,衰减系数 μ 可取平均值 $\bar{\mu}$。

实质上探伤时射线还是宽束的,这就必须考虑散射线的影响。因为散射线的作用结果使穿过物质后射线强度还应包括散射线成分,即实际通过物质 T 层后,射线强度为垂直透过的射线强度 I_p 和散射线强度 I_s 的和,即:$I = I_p + I_s$

考虑了多束色情况后(并引入散射比 n),表示射线在物质中的衰减规律的式(1-11)可修正为

$$I = (1 + n) I_0 e^{-\mu T} \tag{1-12}$$

式中　n——散射比,它是散射线占垂直透过射线强度的比,即 $n = I_s / I_p$。

二、衰减系数与半价层

在式(1-11)中，μ 为衰减系数，它的物理意义是单位射线强度在穿过单位物质厚度时的衰减量，也称它为线衰减系数。因为导致射线强度衰减的有吸收和散射效应，所以线衰减系数是三个效应对强度衰减的贡献之和，即

$$\mu = \mu_\tau + \mu_c + \mu_e \tag{1-13}$$

式中　μ_τ——光电效应对衰减系数的贡献；

　　　μ_c——康普顿散射对衰减系数的贡献；

　　　μ_e——电子对效应对衰减系数的贡献。

线衰减系数 μ 是入射光量子的能量($h\upsilon$)和穿过物质的原子序数 Z 的函数。

$$\mu \propto K\lambda Z^3 \tag{1-14}$$

式中　K——比例系数；

　　　λ——射线波长；

　　　Z——被透物质的原子序数。

射线能量越高，物质原子序数越小，线衰减系数就越小；相反，射线能量越低，穿过物质的原子序数越大，线衰减系数越大。

半价层定义为：射线在物质中传播时，强度衰减到原来的一半时穿过物质的厚度。如果用 $H_{1/2}$ 来表示半价层厚度，它与线衰减系数关系如下：

由式(1-11)可得

$$\frac{1}{2}I_0 = I_0 e^{-\mu H_{1/2}}$$

经数学整理后得到

$$H_{1/2} = 0.693/\mu \tag{1-15}$$

即射线穿过物质的半价层与物质对这种射线的衰减系数的乘积为一常数。物质对射线的衰减系数越大，它的半价层就越小；相反，物质对射线的衰减系数越小，它的半价层厚度就越大。

【复习思考题】

1. x 射线、γ 射线有哪些基本特性？它们的波长或能量各由哪些因素决定？

2. x 射线是怎样产生的？其产生条件有哪些？

3. γ 射线是怎样产生的？常用 γ 源有哪些？

4. 射线穿透物质发生的三个效应与入射能量之间是怎样的关系？

5. 实际探伤中使用的是单色单束射线，这种描述是否正确？

6. 什么是半价层？它与哪些因素有关？

7. 什么是半衰期？它与哪些因素有关？

第二章　射线检测设备

在本章中将介绍目前工业探伤中使用较普遍的 x 射线机和 γ 射线机,其他射线探伤设备只在很小范围内使用,这里不作介绍。

第一节　x 射线机的种类及发展状况

随着科学技术的不断发展,x 射线机也在不断地得到发展和完善;同时,根据工业探伤的需要,x 射线机的类型也越来越多。类型划分方法很多,不同的划分方法可划分出不同的类型。

一、x 射线机的种类

1. 按射线机的结构划分

(1)携带式 x 射线机:体积小,重量轻,适用于野外、高空作业。

(2)移动式 x 射线机:体积和重量较大,能量大,管电流连续可调,工作效率高,适用于固定探伤室。

2. 按辐射方向划分

(1)定向 x 射线机:辐射角是 40°的圆锥角。细分又分为定向玻璃管和定向波纹陶瓷管。

(2)周向 x 射线机:又分为周向锥靶机(辐射角 360°× ± 12°)和周向平靶机(辐射角 360°× 24°)。

3. 按照绝缘方式划分

(1)油绝缘 x 射线机:使用 45 号或 25 号变压器油绝缘。体积大,重量重,该机型已经被淘汰。

(2)气绝缘 x 射线机:采用高压绝缘气体六氟化硫(SF_6)绝缘。体积小,重量轻,控制、保护功能齐全,是目前使用最多的机型。

4. 按工作频率划分(即给高压发生器的初级提供的信号频率)

(1)工频机:工作频率 50 Hz,如油绝缘携带式 x 光机。

(2)变频机:工作频率在 170 ~ 300 Hz 范围内变化。在改变管电压的过程中,为使管电流稳定在某一特定值(如 5 mA),采取改变初级信号的占空比,而脉冲宽度保持不变即改变信号的频率来实现。是目前使用最为普遍的机型。

(3)恒频机:实现恒频有两种方式,一种是占空比、频率及脉冲宽度均不变,灯丝加热是单独的一套电路,通过对管电流的跟踪取样检测,调整灯丝的加热电流,也能实现稳定管电流的目的。如日本东芝射线机。另一种是占空比改变,但频率不变。

(4)高频机:工作频率在 kHz 量级,可大大缩小高压发生器的体积,是携式式 x 射线机的发展方向,尚未推向市场。

另外,还有一种恒压 x 射线机,加在 x 光管上的电压是恒电压,使 x 光管工作时所通过的直流纹波相当平稳。国产移动式 x 光机上使用比较普遍。近两年比利时波涛公司推出的有便携式恒压 x 射线机,最低 20 kV 启动,0～10 mA 连续可调,100％工作效率。

二、携带式 x 射线机的发展方向

(1)射线机头小型化和轻量化。提高 x 光机的工作频率,可以减小变压器的铁芯尺寸,高压变压器的重量减轻,体积变小。同时提高其穿透能力。

(2)提高自动化程度和操作可靠性。采用自动训机,自动确定曝光参数等。提高元器件的质量,改进、提高组装工艺是目前国产射线机所着重解决的问题。国内几个生产厂家已经增设了自动训机功能,性能正在逐步完善;进口机如日本理学、日本东芝,采用以电容为主的控制电路,解决了由于人为操作不当而导致设备损坏(x 光管击穿)的问题。

三、国产 x 射线机的现状

(1)优点:价格便宜;电路设计较先进,简单、实用,某些功能不亚于进口机,甚至超过进口设备;维修方便。

(2)缺点:故障率较高,不耐用,制造工艺简陋。最近几年,国内大多生产厂家已注意到这一点,并努力改进工艺,提高质量,赶超世界先进水平。

国产常用变频充气 x 射线机及性能参数见表 2-1。

表 2-1　几种工业探伤常用的国产变频充气 x 射线机及性能参数

型　号	特性说明	管电压 (kV)	管电流 (mA)	最大穿透 Q235 (mm)	发生器重量 (kg)	焦　点 (mm × mm)
XXQ－1005	定向辐射 玻璃管	40～100	5	8	8.5	0.8×0.4
XXH－1005	周向辐射 玻璃管	40～100	5	7	8.5	1.0×3.5
XXQ－1605	定向辐射 玻璃管	60～160	5	18	16	0.8×0.8
XXH－1605	周向辐射 玻璃管	60～160	5	16	10.5	1.0×3.5
XXQ－2005	定向辐射 玻璃管	100～200	5	28	20	1.5×1.5
XXH－2005 (XXHA－2005)	周向平靶 玻璃管 (周向锥靶 玻璃管)	100～200	5	27(24)	20	1.0×2.0 (1.0×3.5)
XXQ－2505	定向辐射 玻璃管	150～250	5	38	36	2.0×2.0
XXH－2505 (XXHA－2505)	周向平靶 玻璃管 (周向锥靶 玻璃管)	150～250	5	37(34)	36	1.0×2.4 (1.0×5.0)
XXQ－3005	定向辐射 玻璃管	170～300	5	48	45	2.4×2.4
XXH－3005 (XXHA－3005)	周向平靶 玻璃管 (周向锥靶 玻璃管)	170～300	5	47(40)	45	1.0×2.5 (1.0×6.0)
XXG－2005	定向辐射 陶瓷管	100～200	5	29	20	2.0×2.0
XXG－2505	定向辐射 陶瓷管	150～250	5	39	25	2.0×2.0
XXG－3005	定向辐射 陶瓷管	170～300	5	50	35	2.5×2.5

第二节　x射线机的结构

一、x射线管(x光管)

x光管是x光机的核心部件,了解其结构和工作原理,有助于探伤人员的正确操作和使用,延长其使用寿命。

1. x光管的结构

x光管主要由阴极、阳极和外壳三部分组成,如图2-1所示。

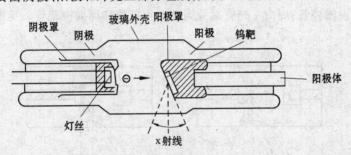

图2-1　x射线管示意图

(1)阴极:x光管的阴极是发射电子和聚焦电子的部位。主要由灯丝和阴极头组成。当阴极通电后,灯丝被加热,发射电子并被阴极头聚成一束,在高压电场的作用下,飞向阳极轰击靶面,产生x射线。

(2)阳极:x光管的阳极是产生x射线的部分,主要由阳极靶、阳极体、阳极罩组成。

由于产生x射线时,高速运动的电子撞击阳极靶,约有1%的能量转换为x射线,绝大部分转化为热能,使靶面温度升高,因此,x光管在工作中阳极的冷却十分重要。如冷却不及时,阳极过热会排出气体,降低x光管的真空度,严重时可以将靶面熔化以至龟裂脱落,使整个管子丧失工作能力。阳极靶一般采用原子序数较大、耐高温的钨来制造。

阳极体的作用是支撑靶面,传送靶上的热量,避免钨靶烧坏。一般采用导热率大的无氧铜制成。

电子撞击阳极时,所产生的二次电子落到x光管外壳的内壁上形成表面电荷,将对电子束产生不良影响,用铜制成的阳极罩可以吸收二次电子,防止这种影响。在阳极罩正对靶面的斜面处开有能使x射线通过的窗口,窗口上装有对x射线吸收较少且原子序数很小的元素铍。

x光管的散热方式一般有以下几种:

①辐射散热式、强制风冷:阳极体是实心的,其尾部伸到管外,装上辐射片,外面装上轴流风机,加快散热速度。多用于携带式气绝缘x射线机上。

②冲油冷却式:这种x射线管的阳极制成空腔式,用外循环油通过空腔来冷却。多用于移动式x射线机中。

③旋转阳极自然冷却:在大电流的医疗机中,常采用一种旋转阳极式的x光管。其阳极端壳外有线圈作定子,阳极根部作转子,阳极制成圆盘形,边上有斜角。因此,这种x射

线管的阳极靶是整个圆盘的圆周。当阳极高速同步旋转时,就可以很快地散去靶上的热量。由于阳极转动非常平稳,焦点可以保持形状和位置的稳定。用旋转阳极制成的 x 光管,不但可以得到较小的焦点,而且可以通过较大的电流,制成较大功率的 x 光管。

(3)外壳:外壳一般用耐高温玻璃和金属陶瓷制成,使内部形成 10^{-6} mmHg 以上的真空空腔。伸出壳体外的阳极和阴极灯丝与壳体的结合处,要进行特殊工艺处理,不能漏气。

2. x 光管的类型

工业常用的 x 光管按辐射方向不同来划分有定向和周向两种。定向 x 光管又分为定向玻璃管和定向陶瓷管;周向 x 光管又分为周向平靶管和周向锥靶管。见图 2-2。

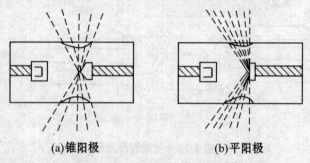

(a)锥阳极   (b)平阳极

图 2-2   周向辐射 x 射线管示意图

按外壳材料不同来划分也分为两种,即玻璃管和金属陶瓷管。

金属陶瓷管和玻璃管相比有很多特点:

(1)抗震性强,一般不易破碎。

(2)管内真空度高,各项电性能好,管子寿命长。

(3)250 kV 以上的管子尺寸可以做得比玻璃管小很多。

(4)价格比玻璃管昂贵。

目前,国内外均在大力研究和发展陶瓷管,除现在应用较广的定向陶瓷管外,近两年又出现了周向陶瓷管。图 2-3 是几种不同的金属陶瓷管。

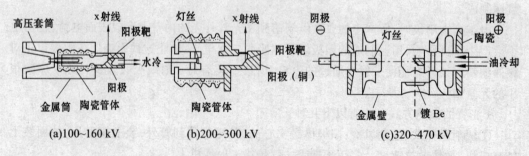

(a)100~160 kV   (b)200~300 kV   (c)320~470 kV

图 2-3   金属陶瓷 x 射线管

3. x 光管的性能

(1)阴极特性:众所周知,金属热电子发射与发射体的温度关系极大。假定在一定的管电压下,x 射线管发出的电子全部射到阳极上,则饱和电流密度与温度的关系,即 x 射线管的阴极特性,见图2-4。

(2)阳极特性:x光管的管电压与管电流的关系,见图2-5。从图中可以看到,在管电压比较低时(10～20 kV),x光管的管电流随管电压的增加而增大,当电压增加到一定程度时,管电流不再增加而趋于饱和,这说明在某一恒定的灯丝加热电流下,阴极发射的热电子已经全部到达了阳极,继续增加管电压也不可能再增加管电流。也就是说,工业用x射线管是工作在饱和区的。因此,在某一恒定电压下工作的x射线管,要改变管电流,只有改变灯丝的加热电流。

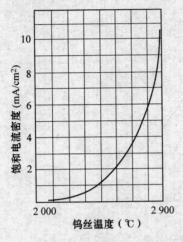

图2-4　管电流与灯丝温度的函数关系曲线

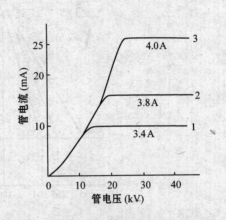

图2-5　x射线管电流与管电压关系曲线

由图2-4和图2-5可得出:x光管的管电压和管电流可以相互独立进行调节。

(3)x光管的管电压:管电压是管子的重要技术指标,管电压越高,发射的射线波长越短,穿透力越强。在一定范围内,管电压与穿透能力呈近似直线关系。

(4)x光管的焦点:焦点的大小直接影响照相灵敏度。焦点的大小主要取决于阴极灯丝的形状和大小,使用的管电压和管电流对焦点也有一定的影响。

阳极靶被电子撞击的部分叫实际焦点。见图2-6。焦点大,有利于散热,可通过较大的管电流;焦点小,透照灵敏度高,底片清晰度好。

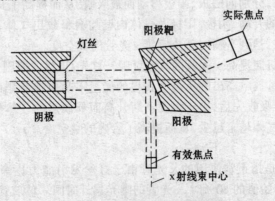

图2-6　实际焦点和有效焦点

实际焦点垂直于管轴线上的正投影叫有效焦点。探伤机说明书提供的焦点尺寸指的是有效焦点。常用 x 射线管的焦点尺寸详见表 2-1。

(5)辐射场分布:定向 x 射线管的阳极靶与管轴线方向呈 20°的倾角,因此发射的 x 射线束有 40°的立体角,x 射线的强度随角度不同有一定的差异,其辐射强度分布如图 2-7。从图中可以看到,阴极侧比阳极侧强度高,但由于阴极侧射线中包含着较多的软射线成分,所以,对一定厚度的试件照相,阴极侧部位的底片并不比阳极侧更黑,利用阴极侧照相也并不能缩短多少时间。

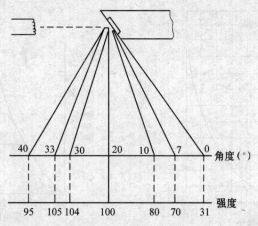

图 2-7　x 射线辐射强度分布图

(6)x 光管的真空度:x 射线管必须在高真空度(10^{-6} mmHg 以上)才能正常工作,故在使用时要特别注意:①不能使阳极过热,以免排出气体,降低 x 射线管的真空度,严重时会击穿 x 光管,因此,在使用 x 射线机时要遵从 1:1 的工作方式;②对新出厂、新更换的 x 光管或长时间不用的 x 射线机应严格训机后方能使用,训机的目的是提高 x 光管的真空度,延长 x 光管的使用寿命。

实际上,在开高压的过程中,有两个过程同时存在。一方面,x 射线管内部总存在一部分气体分子,在受到高速运动的电子撞击时产生电离,形成带电的正负离子,正负离子在高压电场的作用下,分别向阴极、阳极移动而被吸收,从而提高了 x 光管的真空度;另一方面,随着管子温度的升高,阴极、阳极及壳体内壁均会释放出气体,使管内真空度降低。这两个过程同时存在,达到平衡时就决定了 x 光管的真空度。

那么,为什么训机能提高 x 光管的真空度呢? 首先,训机的原则是从低电压逐步到高电压。在低电压阶段,被电离出的负离子获得的能量不足以击穿靶面而被吸收。把管子内部存留的气体分子吸收完后,由于温度不断升高而释放出的气体分子不断地被电离吸收,最终管子内部的气体越来越少,从而提高了管内的真空度。

4.x 光管的寿命

x 射线管的寿命是指正常使用的 x 光管由于灯丝发射能力逐渐降低而失去功能,射线辐射剂量率降为初始值的 80% 时,x 光管的曝光累计时间。玻璃管的寿命一般为 300～400 h,金属陶瓷管为 1 000 h 左右。如果使用不当,将大大降低其使用寿命。提高 x 光管使用寿命的要素有以下几个:

(1)使用负荷控制在最高管电压的90%以内。经理论推算,如果机器经常在最高管电压下工作,管子的寿命将至少缩短60%。

(2)使用过程中,一定要及时对阳极进行冷却。例如工作与间歇时间设为1:1。

(3)严格按说明书进行训机。

二、x射线机的高压发生电路

高压发生电路是x射线管工作的最基本电路。按加在x射线管两极上的电压波形可以分为半波整流、全波整流、倍压整流及恒直流四种;按高压变压器(高压包)接地方式不同可以分为阳极接地和中间接地两种。下面我们介绍几种常用的高压电路。

1. 带有逆电压抑制器的半波整流电路

图2-8是中间接地半波自整流电路。这是一种结构简单、便携式油绝缘x射线机普遍使用的一种电路。在该电路中,x射线管本身起到整流管的作用。在阳极为正半周时,有电流通过并产生x射线;而阳极为负半周时,电路不通,不工作,这时,因逆电压加在x射线管两端,如果阳极冷却不好,也能发射少量的电子,出现反向电流,产生不良后果。为避免这种现象,采用R和D组成的逆电压抑制电路,使反向电压的幅度变小,形成如图2-9的不对称正弦波。

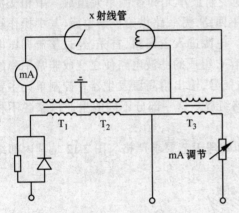

图2-8 带有逆电压抑制器的半波整流电路

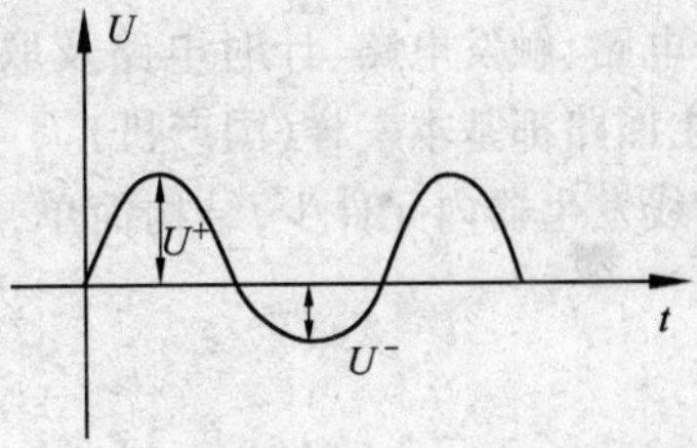

图2-9 半波自整流不对称波形图

从图中可以看出$|U^+| > |U^-|$,通过高压包耦合加到x光管两端的电压也具有同样的不对称性,负半周时,低电压可防止或减小反向电流的产生,x光管可以很安全地工作在这种高压自整流电路中。

2. 阳极接地半波自整流电路

该电路采用阳极接地,只有一个高压包,且灯丝的加热电流从高压包外层取出几匝来实现,结构简单紧凑,是近几年来气绝缘携带式x射线机中普遍采用的电路(见图2-10)。因采用阳极接地,冷却比较方便,可直接采用强制风冷,冷却效率要比中间接地高。

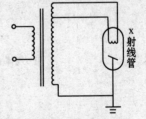

图2-10 阳极接地半波自整流电路

三、x射线机的结构

这里仅以携带式变频充气x射线机(丹东系列)为例介绍

其结构,见图 2-11。

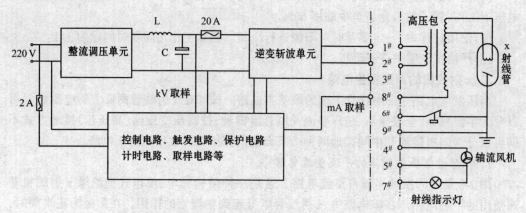

图 2-11　携带式变频充气 x 射线机整机结构简图

图 2-11 中竖虚线的左侧部分为控制箱(操作箱),右侧为射线发生器,中间用低压电缆线连接。

控制箱主要由整流调压单元、滤波单元、逆变斩波单元和控制单元组成。单相交流 220 V 电源进入操作箱后,分为二路,一路进入主回路,另一路供给控制单元(其中操作箱内和机头上的轴流风机也是该路提供的电源)。电源进入主回路,首先,经过整流调压电路进行全波整流,后经由滤波电感 L 和滤波电容 C 组成的滤波电路使之变成非常平稳的直流电,再经逆变斩波电路,把直流电斩成方波信号,输出给高压发生器。控制单元主要由保护电路、触发电路、计时电路及取样等电路组成。这一部分不同的生产厂家各不相同,但主回路都基本一样(国产机)。

射线发生器内元件少,结构简单,但组装和处理工艺要求严格。图 2-12 是其内部结构图。

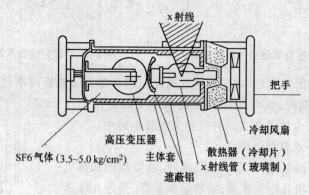

图 2-12　阳极接地气体冷却 x 射线机

射线发生器内的高压电路是采用阳极接地半波自整流。前面已讲过,这里不再赘述。

控制箱与射线发生器之间用低压电缆线(而不是高压电缆线)连接。该线一般采用 2.5 mm² 以上的十芯电缆,每根线的作用见图 2-11 中的标示。

四、使用 x 射线机时应注意的事项

x 射线机是一种高压、精密、贵重设备,正确使用和及时维护可以延长其使用寿命,提高工作效率。使用 x 射线机时应注意以下几点:

(1)使用前应检查所使用的电源是否正确。单相 220 V、3 kW 以上的供电配置,电源线接牢在对应的闸刀上,接好地线。

(2)使用前应检查射线发生器上气压表的气压是否在正常范围(0.35~0.5 MPa)。若气压低于 0.35 MPa,表明机头漏气,内部绝缘达不到要求,继续使用极易击穿高压包。

(3)通上电源后应检查机头上轴流风机是否工作。若轴流风机不工作,热量不能及时散去,容易损坏 x 射线管。

(4)对长期没用的 x 射线机,一定要按说明书严格训机后方可使用。使用多高的电压就训到多高的电压值,没有必要每次都训至满负荷。

(5)建议按 1:1 的工作方式(即曝光时间与间歇时间之比 1:1)去工作。

(6)若频繁烧保险,说明设备已出故障,切勿用其他导线代替保险,以免使故障扩大,造成更大的损失。

(7)现场电源电压不稳,应配备 5 kW 以上的交流稳压电源。因射线机内部均没有电源稳压电路,电源电压波动大,易损坏 x 射线机。

(8)在运输过程中,一定要使射线发生器垂直放置,尤其是玻璃管 x 射线机。

(9)x 射线机是一种计量器具,按照标准要求,每两年到技术监督部门校验一次。

第三节　x 射线机常见故障及排除

我们还以丹东系列携带式变频充气 x 射线机为例,从最常见的故障现象入手,分析造成故障的原因。

一、送不上电源(送上电源,功率开关跳闸)

(1)电源接的不对,可能接到两根火线上。

(2)控制箱内整流调压单元有元件击穿。

(3)控制箱内逆变斩波单元有故障。

(4)控制箱内其他部分有短路现象。

二、送上电源,电源指示灯不亮,轴流风机不工作

(1)电源没接好。

(2)控制箱上 2 A 保险烧断。

(3)电源开关(功率开关)坏。

(4)控制箱内其他线路有故障。

三、电源指示灯亮,但机头上轴流风机不工作

(1)先检查控制箱十芯输出线中 4# 、5# 线是否有 220 V 的交流输出。若没有,说明是控制箱内部的故障;若有输出,可能是以下原因。

(2)十芯电缆没有接好或有断线。

(3)轴流风机本身坏,风叶受阻或风机烧坏。

(4)机头内线路有故障。

四、送不上高压

(1)准备灯不亮,准备时间未到。

(2)十芯低压电缆线未接好或 $6^{\#}$、$9^{\#}$ 线有断线。

(3)温度过高,温度继电器保护。

(4)控制箱内有故障。

五、能送上高压,但几秒钟后高压掉

(1)控制箱上 20 A 保险烧断。

(2)低压电缆线未接好或有断线。

(3)控制箱有故障。

(4)机头内高压包击穿或 x 光管灯丝烧断。

六、能送上高压,但功率开关迅速跳闸

(1)高压包击穿。

(2)x 光管漏气或击穿。

(3)功率开关坏。

(4)控制箱内有故障。

七、能送上高压,但 mA 灯不亮

(1)mA 指示灯坏。

(2)控制箱内指示回路有问题。

(3)mA 低,但能维持,升高电压可能就亮了。

(4)控制箱内 mA 保护回路有问题。

八、射线弱

(1)控制箱内参数失调。

(2)x 光管老化。

九、频繁烧 20 A 保险

(1)保险管本身质量有问题或是假的。

(2)20 A 保险座绝缘不好或内部有积碳接触不好。

(3)高压包击穿。

(4)x 光管漏气或击穿。

(5)控制箱有故障。

十、送上高压,高压灯不亮

(1)高压灯坏或灯泡松动接触不好。

(2)高压灯指示回路有故障。

第四节 γ射线探伤设备

一、γ射线探伤设备的特点

1. γ射线探伤设备与普通 x 射线机相比具有的优点

(1)穿透能力强,探测厚度大。对钢工件而言,300 kV 的 x 射线机的最大穿透厚度为 50 mm 左右,而钴 60γ 射线机的最大穿透厚度在 200 mm 以上。

(2)体积小,重量轻,不用水,不用电,特别适用于野外作业和在用设备的探伤。

(3)工作效率极高,对环缝和球罐可进行周向曝光和全景曝光。同 x 射线机相比大大节约了人力、物力,降低了成本,提高了效益。

(4)设备故障率低,无易损件。

(5)可以连续运行,且不受温度、湿度、压力、磁场等外界条件的影响。

2. γ射线探伤设备的主要缺点

(1)γ射线源都有一定的半衰期,有些半衰期较短的射源如 ^{192}Ir 更换频繁。

(2)射源能量固定,无法根据试件厚度进行调节;强度随时间变化使曝光时间受到制约。

(3)固有不清晰度一般来说比 x 射线机大,用同样的器材及透照等技术条件,其灵敏度稍低于 x 射线机。

(4)对安全防护要求高,管理严格。

二、γ源的主要特性参数

放射性同位素有 2 000 多种,但只有那些半衰期较长、比活度较高、能量适宜、取之方便、价格便宜的同位素才适合于工业检测。目前工业射线照相常用的放射性同位素及其特性参数见表 2-2。

半衰期:放射性元素原子核数衰变到原来原子核数的一半时所需的时间。

放射性活度:γ源在单位时间内发生的衰变数,单位是贝可(Bq)。1 Bq 表示在 1 s 的时间内有一个原子发生衰变。原活度单位是居里(Ci),1 Ci = 3.7 × 10^{10} Bq。

放射性比活度:单位质量放射源的放射性活度,单位是贝可/克(Bq/g)。

表 2-2 常用 γ 射线源的特性参数

γ射线源	^{60}Co	^{137}Cs	^{192}Ir	^{170}Tm
主要能量(MeV)	1.17、1.33	0.662	0.30、0.31、0.47、0.6	0.052、0.084
平均能量(MeV)	1.25	0.662	0.355	0.072
半衰期	5.3 年	33 年	75 天	130 天
半价层(铅 cm)	1.2	0.65	0.6	0.1
比活度	中	小	大	大
透照厚度(钢 mm)	20 ~ 150	15 ~ 100	6 ~ 75	3 ~ 20
价 格	低	中	较低	高

三、γ射线探伤设备的结构

γ射线机由五个部分组成:①源组件;②探伤机机体;③驱动机构;④输源管;⑤附件。下面分别作简单介绍。

1.源组件

源组件也称为源辫,由放射源、包壳和辫子组成,是 γ 射线机的核心。以 TS-1 型为例,它将放射源(如^{192}Ir)放射性物质装入源包壳内,包壳采用内外两层,里层是铝包壳,外层是不锈钢包壳,并通过等离子焊封口。源包壳可防止放射性污染的扩散。源辫子连接多采用冲压方式,可以承受更大的拉力,见图 2-13。

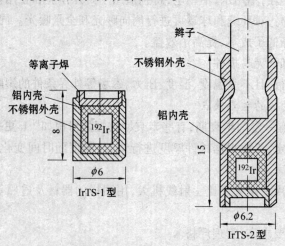

图 2-13 源组件的结构示意图 (单位:mm)

2. γ射线机的机体

γ射线机的机体外型比较小巧,机体屏蔽容器的内部通道,主要有 S 形通道和直通道两种,见图 2-14。

S 通道(也称迷宫式)机体结构紧凑,直通道机体虽然轻一些,但是有效屏蔽差,结构复杂。国产 TS-1 型^{192}Ir 探伤机的机体采用 S 形通道,这种装置是基于辐射是以直线向外传播的原理设计的。因为屏蔽体是 S 形,使射线不能按直线路径透射出来,从而达到防护的目的。屏蔽体一般用贫化铀材料制作而成,比铅屏蔽体的体积、重量大大减小。

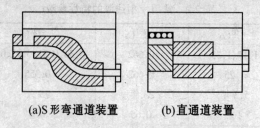

(a)S 形弯通道装置　　　(b)直通道装置

图 2-14 γ射线机机体屏蔽容器的内部通道示意图

3.驱动机构

驱动机构是一套用来将放射源从机体的屏蔽贮藏位置驱动到曝光焦点位置,并能将放射源收回到机体内的装置。

该装置一般可分为手动和电动驱动两种。手动驱动器包括控制缆导管、连接机体与控制手柄。靠摇动手柄来驱动源在管中移动,为正确判断源的输送,手柄上一般还装有源位置指示器,以确保源准确到达曝光焦点。

γ射线探伤设备及驱动机构工作情况示意图如图2-15所示。

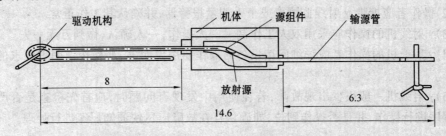

图2-15 γ射线设备及驱动机构工作情况示意图 (单位:m)

在现场无防护条件下进行γ射线探伤,如用手动驱动器操作,人只能离开源的距离10 m左右,此时的放射剂量率很高。为了解决这一问题,有些γ射线探伤设备除手动驱动外,还提供了电动驱动器。在工作时,当电动驱动器启动后,在预置的延迟时间内人可以走离很远,到达预置的延迟时间后,源由电动驱动器自动送到曝光焦点,按照预置曝光时间曝光后,放射源自动收回到机体内。这样就完成了一次透照,十分安全可靠。

4.输源管

输源管也称源导管,由一根或多根软管连接一个一头封闭的包塑不锈钢软管制成。其用途是保证源始终在管内移动,其长度根据不同需要可以任意选用。使用时开口一端接到机体源输出口,封闭的一端放在曝光焦点位置,射线探伤曝光时要求源输送到输源管的端部,以保证与曝光焦点重合。

5.附件

为了γ射线探伤设备的使用安全和操作方便,一般都配套一些设备附件,常用附件有:

(1)各种专用准直器。用于缩小限制射线照相范围,减小散射线,提高照相对比度,降低操作者所受剂量。

(2)γ射线监测仪、个人剂量笔及音响报警器。用于确保操作人员的安全及证实放射源所在位置,防止放射事故的发生。

(3)各种定位架。用于固定输源管的探头。定位架有多种型式,都有一定的调节范围并能固定准直器,从而保证放射源位于曝光焦点中心。

(4)专用曝光计算尺。可以根据胶片感光度、源种类、源龄、工件厚度、源活度及焦距,快速算出最佳黑度所需的曝光时间。

(5)换源器。因为γ射线源都有一定的半衰期。几个半衰期后源的活度减小,曝光时间增加,工作效率下降,这时就需要换源。在换源过程中要把旧源从γ射线机的机体内输送到换源器内,再把新源从换源器内送到γ射线机的机体内。换源器就是用来完成这一过程的设备。它是一个椭圆形的有两个I形孔道的由贫化轴为主要屏蔽材料制成的容器,重几十公斤,也可用于源的运输和储存。

四、γ射线探伤机的操作及维护

γ射线机虽然操作比较简单,但操作失误所引起的后果严重,故必须十分小心地进行操作。

(1)γ射线机的操作者必须经过培训,取得《放射工作人员证》方能上岗操作。

(2)操作者应携带γ射线监测仪或个人剂量报警器,并确认其工作正常。

(3)γ射线机的操作应采用双人工作制。一人操作,一人确认,做到万无一失。

(4)γ射线机的操作者应详细阅读设备的操作使用说明书,严格按说明书要求的程序去操作。

(5)γ射线机一般很少出现故障,若在使用中发现有问题时,应首先检查是否严格按操作程序进行操作,并是否操作到位,如确认存在故障应尽快通知厂家进行处理。

【复习思考题】

1. 为什么说 x 光管在工作中阳极的冷却十分重要?

2. 对新更换的 x 光管或长期不用的 x 射线机,为什么必须严格训机后方可使用? 训机的目的是什么? 为什么?

3. x 射线机的穿透能力与哪些因素有关?

4. 什么是 x 光管的管电流和灯丝电流?

5. x 光管焦点的大小与照相灵敏度有何关系?

6. 如何使用 x 射线机才能维护其正常的使用寿命?

7. x 射线机与 γ 射线机相比有哪些优缺点?

8. 如何正确选购射线探伤机?

第三章　射线照相用器材

第一节　射线照相胶片

一、射线照相胶片的结构与特点

射线胶片不同于一般的感光胶片,一般感光胶片在胶片片基的一面涂布感光乳剂层,在片基的另一面涂布反光膜。射线胶片在胶片片基的两面均涂布感光乳剂层,增加卤化银含量以吸收较多的穿透能力很强的 x 射线和 γ 射线,从而提高胶片的感光速度,增加底片的黑度,其结构如图 3-1 所示,在 0.25～0.3 mm 的厚度中含有 7 层材料。

(1)片基:片基是感光乳剂层的支持体,在胶片中起骨架作用,厚度约 0.175～0.20 mm,大多数采用醋酸纤维或聚酯材料(涤纶)制作。聚酯片基较薄,韧性好,强度高,更适用于自动冲洗。为改善照明下的观察效果,通常射线胶片片基采用淡蓝色。

(2)结合层(又称粘合层或底膜):其作用是使感光乳剂层和片基牢固地粘结在一起,防止感光乳剂层在冲洗时从片基上脱下来。结合层由明胶、水、表面活性剂(润湿剂)、树脂(防静电剂)组成。

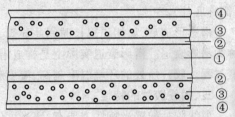

①—片基;②—结合层;
③—感光乳剂层;④—保护层

图 3-1　x 光胶片的构造

(3)感光乳剂层(又称感光药膜):每层厚度约 10～20 μm,通常由溴化银微粒在明胶中的混合体构成。乳剂中加入少量碘化银,可改善感光性能,碘化银含量按克分子量计,一般不大于 5%,卤化银颗粒大小一般为 1～5 μm。此外,乳剂中还加进防灰剂及棉胶、蛋白等稳定剂、坚膜剂。

明胶是用动物的皮、骨等组织中的纤维蛋白—骨胶原经处理后制成。明胶可以使卤化银颗粒在乳剂中分布均匀,并对银盐起一些增感作用,明胶对水有极大的亲和力,使胶片在暗室处理时,药液能均匀地渗透到乳剂内部,与卤化银粒子起反应。

感光乳剂在生产过程中在化学熟化过程后还要进行物理熟化(二次成熟),以改变卤化银颗粒团的表面状况,增加接受光量子的能力。感光乳剂中卤化银的含量,卤化银颗粒团的大小、形状决定了胶片的感光速度。射线胶片的含银量大致在 10～20 g/m²。

(4)保护层(又称保护膜):是一层厚度 1～2 μm,涂在感光乳剂层上的透明胶质,防止感光剂层受到污损和摩擦,其主要成分是明胶、坚膜剂、防腐剂、防静电剂。为防止胶片粘连,有时在感光乳剂层上还涂布毛面剂。

二、感光原理

胶片受到可见光、x 射线或 γ 射线的照射时,在感光乳剂层中会产生眼睛看不到的影像,即所谓潜影。

根据葛尔尼(Curneg)和莫特(Mot)创立的潜影理论,在感光乳剂中微量的银质点集中在 AgBr 晶体的缺陷和位错部位,形成感光中心,其电位能较之周围的 AgBr 要低。潜影的形成有四个阶段:

(1)光子($h\nu$)作用于 AgBr 晶体,将 Br^- 离子中的电子逐出;

(2)该电子在 AgBr 晶体上移动,陷入感光中心;

(3)带负电子的感光中心吸引 Ag^+ 离子;

(4)Ag^+ 离子与电子结合,构成潜影中心,由无数潜影中心组成潜影。

用化学方程式表示,即:

照射前　$AgBr = Ag^+ + Br^-$

照射后　$Br^- + h\nu \rightarrow Br + e$

$Ag^+ + e \rightarrow Ag$

经过显影、定影化学处理后,胶片上的潜影成为永久性的可见图像,称之为射线底片(简称底片)。

潜影形成后,如相隔很长时间才显影,得到的影像比及时冲洗得到的影像淡,此现象称为潜影衰退。潜影衰退实际上是构成潜影中心的银又被空气氧化而变成 Ag^+ 离子的逆变过程。胶片所处的环境温度越高,湿度越大,则氧化作用越剧烈,潜影的衰减越厉害。

三、射线胶片的特性

射线胶片的感光特性主要有:感光度(S)、灰雾度(D_0)、对比度(γ)、宽容度(L)、最大密度(D_{max}),这些特性可在胶片特性曲线上定量表示。

1. 胶片特性曲线

胶片特性曲线是表示曝光量与底片黑度之间关系的曲线,在特性曲线图中横坐标表示曝光量的对数值,纵坐标表示胶片显影后所得到的相应黑度。

(1)增感型胶片特性曲线,如图 3-2 所示成 S 形,由以下几个区段组成:

本底灰雾度区(D_0):特性曲线原点至纵轴 A 点的距离,胶片在未经曝光的条件下,经显影处理后也会有一定的黑度,此黑度值称灰雾度 D_0,通常所指的灰雾度也包括了片基本身的不透明度。

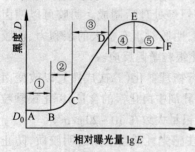

①—迟钝区;②—曝光不足区;③—曝光正常区;
④—曝光过度区;⑤—反转区(负感区)

图 3-2　增感型胶片的特性

曝光迟钝区(AB):曝光量增加时,底片黑度不增加,又称不感光区,当曝光量超过 B 点,才使胶片感光,B 点称为曝光量的阈值。

曝光不足区(BC):曝光量增加时,底片黑度只缓慢增加,此区段不能正确表现被透照工件的厚度或密度差。

曝光正常区(CD)区:黑度值随曝光量对数的增加而呈线性增大,这是射线检验时所要利用的区段。

曝光过度区(DE):曝光量继续增加时,黑度增加较小,曲线斜率逐渐降低直至 E 点为零。

反转区(EF):也称负感区,曝光极端过度时,黑度反而减小。

(2)非增感型胶片的特性曲线,如图3-3所示,因其"过度曝光区"在黑度4.0以上,超过一般观光灯的观察范围,故通常不再描绘在特性曲线上,非增感型胶片无明显的负感区,其特性曲线在常用的黑度范围内成"J"形。

2.射线胶片特性参数

以下简述有关射线胶片感光特性参数的一些术语定义、计算方法及其影响因素。

1)感光度(S)

在特定的曝光、冲洗和图像测量条件下,照相材料对透照辐射能响应的一种定量测量参数。一般把射线底片上产生一定黑度所用曝光量的倒数定义为感光度 S,用下式表示

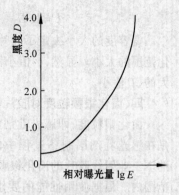

图 3-3 非增感性胶片特性曲线

$$S = \frac{1}{E} \tag{3-1}$$

式中　E——曝光量。

ISO7004—86 规定:以达到净黑度(不包括胶片灰雾度)为 2.0 时所用曝光量(单位:戈瑞)的倒数作为该胶片的感光度。

胶片感光度与乳剂层中的含银量、明胶成分、增感剂含量以及银盐颗粒大小、形状有关,与射线波长、增感方式、暗室处理等也有关,同一类型胶片,银盐颗粒越粗,其感光度越高。一般感光度高的,底片影像的清晰度就低。

2)灰雾度(D_0)

未经曝光的胶片直接显影后也会有一定的黑度值即不透明度,这一黑度即称为胶片的灰雾度,也叫本底灰雾度。

灰雾度过大会影响成像质量,降低灵敏度。一般讲,高感光度胶片要比低感光度胶片灰雾度大,同时灰雾度的大小还受保存条件、保存时间及暗室处理的影响。

3)对比度(γ)

胶片对比度也叫胶片衬度、反差系数、放大系数等,它是反映底片黑度随曝光量变化大小、快慢的量。在一定黑度下,它的大小可用在特性曲线上与该点相对应点的斜率来表示,见图 3-4。即

$$\gamma = \mathrm{tg}\, \alpha' = D_1/(\lg E_1 - \lg E') \tag{3-2}$$

但是,我们通常所说的胶片的对比度是用黑度在一定范围内连接两点所成直线所得平均对比度来表示的。即

$$\gamma = \mathrm{tg}\, \alpha = (D_1 - D_2)/(\lg E_2 - \lg E_1) \tag{3-3}$$

射线胶片 γ 值的大小与增感方式和暗室处理都有关系,使用高反差显影液及采用金属增感屏都能使胶片对比度提高,适当延长显影时间也能使胶片对比度增大。

4)宽容度(L)

胶片宽容度是指在胶片特性曲线上曝光正常区所对应曝光量的对数差,或者说是底片上满足一定黑度要求(如 JB4730—94 中规定 AB 级照相黑度值为 1.2~3.5)时,胶片特性曲线上这两个黑度所对应的曝光量的对数差。即

$$L = \lg E_{3.5} - \lg E_{1.2} \qquad (3\text{-}4)$$

宽容度的大小决定了胶片可以充分记录工件厚度变化范围的大小。显然，γ 值小的胶片，L 值大；相反，γ 值大的，L 值小。

四、卤化银颗粒度对胶片性能的影响

卤化银粒度，即感光乳剂中卤化银颗粒的平均尺寸，是在感光乳剂层制备过程中的物理成熟工艺阶段确定的。工业射线胶片的卤化银颗粒尺寸大致在 $0.5 \sim 10 \, \mu m$ 范围内。根据使用性能的要求，通过生产工艺条件控制不同类别的胶片具有不同的粒度。

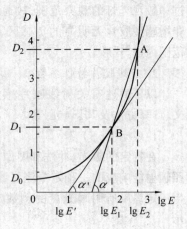

图 3-4　胶片对比度的求法

粒度对胶片的感光特性具有重要的影响。如果其他条件不变，单纯考虑粒度变化的影响，则感光特性有以下变化：随着粒度的增大，胶片的感光度将提高，衬度将减小。

粒度对胶片的使用性能也具有重要影响。卤化银粒度直接影响显影后的底片颗粒度，从而影响分辨率和信噪比。

五、射线胶片的分类

由于胶片对射线照相质量有非常显著的影响，所以胶片的分类是一个重要的问题。

目前工业射线照相所使用的胶片有两大类型：增感型胶片和非增感型胶片。由前述可知，这两类胶片具有完全不同的感光特性。此外，它们的使用方法也不相同。增感型胶片适于与荧光增感屏配合使用，非增感型胶片适于与金属增感屏配合使用或在不用增感屏的条件下使用。由于前者的成像质量较差，所以当前工业射线照相所使用的绝大部分是非增感型胶片。

如果按某一项感光特性参数或使用性能参数来对射线胶片分类，可以有许多种分类方法。多年来胶片分类存在着一定的混乱，为改变这种现象，ISO5579—85 标准作了新的胶片分类规定，以粒度和感光度为依据，把射线胶片分成四类，如表 3-1 所示。

表 3-1　射线胶片的分类

胶 片 类 型	粒　度	感 光 度
G I	微　粒	很　低
G II	细　粒	低
G III	中　粒	中
G IV	粗　粒	高

六、射线胶片的使用与保管

射线胶片使用和保管注意事项如下：

(1)胶片不可接近氨、硫化氢、煤气、乙炔和酸等有害气体，否则会产生灰雾。

（2）裁片时不可把胶片上的衬纸取掉裁切，以防在裁切过程中将胶片划伤。不要多层胶片同时裁切，防止轧刀擦伤胶片。

（3）装片和取片时，胶片与增感屏应避免摩擦，否则会擦伤，显影后底片产生黑线。操作时还应避免胶片受曲、受压、受折，否则会在底片上出现新月形影像。

（4）开封后的胶片和装入暗盒的胶片要尽快使用，如工作量较小，一时不能用完，则要采取干燥措施。

（5）胶片宜保存在低温低湿环境中，通常以 10～15 ℃最好。室内湿度保持在 55%～65%之间。温度高会使胶片与增感屏粘在一起，但空气过于干燥，也容易使胶片产生静电感光。

（6）胶片应远离热源和射线的影响，在暗室红灯下操作不宜距离过近，暴露时间不宜过长。

（7）胶片应竖放，避免受压。

第二节　增感屏

一、增感屏的作用

射线底片上的影像主要是靠胶片乳剂层吸收射线产生光化学反应形成的。为了能吸收较多的射线，射线照相用的感光胶片采用了双面药膜、较厚的乳剂层，但即使如此通常也只有不到 1% 的射线被胶片吸收，而 99% 以上的射线透射过胶片而浪费。使用增感屏可增强射线对胶片的感光作用，从而达到缩短曝光时间、提高工效的目的。所谓增感即增加感光。

增感屏的增感性能用增感系数 K 表示，亦称增感率、增感因子。所谓增感系数是指胶片、线质、暗室处理条件一定时，得到同一黑度底片，不用增感屏的曝光量 E_0 与使用增感屏时的曝光量 E 之间的比值，即

$$K = \frac{E_0}{E} \tag{3-5}$$

通常我们用 mA·min 来表示 x 射线的曝光量，用 Ci·min 来表示 γ 射线的曝光量。如果管电流相同或源活度相同，那么曝光量取决于曝光时间，增感系数也可由曝光时间之比来表示，即

$$K = \frac{t_0}{t} \tag{3-6}$$

式中　t_0——不用增感屏时的曝光时间；

　　　t——使用增感屏时的曝光时间。

二、增感屏的类型

增感屏有金属增感屏、荧光增感屏和金属荧光增感屏三种。其中以使用金属增感屏所得底片像质最佳，金属荧光增感屏次之，荧光增感屏最差，但增感屏系数以荧光增感屏最高，金属增感屏最低。

1. 金属增感屏

金属增感屏一般是将薄薄的金属箔粘合在优质纸基或胶片片基（涤纶片基）上制成

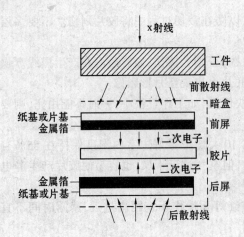

x射线

工件

前散射线

暗盒

纸基或片基
金属箔 } 前屏

二次电子

胶片

二次电子

金属箔
纸基或片基 } 后屏

后散射线

图 3-5 金属增感屏的构造和作用

的。常用的金属箔材质有:铅 Pb、钨 W、钽 Ta、钼 Mo、铜 Cu、铁 Fe 等。考虑到价格、压延性、表面光洁度和柔顺性,应用最普遍的是用铅合金(加 5% 左右的锑和锡)制成的铅箔增感屏。

在射线照相中,与胶片直接接触的金属增感屏有两个基本效应:①增感效应——金属屏受透射射线激发产生二次电子和二次射线,二次电子与二次射线能量很低,极易被胶片吸收,从而能增加对胶片的感光作用;②吸收效应——对波长较长的散射线有吸收作用,从而减少散射线引起的灰雾度,提高影像的对比度。金属增感屏的构造和作用见图 3-5。金属增感屏的选用见表 3-2。

表 3-2　金属增感屏的选用

射线种类	增感屏材料	前屏厚度(mm)	后屏厚度(mm)
< 120 kV	铅箔		≥0.10
120~250 kV	铅箔	0.025~0.125	≥0.10
>250~450 kV	铅箔	0.05~0.16	≥0.10
1~3 MeV	铅箔	1.00~1.60	1.00~1.60
>3~8 MeV	铜箔、铅箔	1.00~1.60	1.00~1.60
>8~35 MeV	钽箔、钨箔、铅箔	1.00~1.60	1.00~1.60
^{192}Ir	铅箔	0.05~0.16	≥0.16
^{60}Co	铜箔、钢箔、铅箔	0.50~2.00	0.25~1.00

注:①120 kV 以下 x 射线可不用前屏。
②钽箔或钨箔增感屏所获得的检测灵敏度比铅箔高。
③用铜箔或钢箔能获得最佳检测灵敏度,但比使用铅箔所需曝光时间长。

2. 荧光增感屏

由荧光体层(常用钨酸钙)和优质纸基组成。其构造和作用如图 3-6。荧光增感屏与增感型胶片联用时,可大大缩短曝光时间,可用较低的管电压检查较厚的工件。

荧光增感屏在较低的管电压条件下有较大的增感系数,当管电压大于 200 kV 时,增感系数降低。由于荧光增感屏的荧光体颗粒粗、荧光的扩展和散乱传播,加之荧光体间不能截止散射线,故所得底片的影像模糊,清晰度差,灵敏度低,缺陷分辨力差,细小裂纹易漏检,因此在射线照相中的使用范围越来越小。为避免危险性缺陷漏检,透照焊缝一般不使用荧光增感屏。JB4730—94 和 GB3323—87 标准规定仅在 A 级照相时才可使用荧光增感屏。

3. 金属荧光增感屏

这种增感屏兼有荧光增感屏的高增感特征和铅箔增感屏的散射线吸收作用。其构造和作用如图 3-7 所示。将铅箔粘合在纸基下，再在铅箔上涂布荧光物质制成。金属荧光增感屏与非增感型胶片配合使用，其像质要优于荧光增感屏时的底片，但由于清晰度和分辨力的局限性，金属荧光屏还是不能用于质量要求高的工件的透照。JB4730—94 和 GB3323—87 标准规定仅限于 A 级照相时方可采用金属荧光增感屏。

4. 增感屏的使用注意事项

目前，使用较普遍的是铅箔增感屏，使用中应注意以下几点：

(1)应保持表面光滑清洁，无污秽。铅箔表面有了油污，会吸收一次电子，形成减感现象，使底片上产生白影。对表面附着的污物，可用干净纱布蘸乙醚、四氯化碳擦去。

(2)应避免增感屏卷曲受折及划伤。卷曲受折会使增感屏与胶片接触不良，使底片影像模糊。划伤会在底片上产生增感黑影。对铅箔增感屏上比较轻微的折痕、划痕和粘合不良引起的鼓泡，可将增感屏放置在光滑的桌面上，用纱布将其抹平。

(3)避免沾染显定影液。铅箔易受显定影液的腐蚀，如不及时擦干，则会在增感屏表面产生严重的腐蚀斑痕，这种增感屏只能废弃。

(4)保存增感屏时，应注意防潮，防止有害气体的侵蚀。

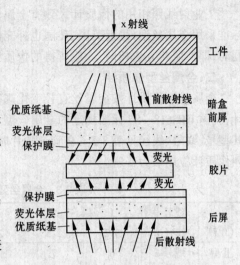

图 3-6　荧光增感屏的构造和作用

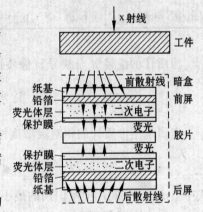

图 3-7　金属荧光增感屏的构造和作用

第三节　像质计

一、像质计的作用与分类

像质计是用来检查和定量评价射线底片影像质量的工具。又称为图像质量指示器、像质指示器、透度计。

像质计通常用与被检工件材质相同或对射线吸收性能相似的材料制作。像质计中设有一些人为的有厚度差的结构(如槽、孔、金属丝等)，其尺寸与被检工件的厚度有一定的数值关系。射线底片上的像质计影像可以作为一种永久性的证据，表明射线透照检验是在适当条件下进行的。但像质计的指示数值并不等于被检工件中可以发现的自然缺陷的实际尺寸。因为后者就缺陷本身来说，是缺陷的几何形状、吸收系数和三维位置的综合函数。

工业射线照相用的像质计大致有金属丝型、孔型和槽型三种。中国、日本、德国、国际标准采用金属丝型,最近英国、美国也补充使用金属丝型像质计。当使用的像质计类型不同时,即使照相方法相同,一般所得的像质计灵敏度也是不同的。

二、金属丝型像质计

金属丝型像质计按金属丝直径变化规律,又分等差数列、等比数列、等径、单丝型像质计,我国 GB5618—85 标准规定的金属丝型像质计是一种公比为 0.8 的等比数列像质计。其型号、线号、线径见表 3-3。在管道拍片时可采用等径像质计和单丝像质计。但等比数列像质计应用最为普遍。

表 3-3　金属丝型像质计的线径与线号

Ⅰ型 (1/7)	线号 z	1	2	3	4	5	6	7
	线径 d	3.2	2.5	2.0	1.6	1.25	1.0	0.8
Ⅱ型 (6/12)	线号 z	6	7	8	9	10	11	12
	线径 d	1.0	0.8	0.63	0.5	0.4	0.32	0.25
Ⅲ型 (10/16)	线号 z	10	11	12	13	14	15	16
	线径 d	0.40	0.32	0.25	0.20	0.16	0.125	0.10

像质计的线径 d 与线号 z(像质指数)之间有如下关系式

$$d = 10^{\frac{6-z}{10}} \tag{3-7}$$

$$z = 6 - 10 \lg d \tag{3-8}$$

金属丝型像质计的相对灵敏度按下式计算

$$S = \frac{d_{\min}}{T_A} \times 100\% \tag{3-9}$$

式中　$d_{\min}$——底片上可识别的最小线径;

　　　T_A——透照厚度。

三、像质计的摆放

不管使用何种类型的像质计,像质计的摆放位置会直接影响到像质计灵敏度的指示值,因此在摆放像质计时,摆放位置应在射线透照区内显示灵敏度最低的部位,如离胶片最远的工件表面、透照厚度最大的部位,若不利部位能达到规定的灵敏度,一般说来有利部位就更能达到。

透照焊缝时,金属丝像质计应放在被检焊缝射源一侧,被检区的一端,并使金属线横贯焊缝并与焊缝方向垂直,像质计上直径小的金属线应在被检区外侧,采用射源置于圆心位置的周向曝光技术时,像质计可每隔 90°放一个。

采用双壁单影法透照时,像质计不能放在近源侧的表面时,可放在胶片一侧,但要做对比试验。做一个与被检工件材质、直径、壁厚相同的短试样,在被检部位内外表面各放一个像质计,胶片侧像质计上应放"F"标记,然后采用与工件相同的透照条件透照。在所得底片上,以射源侧像质计所达到的规定像质指数或相对灵敏度来确定胶片一侧像质计所应达到的相应像质指数或相对灵敏度。图 3-8 表示管环缝双壁单影透照法对比试验布置图,在双壁单影像质计放在胶片侧时,像质计上均要加放"F",以表示像质计摆放位置是在胶片侧。

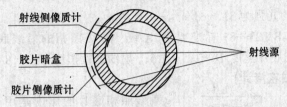

图 3-8 双壁单影法中像质计的对比试验

第四节 观片灯与黑度计

一、观片灯

观片灯是用来观察射线底片黑度分布情况的,JB4730—94 标准规定:观片灯最大亮度不小于 $100\,000$ cd/m^2,且观察的漫射光亮度应可调。对不需要观察或透光量过强的部分应采用适当的遮光板屏蔽强光。经照射后的底片亮度应不小于 30 cd/m^2。

底片上的影像是由许多微小的黑色金属银微粒所组成,影像各部位黑化程度大小与该部位含银量多少有关,含银量多的部位比含银量少的部位难于透光,底片黑化程度通常用黑度(或称光学密度)D 表示。

黑度 D 是照射光强度与穿过底片的透射光强之比的常用对数值,即

$$D = \lg \frac{L_0}{L} \tag{3-10}$$

式中　L_0——照射光强;

　　　L——透射光强;

　　　L_0/L 又称为阻光率。

当 $D = 0.3$ 时,照射光只有 1/2 透过;

当 $D = 1.0$ 时,照射光只有 1/10 透过;

当 $D = 2.0$ 时,照射光只有 1/100 透过;

当 $D = 3.0$ 时,照射光只有 1/1 000透过。如图 3-9 所示。

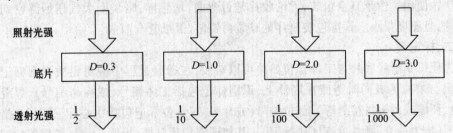

图 3-9 底片黑度不同时透射光强与照射光强的关系

例：已知观片灯亮度为 $100\,000$ cd/m^2,用来观察黑度为 3.5 的底片,问透过底片的光

强为多少?

解:由式(3-10)得 $L = L_0/10^D = 100\,000/10^{3.5} = 31.6(\text{cd/m}^2)$

答:透过底片的光强为 $31.6\ \text{cd/m}^2$。

JB4730—94 及 GB3323—87 标准要求,A 级、AB 级照相的射线底片黑度 $D = 1.2 \sim 3.5$;B 级照相的射线底片黑度 $D = 1.5 \sim 3.5$;γ 射线底片黑度 $D = 1.8 \sim 3.5$。

二、黑度计(黑白密度计)

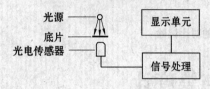

图 3-10 黑度计的结构原理图

射线照相底片的黑度是用透射式黑度计测量的,图 3-10 是黑度计的结构原理图。

黑度计有两种,一种是光学直读式(指针式),这种黑度计结构简单,但每次测量需进行零点调整、满度调整,使用不方便,误差较大,已被淘汰。另一种是数字式黑白密度计,如 TD-210,它把由光电池接收到的信号经过 A/D 转换等处理,用数字显示底片的黑度值,同时又增加了自动校准功能,操作方便,测量准确。

第五节 其他器材

一、暗袋

装胶片的暗袋可采用对射线吸收少而遮光性又很好的黑色塑料膜或合成革制作,要求材料薄、软、滑。用塑料膜制作的暗袋比较容易老化,天冷时发硬,热压合的暗袋边容易破裂。用合成革缝制成的暗袋则可避免上述弊端,如采用以尼龙绸上涂布塑料的合成革缝制暗袋,由于暗袋内壁较为光滑,装片时,胶片、增感屏容易插入暗袋。

暗袋的尺寸,尤其宽度要与增感屏、胶片尺寸相匹配,既能方便地出片、装片,又能使胶片、增感屏、暗袋很好贴合。暗袋的外面划上中心标记线,可以在贴片时方便地对准透照中心。暗袋背面还应贴上铅质"B"标记(高 18 mm,厚 1.6 mm),以此作为监测背散射线的附件。由于暗袋经常接触工件,极易弄脏,因此要经常清理暗袋表面,如发现破损,应及时更换。

国外还生产真空包装的胶片,可直接用于拍片。这种真空包装片上的增感屏、暗袋只能一次性使用。由于真空包装,无论胶片是否弯曲,增感屏、暗袋受大气压始终密切地贴合胶片,且厚度很小。真空包装胶片的暗袋由铅箔、黑纸复合而成。

二、标记带

为使每张射线底片与工件部位始终可以对照,在透照过程中应将铅质识别标记和定位标记与被检区域同时透照在底片上,识别标记包括工件编号(或探伤编号)、焊缝编号(纵缝、环缝或封头拼接缝等)、部位编号(或片号)。定位标记包括中心标记"十"和搭接标记"↑"(如为抽查,则为检查区段标记)。其他还有拍片日期、板厚、返修、扩探等标记。所有标记都可用透明胶带粘在中间挖空(长、宽约等于被检焊缝的长、宽)的长条形透明片基线或透明塑料上,组成标记带。标记带上同时配置适当型号的透度计。标记带示例如图 3-11 所示。

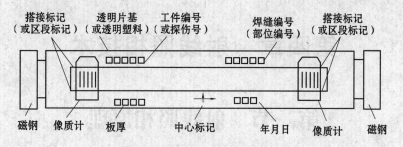

图 3-11　标记带的示例

可以将标记带的两端粘上两块磁钢,这样可以方便地将标记带贴在工件上,也可以利用带磁钢的透度计将标记带贴在工件上。对于一些经常更换的标记(如片号、日期)的部位,如果粘贴一些塑料插口,那么使用起来更为方便。在制作标记带时,应使透度计粘贴在标记带的反面而不要将透度计贴在标记带正面,这样可以使透度计比较紧密地贴在工件表面上,以免影响灵敏度的显示。

三、屏蔽铅板

为屏蔽后方散射线,应制作一些与胶片暗袋尺寸相仿的屏蔽板。屏蔽板由 1 mm 厚的铅板制成。贴片时,将屏蔽铅板紧贴暗袋,以屏蔽后方散射线。

四、中心指示器

射线机窗口应装设中心指示器。

中心指示器上装有约 6 mm 厚的铅光栏,可以有效地遮挡检测区的射线,以减少前方散射线;还装有可以拉伸、收缩的对焦杆,在对焦时,可将拉杆扳向前方,透照时则扳向侧面,利用中心指示器可以方便地指示射线方向,使射线束中心对准透照中心。

五、其他小器材

射线照相辅助器材很多,除了上述用品、设备、器材之外,为方便工作,还应备齐一些小器件:卷尺、锤头、照明行灯、电筒、各种尺寸的铅遮板、补偿泥、贴片磁钢、透明胶带,各式铅字、盛放铅字的字盘、划线尺、石笔、记号笔等。

【复习思考题】

1. 简述射线胶片的感光原理。
2. 射线胶片的感光度与粒度有何关系?
3. 射线照相中与胶片直接接触的金属增感屏有哪两个基本效应?
4. 如何正确选择像质计?
5. 如何计算金属丝型像质计的相对灵敏度?
6. 如何正确摆放像质计?

第四章 射线照相技术

第一节 射线照相原理

一、概 述

射线检测(Radiograhy Testing 缩写 RT)是工业无损检测的一个重要专业门类。其最主要的应用是探测试件内部的宏观几何缺陷(探伤)。按照不同特征(射线种类、记录器材、工艺和技术特点等)可将射线分为许多种不同的方法。

本教材中,射线照相法是指用 x 射线或 γ 射线穿透试件,以胶片作为记录信息的器材的无损检测方法。该方法是最基本的、应用最广泛的一种射线检测方法,也是射线检测专业培训的主要内容。

二、射线照相法原理

射线照相法原理是应用射线可穿透物质,透过物对射线的衰减效应及射线对胶片的光化特性实施的,是射线透过物质后的强度分布在底片上的再现。通过底片观察、分析,确定被检物体的完整性和均匀性,从而达到无损检测的目的。射线照相法原理如图 4-1 所示。

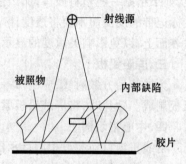

图 4-1 射线照相法原理

第二节 射线照相灵敏度

一、射线照相灵敏度

评价射线照相最重要的指标是射线照相灵敏度。所谓射线照相灵敏度,从定量方面来说,是指在射线底片上可以观察到的最小缺陷尺寸或最小细节尺寸;从定性方面来说,是指发现和识别细小影像的难易程度。

灵敏度有绝对与相对之分。在射线照相底片上所能发现的沿射线穿透方向上的最小缺陷尺寸称为绝对灵敏度;此最小缺陷尺寸与射线透照厚度百分比称为相对灵敏度。

由于工件中是否有缺陷,在探伤前是不可知的,经过探伤发现的缺陷,其沿射线穿透方向上的尺寸也是较难测定的。因此,用自然缺陷尺寸来评价射线照相灵敏度是不现实的。为便于定量评价射线照相灵敏度,常用与被检工件或焊缝的厚度有一定百分比关系的人工结构,如金属丝、孔、槽等组成所谓透度计,又称为像质计,作为底片影像质量的监测工具,由此得到的灵敏度称为像质计灵敏度。需要注意的是,底片显示的像质计最小金属丝直径(或孔径、槽深),并不等于工件中所能发现的最小缺陷尺寸,即像质计灵敏度并不等于自然缺陷灵敏度。但像质计灵敏度越高,则表示底片影像的质量水平越高,因而也能间接地定性反映出射线照相对最小自然缺陷的检出能力。

这里,需要注意的是:对裂纹类方向性很强的平面状缺陷来说,即使透照底片影像质量很高,黑度、灵敏度、不清晰度均能符合标准要求,有时也有难于检出甚至检不出的情况。这是由于射线透照方向与此类缺陷的平面有一定夹角而造成厚度差减小,以至对比度降低的缘故。要提高对此类缺陷的检出灵敏度,必须考虑透照方向及其他有助于提高缺陷显示清晰度和对比度的措施(如选用适当的胶片、增感屏、透照方式、几何布置、曝光条件及暗室处理等)。

JB4730—94 及 GB3323—87 标准中规定采用金属丝型透度计,相对灵敏度为

$$S = \frac{d_{\min}}{T_A} \times 100\% \tag{4-1}$$

式中　　S——相对灵敏度(%);

　　　　$d_{\min}$——底片上可识别的最小线径;

　　　　T_A——透照厚度。

JB4730—94 及 GB3323—87 标准中规定的射线照相灵敏度,是用不同射线照相方法的质量等级及其透照厚度所要求达到的像质计指数 Z 来表示。即直接用底片上可以识别的最细金属丝号数表示影像质量。在给定工件厚度时,底片可识别的金属丝直径越小,像质计指数越大,表示达到的像质水平越高,此时可识别最细金属丝直径 $d_{\min}$ 或其对应的最大像质计指数 $Z_{\max}$ 就称为像质计的绝对灵敏度。

二、射线照相灵敏度的影响因素

射线照相灵敏度是射线底片对比度(小缺陷或细节与其周围背景的黑度差)、不清晰度(影像轮廓边缘黑度过渡区的宽度)、颗粒度(影像黑度的不均匀程度)三大要素的综合结果,而三大要素的定义和区别可用图 4-2 表示。

图4-2　对比度、不清晰度和颗粒度概念示意

射线照相灵敏度的影响因素可归纳为表 4-1。

表 4-1　影响射线照相灵敏度的因素

射线照相对比度 ΔD $\Delta D = 0.434\mu \cdot \gamma \cdot \Delta T/(1+n)$		射线照相不清晰度 U $U = (U_g{}^2 + U_i{}^2)^{1/2}$		射线照相 颗粒度 G_r
主因对比度 $\Delta I/I = \mu \cdot \Delta T/(1+n)$	胶片对比度 $\gamma = \Delta D/\Delta \lg E$	几何不清晰度 $U_g = d_f \cdot L_2/L_1$	固有不清晰度 U_i	
取决于: a. 由缺陷造成的透照厚度差 ΔT(缺陷高度、形状、透照方向) b. 射线的线质 μ(或 λ, kVp, MeV) c. 散射比 　$n = (I_s/I_p)$	取决于: a. 胶片类型 b. 显影条件(配方、时间、活度、温度、搅动) c. 底片黑度 D($\gamma \propto D$)	取决于: a. 焦点尺寸 d_f b. 焦点至工件表面距离 L_1 c. 工件表面至胶片距离 L_2	取决于: a. 射线的线质 μ(或 λ, kVp, MeV) b. 增感屏种类 c. 屏－片贴紧程度 d. 胶片银胶比	取决于: a. 胶片类型 b. 射线的线质 μ(或 λ, kVp, MeV) c. 显影条件(配方、时间、温度)

第三节　射线底片对比度

一、射线底片对比度

如果工件中存在厚度差,那么射线穿透工件后,不同厚度部位透过射线的强度就不同,用此射线曝光,经暗室处理得到的底片上不同部位就会产生不同的黑度,射线照相底片上的影像就是由不同黑度的阴影构成的,阴影和背景的黑度差使得影像能够被观察和识别。我们把底片某一小区域和相邻区域的黑度差称为底片对比度,又叫做底片反差。显然,底片对比度越大,影像越容易被观察到和识别清楚。因此,为检出较小的缺陷,获得较高的灵敏度,就必须设法提高底片对比度。但在提高对比度的同时,也会产生一些不利后果,例如试件能被检出的厚度范围(厚度宽容度)减小,底片上的有效评定区域缩小,曝光时间延长,检测速度下降,检测成本增大等。

二、射线底片对比度公式

射线强度差异是底片产生对比度的根本原因,所以把 $\Delta I / I$ 称为主因对比度(如图 4-3 所示)

$$\frac{\Delta I}{I} = \frac{\mu \Delta T}{1 + n} \qquad (4\text{-}2)$$

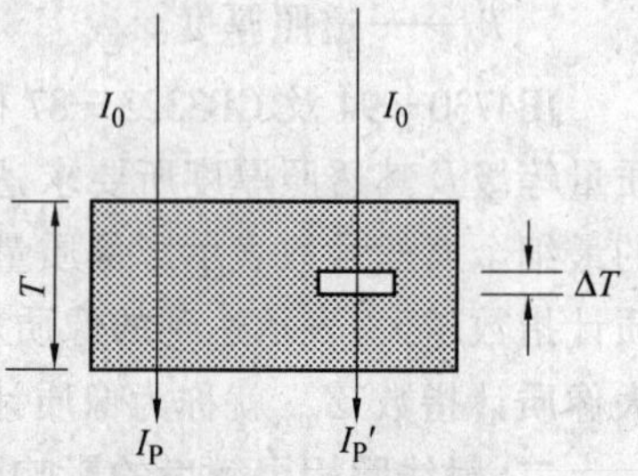

图 4-3　主因对比度

式中　ΔI——因试件中存在厚度为 ΔT 的缺陷而引起的一次透射射线强度之差($\Delta I = I_p' - I_p$);

I——无缺陷处的射线总强度,包括一次透射射线和散射线($I = I_p + I_s$);

μ——试件材料的线衰减系数;

ΔT——缺陷在射线透照方向上的尺寸;

n——散射比,散射线强度与一次透射强度之比($n = I_s / I_p$)。

需要说明的是,公式的导出以下面三个假设为基本前提:

(1)试件中缺陷厚度相对于试件厚度来说很小($\Delta T \ll T$),且缺陷中充满空气,其衰减系数忽略不计。

(2)缺陷的存在不影响到达胶片的散射量($I_s = I_s'$)。

(3)缺陷的存在不影响散射比($n = n'$)。

在大多数情况下,以上假设引起的误差极小,因此公式是可以成立的。

前面的章节中,我们给出了胶片的对比度公式

$$\gamma = \Delta D / \Delta \lg E$$

该式可改写为

$$\Delta D = \gamma \Delta \lg E = \gamma (\lg E_2 - \lg E_1) = \gamma \lg \frac{E_2}{E_1}$$

$$= \gamma \lg \frac{I_2 \cdot t}{I_1 \cdot t} = \gamma \lg \frac{I_2}{I_1} = \gamma \lg \frac{I + \Delta I}{I} = \gamma \lg \left(1 + \frac{\Delta I}{I} \right)$$

$$= \gamma \frac{\ln(l + \Delta I / I)}{\ln 10}$$

由近似公式 $\ln(1 + x) \approx x$ 得

$$\Delta D = \gamma \cdot \frac{\Delta I / I}{2.3} = 0.434\gamma \cdot \frac{\Delta I}{I}$$

将式(4-2)代入得

$$\Delta D = 0.434\gamma \cdot \mu \cdot \Delta T / (1 + n) \tag{4-3}$$

此即射线照相对比度公式。

三、射线照相对比度的影响因素

由式(4-3)可知,射线底片对比度 ΔD 是主因对比度 $\Delta I / I$ 和胶片对比度 γ 共同作用的结果,主因对比度是构成底片对比度的根本原因,而胶片对比度可以看做是主因对比度的放大系数(通常这个系数为 $3 \sim 6$)。

1. 影响主因对比度的因素

影响主因对比度的因素有:厚度差 ΔT、衰减系数 μ、散射比 n。

ΔT 与缺陷尺寸有关,某些情况下还与透照方向有关。对于试件中具体存在的缺陷,它的几何尺寸是一定的,但在不同方向上形成的厚度差可能不同。对于具有方向性的面积型缺陷,如裂纹、未熔合等,透照方向与 ΔT 的关系特别明显,为提高照相对比度,就必须考虑选择适当的透照方向或控制一定的透照角度,以求得到较大的 ΔT。例如,为检出坡口未熔合,往往选择沿坡口透照方向;为保证裂纹的检出率,就必须控制射线束与工件表面法线的角度不得过大。

衰减系数 μ 与试件材质和射线能量有关。在试件材质给定的情况下,透照的射线能量越低,线质越软,μ 值越大,在保证射线穿透力的前提下,选择能量较低的射线进行照相,是增大对比度的常用方法。

减小散射比 n 可以提高对比度,因此透照时就必须采取有效措施控制和屏蔽散射线。

2. 影响胶片对比度的因素

影响胶片对比度的因素有:胶片种类、底片黑度、显影条件。

不同类型的胶片具有不同的衬度。通常,非增感胶片的衬度比增感胶片的衬度大。非增感型胶片中不同种类的胶片有时衬度也不一样,要想提高对比度,可以选择衬度较大的胶片。

胶片衬度随黑度的增加而增大,为保证对比度,常对底片的最小黑度提出限制,为增大对比度,射线照相底片往往取较大的黑度值。

显影条件的变化可以显著改变胶片特性曲线的形状,显影时间、温度以及显影活度都会影响胶片的衬度。

第四节 射线底片清晰度

射线底片清晰度是指底片上影像轮廓的明晰程度,通常用其反义术语"不清晰度"(符号 U)表示。

如图 4-4 所示,用一束垂直于试件表面的射线透照一个金属台阶试块,理论上理想的射线底片将由两部分黑度区域组成,一部分是试件 AO 部分形成的高黑度均匀区,另一部

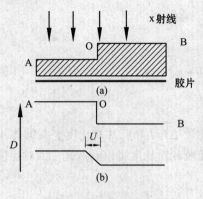

图 4-4 阶边影像的射线照相不清晰度(U)

分是试件 OB 部分形成的低黑度均匀区,两部分交界处的黑度是突变的、不连续的,如图 4-4(a)所示。但实际上底片上的黑度变化并不是突变的,试件的"阶边"影像是模糊的,影像的黑度变化如图 4-4(b)所示,存在一个黑度过渡区,把黑度在该区域的变化绘成曲线,称之为"黑度分布曲线"或"不清晰度曲线"。很明显,黑度变化区域的宽度越大,影像的轮廓越模糊,所以该黑度变化区域的宽度就定义为射线照相的不清晰度 U。

在实际工业射线照相中,造成底片影像不清晰有多种原因,如果排除试件或射源移动、屏—胶片接触不良等偶然因素,不考虑使用盐类增感屏荧光散射引起的屏不清晰度,那么构成射线照相不清晰度主要有两方面因素,即:由于射源有一定尺寸而引起的几何不清晰度 U_g 以及由于电子在胶片乳剂中散射而引起的固有不清晰度 U_i。

底片上总的不清晰度 U 是 U_g 和 U_i 的综合结果,U 和 U_g、U_i 三者之间的关系有多种表达式,目前比较广泛采用的关系表达式为

$$U = (U_g{}^2 + U_i{}^2)^{1/2} \tag{4-4}$$

两者不是简单的算术相加,而是由两者中较大值决定的。

一、几何不清晰度 U_g

由于 x 射线管焦点或 γ 射线源都有一定的尺寸,所以透照工件时,工件表面轮廓或工件中的缺陷在底片上影像的边缘会产生一定宽度的半影,这个半影的宽度就是几何不清晰度 U_g,如图 4-5 所示。U_g 的数值可用下式计算

$$U_g = d_f \cdot b / (F - b) \tag{4-5}$$

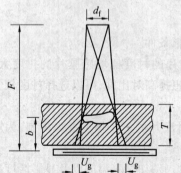

图 4-5 工件中缺陷的几何不清晰度

式中　d_f——焦点尺寸;
　　　F——焦点至胶片距离;
　　　b——缺陷至胶片距离。

通常,技术标准中所规定的射线照相必须满足的几何不清晰度,是指工件中可能产生的最大几何不清晰度 U_{gmax},相当于射线源侧表面缺陷或射线源侧放置的像质计金属丝所产生的几何不清晰度(图 4-6),其计算公式为

$$U_{gmax} = d_f \cdot L_2 / (F - L_2) = d_f \cdot L_2 / L_1 \tag{4-6}$$

式中　L_1——焦点至工件表面的距离;
　　　L_2——工件至胶片的距离。

由上式可知,几何不清晰度与焦点尺寸和工件厚度成正比,而与焦点至工件表面的距离成反比。在焦点尺寸和工件厚度给定的情况下,为获得较小的 U_g 值,透照时就需要取

较大的焦距 F。但由于射线强度与距离平方成反比,如果要保证底片黑度不变,在增大焦距的同时就必须延长曝光时间或提高管电压,所以对此要综合权衡考虑。

使用 x 射线照相时,由于透照场中不同位置上的焦点尺寸不同,阴极一侧的焦点尺寸较大,因此相应位置上的几何不清晰度也较大。实际上,由于照相场内光学焦点从阴极到阳极一侧都是变化的。因此,即使是纵焊缝(平板)照相,底片上各点的 U_g 值也是不同的,而环焊缝(曲面)照相,由于距离、厚度的变化,故底片上的各点的 U_g 值的变化更大、更复杂。

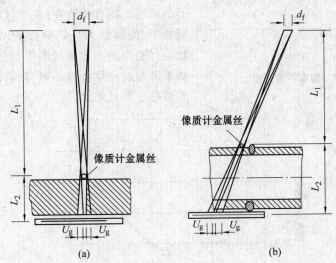

图 4-6　以像质计金属丝的 U_g 值作为被检缝的 U_{gmax} 值

二、固有不清晰度

在理想的、不存在几何不清晰度和散射线影响的情况下,物体或缺陷影像轮廓由射线能量、胶片和增感屏粒度等因素引起的模糊程度,称"固有不清晰度",用 U_i 表示。

固有不清晰度是由于照射到胶片上的射线在乳剂层中激发出的电子的散射而产生的:当光子穿过乳剂层时,与物质相互作用发生光电效应、康普顿效应以及电子对效应,所有这三种效应都能激发出电子。射线光量子的能量越高,激发出来的电子的动能就越大,在乳剂层中的射程也就越长。这些电子向各个方向散射,到达邻近的卤化银颗粒,动能较大的电子甚至可以穿透许多个卤化银颗粒。由于电子的作用,使这些卤化银颗粒成为潜影,因此一个射线光量子不只是影响一个卤化银颗粒,而可能在乳剂层中产生一小块潜影银,其结果是不仅光量子直接作用的点能被显影,而且该点附近区域也能被显影,这就造成了影像边界的扩散和轮廓的模糊。固有不清晰度的大小就是散射电子在胶片乳剂层中作用的平均距离。

假定不存在几何不清晰度 U_g,也不存在散射线 I_s,则底片上影像边缘附近出现的两个黑度 a 和 b 之间的过渡区域,就是固有不清晰度 U_i。如图 4-7 所示。

固有不清晰度主要取决于射线的能量。从图 4-8 可以看出:U_i 随射线能量的提高而连续递增,在低能区,U_i 增大速率较慢,但在高能区,U_i 增大较快。

锅炉压力容器射线照相通常使用的金属增感屏能吸收射线能量,发射出电子,作用于

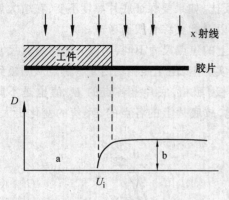

图 4-7 固有不清晰度

胶片的卤化银，增加感光。由增感屏发射出的电子，在乳剂层中也有一定的射程，同样产生固有不清晰度。有关文献指出，增感屏的材料种类、厚度，以及使用情况都会影响固有不清晰度。例如，在中低能量射线照相中，使用铅增感屏的底片比不使用铅增感屏的底片的固有不清晰度有所增大；随着铅增感屏厚度的变化，固有不清晰度也将有所改变；在 γ 射线和高能 x 射线照相中，使用铜、钽、钨制作的增感屏可以得到比铅屏更小的固有不清晰度；在使用增感屏时，如果屏与胶片贴合得不紧，留有间隙，将使固有不清晰度明显增大。

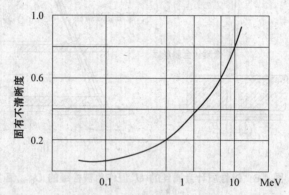

图 4-8 不同射线能量下的射线照相固有不清晰度试验曲线（微粒胶片、经滤波的射线）

对屏和胶片贴合不紧导致 U_i 增大的现象可作如下解释：由屏发射出的电子脱离屏表面后，如未立即进入胶片乳剂层，而是在空气中经过一段距离后再进入乳剂层，那么，由于电子通过空气时的动能损失较小，其总的作用距离将大于那些完全在乳剂层中穿行的电子的作用距离，因此导致 U_i 增大。

射线照相的固有不清晰度可采用铂—钨双丝像质计测定。

【复习思考题】

1. 射线照相原理是什么？

2. 射线照相灵敏度的影响因素有哪几大类？

3. 射线底片满足了黑度和透度计灵敏度的要求，能否保证工件中的缺陷不发生漏检？为什么？

4. 何谓几何不清晰度？影响因素有哪些？

5. 何谓固有不清晰度？影响因素有哪些？

第五章 焊缝射线照相工艺

第一节 透照工艺要点

射线透照工艺是指为达到一定要求而对射线透照过程规定的方法、程序、技术参数和技术措施等,也泛指详细说明上述方法、程序、参数、措施的书面文件。工艺条件是指工艺过程中的有关参变量及其组合。透照工艺条件包括设备器材条件、透照几何条件、工艺参数条件、工艺措施条件等。本节讨论一些主要工艺条件对照相质量的影响及应用选择原则。

一、透照工艺基本内容

射线照相工艺文件有两种:

一种称通用工艺规范,依照有关管理法规和技术标准,结合本单位具体情况编制而成。其内容除包括从试件准备直至资料归档的射线照相全过程,还包括对人员、设备、材料的要求以及一些基本技术数据,如曝光曲线等图表。

另一种称专用工艺,其内容比较简明,主要是与透照有关的技术数据,用于指导给定试件的透照工作。因其通常用卡片形式填写,所以有时称为透照工艺卡。其内容包括五部分:

(1)试件原始数据。包括试件名称、材质、规格尺寸、状态、透照焊缝及部位以及草图等。

(2)规范标准数据。包括试件质量验收标准和照相技术标准、照相质量等级、检查比例、底片质量要求等。

(3)透照技术数据。包括选定的设备、材料、透照方式、射线能量、焦距和其他曝光参数等。

(4)特殊的技术措施及说明。对复杂的试件或特殊的工作条件,需要增加一些措施或说明。

(5)有关人员签字。

专用工艺常用工艺卡的形式表现,表5-1为透照一焊接试板工艺卡。

二、透照工艺的编制

射线透照工艺的编制大致分为以下五个步骤:

(1)透照准备。明确试件的质量验收标准规范和射线照相标准,熟悉理解有关内容,了解和掌握试件的情况和有关技术数据。

(2)透照条件选择。根据试件的特点,有关技术要求和实际情况,选择设备、器材、透照方式、曝光参数,以及有关技术措施。透照条件必须满足标准规定的要求。在选择透照条件时,应尽量设法提高灵敏度,同时兼顾工作效率和成本因素。

(3)透照条件验证。对选择的透照条件,必要时应进行试验验证。

(4)透照工艺文件形成。根据选择的透照条件和验证结果,填写表卡,形成书面文件。

(5)审批。对编制出的文件,按规定完成审核、批准手续,即成为正式的工艺文件。

表5-1 射线照相检验透照工艺卡 （单位:mm）

产品	名　称	贮　罐	材料	16MnR	类别		Ⅲ	编号	99012	工号	
	透照部位	纵缝试板	厚度	16	质量标准		GB150	射线照相标准		JB4730—94	
设备器材	射线源	XXQ－2505	焦点	2×2	像质计		FEⅢ	增感屏		铅:前 0.03　后 0.1	
	胶片型号	天津Ⅲ型	规格	360×80	暗室处理方法			手　工			

透照参数		工件草图与透照部位编号	透照布置示意图
kV	150		
F(mm)	700		
E(mA·min)	20		
T_A(mm)	16		
L_3(mm)	300		
N	2		
像质指数	12		
D	1.2~3.5		

工件草图: S_1　S_2　（300　300）

透照布置示意图: 射源　试件　标记与像质计　胶片　背防护铅板

辅助措施	使 用 背 防 护 铅 板
备注	编制:　审核:　批准:　单位:
更改记录:	年　月　日

三、焊缝透照常规工艺

1. 平板对接焊缝透照工艺

平板对接焊缝是最简单的焊缝试件,锅炉压力容器的筒体纵缝、焊接试板,以及封头板拼缝都属此类形式。前面讲述的工艺卡就是平板焊缝透照工艺一例。一些透照条件和参数的选择说明如下:

透照方式:只有单壁透照一种方法。

焦距:按照标准规定同时考虑到几何不清晰度和一次透照长度的要求。

管电压:小于标准要求的最高管电压,通常根据曝光曲线选定。

曝光量:一般不小于标准推荐值,具体数值根据试件厚度查曝光曲线选定。

一次透照长度:根据标准中的 K 值计算允许的一次透照长度,然后结合试件和设备器材情况确定具体数值。

胶片尺寸:胶片长度为一次透照长度加搭接长度,再加适当余量,胶片宽度为规格化正常尺寸。

2．环缝透照的工艺

环缝透照的透照方式比平板对接焊接复杂一些，要点简述如下：

透照方式：环缝的透照方式有多种选择，一般说来，单壁和双壁透照之间应优先选择单壁透照，无法实施单壁透照时采用双壁透照。源的放置应优先选择源在内，这样布置透照厚度比较小，横裂检出角较小，一次透照长度较大，但有时因工件和设备原因，只能选择源在外的透照方式。

焦距：焦距 F 与试件半径 R 越接近越好，这样 K 值和 θ 角较小。当然实际透照时选择焦距，并不仅仅要考虑 K 值和 θ 角、一次透照长度，还必须同时考虑几何不清晰度等其他因素。

环缝透照的其他工艺条件和参数可按前述的要求。

第二节　曝光曲线的制作及应用

在实际工作中，通常根据工件的材质与厚度来选取射线能量、曝光量以及焦距等工艺参数，上述参数一般是通过查曝光曲线来确定的。曝光曲线是表示工件（材质、厚度）与工艺规范（管电压、管电流、曝光时间、焦距、暗室处理条件等）之间相关性的曲线图示。但通常只选择工件厚度、管电压和曝光量作为可变参数，其他条件必须相对固定。

曝光曲线必须通过试验制作，且每台 x 射线机的曝光曲线各不相同，不能通用，因为即使管电压、管电流相同，如果不是同一台 x 射线机，其线质和照射率也是不同的。原因是：①加在 x 射线管两端的电压波形不同（半波整流、全波整流、倍压整流及直流恒压等），会影响管内电子飞向阳极的速度和数量；②x 射线管本身的结构、材质不同，会影响射线从窗口出射时的固有吸收；③管电压和管电流的测定有误差。此外，即使是同一台 x 射线机，随着使用时间的增加，管子的灯丝和靶也可能老化，从而引起射线照射率的变化。

因此，每台 x 射线机都应有曝光曲线，作为日常透照控制线质和照射率，即控制能量和曝光量的依据，并且在实际使用中还要根据具体情况作适当修正。

一、曝光曲线的构成和使用条件

横坐标表示工件的厚度，纵坐标表示管电压，曝光量为变化参数的曲线称为厚度～管电压（$T \sim kV$）曝光曲线；若纵坐标用对数刻度表示曝光量，管电压为变化参数，所构成的曲线则称为厚度～曝光量（$T \sim E$）曝光曲线。几种典型的曝光曲线图例见图 5-1～图 5-3。

任何曝光曲线只适用于一组特定的条件，这些条件包括：

（1）所使用的 x 射线机（相关条件、高压发生线路及施加波形、射源焦点尺寸及固有滤波）；

（2）一定的焦距（常取 700 mm 或 800 mm）；

（3）一定的胶片类型（通常为微粒、高反差胶片）；

（4）一定的增感方式（屏型及前后屏厚度）；

（5）所使用的冲洗条件（显影配方、温度、时间）；

（6）基准黑度（通常取 1.8 或 2.0）。

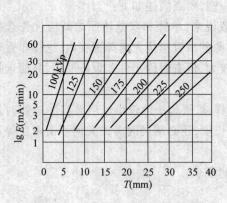

图 5-1　以管电压为参数的曝光曲线

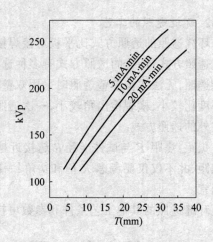

图 5-2　以曝光量为参数的曝光曲线

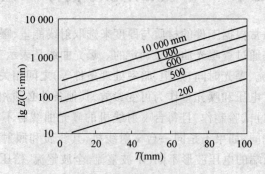

图 5-3　钴 60 曝光曲线

上述条件必须在曝光曲线图上予以注明。当实际拍片所使用的条件与制作曝光曲线的条件不一致时，必须对曝光量作相应修正。曝光曲线一般只适用于透照厚度均匀的平板工件，而对厚度变化较大的工件如形状复杂的铸件等，只能作为参考。

二、曝光曲线的制作

曝光曲线是在机型、胶片、增感屏、焦距等条件一定的前提下，通过改变曝光参数（固定 kV、改变 mA·min 或固定 mA·min、改变 kV）透照由不同厚度组成的钢阶梯试块，根据给定冲洗条件洗出的底片所达到的某一基准黑度（如为 1.8 或 2.0），来求得 kV、mA·min、T 三者之间关系的曲线。

所使用的阶梯试块面积不可太小，其最小尺寸应为阶梯试块厚度的 5 倍，否则散射线将明显不同于均匀厚度平板中的情况。另外，阶梯试块的尺寸应明显大于胶片尺寸，否则要作适当遮边（图 5-4）。

按有关透照结果绘制 $E \sim T$ 曝光曲线的过程如下：

1. 绘制 $D \sim T$ 曲线

采用较小曝光量，不同管电压拍摄阶梯试块，获得第一组底片；再采用较大曝光量不同管电压拍摄阶梯试块，获得第二组底片；用黑度计测定获得透照厚度与对应黑度的两组数据，绘制出 $D \sim T$ 曲线，如图 5-5。

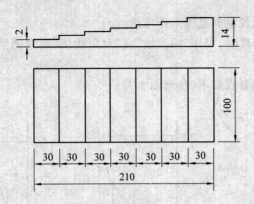

图 5-4　曝光用阶梯试块 （单位：mm）

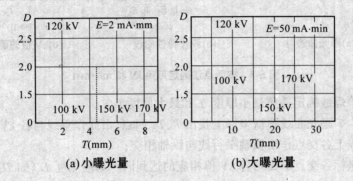

（a）小曝光量　　　　　　　　（b）大曝光量

图 5-5　$D \sim T$ 曲线

2．绘制 $E \sim T$ 曲线

选定一基准黑度值，从两张 $D \sim T$ 曲线图中分别查出某一管电压下对应于该黑度的透照厚度值。在 $E \sim T$ 图上标出这两点，并以直线连线即得该管电压的曝光曲线（图5-6）。

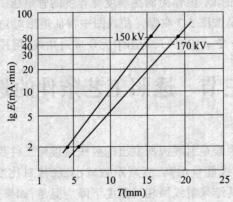

图 5-6　$E \sim T$ 曝光曲线

三、曝光曲线的使用

从 $E \sim T$ 曝光曲线上求取透照给定厚度所需要的曝光量，一般都应采用所谓"一点法"，即按射线中心透照最大厚度确定与某一 kV 相对应的 E，此时透检区最小厚度所产生的黑度能否落在标准规定的范围未作考虑。

当需考虑厚度宽容度时,可用"两点法"或"对角线法"确定透照一定厚度范围达到规定黑度范围的曝光量。

用"两点法"取值的要点如下(参阅图 5-7):

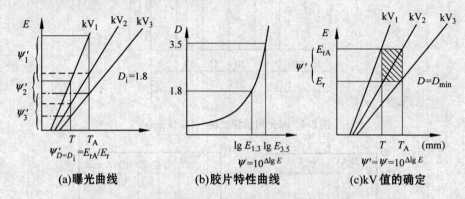

(a)曝光曲线   (b)胶片特性曲线   (c)kV 值的确定

图 5-7 按两点法确定可用 kV 和 mA·min

(1)由被检焊缝确定透照最小厚度 T 和最大厚度 T_A;

(2)在 $E \sim T$ 曝光曲线图横坐标上找出 T、T_A 两点,由此作垂线与各 kV 线相交;

(3)由斜线上各交点作出横轴平行线与纵轴相交;

(4)由纵坐标各交点求出与各 kV 值相应的达到同一基准黑度 D_i(如 $D_i = 1.8$)的曝光量比值 Ψ';

(5)由使用胶片特征曲线找出与标准规定的黑度上下限值 D_2、D_1 相应的曝光量比值 $\Psi(= 10^{\Delta \lg E})$;

(6)比较 Ψ' 与 Ψ 的值,应使 $\Psi' \leqslant \Psi$;

(7)取 Ψ' 最接近 Ψ 的 kV 值作为满足厚度宽容度的管电压。

所谓"对角线法"就是按图 5-7 取曝光曲线图中特征矩形对角线的指示值,此时 $\Psi' = \Psi(\Psi'_{D=D_i} = E \cdot T_A / E_T = \Psi = 10^{\Delta \lg E})$,若图中无现成对角线,可按插入法近似求出。

第三节　透照工艺条件的选择

一、射线能量的选择

选择射线源的首要因素是射线源所发出的射线对被检工件具有足够的穿透力。从保证射线照相灵敏度讲,射线能量增高,衰减系数减小,底片对比度降低,固有不清晰度增大,底片颗粒度也增大,其结果射线照相灵敏度下降。但是,如果选择射线能量过低,穿透力不够,到达胶片的透照射线强度过小,造成底片黑度不足,灰雾度增大。

对于 x 射线源来讲,穿透力取决于管电压。管电压越高则射线的质越硬,穿透厚度越大,在工件中的衰减系数越小,灵敏度下降。故 x 射线的选择,规定了选择上限,其要求见 JB4730—94 图 5-6。

对于 γ 射线源来讲,穿透力取决于射线源的种类。由于射线源发出的射线能量不可改变,而用高能射线透照薄工件时,会出现灵敏度下降的现象。因此,对于源的选择不仅规定了透照厚度的上限,且也规定了透照厚度的下限。

不同射线源的适用范围见 JB4730—94 表 5-6。

通常情况下,射线能量的选择原则是:在保证穿透的前提下,选择能量较低的射线,以保证射线照相灵敏度。

选择能量较低的射线可以获得较高的对比度,却意味着较低的透照厚度宽容度。对于透照厚度差较大的工件将产生很大的底片黑度差,底片黑度值超出允许范围。因此,在透照厚度差较大的工件时,选择射线能量还必须考虑得到合适的透照厚度宽容度,即适当选择较高一点射线能量。

二、焦距的选择

焦距对照相灵敏度的影响主要表现在几何不清晰度上。由几何不清晰度定义(定义公式:$U_g = \dfrac{d_f \cdot L_2}{F - L_2}$ 或 $U_g = \dfrac{d_f \cdot L_2}{L_1}$)可知,焦距 F 越大,U_g 值越小,底片上的影像越清晰。因此,为保证射线照相的清晰度,标准对透照距离的最小值有限制,JB4730—94 及 GB3323—87 标准中,规定透照距离 L_1 与焦点 d_f 和透照厚度 L_2 应满足以下关系:

像质等级	透照距离 L_1	几何不清晰度 U_g 值
A 级	$L_1 \geqslant 7.5 d_f L_2^{2/3}$	$U_g \leqslant (2/15) L_2^{1/3}$
AB 级	$L_1 \geqslant 10 d_f L_2^{2/3}$	$U_g \leqslant (1/10) L_2^{1/3}$
B 级	$L_1 \geqslant 15 d_f L_2^{2/3}$	$U_g \leqslant (1/15) L_2^{1/3}$

由于焦距 $F = L_1 + L_2$,所以上述关系式也就限制了 F 的最小值。L_1 可通过上列关系式计算,也可利用 JB4730—94 和 GB3323—87 标准中的诺模图查出。

实际透照时一般并不采用最小焦距值,所用的焦距比最小焦距要大得多。这是因为透照场的大小与焦距相关。焦距增大后,匀强透照场范围增大,这样可以得到较大的有效透照长度,同时影像清晰度也进一步提高。

但是焦距也不能太大,因为焦距增大后,按原来的曝光参数透照得到的底片黑度将变小。若保持底片黑度不变,就必须在增大焦距的同时增加曝光量或提高管电压,而前者降低了工作效率,后者将对灵敏度产生不利的影响。

焦距的选择有时也与试件的几何形状以及透照方式有关。例如,为得到较大一次透照长度和较小的横裂检出角,在双壁单影法透照环缝时,往往选择较小的焦距,极限情况下,焦距就是筒体的外径。

在几何布置中,除考虑焦距 F 的最小要求外,同时也要考虑到分段曝光时一次透照长度,即焊缝的透照厚度比 $K(K = T'/T)$,K 值与横向裂纹检出角 θ 的关系为 $\theta = \arccos(1/K)$。环焊缝的 A 级和 AB 级的 K 值不大于 1.1,B 级的 K 值不大于 1.06;纵焊缝的 A 级和 AB 级的 K 值不大于 1.03,B 级的 K 值不大于 1.01。

例:透照一纵焊缝,透照厚度为 26 mm,一次透照长度为 300 mm,选择射线源焦点尺寸为 3 mm,照相质量为 AB 级,求焦距最小应为多少?

已知:$T_A = 26$ mm,$L_3 = 300$ mm,$d_f = 3$ mm,$K = 1.03$

求:$F = L_2 + L_1$

解：满足 U_g 要求 $L_1 \geqslant 10 d_f L_2^{2/3} = 263(\text{mm})$

满足 K 值要求 $K = 1.03, \theta = \arccos(1/K) = 13.86°$

$$L_1 = \frac{L_3/2}{\text{tg} \, \theta} = 608(\text{mm})$$

$$F \geqslant L_1 + L_2 = 608 + 26 = 634(\text{mm})$$

答：焦距最小应为 634 mm。

三、曝光量的选择

曝光量可定义为射线源发出的射线强度与照射时间的乘积。对于 x 射线来说，曝光量是指管电流 I 与照射时间 t 的乘积（$E = I \cdot t$）；对于 γ 射线来说，曝光量是指放射源活度 A 与照射时间 t 的乘积（$E = A \cdot t$）。

曝光量是射线透照工艺中的一项重要参数。射线照相影像的黑度取决于胶片感光乳剂吸收的射线量，在透照时，如果固定试件尺寸，源、试件、胶片的相对位置，胶片和增感屏，给定了放射源或管电压，则底片黑度与曝光量有很好的对应关系，因此可以通过改变曝光量来控制底片黑度。

曝光量不只影响影像底片的黑度，也影响影像的对比度和颗粒度以及信噪比，从而影响底片上可记录的最小细节尺寸，即影响射线照相灵敏度。为保证照相质量，曝光量应不低某一个最小值。推荐曝光量见表 5-2。

表 5-2 推荐的曝光量

方　　法	胶 片 类 型	曝光量（mA·min）
高灵敏度法	超微粒	30
中等灵敏度法	微　　粒	20
一般灵敏度法	中　　粒	15

按 JB4730—94 及 GB3323—87 标准要求，推荐采用不低于 15 mA·min 的曝光量，以防止用短焦距和高电压所引起不良影响。

曝光量通常通过曝光曲线查得。

四、曝光量的修正

1. 互易律

互易律是光化学反应的一条基本定律。它指出：决定光化学反应产物质量的条件，只与总的曝光量相关，即取决于辐射强度和时间的乘积，而与这两个因素的单独作用无关。互易律可引伸为底片的黑度只与总的曝光量 E 相关，而与辐射强度 I 和时间 t 分别作用无关。在射线照相中，采用铅箔或无增感的条件时，遵守互易定律。而当采用荧光增感条件时，互易定律失效。互易律表达式

$$E = I \cdot t = I_1 \cdot t_1 = I_2 \cdot t_2 = \cdots\cdots \tag{5-1}$$

2. 平方反比定律

平方反比定律是物理学的一条基本定律。它指出：从一点源发出的辐射，强度 I 与距离 F 的平方成反比，即存在以下关系 $I_1/I_2 = (F_2/F_1)^2$。其原理为：在源的照射方向上任意立体角内取任意垂直截面，单位时间通过的光量子总数是不变的，但由于截面积与到点

源的距离平方成正比,所以单位面积的光量子密度即辐射强度与距离平方成反比(示意图见图5-8)。

3. 曝光因子

互易律给出了在底片黑度不变的前提下,射线强度与曝光时间相互变化的关系;平方反比定律给出了射线强度与距离之间的关系,将以上两个定律结合起来,可以得到曝光因子的表达式。

x 射线 $x = \dfrac{It}{F^2} = \dfrac{I_1 t_1}{F_1^2} = \dfrac{I_2 t_2}{F_2^2} = \cdots\cdots$ (5-2)

γ 射线 $\gamma = \dfrac{At}{F^2} = \dfrac{A_1 t_1}{F_1^2} = \dfrac{A_2 t_2}{F_2^2} = \cdots\cdots$ (5-3)

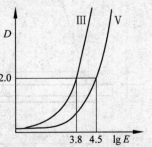

图 5-8 平方反比定律

4. 曝光量的修正

1)焦距改变

例:用某^{192}Ir 射线源透照直径 2 m 的环焊缝,曝光时间为 30 min,得到的底片黑度恰好满足要求,一月后仍用该源透照同样厚度、直径为 3 m 的环焊缝,问曝光时间应为多少?

已知:$t_1 = 30$ min,$F_1 = 1\,000$ mm,$F_2 = 1\,500$ mm,^{192}Ir 的半衰期取 75 天,一个月后源放射强度之比:$A_2/A_1 = (1/2)^n$,$n = 30/75 = 0.4$,$A_2/A_1 = (1/2)^{0.4} = 0.758$

解:由 $A_1 t_1 / F_1^2 = A_2 t_2 / F_2^2$ 得

$$t_2 = \frac{A_1}{A_2} \cdot \frac{F_2^2}{F_1^2} = 89.1(\text{min})$$

答:曝光时间应为 89.1 min。

2)胶片改变

当使用不同类型的胶片进行透照而需要达到一样的黑度时,可利用这两种胶片的特性曲线按达到同一黑度时曝光量之比来修正原曝光量。表达式为

$$\frac{E'_A}{E'_B} = \frac{E_A}{E_B} \qquad (5\text{-}4)$$

式中　E'_A、E'_B——实际透照时 A 型和 B 型胶片达到黑度 D_m 时的曝光量;

　　　E_A、E_B——特性曲线上 A 型和 B 型胶片达到黑度 D_m 时的曝光量。

例:透照某工件,原用天津Ⅲ型胶片,曝光量 20 mA·min,所得底片黑度为 2.0。现改用天津Ⅴ型胶片,求获得相同黑度时所需要的曝光量。

解:由胶片特性曲线(见图5-9)知　$D = 2.0$ 时,$\lg E_{\mathrm{III}} = 3.8$,$\lg E_{\mathrm{V}} = 4.5$

$\quad\quad \lg E_{\mathrm{V}} - \lg E_{\mathrm{III}} = 4.5 - 3.8 = 0.7$

$\quad\quad E_{\mathrm{V}}/E_{\mathrm{III}} = 5$

$\quad\quad E'_{\mathrm{V}} = E'_{\mathrm{III}} \cdot E_{\mathrm{V}}/E_{\mathrm{III}} = 20 \times 5 = 100(\text{mA·min})$

图 5-9 胶片特性曲线

答:获得相同黑度时 V 型胶片的曝光量应为 100 mA·min。

3)底片黑度改变

在其他条件不变的情况下,需改变底片黑度,可根据胶片特性曲线上黑度的变化与曝光量的对应关系,对原曝光量进行修正。表示式为

$$\frac{E'_2}{E'_1} = \frac{E_2}{E_1} \tag{5-5}$$

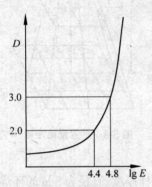

图 5-10 胶片特性曲线

式中　　E'_1、E'_2——实际透照时与黑度 D_1、D_2 相应的曝光量。

E_1、E_2——特性曲线上与黑度 D_1、D_2 相应的曝光量。

例:原用 15 mA·min 曝光量,所得底片黑度为 2.0(D_1),现将黑度提高到 3.0(D_2),问曝光量应为多少?(胶片特性曲线如图 5-10)

解:$D_1 = 2.0$ 时,$\lg E_1 = 4.4$

$D_2 = 3.0$ 时,$\lg E_2 = 4.8$

$\lg E_2 - \lg E_1 = 4.8 - 4.4 = 0.4$

$E_2 / E_1 = 2.5$

$E'_2 = E'_1 \cdot E_2 / E_1 = 15 \times 2.5 = 37.5 (\text{mA·min})$

答:曝光量应为 37.5 mA·min。

第四节　纵焊缝透照

不同用途的焊缝有不同的质量要求,而不同检测质量等级的透照方法则要求选用不同的几何参数。根据 JB4730—94 和 GB3323—87 标准要求,射线透照的质量等级分为 A 级(普通级)、AB 级(较高级)、B 级(高级)。

一、直缝单壁单影

对于直缝即平板对接焊缝或筒体纵缝的透照厚度比 $K = T'/T$(直缝透照布置见图 5-11),JB4730—94 和 GB3323—87 要求 A 级、AB 级:$K \leqslant 1.03$;B 级:$K \leqslant 1.01$。

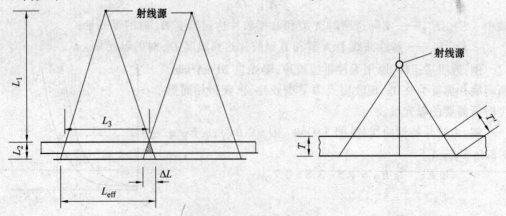

图 5-11　直缝单壁单影

几何布置的要求：A 级：$L_1 \geqslant 7.5 d_f L_2^{2/3}$

AB 级：$L_1 \geqslant 10 d_f L_2^{2/3}$ 或 $L_1 \geqslant 2L_3$

B 级：$L_1 \geqslant 15 d_f L_2^{2/3}$ 或 $L_1 \geqslant 3L_3$

一次透照长度：A 级、AB 级：$L_3 \leqslant 0.5 L_1$

B 级：$L_3 \leqslant 0.3 L_1$

搭接长度：$\Delta L = L_2 \cdot L_3 / L_1$

A 级、AB 级：$\Delta L \leqslant 0.5 L_2$

B 级：$\Delta L \leqslant 0.3 L_2$

底片的有效评定长度：$L_{eff} = L_3 + \Delta L$

二、纵焊缝双壁单投影

如图 5-12 所示，由三角形关系得：

$x / L'_3 = L_2 / F$　　则 $x = L_2 \cdot L'_3 / F$

$\Delta L / (L_3 + \Delta L) = L_2 / (L_1 + L_2)$ 经整理后得：

$\Delta L = L_2 \cdot L'_3 / L_1 = L_2 \cdot L'_3 / (F - L_2)$

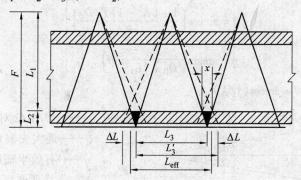

图 5-12　纵缝双壁单影

显然，对纵缝作双壁单投影时，每张底片的有效评定长度应为：$L_{eff} = \Delta L / 2 + L_3 + \Delta L / 2$。

实际透照时，如搭接标记放在射源侧，则底片上搭接标记之间长度即有效评定长度。如搭接标记放在胶片侧（例如双壁单投影焊缝）底片上搭接标记以外 ΔL 长度属有效评定范围。

第五节　环缝透照

按照检测对象、射线源、被检工件焊缝和胶片之间的位置关系，环缝透照方法可作如下分类。

JB4730—94 和 GB3323—87 规定：环缝透照厚度比 K 值 A 级和 AB 级不大于 1.1，B 级不大于 1.06。

选择透照方式时，应综合考虑以下方面的因素：①照相灵敏度；②缺陷的特点；③透照厚度差和横向裂纹检出角；④一次透照长度；⑤操作方便性；⑥试件和探伤设备具体情况等。

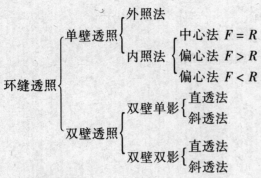

一、单壁外照法

采用外照 100% 透照环缝时,满足一定厚度比 K 值要求的最少曝光次数 N 可由下式确定(见图 5-13)

$$\left.\begin{aligned}
N &= \frac{360°}{2\alpha} = \frac{180°}{\alpha} \\
\alpha &= \theta - \eta \\
\theta &= \arccos\left[\frac{1 + (K^2 - 1)\,T/D_0}{K}\right] \\
\eta &= \arcsin\left(\frac{D_0}{D_0 + 2L_1}\sin\theta\right)
\end{aligned}\right\} \tag{5-6}$$

当 $D_0 \gg T$ 时,$\theta \approx \arccos(1/K)$

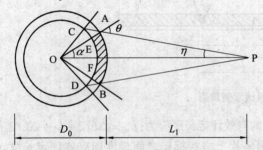

图 5-13 环缝单壁外照法

式中 α——与 $\overset{\frown}{AB}/2$ 对应的圆心角;

θ——最大失真角或横裂检出角;

η——有效半辐射角;

K——透照厚度比;

T——工件厚度;

D_0——容器外直径。

求出曝光次数后,进一步可求出射线源侧焊缝的一次透照长度 L_3 和胶片侧焊缝的等分长度 L_3',以及底片上有效评定长度 L_{eff} 和相邻两片的搭接长度 ΔL。

$L_3 = \pi D_0/N$;$L_3' = \pi D_i$ （D_i 为容器内直径）

$\Delta L = 2T \cdot \text{tg}\,\theta$

$L_{\text{eff}} = \Delta L/2 + L_3 + \Delta L/2$

实际透照时,如搭接标记放在射线源侧焊缝透照区两端,则底片上搭接标记之间的长度范围即为有效评定长度 L_{eff},无须计算。

二、单壁内照法

1. 内照中心法

采用此法时,焦点位于圆心（$F = R$）,胶片单张或逐张连接覆盖在环缝外壁上进行射线照相,这种透照布置透照厚度比 $K = 1$,横向裂纹检出角 $\theta \approx 0$,一次透照长度可为整条环缝长度。

2. 内照偏心法

1）内照法（$F < R$）

用 $F < R$ 的偏心法 100% 透照时（见图 5-14），最少曝光次数和一次透照长度由下式确定

$$
\left.\begin{aligned}
N &= \frac{180°}{\alpha} \\
\alpha &= \eta - \theta \\
\theta &= \arccos \frac{1 + (K^2 - 1) T/D_i}{K} \\
\eta &= \arcsin\left(\frac{D_i}{D_i - 2L_1} \sin \theta\right) \\
&\text{当 } D_0 \gg T \text{ 时,} \\
\theta &= \arccos(1/K) \\
L_3 &= \frac{\pi \cdot D_i}{N} \\
L_3' &= \frac{\pi \cdot D_0}{N} \\
\Delta L &= 2T \cdot \text{tg}\,\theta (\Delta L/2 = T \cdot \text{tg}\,\theta) \\
L_{\text{eff}} &= L_3' + \Delta L
\end{aligned}\right\} \quad (5\text{-}7)
$$

当 $F < R$ 时,随着焦点偏离圆心距离的增大,即焦距 F 的缩短;若分段曝光的一次透照长度 L_3 一定,则透照厚度比 K 值增大,横裂检出角 θ 也增大;若 K 值、θ 值一定,则一次透照长度 L_3 缩短。

例: 用 XY3010 x 射线机透照外径为 2 000 mm,板厚 50 mm 筒体环焊缝,焦距 650 mm,100% 透照时,满足 AB 级要求,分别采用外照法、内照法时的最少透照次数 N、一次透照长度 L_3、底片有效长度 L_{eff} 为多少?

（a）采用外照法:

$$
\begin{aligned}
\theta &= \arccos\left[\frac{1 + (K^2 - 1) T/D_0}{K}\right] \\
&= \arccos\left[\frac{1 + (1.1^2 - 1) \times 50/2\,000}{1.1}\right] = 23.96(°) \\
\eta &= \arcsin\left(\frac{D_0}{D_0 + 2L_1} \sin \theta\right) \\
&= \arcsin\left(\frac{2\,000}{2\,000 + 1\,200} \sin 23.96°\right) \\
&= 14.70(°) \\
\alpha &= \theta - \eta = 9.26(°) \\
N &= 180°/9.26° \approx 20
\end{aligned}
$$

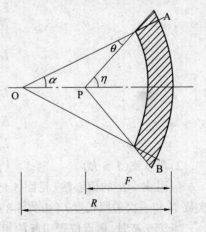

图 5-14　环缝内照（$F < R$）布置

$$L_3 = \frac{\pi \cdot D_0}{N} = 314.2(\text{mm})$$

$$L_3' = \frac{\pi \cdot D_i}{N} = 298.5(\text{mm})$$

$$\Delta L = 2T \cdot \text{tg}\,\theta$$
$$= 2 \times 50 \times \text{tg}\,23.96° = 44.44(\text{mm})$$

$$L_{\text{eff}} = \Delta L + L_3' \approx 343(\text{mm})$$

(b)采用内照法$(F < R)$:

$$\theta = \arccos \frac{1 + (K^2 - 1)\,T/D_i}{K} = 23.92(°)$$

$$\eta = \arcsin\left(\frac{D_i}{D_i - 2L_1}\sin\theta\right)$$

$\sin\eta > 1$　不存在。

由图 5-14 知:η 最大为 90°,当 $\eta = 90°$时,OP $= \sin\theta \cdot R = 385.2(\text{mm})$,即圆心至焦点的距离最少为 385.2 mm,此时仅考虑射线辐射角即可。射线机的辐射角为 40°,η 最大值 20°,考虑射线分布因素,可取 $\eta = 15°$,由三角形定律得

$$\sin\eta/r = \sin\theta/\text{OP}$$
$$\sin 15°/950 = \sin\theta/385$$
$$\theta = 5.5°(横裂检出角)$$
$$\alpha = 15° - 5.5° = 9.5°$$
$$N = 180°/\alpha = 19$$
$$L_3 = \frac{\pi \cdot D_i}{N} = 314(\text{mm})$$
$$L_3' = \frac{\pi \cdot D_0}{N} = 331(\text{mm})$$
$$\Delta L = T \cdot \text{tg}\,\theta = 4.8(\text{mm})$$
$$L_{\text{eff}} = L_3' + \Delta L \approx 336(\text{mm})$$

2)内照法$(F > R)$

应用 $F > R$ 的偏心法(见图 5-15)透检的最少曝光次数 N 和一次透照长度 L_3 由式 5-8 确定。

当 $F > R$ 时,焦点位置引起的相关几何参数变化也以圆心为基准。当焦点远离圆心,即 $F\uparrow$,若 L_3 不变,则 $K\uparrow$、$\theta\uparrow$;当 $F\downarrow$,若 K、θ 不变,则 $L_3\uparrow$。

用内透偏心法时,在满足 U_g 的前提下,焦点靠近圆心位置能增加有效透照长度。

内透偏心法,如果使用普通的定向机照射,则一次可检范围也取决于 x 射线最大辐射角内射线强度的均匀性,即应考虑靶的倾角效应产生的曝光量的不均匀性。

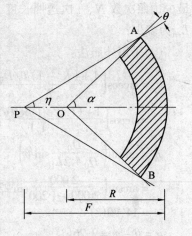

图 5-15　环缝内透$(F > R)$布置

$$N = \frac{180°}{\alpha}$$

$$\alpha = \theta - \eta$$

$$\theta = \arccos \frac{1 + (K^2 - 1)\,T/D_0}{K}$$

$$\eta = \arcsin\left(\frac{D_0}{2F - D_0}\sin\theta\right)$$

当 $D_0 \gg T$ 时，$\theta = \arccos(1/K)$

$$L_3' = \frac{\pi \cdot D_0}{N}$$

$$L_3 = \frac{\pi \cdot D_i}{N}$$

$$L_{\mathrm{eff}} = L_3'$$

$$(5\text{-}8)$$

三、双壁单影法

双壁单影法 100% 透照环缝时(透照布置见图 5-16)，最少曝光次数 N 和一次透照长度 L_3 由下式求得

$$N = \frac{180°}{\alpha}$$

$$\alpha = \theta + \eta$$

$$\theta = \arccos \frac{1 + (K^2 - 1)\,T/D_0}{K}$$

$$\eta = \arcsin\left(\frac{D_0}{2F - D_0}\sin\theta\right)$$

当 $D_0 \gg T$ 时，$\theta = \arccos(1/K)$

$$L_3 = \frac{\pi \cdot D_0}{N}$$

$$L_{\mathrm{eff}} = L_3$$

$$(5\text{-}9)$$

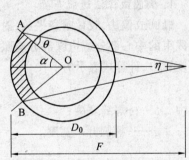

图 5-16 双壁单影法透照布置

对双壁单影法中的拍片张数可作如下讨论：

当 $F \to D_0$ 时，$\alpha \to 2\theta$，由于 $N = 180°/\alpha$，取 $\theta = 15°$，$N_{\min} = 6$；当 $F \to \infty$ 时，$\alpha \to \theta$，由于 $N = 180°/\alpha$，取 $\theta = 15°$，$N_{\max} = 12$。

例：双壁单影法透照 Ø325 × 20 的管环缝，取焦距 $F = 600$，100% 检测时满足 AB 级要求的最少透照次数 N 和一次透照长度 L_3 分别是多少？

解：$N = 180°/\alpha = 180°/(\theta + \eta)$ $K = 1.1$

$$\begin{aligned}
\theta &= \arccos \frac{1 + (K^2 - 1)\,T/D_0}{K} \\
&= \arccos \frac{1 + (1.1^2 - 1) \times 20 \div 325}{1.1} \\
&= 22.78°
\end{aligned}$$

$$\eta = \arcsin\left(\frac{D_0}{2F - D_0}\sin\theta\right)$$

$$= \arcsin\left(\frac{325}{2 \times 600 - 325}\sin 22.78°\right)$$

$$= 8.27°$$

$$N = \frac{180°}{22.78° + 8.27°} = 5.8,取\ N = 6$$

$$L_3 = \frac{\pi \cdot D_0}{N} = \frac{\pi \times 325}{6} = 170.2(\text{mm})$$

环缝透照搭接标记的放置:同其他标记都应距焊缝边缘至少 5 mm,在双壁单影或源在内($F > R$)的透照方式,应放在胶片侧,其余透照方式应放在射线源侧。像质计的放置按 JB4730—94 和 GB3323—87 标准要求。对于外径大于 89 mm 管焊缝,像质计置于底片有效长度的 1/4 处。另外,对于环缝透照,在满足几何不清晰度的要求前提下,焦距 F 与半径 R 的值越接近,K、θ 值越小或一次透照长度越大。

四、双壁双影法

双壁双影法主要用于外径小于或等于 89 mm 的钢管对接焊缝。按照被检焊缝在底片的影像特征,又分椭圆成像和重叠成像两种方法。一般情况下采用椭圆成像法,只有在特殊情况下,才使用重叠影像法。

1. 椭圆成像法透照布置

椭圆成像法,胶片暗袋平放,射线焦点偏离焊缝中心平面一定距离(称偏心距 S_0),以射线束的中心部分或边缘部分透照被检焊缝(见图 5-17)。偏心距应适当,可按椭圆开口宽度算出,计算式表示为

$$S_0 = L_1(b + g)/L_2 \tag{5-10}$$

式中　　b——焊缝宽度;

　　　　g——椭圆开口宽度。

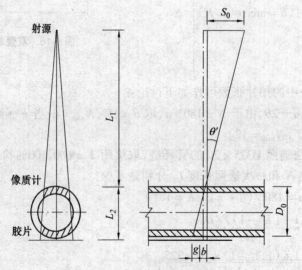

图5-17　双壁双影法透照

椭圆开口宽度通常取 3 ~ 10 mm,最大不超过 15 mm。偏心距的大小影响底片的评定。

太大时根部缺陷(裂纹、未焊透等)可能漏检,或者因影像畸变过大,难以测评;太小时又会使源侧焊缝与片侧焊缝热影响区不易分开。

双壁双影法透照时,对于外径大于76 mm的钢管且小于或等于89 mm的钢管,其焊缝至少分两次透照,两次间隔90°;对于外径小于或等于76 mm钢管的焊缝,如能保证检出范围不少于周长的90%,可允许椭圆一次成像。

2. 重叠成像法

特殊情况下,为重点检测根部裂纹和未焊透,可使射线垂直透照焊缝,此时胶片宜弯曲贴合在焊缝表面上,以尽量减小缺陷到胶片的距离。当发现不合格缺陷后,由于不能分清缺陷是处于射源侧或胶片侧焊缝中,一般多做整圈返修处理。

3. 像质计的放置

双壁双影法透照时,当$\varnothing \leqslant 76$ mm,应采用JB4730—94标准附录F规定的Ⅱ型专用像质计,一般应放置在环缝上余高中心处。当$\varnothing \leqslant 89$ mm,焊缝透照一般应采用JB4730—94附录F规定的Ⅰ型专用像质计,一般放置在被检区一端的胶片与管表面之间,放置方向为金属丝与焊缝方向平行。

小径管透照,在源侧焊缝附近必须放置中心定位标记和片号等识别标记。

4. 厚度变化与投影定位

1)厚度变化

小径管透照厚度变化很大,有效最小值为管壁厚度的2倍(即$2T$),理论最大值为假定射线束与内圆相切时的射线行程(即$2\sqrt{T(D_0-T)}$),故理论最大透照厚度比为:K_{max}

$=\dfrac{\sqrt{T(D_0-T)}}{T}$。透照厚度变化见图5-18。

因透照小径管时,焦距远大于管子直径,射线束可粗略地看做平行入射于管子。

2)缺陷定位

对小口径管焊缝的缺陷,建议采用钟点定位法进行定位,以便准确查找缺陷位置。钟点定位法见图5-19所示。

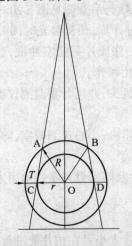

图5-18 小径管最大透照厚度比

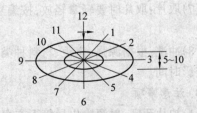

图5-19 钟点定位法 (单位:mm)

第六节　球罐γ射线曝光工艺

对于球罐或大直径筒体焊缝,用中心内照法射线全景曝光是一种效率很高、经济效益显著的拍片方法。下面以^{192}Ir为例简述全景曝光的工艺要点。

1. 设备和器材

(1)设备:γ射线探伤设备一套。

(2)源的活度:尽量选择曝光时间控制在24 h以内。

(3)其他器材:胶片尽可能选用细颗粒型;增感屏可采用前屏为0.1 mm,后屏为0.16 mm的铅箔;胶片固定可用带状片带;应备有足够数量的磁铁、胶纸带、铅字、像质计等。

(4)监测仪器:便携式γ剂量仪和个人监测用报警器各1台。

2. 工艺程序

整个透照过程可分七个步骤:画线→编号及标记→布片→送源→曝光→收源→取片→暗室处理。

(1)画线:按选用胶片长度而定。除特殊部位外,大部分用360 mm×100 mm胶片,画线长度应保证搭接长度。

(2)编号及标记:片号从小到大编制,搭接标记可用顺序号。由于片量很大,每张底片都放齐识别标记不太可能,可以每隔一定量(≤50张)胶片放全各种标记。除序号外,还需增加球罐编号、拍片时间、像质计等。

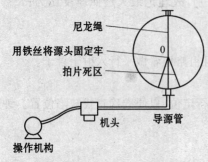

图5-20　γ射线曝光示意图

(3)布片:装有胶片的暗袋必须和焊缝紧贴,否则将增加底片的不清晰度,对于下半球除采用布片带绷紧外,还需加用磁铁加固。另外,暗袋开口应向下,防止雨水、露水侵入。

(4)送源:为保证球罐表面各方向曝光量均匀一致,必须使源处于球心位置,具体操作使用方法参阅使用说明书,曝光示意图见图5-20。

(5)曝光:通过计算,预测曝光时间。提前10%左右曝光时间取一张胶片到暗室冲洗,监测感光程度,一般可观察二次,确认曝光时间达到规定值后,再停止曝光。

(6)收源:胶片曝光达到规定量后,应立即将源摇回机头,并用计量监测仪器确认源已收回。

(7)取片:取片时要轻拿轻放,按编号顺序立置于纸箱内,小心送到暗室,防止折、压暗袋。

(8)冲洗:根据源强、焦距、材料种类、厚度、胶片特性及暗室处理条件等因素综合考虑显、定影时间。

3. 注意事项

(1)拍片死区:射源输出导管下方存在拍片死区,死区大小可在拍片前进行实测,处于死区范围的焊缝主要是上下人孔接管对接焊缝和极板拼接焊缝的一部分,这些焊缝需进行补拍。

(2)夏季曝光:由于夏季温度较高,在太阳直射下,暗袋长时间和钢板接触,胶片易发黏,粘增感屏处产生黑点,严重影响评片。因此,应尽量用大活度的射源,曝光时间尽可能在一个晚上完成,否则就需采用一些防范措施。

4. 安全管理

对 γ 射线透照应注意以下安全事项:

(1)根据距离防护原理和射线卫生防护标准,计算出放射工作人员应处的安全距离 R 和非工作人员应处的距离 R_x。

(2)γ 射线曝光时,应在 R_x 范围外设置警戒线并挂红灯,在东西南北方向设专人监护。

(3)操作人员进入现场应穿铅防护服,并携带剂量监测仪器,定时监测。

(4)拍片时应通知曝光场所附近的人员在曝光期间撤离现场。

(5)γ 射线机操纵时应严格遵守设备操作规程。

第七节　探伤工艺特殊技术

一、利用曝光曲线求非钢材的曝光量

要使一种材料的曝光曲线适用其他材料的透照,可利用射线透照等效系数进行厚度换算。所谓射线等效系数(用 φ_m 表示),是指在一定管电压下,达到相同射线吸收效果(或者说获得相同底片黑度)的基准材料厚度 T_0 与被检材料厚度 T_m 之比,即

$$\varphi_m = \frac{T_0}{T_m} \tag{5-11}$$

以钢为基准材料($\varphi_m = 1.0$)时,几种常用金属材料不同管电压和能量下的射线透照等效系数的近似值见 JB4730—94 表 5-1。

例:管电压为 250 kVp 时,铜和钢的等效系数分别为 1.4 和 1.0,问透照 30 mm 铜时需要用多厚钢的曝光量?

$$\because \quad \varphi_{Cu} = \frac{T_0}{T_{Cu}}$$

$$\therefore \quad T_0 = \varphi_{Cu} \cdot T_{Cu} = 1.4 \times 30 = 42 \ (\text{mm})$$

二、利用曝光曲线大致确定底片黑度范围

透照钢焊缝时,由于有焊缝余高的存在,要使整个评定区 D_{min}(焊缝处)和 D_{max}(母材处)都符合射线检测标准规定黑度范围,可利用曝光曲线和胶片特性曲线大致确定射线底片的黑度范围。

例:按图 5-21(a)的曝光曲线和图 5-21(b)胶片特性曲线所提供的条件透照图 2-21(c)的焊缝,问母材黑度(D_{max})是否会超过 3.5?为什么?

解:由曝光曲线得:当厚度 13 mm 达到 $D = 1.8$ 时,曝光量为 25 mA·min,此时 8 mm 厚度处的曝光量也为 25 mA·min,曝光量增加的倍数为:

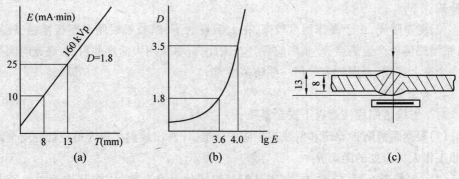

图 5-21 （单位:mm）

$$\varphi_{供} = \frac{E_{13}}{E_8} = \frac{25}{10} = 2.5$$

由胶片特性曲线可知:黑度由 1.8 增加到 3.5 时,胶片需要的曝光量增加的倍数为:

$$\varphi_{需} = \frac{E_{3.5}}{E_{1.8}} = 10^{4.0-3.6} = 2.1$$

$$\varphi_{供} > \varphi_{需},所以 \ D_{材} > 3.5$$

三、大厚度比试件的透照

大厚度比试件,对射线照相质量的不利影响主要表现在两个方面:一是因试件厚度差较大导致底片黑度差较大,而底片黑度过低或过高都会影响照相灵敏度;二是因试件厚度变化导致散射比增大,产生边蚀效应。

对于大厚度比试件照相的特殊技术可采用如下方法。

1. 适当提高管电压技术

随着管电压的提高,底片上不同部位的黑度差将减小,可以获得更大的有效厚度宽容度。另外,对厚度变化较大的试件透照,提高管电压可以减小散射比,降低边蚀效应。但由于能量提高后,衰减系数减小,导致对比度减小,这一点对射线照相灵敏度不利。因此,管电压不能任意提高,究竟管电压提高多少比较合适,这是具体透照工艺研究的问题。

2. 双胶片技术

对厚度差较大的工件,可采用在一只暗袋里放两张胶片同时透照的方法,称为双胶片技术。暗袋里两张感光度不同的胶片,其中感光度较大的适用于厚度较大部位观察评定,感光度较小的胶片适用于厚度较小的部位观察评定。另一种观片方法是对黑度较小的部位,将双片重叠观察评定,对黑度较大部位用单片观察评定。

3. 补偿技术

补偿技术是指用补偿块、补偿粉、补偿泥、补偿液等填补工件较薄部分,使透照厚度差减小。

四、散射线的控制

散射线会使射线底片的灰雾度增大,底片对比度降低,影响射线照相质量。散射线对底片成像质量的影响与散射比 $n = I_s/I_p$ 成正比。

控制散射线的措施有许多种,其中有些措施对照相质量产生多方面的影响,所以,选

择技术措施时要综合考虑,权衡利弊。这些技术措施包括:

1. 选择合适的射线能量

对厚度差较大的工件,散射比随射线能量的增大而减小,因此可以通过提高射线能量的方法来减小散射线。但射线能量值只能适当提高,以免对主因对比度和固有不清晰度产生不利的影响。

2. 使用铅箔增感屏和采取专门措施

铅箔增感屏除了具有增感作用外,还具有吸收低能散射线的作用,使用增感屏是减少散射线最方便、最经济、最常用的方法。选择较厚的铅箔减少散射线的效果较好,但会使增感效果降低,因此铅箔厚度也不能过大。实际使用的铅箔厚度与射线能量有关,而且后屏的厚度一般大于前屏。

3. 其他控制散射线的措施

应根据经济、方便、有效的原则加以选用,其中常用的措施有:

(1)背防护铅板:在胶片暗袋后加铅板,防止或减少背散射线使用背防护铅板的同时仍须使用铅箔增感后屏,否则背防护铅板被射线照射时激发二次射线有可能到达胶片,对照相质量产生不利影响。

(2)铅罩和光阑:使用铅罩和光阑可以减小照射场范围,从而在一定程度上减少了散射线。

(3)厚度补偿物:在对厚度差较大的工件透照时,可采用厚度补偿措施来减少散射线。焊缝照相可使用厚度补偿块,形状不规则的小零件照相可使用流质吸收剂,或金属粉末作为厚度补偿物。

(4)滤板:在对厚度差较大的工件透照时,可以在射线机窗口处加一金属薄板,称为滤板,可将 x 射线束中软射线吸收掉,使透过的射线波长均匀化,有效能量提高,从而减少边蚀散射。滤板可用黄铜、铅或钢制作。滤板厚度可通过计算或试验确定。

(5)遮蔽物:对试件小于胶片的应使用遮蔽物,对直接处于射线照射那部分胶片进行遮蔽,以减少边蚀散射。遮蔽物一般用铅制作,其形状和大小视被检物的情况确定,也可使用钢铁和一些特殊材料(例如钡泥)制作遮蔽物。

(6)修磨工件:通过修整、打磨的方法减少工件厚度差也可以视为减少散射线的一项措施。

【复习思考题】

1. x 射线的穿透能力与什么因素有关? γ 射线的穿透能力与什么因素有关?
2. 选择射线能量的原则是什么?
3. 简述透照工艺的要求内容。
4. 焊缝透照方法必须确定的几何参数有哪些? 需考虑的相关因素有哪些?
5. 直焊缝的透照焦距应同时满足哪两个要求? 如何满足?
6. 用数学式分别表示直焊缝单壁透照和双壁透照的一次透照长度、有效评定长度。
7. 环焊缝的透照方法有哪些?

8. 试述环缝外照和内照法搭接标记的放置。

9. 环缝双壁双影对像质计的摆放要求是什么?

10. 采用双壁双影法透照小口径管环缝时,水平位移距离如何确定?缺陷在焊缝上方向如何标定?

11. 指出小口径管射线透照对缺陷检出的不利因素。

12. 何谓曝光因子?何谓平方反比定律?

13. 简述环缝外照法焦点位置变化时 K、θ、L_3 的相应变化特点。

14. 简述环缝内照法焦点位置变化时 K、θ、L_3 的相应变化特点。

15. 对厚度差比较大的工件透照,其特殊技术措施是什么?

16. 控制散射线的措施有哪些?

17. 原焦距 600 mm,管电压 200 kVp,管电流 5 mA,曝光时间 3 mim,所得底片黑度为 1.5,现焦距改用 800 mm,管电压不变,管电流为 10 mA,为使底片黑度达到 2.5,问曝光时间为多少?(由胶片特性曲线知 lg $E_{D2.5}$ = 3.9,lg $E_{D1.5}$ = 3.6)

18. 用有效焦点 3 mm 的 x 射线机透照某工件,当透照距离为 500 mm 时,刚好满足 A 级像质;现采用焦点为 4 mm 的 x 射线机透照同一工件,欲满足 AB、B 级像质,则透照距离分别为多少(其他条件不变)?

19. 用外照法 100% 透照板厚 25 mm、外径 1 250 mm 的容器环焊缝,焦点至工件表面距离为 700 mm,求满足 AB 级要求的最少曝光次数 N、一次透照长度 L_3 及有效评定长度 L_{eff}。

20. 透照 $\varnothing51 \times 3.5$ 和 $\varnothing42 \times 3.0$ 的小口径管,焊缝宽度均为 10 mm,预定椭圆开口间距为 5 mm,使用焦距 800 mm,则焦点偏离里焊缝边缘的水平距离分别为多少?

21. 用焦距 600 mm、双壁单影法透照外径 400 mm 容器直缝,已知板厚 18 mm,余高 2 mm,焊缝透照等分长度 300 mm,问底片上两搭接标记外,两端各应附加多少长度作为有效评定长度?(设胶片与工件表面距离为 2 mm)

22. 用焦距 700 mm,内照法,100% 透照内径为 3 500 mm、壁厚 40 mm 的环缝,满足 AB 级要求,求需要的最少曝光次数 N、一次透照长度 L_3 及有效评定长度 L_{eff}。

第六章 暗室处理

射线探伤一般需要三个工序过程,即射线穿透工件后对胶片进行曝光过程、胶片的暗室处理以及底片的评定过程。胶片暗室处理的好坏,不仅直接影响底片质量以及底片的保存期,甚至会使透照工作前功尽弃,因为暗室处理是射线照相过程中的最后一个环节。此外,正确的暗室处理是透照工艺合理与否的信息反馈,为透照工艺的进一步改进提供依据。胶片暗室处理,按操作方式区分,有手工和自动之分。目前国内多数仍采用手工操作。处理程序主要包括显影、停显、定影、水洗和干燥五个过程。

第一节 暗室条件要求

一、暗室设计

暗室是射线照相进行暗室处理的特殊房屋,是工业射线照相工作中不可缺少的设施。暗室设计应根据工作量的大小、显定影方式以及设施水平等具体条件统筹安排,但必须满足防辐射、不漏光、安全灯的安全可靠、室内机具布局合理、室内通风以及保持一定的温度、湿度等原则。对手工暗室操作的暗室设计,应充分考虑如下几点:

(1)防辐射。暗室不得有任何射线的辐射线(包括散射线),射线不仅使胶片感光,同时危及工作人员的健康。在无法远离射线源的暗室(包括暗室门),应采取适当的防护措施。

(2)遮光性良好。胶片显影及装片时暗室是不允许任何室外光透入的,以免射线胶片感光,影响射线底片质量。暗室一般不开窗户,也不宜开过大或过多的门,采用如图6-1所示的设有前室或迷路口的暗室门,可有效地防止暗室门漏光,而工作人员出入也很方便。此外,暗室的排风装置、空调机、供水管线穿墙等也是漏光点,应采取适当措施堵实,以防漏光。

(3)暗室应有适当空间,器具布局合理。暗室主要用来装片和处理已摄胶片,忌潮湿的装片工作和大量用水的胶片暗室处理相互影响,若有条件宜分室进行。装片和暗室处理合为一室的平面布置应分成干燥部分和潮湿部分,干燥区用来布置存放暗盒、增感屏以及胶片的橱柜及工作台,潮湿区布置成显影—停显—定影—水洗作业。

(4)要有通风设施。暗室不仅潮湿,而且常有醋酸气体,影响工作人员健康,容易引起电器设备漏电,同时对材料器具使用寿命也不利,故应有通风设施。一般可以装排风扇或自然排风管解决。

(5)保持一定的温湿度。温度15~20℃,湿度50%~60%(相对湿度)保证显定影工作质量和胶片的有效期。

(6)注意用电安全。暗室潮湿,容易产生电器设施漏电,且一般暗室操作人员又少,能见度低,一般应在总线路上加装触电保护器,保障人身安全。

(7)室内应易于保持清洁。

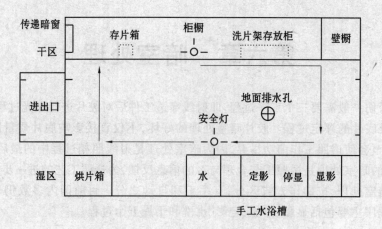

图 6-1　手工冲洗的暗室

二、暗室设备器材

暗室常用器材包括安全灯(三色灯)、温度计、天平、洗片槽、烘干箱等,有的还配有自动洗片机。洗片机等设备的使用有专门的操作规程。其他设备使用时应注意以下几点:

(1)安全灯用于胶片冲洗过程中的照明。不同种类胶片具有不同的感光波长范围,此特征称为感色性。工业射线胶片对可见光的蓝色部分最敏感,而对红色或橙色部分不敏感,因此,用于射线胶片处理的安全灯采用暗红色或暗橙色。

(2)为保证安全,对新购置的安全灯应进行测试,对长期使用的安全灯也应作定期测试。测试方法为:在工作位置放置胶片,上盖黑纸,打开安全灯,每隔数分钟移动一下黑纸,使胶片不同部位在安全灯下经受不同时间的曝光,然后进行标准显影处理,将曝光部分与未曝光部分比较,以黑度不明显增大为安全,据此可确定安全灯的性能以及允许工作时间和工作距离。

(3)温度计用于配液和显影操作时测量药液温度,可使用量程大于 50 ℃,刻度为 1 ℃或 0.5 ℃的酒精玻璃温度计,也可使用半导体温度计。

(4)天平用于配液时称量药品,可采用称量精度为 0.1 g 的托盘天平。天平使用后应及时清洁,以防腐蚀造成称量失准。

(5)胶片手工处理可分为盘式和槽式两种方式。其中盘式处理易产生伪缺陷,所以目前多采用槽式处理。洗片槽用不锈钢或塑料制成,其深度应超过底片长度20%以上,使用时应将药液装满槽,并随时用盖将槽盖好,以减少药液氧化。槽应定期清洗,保持清洁。

(6)配液的容器、搅拌棒应使用玻璃、搪瓷或塑料制品,也可用不锈钢制品,切忌使用铜、铁、铝制品,因为铜、铁、铝等金属离子对显影剂的氧化有催化作用。

第二节　显影液的配制及显影操作

一、显影液的配制

1.显影液的组成及作用

一般显影液中含有四种主要成分:显影剂、保护剂、促进剂和抑制剂,此外有时还加入一些其他物质,例如坚膜剂和水质净化剂等。

1)显影剂

显影剂的作用是将已感光的卤化银还原为金属银。常用的显影剂有米吐尔、菲尼酮、对苯二酚,它们各有不同特点。通过选择不同显影剂和不同的配方来调整显影性能。

米吐尔为白色或灰白色针状结晶或粉末,易溶于水,不易溶于亚硫酸钠溶液,因此配制显影液时将米吐尔在加入亚硫酸钠之前溶解。米吐尔显影能力强、速度快、初影时间短,得到的影像较柔和,反差小,称为软性显影剂。米吐尔适用的溶液 pH 值范围很宽,在 6~10 之间均可使用。温度的变化对米吐尔的显影能力影响不大。

菲尼酮是另一种软性显影剂,呈白色结晶粉末状,常温下不溶于水,但易溶于碱性水溶液。菲尼酮与对苯二酚配合使用时表现出极强的显影能力,且性能稳定。

对苯二酚为白色或黄色针状结晶,易溶于水和亚硫酸钠溶液。对苯二酚显影速度慢,初影时间长,一旦出影,则影像密度急增。对苯二酚可使影像具有很高的反差,称为硬性显影剂。对苯二酚在 pH 值 9~11 之间的碱性溶液中才有较好的显影能力,同时它对温度敏感,在 10 ℃以下时几乎无显影能力,温度过高则易引起灰雾,此外它对溴化钾也很敏感,如显影液中溴化钾过量会大大抑制对苯二酚的显影作用。

2)保护剂

保护剂的作用是阻止显影剂与进入显影液的氧发生作用,使其不被氧化。最常用的保护剂是亚硫酸钠。

显影剂在水溶液中,特别是在碱性溶液中很容易氧化,一旦氧化便失去显影能力。而产生的氧化物又会使溶液变黄,污染乳剂。亚硫酸钠具有更强的与氧化合的能力,因而能够优先与氧化合,减少显影剂的氧化。同时亚硫酸钠还能与显影剂的氧化产物作用,生成可溶的无色显影剂磺酸盐,从而延长显影液的使用寿命。

3)促进剂

促进剂的作用是增强显影剂的能力和速度。各种有机显影剂的显影能力都随着溶液的 pH 值增大而增强,因此大多数显影液都是碱性溶液。在显影过程中,每一个卤化银被还原成一个金属银原子时,就产生一个氢离子,为了不使 pH 值局部降低而减缓显影速度,就必须有足够的氢氧根离子来中和氢离子,因此显影液不仅要呈碱性,而且还应具有保持碱性的良好缓冲性能。通常使用的促进剂是一些强碱弱酸盐,如碳酸钠、硼砂,有时也用一些强碱,如氢氧化钠。

显影液的 pH 值在 8~11 之间,可通过改变促进剂的种类和数量来调节 pH 值。显影液中加入硼砂,pH 值为 8~9.2;加入碳酸钠,pH 值为 9~11;加入碳酸钠和氢氧化钠,pH 值为 10.5~12。显影液的 pH 值越低,则显影速度越慢,所得影像颗粒较细,反差较小。显影液的 pH 值高,则显影速度较快,所得影像颗粒较粗,反差较大,灰雾也增大。根据性质和作用,称硼砂为软性促进剂,碳酸钠为中性促进剂,氢氧化钠为硬性促进剂。

4)抑制剂

抑制剂的主要作用是抑制灰雾,常用的抑制剂包括溴化钾、苯并三氮唑等。

不加抑制剂的显影液对已曝光和未曝光的溴化银颗粒区别能力很小,从而有形成灰雾的倾向,在显影液中加入溴化钾后,离解出的溴离子会吸附在溴化银颗粒周围,从而阻滞显影作用,但这种阻滞程度有所不同,对未曝光的颗粒阻滞作用最大,而对已曝光的溴化银颗粒阻滞作用最小,从而使显影灰雾降低。抑制剂在抑制灰雾的同时也抑制了显影速度,这样有利于显影均匀。此外,抑制剂对影像层次和反差也起着调节和控制作用。

2. 显影液的配制

显影液的配制比较简单,但必须遵循一定的技术要求和某些原则,如果粗心大意引起操作不当,往往会造成不应有的损失。

配制时,先量取约占总量 3/4 的清水,例如配制 1 L 显影液可量取约 750 ml 的清水。使用的水不得含有害杂质,最好用蒸馏水,或用煮沸冷却并过滤的自来水。水温以 50 ℃为宜,温度过高,容易引起显影剂氧化,过低则药品溶解速度太慢。然后按显影液配方中的排列顺序和数量逐一加入其他药品,待前一种药品完全溶解后,再加入下一种药品,待全部药品溶解后,再加入清水至全量。

合理的显影液药物加入顺序应当是:保护剂、显影剂、促进剂,最后加入抑制剂。但由于米吐尔难溶于亚硫酸钠溶液,故一般配制顺序是:米吐尔、亚硫酸钠、对苯二酚、无水碳酸钠、溴化钾。为防止米吐尔在水溶液中被氧化,可先在水中加入与米吐尔等量的亚硫酸钠,待溶解后再加入米吐尔。

显影液的配制应遵守下列各项规定:

(1)各种药品应按配方中规定的数量称重。

(2)溶剂水温应控制在 50 ℃左右。

(3)按配方中规定的顺序顺次溶解药品。

(4)一定要在前一种药品完全溶解后,再加入下一种药品。

(5)新配显影液应经过滤并停放 24 h 后再使用。

(6)配制显影液的器皿应使用玻璃、搪瓷、塑料或不锈钢器皿,不可用黑色金属,以及含锌或铜的器皿。

显影液中虽然有亚硫酸钠起保护作用,但如长时间暴露在空气中,仍然会受氧化而失去显影力。因此,显影液应密封保存、避免高温。槽中显影应加盖保存,盘中显影时用毕应及时倒入瓶中密封保存,减少与空气接触时间,延长其使用寿命。

二、显影操作

1. 显影的目的及原理

显影的目的就是把胶片乳剂中已曝光形成的溴化银微晶体还原为金属银。即

$$2Ag^+ + 显影剂(还原剂) \longrightarrow 2Ag + 显影剂的氧化物$$

然后,用定影剂把未曝光部分的溴化银溶解去除,使不可见的潜影变成由银粒所组成的可见影像。

经射线透照曝光后的胶片,不能存放过久,不然,影像可能变淡,这是由于形成"潜影"的银再次被氧化所致,这种现象称为"潜影衰退"。

胶片乳剂颗粒愈细,存放环境的温度愈高,则衰退愈快。

显影在整个胶片暗室处理过程中,占有特别重要的地位。显影条件对感光材料的性能有直接影响,即使是同一种胶片,由于显影液的配方、显影温度以及显影时间等的不同,所得底片的反差和黑度各不相同。

2. 显影操作要点

胶片显影是一种化学反应,胶片显影效果,如底片黑度、衬度、灰雾度、颗粒度等与显影配方、显影时间、温度、搅动次数以及药液浓度等因素有关。正确的显影应当把这些影响因素控制在满足胶片感光特征所规定的条件范围,这样可以得到最佳显影效果。当不能满足最佳显影条件时,必须了解其因果关系,保证显影质量。

1)显影时间

在其他条件固定的前提下,正确的显影时间能使底片获得黑度和衬度适中的影像。过分延长显影时间,胶片上被还原的金属银过多,影像黑度偏高,同时也使未曝光的溴化银粒子起作用,使底片灰雾度增大,并使银粒变粗,底片清晰度下降。显影时间过短,底片黑度下降,同样影响底片灵敏度。使用过分延长显影时间补救曝光不足或衰退的显影液使底片达到一定黑度的办法,或使用过分缩短显影时间补救曝光过度的胶片,都将影响底片灵敏度。当然,适当的延长和缩短显影时间,补救透照的曝光误差是允许的,但这是有限度的,如天津Ⅲ型胶片的显影时间为 3 ~ 7 min。只有曝光正确和显影正确才能得到优质底片。

2)显影温度

显影温度过高或过低,将造成显影过度和显影不足。显影液温度过高,会使影像过黑、反差增大、灰雾度增高、银粒变粗,且易使感光膜过度膨胀,容易擦伤。当温度超过 24 ℃时,感光膜便有溶化脱落的危险。显影温度过低,会造成影像淡薄、反差不足等问题,尤其是对显影剂对苯二酚的显影力影响尤为明显。

显影液的温度通常控制在 18 ~ 20 ℃范围,在此温度下,显影速度适中,药液不致过快氧化,感光膜不致过分膨胀。

3)搅动

"搅动"是指胶片显影中显影液的搅动或胶片的抖动(盘中显影为翻动)。其目的:一是防止空气泡附着乳剂表面使底片产生斑痕;二是去除乳剂膜面由于显影作用产生的显影液氧化物,使之与新鲜显影液接触,能得到均匀的显影。对于潜影较多的部位尤为重要。如果显影时不搅动,可能由于胶片附着气泡产生白色斑点,或由于胶片表面存在显影生成的沉积物造成条纹状影像。显影时的搅动,加速显影作用,可以增大反差,缩短显影时间。一般以每分钟搅动 3 次为宜。

4)显影液浓度

显影液除不断与胶片乳剂中的溴化银反应而消耗外,同时与空气接触氧化而浓度下降。显影液浓度过低,影像黑度及反差将明显下降,影响底片灵敏度。一般情况下,每平方米胶片,约消耗 300 ~ 400 ml 显影液。为了维持显影稳定性,可适当延长显影时间,弥补由于显影液浓度降低引起的影像黑度差。但延长显影时间是有限度的,当显影液浓度显著下降时,必须更换,否则将严重影响底片灵敏度。最好的办法,是不断加入显影补充液,以维持显影液浓度稳定。每次添加的补充液最好不要超过槽中显影液总体积的 20% 或 30%,当加入的补充液达到原显影液体积的 2 倍时,药液必须废弃。

第三节 定影液的配制及定影操作

一、定影液的配制

1. 定影液的组成及作用

定影液包含四种成分:定影剂、保护剂、坚膜剂、酸性剂。

1)定影剂

定影剂是定影液的主要成分,常用的定影剂为硫代硫酸钠,又称大苏打、海波,有时也使用硫代硫酸铵,后者有快速定影作用。

硫代硫酸根离子可与银离子反应生成多种形式的络合物并溶于水中,同时卤离子也进入溶液,但并不参与反应。这样卤化银就从乳剂层中除去而溶解在定影液中。

2)保护剂

定影剂硫代硫酸钠在酸性溶液中易发生分解析出硫而失效,需要使用保护剂来阻止这种现象发生,常用的保护剂为无水亚硫酸钠,亚硫酸根离子与氢离子结合,从而抑制硫代硫酸钠的分解。

3)坚膜剂

在定影过程中,胶片乳剂层吸水膨胀,易造成划伤和药膜脱落,因此需要在定影液中加入坚膜剂。使用坚膜剂的另一好处是降低胶片的吸水性,干燥起来更容易。

常用的坚膜剂有硫酸铝钾(钾明矾)、硫酸铬钾(钾铬矾),后者的坚膜能力优于前者。上述坚膜剂适用于酸性定影液,坚膜效果最佳的 pH 值在 4.3 左右。

4)酸性剂

为中和停显阶段未除净的显影液碱性物质,通常将定影液配制成酸性溶液,加入的酸性物质通常是醋酸和硼酸。

醋酸(CH_3COOH)在常温下呈白色晶体状,所以又称冰醋酸。硼酸(H_3BO_3)为无色发光的结晶透明晶粒。

定影液的 pH 值一般控制在 4~6 之间,若 pH 值低于 4,硫代硫酸钠易发生分解而析出硫;当 pH 值高于 6 时,坚膜剂会发生水解形成氢氧化铝沉淀。其中硫酸铝钾比硫酸铬钾更易水解,单纯硫酸铝钾溶液在 pH 值升至 4.2 时即开始水解。硼酸可抑制水解的发生,定影液中加入硼酸后,可将硫酸铝钾不发生水解的 pH 值升高至 6.5。

2. 定影液的配制

配制定影液和配制显影液一样,需要遵循某些原则,否则会引起药品分解失效。配制定影液注意事项:

(1)按配方中药品称重和顺序逐一加入,等前一种药品完全溶解后,再加入下一种药品。

(2)由于硫代硫酸钠溶解时是吸热反应,因此在配制时水温可提高到 60~70 ℃,否则溶解速度过慢。

(3)醋酸加入时,原液温度应不高于 25 ℃,要慢慢加入,边加边搅拌,否则有析出胶体硫的可能。

(4)硼酸较难溶于凉水,可用热水溶解,再倒入定影液中。

二、定影操作

1. 定影的目的及原理

定影的目的就是去除显影后胶片中没有还原成金属银的感光物质,同时不损害金属银影像,使底片呈现透明状态,把经显影后的图像固定下来。

曝光后的胶片经过显影和停影处理,乳剂膜中只有一部分感光的卤化银被还原成黑色金属银粒,组成的可见图像,约占 70%的不透明的卤化银残留在胶片乳剂膜中,它不仅影响底片的透明性,而且在光照下会继续与光线起光化作用,逐渐变成黑色,使显影中得到的图像遭受破坏。因此显影后的胶片必须经过定影处理。

在定影处理中,多数采用硫代硫酸钠来溶解卤化银。硫代硫酸钠与卤化银起化学反应,形成能溶于水的比较复杂的银的络合物,但对胶片中已还原的金属银却不起作用。硫代硫酸钠的定影作用可分两个阶段。在第一阶段中它与卤化银先形成不溶于水的硫酸银钠,反应式如下

$$AgBr + Na_2S_2O_3 \longrightarrow NaAgS_2O_3 + NaBr$$

溴化银 + 硫代硫酸钠 ——→ 硫代硫酸银钠 + 溴化钠

(不溶于水)

然后,再经过第二阶段,这种不溶于水的银的络合物与硫代硫酸钠继续反应,形成可溶于水的硫代硫酸三银钠,把未曝光的卤化银溶解掉。这一反应式如下

$$3NaAgS_2O_3 + Na_2S_2O_3 \longrightarrow Na_5Ag_3(S_2O_3)_4$$

硫代硫酸银钠 + 硫代硫酸钠 ——→ 硫代硫酸三银钠

(不溶于水)　　　　　　　　(可溶于水)

2. 定影操作要点

影响定影的因素主要有:定影时间、定影温度、定影液老化程度以及定影时的搅动。

1)定影时间

定影过程中,胶片乳剂膜的乳黄色消失,变为透明的现象称为"通透",从胶片放入定影液直至通透的这段时间称为"通透时间"。通透现象意味着显影的卤化银已被定影剂溶解,但要使被溶解的银盐从乳剂中渗出进入定影液,还需要附加时间。因此,定影时间明显多于通透时间。为保险起见,规定整个定影时间为通透时间的2倍。

定影速度因定影配方不同而异,同时还受以下因素影响:卤化银的成分、颗粒的大小以及乳剂层厚度,定影温度、搅动以及定影液老化程度。射线照相底片在标准条件下,采用硫代硫酸钠配方的定影液,所需的定影时间一般不超过 15 min。如采用硫代硫酸铵作定影剂,定影时间将大大缩短。

2)定影温度

温度影响到定影速度,随着温度的升高,定影速度将加快。但如果温度过高,胶片乳剂膜过度膨胀,容易造成划伤或药膜脱落。因此需要对定影温度作适当控制,通常规定为 16~24 ℃。

3)定影液的老化

定影液在使用过程中定影剂不断消耗,浓度变小,而银的络合物和卤化物不断积累,

浓度增大,使得定影速度越来越慢,所需时间越来越长,此现象称为定影液的老化。老化的定影液在定影时会生成一些较难溶的银络合物,虽经过水洗也难以除去,仍残留在乳剂层中,经过若干时间后,会分解出硫化银,使底片变黄,所以对使用的定影液,当其需要的定影时间已长到新液所需时间的两倍时,即认为已经失效,需要换新液。

4)定影时的搅动

搅动可以提高定影速度,并使定影均匀。在胶片刚放入定影液中时,应作多次抖动。在定影过程中,应适当搅动,一般每两分钟搅动一次。

第四节　水洗及干燥

一、水洗

胶片在定影后,应在流动的清水中冲洗 20~30 min,冲洗的目的是将胶片表面和乳剂膜内吸附的硫代硫酸钠以及银盐络合物清除掉。否则银盐络合物会分解产生硫化银,硫代硫酸钠也会缓慢地与空气中的水分和二氧化碳作用,产生硫和硫化氢,最后与金属银作用生成硫化银。硫化银会使射线底片变黄,影像质量下降。为使射线底片具有稳定的质量,能够长期保存,必须进行充分的水洗。

推荐使用的条件是采用 16~22 ℃流动的清水冲洗底片。但由于冲洗用水大多使用自来水,水温往往超出上述范围,当水温较低时,应适当延长水洗时间;当水温较高时,应适当缩短水洗时间,同时应注意保护乳剂膜,避免损伤。

二、干燥

干燥的目的是去除膨胀的乳剂层中的水分。

为防止干燥后的底片产生水迹,可在水洗后、干燥前进行润湿处理,即把水洗后的湿胶片放入润湿液(浓度为 0.3%的洗涤剂水溶液)中浸润约 1 min,然后取出使水从胶片表面流光,再进行干燥。

干燥的方法有自然干燥和烘箱干燥两种。

自然干燥是将胶片悬挂起来,在清洁、通风的空间晾干。烘箱干燥是把胶片悬挂在烘箱内,用热风烘干,热风温度一般不应超过 40 ℃。

第五节　暗室处理中常见缺陷及避免方法

在正式评定底片之前,先得判明底片本身是否符合质量要求,即底片有效评定区内是否有妨碍或干扰真缺陷评定的伪像存在。这些伪像主要是由于胶片操作不当或处理不当,或由于胶片、增感屏自身缺陷所造成的。射线照相人员必须通过观察、分析、对照、思考,熟练地掌握有关识别本领,以便"对症下药",力避伪像重复出现。

表 6-1 列举了射线底片上一些常见疵病(俗称"伪像"或伪缺陷,也称"非相关显示")及其可能原因。

表 6-1 射线底片常见疵病及原因分析

常见疵病	产 生 原 因		解 决 办 法	备　注
	大 分 类	小 分 类		
影像黑度过高	曝光过度		○减小曝光量	*自动冲片机原因
	显影过度	显影温度过高	调整显影温度 ○检查调温部分* ○检查水洗水温* ○检查冷却水*	
		显影时间过长	调整显影时间 ○检查自显速度*	
		补充量过大	调整补充量 ○检查补充系统*	
		抑制剂不足	添加抑制剂	
		显影液配制不当	更换显影液	
影像黑度过低	曝光不足		增加曝光量	
	显影不足	显影温度过低	调整显影温度 ○检查加热器* ○检查调温部分* ○检查水洗水温*	
		显影时间不足	调整显影时间 ○检查自显速度*	
		显影液疲劳	更换显影液	显影液混浊变色
		抑制剂过多	更换新液 ○检查抑制剂的数量* ○检查抑制剂的牌号*	不可混用其他抑制剂
		搅拌不足	检查循环系统*（循环泵、过滤器）	
		显影液太淡	更换新液 ○检查热交换器*	
	显影液疲劳	混入定影液	更换新液	
		混入异种显影液	更换新液	
反差过大	电压偏低		提高管电压	
	显影过度	显影温度过高	调整显影温度 ○检查调温部分* ○检查水洗水温* ○检查冷却水*	一般黑度过高时出现,同时灰雾度也增加
		显影时间过长	调整显影时间	
		补充量过大	调整补充量 ○检查补充系统*	

常见疵病	产生 原 因		解决办法	备 注
	大 分 类	小 分 类		
反差过小	管电压过高		降低管电压	一般在黑度过低时出现
	散射线的影响		○用铅光阑、铅罩、铅增感屏	
	显影不足	显影温度过低	调整显影温度 ○检查显影加热器 * ○检查调温部分 *	
		显影时间不足	调整显影时间	
		显影液疲劳	更换新液	
		补充量不当	调整补充量 ○检查补充系统 *	
		抑制剂不当	检查抑制剂	
		搅拌不足	检查循环系统 *（循环泵、过滤器）	
	显影疲劳	混入定影液	更换新液	
		混入异种显影液	更换新液	
灰 雾	胶片本身接触药品或有害气体		更换胶片,选择贮藏条件	
	高温保存		更换胶片,选择贮藏条件	
	胶片有效期已过		更换胶片	
	接触光线	漏光	检查暗室 检查自动冲片机 * 盖子是否盖好	
		暗匣不好	更换暗匣	
		包装破损	检查包装	
	安全灯影响	在灯下暴露时间过长	检查安全程度	
		滤色片褪色	更换安全滤色片	
		滤色片灯泡功率过大	更换灯泡	
		距离过近	○按规定的距离安装 ○改变安全灯角度	
		滤色片颜色不当	○使用规定的滤色片	
	接触放射线	接触 x 射线	避开 x 线照射 ○采用保存箱 ○胶片不放在摄片室	
		接触 γ 射线	避开 γ 线源照射	
	受压感光		避免胶片受压 检查滚轮表面 *	产生黑斑点
	显影液问题	配方不当	选择合适的配方	配方不同,灰雾的发生程度也不同
		药品不好	更换药品	
		称量有误	重称	
		混入定影液	更换新液	
	显影过度		与影像黑度过高相同	
	用水不洁	混入铁铜离子	防止金属离子混入	与胶片种类有关
	显影液氧化	与空气接触	使用新液	
	混入硫化物		○对洗片箱作杀菌消毒 * ○检查用水	这种现象很少

常见疵病	产 生 原 因		解 决 办 法	备 注
	大 分 类	小 分 类		
条纹、斑块	搅拌不充分		胶片在药液中要充分搅拌	
	使用不好的洗片架		检查洗片架	
	显影太快		按规定的显影时间显影	
	干燥不均	挤压不良	将水滴除净 ○检查挤压机 *	
		通风管污染	检查干燥部分 *	
		干燥温度过高	检查规定温度 *	
		干燥风不均	检查干燥部分 *	
白 点	显影前沾染定影液		注意操作 ○检查滚筒 *	
	显影前沾染停显液		注意操作 ○检查滚筒 *	
圆 点	显影前沾染显影液		注意操作 ○检查滚筒 *	在同一场所通过时发生
	显影前沾染水滴		注意操作 ○检查滚筒 *	
	沾附放射性尘屑	在胶片夹纸上沾附球状放射性尘屑	更换胶片	
黑色环状条纹	显影前沾染显影液		注意操作 ○检查滚筒 *	
不规则的模糊	增感屏污染		清洁增感屏表面	
树枝状、放射状、点状黑影	静电感光	胶片同夹纸或增感屏相互摩擦而带电(干燥期)	○胶片从夹纸层中抽出时要缓慢 ○防止同增感屏摩擦 ○避开易带电的衣物	自动冲片机滚轮有时也会带电
不定形黑化纹	胶片粘连	胶片、增感屏粘连后	○胶片、增感屏应置于干燥处	
		剥开时产生(高温期)	○胶片不要长期放在增感屏的暗匣内 ○胶片启封后尽快用掉 ○保存时夹纸不能拿掉 ○暗室防潮	
黑 线	擦 伤		注意操作 ○检查齿条交叉滚筒 *	
小皱纹	暗室处理中温度变化过大		应使显影液、定影液温度保持一定	
	使用浓缩定影液		按规定的比例稀释	
蛙肌状	显影液中的碳酸碱和定影液中的酸起作用产生 CO_2		○使用停显液 ○停显液酸性不可太强	

常见疵病	产生原因		解决办法	备 注
	大分类	小分类		
脱 膜	高温显影		调整温度	有时脱膜与软膜情况不同
	定影液无坚膜力		调整配方	
	定影液疲劳		更换新液	
	在高温下长时间水洗		缩短水洗时间	
	洗片机滚筒变形		检查滚筒 *	
密集白点	增感屏沾附脏物		更换增感屏	
新月形黑影	曝光后局部受折		注意操作	曝光前后的黑白差异也不一定很明显
新月形白影	曝光前局部受折		注意操作	
表面白渣	附着水溶残渣	使用硬水	重新水洗,洗净滚筒 *	水中的钙盐、镁盐和显影液中的碳酸盐、亚硫酸盐产生作用,生成沉淀
		使用混有杂质的水	重新水洗,洗净滚筒 *	
	附着亚硫酸铝	使用疲劳的定影液	更换新液,洗净滚筒 *	
	附着磷酸铝	显影液中脱钙剂被水分解	加柠檬酸碱	
	附着氢氧化铝	使用疲劳的定影液	更新新液,洗净滚筒 *	
	附着亚硫酸钙	使用硬水	重新水洗,洗净滚筒 *	
	存在有机物质	药液发霉	更换新液	
	附着乳白色硫磺	使用分解的定影液	更换新液,洗净滚筒 *	
黄色、褐色污染	显影液污染	使用疲劳的显影液	换新液,洗净滚筒 *	自动冲片机换液时最好用深箱清洁器具擦净
		未用停显液	使用停显液	
	铁锈引起的污染	使用锈蚀器具	检查器具	
	全部泛黄	大苏打分解引起定影不充分	换新液,充分定影	
	附着硫化银	使用疲劳的定影液	换新液,洗净滚筒 *	
		使用含卤化银溶剂的显影液	换新液,洗净滚筒 *	
		未用停显液	使用停显液	

常见疵病	产 生 原 因		解 决 办 法	备　注
	大 分 类	小 分 类		
双色雾翳(在反射光下呈黄绿色,在透射光下呈桃红色)	显影过度及显影不良	显影液被定影液污染	换新液	
		显影液陈旧且显影时间过长	换新液	
	定影过度及定影不良	显影后水洗不足,定影时定影液又失效	注意操作并更换定影液	
		胶片在定影液中相互连在一起	翻动底片	
		定影液陈旧,定影时间未到即在白光下观察	注意操作并更换定影液	
影像模糊	胶片和工件未贴紧		设法贴紧	其他: ○工件移动 ○曝光时间过长
	用焦点大的 x 线管		用小焦点 x 线管	
	焦距过小		增大焦距	
	胶片和增感屏未贴紧		设法贴紧	
	胶片颗粒太粗		选择适当胶片	
	增感屏颗粒太粗		选用细颗粒增感屏	
	散射线影响		采取防护措施	
干燥不良	干燥温度过低		改变干燥温度 ○检查干燥马达＊	
	使用疲劳的定影液	补充量不足	改变补充量 检查补充系统＊	
	干燥湿度大	通风不够	检查通风系统 调整暗室条件	
	水洗不良	水洗流动不佳	检查水洗系统＊	
	水洗温度过高		改变设定温度＊	

第六节　自动洗片机

　　自动洗片机采用连续冲洗方式,能自动完成显影、定影、水洗、烘干整个暗室处理过程,它与手工处理胶片相比有以下优点:速度快——自动洗片机能在约 12 min 内提供干燥好的可供评定的射线照相底片。效率高——每小时约可处理 360 mm × 100 mm 胶片 100张。质量好——只要摄片条件正确,通过自动洗片机处理的底片表面光洁、性能稳定、像质好。劳动强度低——操作者只需将胶片逐张输入自动洗片机即可,对操作者的技术熟练要求不高。自动洗片机工作原理见图6-2。

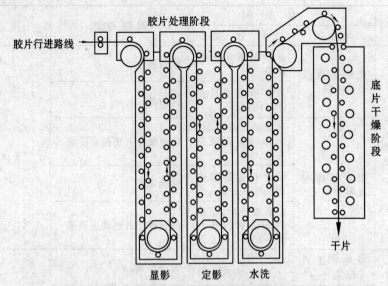

图6-2　自动洗片机工作流程图

自动洗片机由下列五大机构组成：

(1)送片机构：送片机构是由一百多个滚筒及其传动部件组成，它能使胶片从输入口进入，按一定速率移动，完成显影、定影、水洗、干燥等各项胶片处理工作，最后将底片送入受片箱。送片滚筒分为几组，可以方便地从洗片机中取出，进行清洗、维修工作。

(2)温度控制机构：自动洗片机内显影、定影、水洗、干燥温度要求严格，温度的自动控制通过自动电加热器及热交换器来完成，使各项温度达到恒定。

(3)干燥机构：由电加热器和鼓风机组成，使水洗后的底片在热风中迅速烘干。

(4)补充机构：显影液、定影液在与胶片多次作用后药力会下降，然而自动洗片机显影、定影的时间和温度是一定的，所以要求药液的浓度不能变化，为了解决这一矛盾，自动洗片机配置了显影液、定影液补充筒。每次进片自动洗片机都能给出一个进片信号，使溶液泵自动向机内补充一定数量的显影液、定影液，与此同时机内排出相应数量的溶液。每处理 $1 m^2$ 的胶片约需补充 $1\,000$ mL 显影液和 $1\,000$ mL 定影液。

(5)搅拌装置：为了使机构内药液温度、浓度均匀，并使胶片表面不断与溶液充分接触，自动洗片机设有搅拌机构。

【复习思考题】

1. 简述胶片显影的作用原理及其影响因素。
2. 简述胶片定影的作用原理及其影响因素。
3. 胶片暗室处理的基本程序是什么？
4. 什么是通透时间？
5. 显影液、定影液各呈现怎样的酸碱性质？

第七章　底片评定

底片汇集了检测对象的大量信息,识读底片是评片工作的关键。

第一节　底片质量及评片工作的要求

一、底片质量

1. 黑度

按照 JB4730—94 和 GB3323—87 标准,x 射线底片黑度应控制在 1.2~3.5;γ 射线底片黑度控制在 1.8~3.5。黑度用黑度计来测量。其下限值是在底片两端的搭接标记内侧焊缝上无缺陷处测量,测多少点不限,但不能取平均值,每一点测量值应不小于下限值。上限值是在主射线束照射的底片的中间部位焊缝近旁的母材上测量,每一点的测量值应不高于上限值。

底片上缺陷部位的黑度不受上述限制。

2. 像质指数

底片上显示出的最小线径的像质指数应满足该透照厚度规定达到的像质指数。像质指数的观察借助于刻有 10×10 小窗口的黑纸板或黑塑料板来进行。在观片灯下将小窗口放置在底片焊缝上有像质计一端的端头,且将小窗在焊缝上慢慢地向底片中部移动,注意观察小窗口,首先发现的连接小窗口上下边缘的金属丝影像,就是所显示的像质指数的影像。

3. 影像识别要求

底片上所显示的像质计、定位标记、识别标记、"B"铅字等符号,必须位置正确、类别齐全、数量足够,且不掩盖被检焊缝影像。

4. 不允许的假缺陷

在底片评定区域内不应有妨碍底片评定的假缺陷。如:灰雾、水迹、化学污斑、暗室处理条纹、划痕、指纹、静电痕迹、黑点、撕裂和增感屏不好造成的假缺陷。

5. "B"铅字显示

透照盒背后确实放置有"B"铅字,底片未显示"B"字或显示较黑的"B"字,不影响底片质量,若显示较淡的"B"字则是背散射线防护不够,该张底片应重照。

6. 底片规格

底片长度应等于 L_{eff} 加 20 mm。

底片宽度应容纳下焊缝和热影响区的宽度和焊缝两边所放各种铅质符号。

7. 焊缝影像位置

透照焊缝的部位,必须平行显示在底片的中部,若有丁字口也要置于底片中间部位。底片不允许有白头。

8. 标准要求照相质量的其他要求

如:胶片、增感屏、K 值、U_g 值的限制等。

二、评片工作条件

(1)评片应有专用的评片室。评片室的光线应稍暗一些,室内的照明不应在底片上产生反射光。评片室应宁静、卫生、通风良好。工作台上应能妥善放置观片灯、黑度计、评片尺、记录纸、相关标准等。

(2)观片灯的亮度不小于 100 000 cd/m^2,且所用的漫射光亮度应可调,窗口大小可调,遮光板灵活好用,散热良好无噪声。

(3)评片应有原始记录(见表 7-1),且要认真填写、妥善保管。

(4)评片、审片人员应取得技术监督部门射线Ⅱ级或Ⅱ级以上的资格证书,责任心强,坚持原则,实事求是,还应有良好的视力,善于总结,勤于学习,熟悉标准。

表 7-1　底片评定原始记录表

工程编号		容器类别		材　　质		规　　格	
焊缝类别		焊接方法		坡口型式		底片规格	
胶片类型		射源种类		底片数量		执行标准	
合格级别		探伤比例		委托编号		委托单位	
初评者签名			月　日	审定者签名			月　日
底片序号	缺陷定性、定位、定量示意图					定　级	备　注

第二节　底片常见缺陷的影像及识别

焊缝常见缺陷,按其在焊缝上的位置可分为焊缝内部缺陷和焊缝内、外表面缺陷。对于焊缝内外表面的缺陷,如焊瘤、咬边、焊穿、凹陷、填充未满、偏焊、错口等,大都能在内外表面上直观地检查到,由质检人员把关检查并进行修磨处理。对于焊缝内部缺陷,如裂纹、未熔合、未焊透、夹渣和气孔等,必须由探伤人员凭借射线照相手段来检查评定。

一、裂纹

裂纹是焊缝中最危险的一种缺陷。按其方向和产生部位不同可分为纵向裂纹、横向裂纹、根部裂纹、弧坑裂纹、熔合区裂纹和热影响区裂纹。按其产生的温度和时间不同可分为热裂纹、冷裂纹、再热裂纹。

裂纹是三维空间的面积型缺陷。一般的裂纹宽度小、深度大。在射线照相时,裂纹能否被检查出与射线的透照方向有很大关系。当射线的透照方向和裂纹的深度方向一致时,裂纹很容易被发现;当射线的投照方向与裂纹深度方向夹角较大时,裂纹就不容易被发现,常常有漏检的可能。裂纹检出率与照射角依赖关系如图7-1所示。

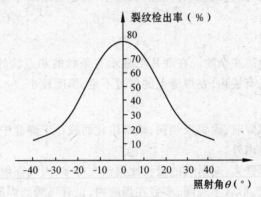

图7-1 裂纹检出率与照射角关系

裂纹在底片上显示的影像一般很清晰,黑度较大,影像的轮廓分明,常常呈略带弯曲的锯齿状细纹,两端尖锐,中间稍宽。较大的裂纹可能成直线。裂纹有单个的,也有分枝的。弧坑裂纹多呈龟裂状。

二、未熔合

未熔合是指填充金属和母材金属没有熔合在一起,或多层焊接时填充金属之间没有熔合在一起的缺陷。未熔合是不允许存在的危险性缺陷。根据未熔合的存在部位可分为根部未熔合、坡口未熔合和层间未熔合。如图7-2所示。

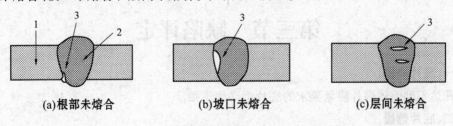

(a)根部未熔合　　　　　(b)坡口未熔合　　　　　(c)层间未熔合

1—母材;2—焊缝;3—未熔合
图7-2 各种未熔合示意图

未熔合在底片上显示的位置往往偏离焊缝的中心,呈单个或断续分布的细线,在一条直线上。层间未熔合较小时,底片上不易发现,较大时内边常会有夹渣。区别于夹渣的方法是它的轮廓清晰、圆滑、黑度较大。根部未熔合在底片上呈细线条状,且一侧黑度高并且直线性好,另一侧黑度较小,轮廓线明晰并呈圆滑弯曲,多显示在焊缝的中间部位。坡口未熔合大都在焊缝中心到边缘的 1/2 处,一边较直,另一边圆滑,若有断续的也是在一直线上。

三、未焊透

未焊透是指母材金属之间没有熔合在一起。此缺陷常发生在焊缝根部。单面焊是在焊缝的背面,双面焊是在板厚方向的中间。

未焊透在底片上的影像呈线状、黑度均匀、轮廓清晰,且位于焊缝宽度方向的中心。未焊透的影像宽度因坡口钝边处的间隙不同而不同,但只要是机加工坡口,未焊透的宽度过渡很自然,并且两边都是直线。未焊透的长短不一,也有断续分布的,但都在一直线上。未焊透处常伴生有气孔。

四、夹渣

夹渣这里是指非金属夹杂物。在底片上显示有条状的和点状的两类,但它们的形状都不规则,轮廓不圆滑,有棱角,在焊缝上的位置不定,黑度较小。

五、夹钨

夹钨是在钨极氩弧焊时,因钨极烧损,端部熔化而残存于焊缝中,或是钨极触及熔池,产生飞溅而存在于焊缝内外。

由于钨的密度比钢铁大,对射线的吸收比钢铁大得多,因而在射线底片夹钨的影像为轮廓清晰的透明白点状,形状不规则,多数在焊缝内,也有飞溅到焊缝外的。

六、气孔

熔池中的气体来不及逸出凝固于焊缝中就形成了气孔。底片上气孔的黑度较大,外形轮廓圆滑明晰,可以是圆形、椭圆形、蝌蚪形、柱形。有单个的,也有密集的。自动焊焊缝中气孔较大,圆形、椭圆形较多,黑度较大。手工焊焊缝中气孔较小,丛状的较多。带垫板的焊缝,有时在焊缝两侧有"人"字状孔。

气孔的影像一般中间较黑,边缘渐浅,轮廓光滑,图像清晰。

夹珠是大的气孔内含有小金属球,呈黑色气孔影像,内部伴有白色球形。夹珠按气孔评定。

第三节　缺陷评定

一、底片质量
凡达不到前述底片质量要求的底片都必须重拍。
二、底片数量
对照拍片时的布片图,检查底片序号、数量,防止漏照、重照,并核查透照比例是否满足规定要求。
三、底片初评
1. 通览底片
判断底片的焊接方法、焊接位置、焊缝型式,确定评定区范围,辨认评定区内的缺陷。

2. 缺陷定性

按前述缺陷识别方法辨认。

3. 缺陷定量

用评片尺度量即可。对于裂纹、未熔合、未焊透、条渣(含夹钨、条孔)以毫米为单位量长度;对于长宽比小于等于3的夹渣(含气孔、夹钨)折合标准点数。

4. 缺陷定位

工件厚度方向上的定位,按缺陷影像的不清晰度、变形情况来区分缺陷是在胶片侧或是射源侧。焊缝水平方向定位,量其距中心标记的距离,水平箭头前方取正,反方向标负。

5. 缺陷定级

焊缝缺陷等级评定要根据所执行标准中的规定来进行。压力容器焊缝可用 JB4730—94 来定级。根据焊缝中缺陷的性质和数量,将焊缝分为四个等级。

Ⅰ级焊缝内不允许存在裂纹、未熔合、未焊透和条渣,只允许存在一定数量的圆形缺陷。

Ⅱ级焊缝内不允许存在裂纹、未熔合、未焊透,只允许存在一定数量的圆形缺陷和一定长度的条形夹渣。

Ⅲ级焊缝内不允许裂纹、未熔合以及双面焊或相当于双面焊的全焊透对接焊缝和加垫板单面焊中的未焊透存在,只允许存在一定数量的圆形缺陷和一定长度的条渣。对于焊缝系数小于 0.7 的焊缝允许一定长度的未焊透。

焊缝缺陷超过Ⅲ级者都评为Ⅳ级,Ⅳ级焊缝必须返修或报废。

1)圆形缺陷的确定和分级

长宽比小于或等于 3 的气孔、夹渣、夹钨定义为圆形缺陷。

评定方法及缺陷分级详见 JB4730—94(容器)和 GB3323—87(锅炉)相关规定。

例1:24 mm 和 26 mm 两块钢板对接焊接,在底片上发现缺陷(如图 7-3 所示),按 JB4730—94 该张底片评为几级?

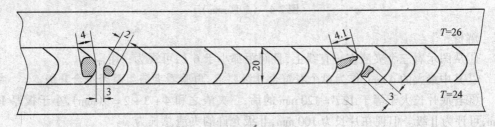

图 7-3 (单位:mm)

解析:

①由 24 mm 和 26 mm 两板组焊,按薄者评定区取 10×10,厚者评定区取 10×20,在此应以薄板来取评定区为 10×10。

②底片上有两处缺陷,按图示都在 10×10 评定区内,当以严重者(右边)为评定对象。

③4.1 mm 缺陷折 10 点加上 3 mm 缺陷折 3 点共 13 点。

④缺陷总点数大于9不能评为Ⅱ级,小于18可评为Ⅲ级。

例2:板厚5mm的对接焊缝的底片上,发现两处缺陷都在10×10的范围内,甲处为3个1mm夹钨,乙处为2个1mm点渣和11个0.5mm的点渣,按JB4730—94本底片如何评级?

解析:

①根据板厚评定区为10×10。

②甲处3个1mm夹钨折换为3点,可评为Ⅱ级。

③乙处2个1mm点渣折换为2点,可评为Ⅱ级,但还有11个0.5mm点渣为Ⅱ级不允许,好像允许评为Ⅲ级?但若将1个0.5mm点渣视为大于0.5mm小于等于1mm,就可再折换为1点,共3点,其余10个0.5mm点渣可不计,乙处应评为Ⅱ级。

④甲处、乙处同为Ⅱ级,只评一处即可,本底片为Ⅱ级。

2)条状夹渣的确定和分级

长宽比大于3的夹渣(含夹钨、条孔)定义为条状夹渣。

条状夹渣的评定及分级详见JB4730—94(容器)和GB3323—87(锅炉)相关规定。

夹渣群评定时,先找出该群中最长的一条夹渣,把最长者先作为单个夹渣看待,看它是否能评为Ⅱ级,若能满足Ⅱ级要求,再看夹渣总长是否符合Ⅱ级要求。若最长者已超过了Ⅱ级所允许长度,但符合Ⅲ级单个长度限制,就可直接看夹渣群总长是否符合Ⅲ级要求。若最长者超过了Ⅲ级所允许的单个长度,则夹渣群就直接评为Ⅳ级。

例3:如图7-4所示,底片长100mm,按JB4730—94本底片如何评级?

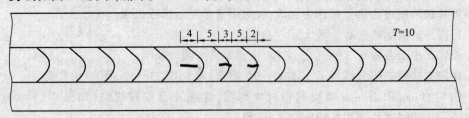

图7-4 (单位:mm)

解析:

①从图示看三个夹渣在一直线上,且间距都小于6L,可视为一组。

②其中最大的4mm,作为单个看符合Ⅱ级要求,再验看夹渣组是否符合Ⅱ级。

③若底片长大于等于$12T=120$mm的话,三夹渣之和$4+3+2=9$(mm),小于板厚10mm,可评为Ⅱ级。但现在片长为100mm,Ⅱ级允许的夹渣总长为x。

$$10:120 = x:100$$

$$x = 10 \times 100/120 = 8.33(mm)$$

Ⅱ级允许的夹渣总长8.33mm,小于实际夹渣总长9mm,所以不能评为Ⅱ级。

④三夹渣在$6T=60$mm范围内,且总长9mm小于板厚10mm。可评为Ⅲ级。

例4:如图7-5所示,底片长300mm,按JB4730—94本底片如何评级?

解析:

①图示看三个夹渣在一直线上,且间距均不大于6L,又最长者6mm小于$(1/3)T$,图

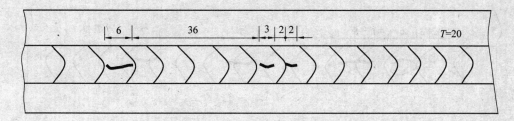

图 7-5 （单位:mm）

像可以从Ⅱ级开始观察,但 3 mm 与 2 mm 相邻夹渣的间距不大于 2 mm,它们两个的净长度再加上其间距为 3 + 2 + 2 = 7(mm),可视作一个单个夹渣,超过了Ⅱ级所允许单个夹渣 (1/3)T = 6.67 mm 的长度。不能评为Ⅱ级。

②7 mm 小于(2/3)T,可由Ⅲ级来验查。6 mm 与 3 mm 两夹渣间距大于 3L = 3 × 7 = 21 (mm),三个夹渣不在一组内,选严重者即 3 + 2 + 2 = 7 (mm)的夹渣,小于(2/3)T,可评为Ⅲ级。

3)综合评级

在圆形缺陷评定区内,同时存在圆形缺陷和条状夹渣或未焊透时,应先各自评级,再将两级别之和减 1 作为最终级别。

每张底片的级别,应以该张底片中各种性质缺陷级别最低的为本张底片的级别。

例5:底片长 150 mm,焊缝系数 0.7 的单面焊,有未焊透、点渣(如图 7-6),按 JB4730—94 底片如何评级?

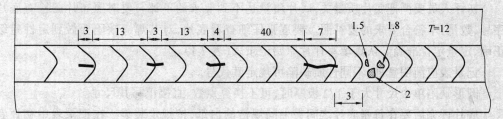

图 7-6 （单位:mm）

解析:

①焊缝系数 0.7,Ⅲ级允许未焊透,长度按条渣分级。

②最长的未焊透 7 mm,小于(2/3)T,符合Ⅲ级要求。

③按Ⅲ级四段未焊透的间距都大于 3L,不能看做一组未焊透的级别为Ⅲ级。

④三点夹渣在 10 × 10 评定区内,折换点数为 2 + 2 + 2 = 6 点,圆形缺陷为Ⅱ级。

⑤圆形缺陷评定区内除点渣外,还有 7 mm 未焊缝一段,圆形缺陷评定区内缺陷级别应为(3 + 2 − 1 = 4)Ⅳ级,本张底片为Ⅳ级。

例6:底片长 360 mm,条渣、气孔如图 7-7 所示,按 JB4730—94 评定底片级别。

解析:

①最长条渣 8 mm,小于(1/3)T,可评为Ⅱ级。

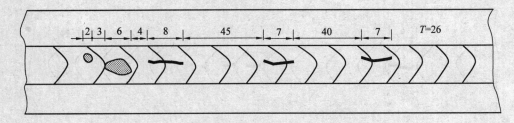

图7-7　（单位：mm）

②三条渣在一直线上，间距都小于 6 mm × 8 mm，且在 12T 范围内可视作一组，条渣总长为 8 + 7 + 7 = 22(mm)，小于板厚，条渣组为Ⅱ级。

③根据板厚，圆形缺陷的评定区为 10 mm × 20 mm，其间两气孔的折合点数为 2 + 10 = 12 点，可评为Ⅱ级。

④合理移动评定区，可使 8 mm 条渣进入评定区内，因而评定区内的综合级别为 (2 + 2 - 1 = 3)Ⅲ级，本底片为Ⅲ级。

第四节　评片原始记录的填写、审定

底片的初评、审定，必须分别由持技术监督部门射线Ⅱ级及Ⅱ级以上资格人员来进行。

一、初评人员的职责

初评人员要严把底片质量关，底片质量达不到要求的不评。要对照布片图检查底片序号、数量，不符合要求的要补照。要逐张仔细查看底片，对其焊缝缺陷要做到定性定级正确、定量定位准确。认真填写评片原始记录表（表7-1）。

记录表应简明意准，不同性质缺陷可规定其代号。

圆形缺陷单个尺寸大于 1/2 板厚时，可不换算点数，直接填写其尺寸。

底片评完后要在每张底片之间夹上同规格的白纸，按规定装袋。在记录表中初评者栏亲自签名，表示对所做工作负责。将记录表、底片袋交于审定者。

二、审定人员职责

审定人员要逐张审查底片，核查原始记录上初评人员对底片的四定是否正确，检查原始记录各栏的填写是否合理、正确，都完成后要在审定栏内亲自签名，对评片工作的正确性负主要责任。之后交初评人员出具报告，再审核报告并签字。底片、原始记录、报告底稿存档。

审定人员如果对初评人员的原始记录填写内容、底片的四定有不同意见时，有权更改，并以此为结论填写报告。

【复习思考题】

1. 怎样根据焊缝缺陷的特性来划分焊缝缺陷的级别？

2. 底片上裂纹的特征是什么？

3. 底片上未熔合的特征是什么？

4. 底片上未焊透的特征是什么？

5. 底片上夹渣的特征是什么？

6. 底片上气孔的特征是什么？

7. 对底片本身质量有哪些要求？

8. 圆形缺陷怎样评级？

9. 条形夹渣怎样评级？

10. 综合评级指的是什么？

11. 底片级别怎样确定？

12. 原始记录的重要性如何？

13. 初评人员的职责是什么？

14. 审定人员的职责是什么？

15. 评片人员为什么要亲自签名？

第八章 射线检测技术资料

射线检测技术资料主要包括:①射线检测工艺文件(包括通用工艺规范、工艺卡)。②射线检测原始记录(包括原始条件记录、委托单、检测部位图、返修记录、评审记录、x光底片等)。③射线检测报告(质量证明书)。

射线检测工艺文件在第五章中已详细介绍,本章主要介绍射线检测原始记录、报告及其保存。

第一节 射线检测原始记录

原始条件记录必须是实时操作的数据,不得抄录工艺规程上规定的数据,检测部位图应清晰、准确地反映实际检测的方位(如射线照相位置、编号、方向等)。评、审片记录,《压力容器安全技术监察规程》(以下简称《容规》)(99版)提供了参照格式(如表8-1)。检测人员应认真做好原始记录,以利于质量追踪。

表8-1 焊缝射线检测底片评定表

序号	焊缝编号	底片编号	相交焊缝接头	底片黑度	像质指数	板厚(mm)	缺陷性质及数量	评定级别(级)	一次透照长度(mm)	备注

初评人(资格):　　　　　　年　月　日　复评人(资格):　　　　　　年　月　日

第二节 射线检测报告

JB4730—94《压力容器无损检测》规定,报告至少应包括以下内容:①委托单位、被检工件名称、编号。②被检工件材质、母材厚度。③检测装置的名称、型号。④透照方法及透照规范。⑤透照部位及工件草图(或示意图)。⑥检测结果、缺陷等级评定及检测标准名称。⑦返修情况。⑧检测人员和责任人员签字及其技术资格。⑨检测日期。

《容规》(99版)提供参照格式如表8-2,《在用压力容器检验规程》提供参照格式如表8-3,GB50235—97《工业金属管道施工及验收规范》提供的报告参照格式如表8-4。

表 8-2　焊缝射线检测报告

产品编号：

工件	材 料 牌 号							
检测条件及工艺参数	源种类	□x□¹⁹²Ir□⁶⁰Co			设备型号			
	焦点尺寸	mm			胶片编号			
	增感方式	□Pb□Fe 前屏后屏			胶片规格		mm	
	像质计型号				冲洗条件		□自动□手工	
	显影液配方				显影条件		时间 min;温度℃	
	照相质量等级	□AB□B			底片黑度			
	焊缝编号							
	板厚(mm)							
	透照方式							
	L_1(焦距)(mm)							
	能量(kV)							
	管电流(mA)源活度							
	曝光时间(min)							
	要求像质指数							
	焊缝长度(mm)							
	一次透照长度(mm)							
合格级别(级)								
要求检测比例(%)								
实际检测比例(%)								

检 测 标 准				检 测 工 艺 编 号				
合格片数	A类焊缝(张)	B类焊缝(张)	相交焊缝(张)	共计(张)	最终评定结果	Ⅰ级(张)	Ⅱ级(张)	Ⅲ级(张)	Ⅳ级(张)

缺陷及返修情况说明	检 测 结 果
1. 本台产品返修共计　　处,最高返修次数　　次。 2. 超标缺陷部位返修后经复验合格。 3. 返修部位缺陷情况见焊缝射线检测底片评定表。	1. 本台产品焊缝质量符合　　级的要求,结果合格。 2. 检测位置及底片情况详见焊缝射线底片评定表及射线检测位置示意图(另附)。

报告人(资格) 　　　年　月　日	审核人(资格) 　　　年　月　日	无损检测专用章 　　　年　月　日

表8-3 在用压力容器射线探伤报告

容器编号：　　　　　　　　　　　　　　　　　　　　　　　　　　　　报告编号：

容器名称			容器类别			容器规格		
主体材质			公称壁厚		mm	执行标准		
探伤条件	探伤机型号		增感法			透度计类别		
	探伤机规格		管电压		kV	管电流		mA
	像质计指数		透照方式			曝光时间		min
	底片类型		焦　距		mm	黑　度		
	底片长度		mm	有效长度		mm		

序　号	底片编号	缺陷位置	缺陷性质	缺陷尺寸	评定级别	备　注

初评：　　年　月　日　　　　　　复评：　　年　月　日

（可加附页）

表8-4 射线照相检验报告

项目：		装置：		工号：	
管线号		委托单位		试验编号	
规格及厚度		焊接方法		执行标准	
材质		增感方式		透照方法	

底片编号	缺　　　　陷																		评定等级	返修位置	焊工号附注
	1	2	3	4	5	6	7	8	9	10	11	12	13	14	15	16	17	18			

缺陷代号	1.横向裂纹　　　　7.分散夹渣　　　　13.溢满 2.纵裂纹　　　　　8.夹钨　　　　　　14.缩孔 3.弧坑裂纹　　　　9.气孔　　　　　　15.伪缺陷 4.未焊透　　　　　10.长形气孔　　　　16.咬边 5.未熔合　　　　　11.过熔透　　　　　17.错口 6.条状夹渣　　　　12.凹陷　　　　　　18.表面沟槽

审核人：	评片：	暗房处理：	拍片：
年　月　日	年　月　日	年　月　日	年　月　日

具有Ⅱ级以上资格的评片人员,应在了解射线照相操作人员提供的实际操作条件、原始记录的基础上进行底片评定,然后签发射线检测报告。

第三节　射线检测技术资料的保存

底片评定后,应按顺序或用纸隔开理顺装袋。按检验编号顺序分捆包扎,存放在专用房间,最好设置底片存放档案室,并由专人保管。底片不得重叠摆放或堆放。一般应使底片侧端面与存放面垂直,置于架子上,以防底片变形、变质。室内温度和湿度应保证底片长期存放不变形不变质,尤其要注意防止温度过高和湿度太大。为了查找方便,及时将需要的底片调出,应按照档案管理的办法,按年、月及出厂编号进行分类整理。

原始记录、报告等档案资料按年、月及出厂编号的编排顺序装订成册,归入档案室,由专人进行管理,并建立产品目录的台账,以便按产品目录进行查询。

一般底片(包括原始缺陷底片)和原始记录等技术资料保存期不少于7年。

【复习思考题】

1. 按 JB4730—94 规定,射线检测报告至少包括哪些内容?
2. 按规程要求,射线检测原始记录及底片应保存多长时间?

第九章　安全防护

　　射线对于无损检测来说无疑是必要的,然而对于生物体来讲,当受到大剂量照射或连续超容许剂量照射时,生物体组织会产生不同的影响。所以对专业无损检测人员和在辐射场周围的居民必须做好安全防护工作,使吸收剂量在标准容许剂量以下,确保人体安全。

第一节　射线对人体的危害

一、剂量单位

　　为了更好地做好安全防护工作,首先应了解关于剂量的一些单位。

　　常用的射线单位有照射量、吸收剂量和剂量当量。然而照射量和吸收剂量是两个物理意义完全不同的射线剂量单位,为了避免混淆,国际辐射单位与测量委员会(ICUR)建议在使用中剂量仅仅代表"吸收剂量"。

　　1. 照射量

　　当 x(γ)射线通过空气后会在其路径上产生离子对,射线越强,产生的离子对就越多,为了度量 x 或 γ 射线对空气电离能力的大小,引入了照射量这一物理量。

　　照射量是 x 或 γ 射线通过单位质量的空气时所释放的所有电子(正电子和负电子),被完全阻止于空气中时,在空气中形成离子对(正电荷或负电荷)总电荷的绝对值。

　　照射量的专用单位是伦琴(R)。1 R 相当于在标准状况下(即在 0 ℃,1 个大气压下),在 1 cm^3 的干燥空气中产生的同号电荷为一个静电单位时照射量的大小。即

　　1 R = 1 静电单位/1cm^3 空气质量

　　因为一个静电单位相当于 3.33 × 10^{-10} C,1 cm^3 的空气质量为 1.293 × 10^{-6} kg,所以在国际单位制下:

　　1 R = 3.33 × 10^{-10} C/1.293 × 10^{-6} kg = 2.58 × 10^{-4} C/kg

　　伦琴这个单位在应用中显得太大,往往应用毫伦和微伦单位,它们的关系为:

　　1 伦(R) = 10^3 毫伦(mR) = 10^6 微伦(μR)

　　然而在实际工作中,我们关心的不仅是总的照射量的大小,有时更重要的是考虑单位时间内的照射量,即照射量率。所谓的照射量率是指单位时间内的照射量,单位为:R/h、mR/h、μR/h 及 R/s 等。

　　照射量这一概念,它只适用于 x 或 γ 射线对空气的效应,可我们所关心的又往往是人体组织对射线的吸收,所以我们引入了吸收剂量这一概念。

　　2. 吸收剂量

　　当人体(或其他生物体)受到电离辐射时会吸收电离辐射(射线)的全部或部分能量,从而产生生物效应,生物效应的大小与吸收电离辐射的能量多少有密切关系。吸收剂量就是用来表征单位质量的受照物体吸收电离辐射(射线)能量大小的量。

吸收剂量不像照射量只适用于 x、γ 射线,它适用于任何类型和任何能量的电离辐射,同时也适用于任何被照的物质。其大小取决于电离辐射的能量和被照物体本身的性质,因此,在提及吸收剂量时,必须说明是什么物质的吸收剂量。

吸收剂量的专用单位是拉得(rad),1 拉得相当于每克被照体吸收 100 尔格(erg)的辐射能量,即:

1 rad = 100 erg/g

因为 1 erg = 10^{-7} J,1 g = 10^{-3} kg,所以在国际单位制下有:

1 rad = 100 × 10^{-7} J/10^{-3} kg = 10^{-2} J/kg

国际单位制下吸收剂量的单位为戈瑞(Gy),1 Gy = 1 J/kg,所以有:

1 rad = 10^{-2} Gy,或 1 Gy = 100 rad

同样,在实际工作中经常要使用毫拉得(mrad)和微拉得(μrad),并引入了单位时间内的吸收剂量即吸收剂量率的概念:

1 rad/h = 10^{3} mrad/h = 10^{6} μrad/h

3. 剂量当量

虽然吸收剂量与生物效应有密切关系,但对于不同的辐射即使接收到了同样的吸收剂量也会产生不同的生物效应,所以,为了统一衡量和评价不同种类电离辐射源对生物效应的影响,引入了剂量当量的概念。

剂量当量就是以 x 或 γ 射线对生物体的影响与其他辐射源相比较来评价不同辐射源对生物效应的影响程度。不同源对生物效应的影响程度用品质因素来表示。

剂量当量的单位是雷姆,1 雷姆(rem)相当于吸收 1 拉得的 x 或 γ 射线引起的生物效应。所以对于不同种类的辐射源不同照射类型时的剂量当量为

$$H = D \cdot Q \cdot N \tag{9-1}$$

式中　H——剂量当量;

　　　D——吸收剂量;

　　　Q——源品质因素;

　　　N——修正系数。

修正系数 N 是考虑到吸收剂量在时间及空间上分布不均而引起的一些修正因素的乘积。目前,国际放射防护委员会(ICRP)指定,对 x、γ 射线,因为品质因素 $Q = 1$,修正系数 $N = 1$,且 Q 和 N 是无量纲的,因此,剂量当量和吸收剂量具有相同的数值和量纲。

剂量当量的国际单位为希沃特(Sv),1 Sv = 1 J/kg,所以有:

$$1 \text{ rem} = 10^{-2} \text{ Sv}$$

4. 照射量与吸收剂量的关系

在实际工作中,我们用仪器测得的只是射线源的照射量,而人体组织对射线的吸收剂量不能用仪器直接测到。为了弄清吸收剂量的多少,就要弄清照射量与吸收剂量的关系。

准确地讲,照射量与吸收剂量是物理意义完全不同的两个物理量,然而可以通过以下换算找到在空气中某点两个量之间的量值关系。

因为 1 R 的照射量相当于在 1 kg 的空气中产生 2.58×10^{-4} C 的同号电荷,而一个电子的电量为 $e = 1.60 \times 10^{-19}$ C,即 1 R 的照射量也相当于在 1 kg 空气中产生 2.58×10^{-4}/

$1.60 \times 10^{-19} = 1.61 \times 10^{15}$ 离子对。根据实验证明,在空气中产生一对离子所需的能量为 5.4×10^{-8} J。所以

$$1 \text{ R} = 0.008\ 69 \text{ J/kg} = 0.869 \text{ rad}$$

实质上,吸收剂量不仅与照射量有关,还与被照对象有关,不同的被照物体在同样的照射量下可能会得到不同的吸收剂量,吸收剂量(D)与照射量(X)和被照对象的关系为

$$D = f \cdot X \qquad\qquad (9\text{-}2)$$

式中　f——换算因子,它是射线能量和被吸收体性质的函数,不同射线能量、不同吸收体的换算因子不同。

由以上讨论可知,不同被吸收体接受的剂量当量与照射量之间的关系为

$$H = f \cdot D \cdot Q \qquad\qquad (9\text{-}3)$$

5. 照射量与放射性强度关系

在实际工作中,对 γ 射线源,给定一个源往往是给了它以居里(Ci)或毫克镭当量(mgRa)为单位的放射性强度而不是照射量,那么它们之间有什么关系呢?

(1)照射量的实验测定,1 mgRa 的 γ 射线源在空气中距射线源 1 cm 处的照射量率为 8.4 R/h,因此,照射量和照射量率与放射性强度的关系为

$$X = \frac{M \times 8.40}{R^2} t \qquad P = \frac{M \times 8.40}{R^2} \qquad (9\text{-}4)$$

式中　X——照射量,R;

　　　M——放射性强度,mgRa;

　　　R——到点源的距离,cm;

　　　P——照射量率;

　　　t——受照时间,h。

(2)照射量与射线源活度的关系:

实验证明,照射量(X)与射线源活度有如下关系

$$X = T \times \frac{A \cdot t}{R^2} \qquad\qquad (9\text{-}5)$$

式中　A——以毫居里为单位的射线源活度,mCi;

　　　T——γ 射线照射量率常数,不同源的 T 常数如表 9-3 所示。

(3)毫克镭当量与毫居里都是 γ 射线源放射性强度单位,毫克镭当量与毫居里之间的关系可表示为

$$\text{毫克镭当量} = \gamma \times \text{毫居里}$$

这里 γ 叫 γ 当量,它随源种类而变。几种常见的 γ 源的 T 常数和 γ 当量值如表 9-1 所示。

二、辐射损伤

辐射损伤是一定量的辐射作用于肌体后,受照肌体所引起的病理反应。

急性辐射损伤是由于一次或短时间内受大剂量照射所致,主要发生于事故性照射。在慢性小剂量连续照射的情况下,值得重视的是慢性放射损伤,主要由于从事射线工作的职业人员平日不注意防护,较长时间接受超允许剂量所引起的。电离辐射不仅能引起全

身急慢性放射损伤,而且也能引起局部的皮肤损伤。

表 9-1 常见 γ 源的 T 常数和 γ 当量表

γ 源名称	半衰期	γ 源能量(MeV)	$T(\mathrm{R \cdot cm^2/(h \cdot mCi)})$	γ 当量(mgRa/mCi)
$^{60}\mathrm{Co}$	5.3 年	1.25	13.2	1.57
$^{137}\mathrm{Cs}$	30 年	0.662	3.28	0.59
$^{192}\mathrm{Ir}$	75 天	0.31	4.72	0.56
$^{170}\mathrm{Tm}$	130 天	0.884	0.013	0.002

辐射损伤是一个复杂的过程,它与许多因素,如辐射性质、剂量、剂量率、照射方式、机体的生理状态等有关。

(1)辐射性质。包括辐射的种类和能量。不同性质的辐射在介质中的线能量转移(LET)不一,所产生的电离密度不同,因而相对生物效应有异。x 射线和 γ 射线的生物效应基本一致。而中子和 γ 相比,由于中子的 LET 较大,所以中子产生的生物效应比 γ 射线大。对同一种类型的辐射,由于射线能量不同,产生的生物效应也不同。例如低能 x 射线造成皮肤红斑所需的照射量小于高能 x 射线。这是因为 x 射线主要被皮肤所吸收,而高能 x 射线照射时,将能量同时分布到较深的组织中去的缘故。

(2)剂量。剂量与生物效应之间存在着复杂的关系。一般来说,吸收剂量越大,生物效应也越大。以一次全身照射为例,不同剂量的照射对人体损伤可大致估计为:25 rad 以下一次照射,观察不出明显的病理变化;吸收剂量 50 rad 左右,可见一时性迹象变化;吸收剂量再大时便出现机能的和血相的改变,因个体差异有的可能表现出轻的辐射症状;一般 100 rad 以上引起程度不同(轻度、中度、极重度)的急性放射病。一次全身照射的半致死剂量约 500 rad。如剂量达1 000 rad 以上,受照者在一二个月内 100% 死亡。几千拉德的全身照射,可破坏中枢神经系统而在几分钟至数小时内致死。

(3)剂量率。由于人体对射线的生物损伤有一定的恢复作用,故在受照总剂量相同时,小剂量的分散照射比一次大剂量率的急性照射所造成的生物损伤要小得多。例如,若一生全身均匀照射的累积剂量为 200 rad,并不会产生急性生物损伤,如一次急性照射的剂量为 200 rad,则可以产生严重的躯体效应,在临床上表现为急性放射病。

因此,进行剂量控制时,应在尽可能低的剂量率水平下分散进行。

(4)照射方式。分外照射和内照射两种。对于射线探伤者来说,主要是外照射。在外照射的情况下,单方向与多方向进行照射的生物损伤不一样。一次照射与多次照射,或多次照射之间的时间间隔不同所产生的生物损伤也有差别。

(5)照射部位。生物损伤与受照部位有关,受照部位不同,产生的生物损伤也不同。例如以 600 rad 照射全身可致死,而同样的剂量照射手或足,可能不会产生明显的临床症状。在相同剂量和剂量率照射条件下,不同部位的辐射敏感性的高低依次排列为:腹部、盆腔、头部、胸部、四肢。因此,要特别注意腹部的防护。

(6)照射面积。在相同剂量照射下,受照面积愈大,产生的效应也愈大。以 600 rad 照射为例,在几平方厘米的面积上照射,仅引起皮肤暂时变红,不会出现全身症状;受照面积增大到几十平方厘米,就会有恶心、头痛等症状出现,但经过一个时期就会消失;若再增大受照射面积,症状就会更严重,如受照射达到全身的 1/3 以上,就有致死的危险。因此,应尽量避免大剂量的全身照射。

当然,照射面积产生的影响同时还会与照射部位密切相关,如果受照部位是重要的器官所在,即使是小面积的照射也造成该器官的严重损伤。

第二节　现行放射防护标准

由于射线过量照射对人体会产生人体组织和器官的损伤,为了保障专业从事放射性工作人员和辐射源周围居民所接受的射线剂量在安全剂量以下,确保人体的组织和器官不发生明显的病变,根据国际放射性防护委员会所规定的限值,国家制定颁发了我国现行的防护标准 GB4792—84《放射防护规定》,该标准规定了人体接收的最大容许剂量,规定容许的剂量当量值如表 9-2 所示。

表 9-2　电离辐射的最大容许剂量当量和限定剂量当量　　　　（单位:rem）

受照部位	放射工作人员的年最大容许剂量当量	放射性工作场所相邻及附近区域公众中个人年限制剂量当量
全　身	5	0.5
眼晶体	15	
其他器官	50	5

对放射工作人员如果每年按 12 个月、50 周,每周工作 6 天来算,可得到放射工作人员最大的年、月、周、日剂量当量,如表 9-3 所示。

表 9-3　放射人员最大容许剂量　　　　（单位:rem）

受照部位	年剂量当量	月剂量当量	周剂量当量	日剂量当量
全　身	5	0.42	0.10	0.017
眼晶体	15	1.25	0.30	0.05
其他器官	50	4.2	1.00	0.17

GB4792—84 除对最大容许剂量当量作出明确规定外,还针对不同的工作人员及不同的工作需要采取不同的剂量当量控制规定。规定还指出:

职业性放射工作人员,在受照射剂量均匀的情况下,可采用剂量当量率控制。如因工作需要连续在 3 个月内一次或多次接受的总剂量当量可允许达到年最大容许剂量当量的一半,但一年内的接受剂量当量应不得超过年最大容许剂量的当量值。

应急照射时,在十分必要的情况下,经事先周密安排,由领导批准,健康合格的工作人员一次可接受 10 rem 的全身照射,但同时规定了专业从事放射性的工作人员终生累计剂量当量不应超过 250 rem。

从事放射性工作的孕妇、授乳妇女及接触放射性的 16～22 岁的实习人员不得接受应急照射,不参加年有效照射剂量当量可能超过 1.5 rem 的放射性工作。育龄妇女所接受的照射,应严格按月平均剂量当量控制,未满 16 岁者不参与放射性工作。

第三节　安全防护原则及防护措施

射线防护原则是:人体所接受的射线剂量当量在安全剂量当量(GB4792—84 规定的容许剂量当量)以内,确保人身安全。

为了达到以上目的,通常我们采用以下三种措施使人体接受的射线剂量在安全剂量以下,即时间防护、距离防护和屏蔽防护。

一、时间防护

因为在具有固定的剂量率(P)区域里的工作人员,所接受的射线剂量(D)与他在该区域里停留时间(t)成正比,即

$$D = P \times t \tag{9-6}$$

所以在照射率不变的情况下,为了使工作人员所接受的剂量当量满足标准要求,可通过改变工作时间的长短来控制接受的射线剂量。在平均剂量率比较大的场合,可由多个人员来接替工作,以确保每个工作人员均能在安全剂量下完成操作,起到安全防护的目的。

二、距离防护

因为工作时人员距离放射源都较远,可以把射线源看成是点源,对点源来说,在某点的射线强度与该点到源的距离平方成反比。如果有两点分别距源为 R_1 和 R_2,它们的剂量分别为 D_1 和 D_2,则

$$\frac{D_1}{D_2} = \frac{R_2^2}{R_1^2} \tag{9-7}$$

由此可见,当距离增大一倍时,射线剂量就减少到了原来的 1/4。所以实际工作中,在允许的条件下,往往通过增大到射线源之间的距离,以减少工作人员所接受的射线剂量,达到安全防护的目的。

三、屏蔽防护

通过第一章学习,我们已知道,射线通过物质后的衰减规律为

$$I = I_0 e^{-\mu T} \tag{9-8}$$

即穿过物质后射线的强度随工件厚度的增加呈 e 的负指数次方衰减。

屏蔽防护就是在射线源与人体之间加上一层吸收系数比较大的屏蔽板来减小射线强度,从而减少人体接受的射线剂量。在实际工作中,如果受场地的限制,人与源之间的距离过近,而时间又受工程进度及工艺要求的限制,此时屏蔽防护是非常有效的一种防护方法。

由式(9-8)可见,对于同样的射线源,屏蔽层越厚,穿过屏蔽层后射线的强度就越小,

所以可以通过选用不同厚度的屏蔽层来达到安全防护的目的。

对于两种不同的屏蔽层,如果:

$$\mu_1 T_1 = \mu_2 T_2 \tag{9-9}$$

则,它们会得到相同的防护效果。

第四节　意外事故处理

引起异常的或未预料到的辐射危害的任何情况,都叫放射事故。用 x 射线探伤只要严格遵守安全操作规程,一般不会发生事故。用 γ 射线探伤,发生过一些放射源与机械手脱开的事故,即机械手已退回到原位时,源却没有回到贮存容器内,造成失去屏蔽,或者操作不当使操作系统发生事故,源退不回贮存容器内。

放射性事故是可以预防的,关键在于平常加强对工作人员的安全教育,严格遵守操作规程。采用新技术、新方法时,在正式操作前,必须熟悉操作的内容。对难度较大的操作,要事先用非放射性物质做模拟操作试验。工作人员在操作放射性物质前,应充分做好准备工作,如拟定周密的工作计划,检查仪表是否正常,个人防护用品是否齐全,并根据具体的探伤设备制定出万一发生事故的处理办法。

事故发生以后,为了有效地处理放射性事故,应制订各种可能事故的应急措施。事故的种类千差万别,处理事故时应根据事故的具体情况,制订适宜于不同事故的处理方案。一般的处理程序均应包括如下内容:

(1)事故发生后,当事人应立即通知同工作场所的工作人员离开,并报告防护负责人及单位领导。

(2)由单位领导召集专业人员,根据具体情况迅速制订事故处理方案。

(3)事故处理必须在单位负责人的领导下,在有经验的工作人员和卫生防护人员的参加下进行。未取得防护监测人员的允许不得进入事故区。

除上述工作外,防护监测人员还应进行以下几项工作:

(1)迅速确定现场的辐射强度及影响范围,划出禁区,防止外照射的危害。

(2)根据现场辐射强度,决定工作人员在现场工作的时间。

(3)协助和指导在现场执行任务的工作人员佩带防护用具及个人剂量仪。

(4)对严重的剂量事故,应尽可能记下现场辐射强度和有关情况。并对现场重复测量,估计当事人所受剂量,根据受照射量情况决定是否送医院进行医学处理或治疗。

各种事故处理以后,必须组织有关人员进行讨论,分析事故发生原因,从中吸取经验教训,采取措施防止类似事故重复发生。凡严重或大的事故,应向上级主管部门报告。

【复习思考题】

1. 影响辐射损伤的因素有哪些?

2. 外照防护的基本方法有哪些?

3. 现行放射防护标准是什么(标准号及名称)? 标准中对放射工作人员最大容许的

剂量当量如何规定?

4. 已知辐射场中某点的剂量率为 5 mrem/h(50 μSv/h),在不超过最大容许剂量的情况下,问一个工作人员每周可以工作多少时间?

5. 距离一个特定的 γ 源 2 m 处的剂量率是 40 mrem/h(400 μSv/h),在距源多远时的剂量率将是 2.5 mrem/h(25 μSv/h)?

6. 今有探伤用^{60}Co 源 5 Ci,工作人员操作时距源 15 m,问工作人员所在位置的照射率是多少?

超 声 篇

第一章　超声波探伤物理基础

第一节　振动和波

一、机械振动和机械波

1. 机械振动

物体沿直线或曲线在某一平衡位置附近作往复周期性的运动,称为机械振动。

常见的机械振动如弹簧振子运动、钟摆的运动、气缸中的活塞运动,声源发出的声音以及超声波波源的运动等是人们眼睛看不到的振动现象。

振动是往复、周期性的运动,振动的快慢通常用振动周期和振动频率两个物理量来描述。

周期是指振动物体完成一次全振动(物体或质点受到一定力的作用,离开平衡位置,产生一个位移,当该力失去后,它将回到其平衡位置,且还要超过平衡位置移动到相反方向的最大位移位置,然后再回到平衡位置,这样一个运动过程我们称为一个"循环"或叫一次全振动)所需的时间,用字母"T"来表示,常用单位为秒(s)。

频率是指振动的物体在单位时间内完成的全振动次数,用字母"f"表示,常用单位为赫兹(Hz),1 Hz 表示 1 s 内完成 1 次全振动,即 1 Hz = 1 次/s。此外还有千赫(kHz)、兆赫(MHz),1 kHz = 10^3 Hz,1 MHz = 10^6 Hz。

周期与频率互为倒数,即:$T = 1/f$。如超声波探头的频率为 2.5 MHz,表示晶片振动频率为 2.5×10^6 次/s,晶片振动的周期即为:$T = 1/f = 1/2.5 \times 10^6 = 4 \times 10^{-7}$(s)。

2. 波动和机械波

振动的传播过程称为波动。波分机械波和电磁波两大类。

机械波是指机械振动在弹性介质中的传播过程。如水波、声波、超声波等。

3. 波长、频率和波速

(1)波长 λ:同一直线上相邻两振动相位相同的质点间的距离,称为波长,用 λ 表示。波源或介质中任意一质点完成一次全振动,波正好前进一个波长的距离。波长的常用单位为 mm 或 m。

(2)频率 f:波动过程中,任一给定点在 1 s 内所通过的完整波的个数,称为波动频率。波动频率在数值上同振动频率,用 f 表示,单位为 Hz。

(3)波速 C:波动中,波在单位时间内所传播的距离称为波速,用 C 表示。常用单位为 m/s 或 km/s。

由波速、波长和频率的定义可得

$$C = \lambda f \text{ 或 } \lambda = C / f$$

由上式可知,波长与波速成正比,与频率成反比。当频率一定时,波速愈大,波长就愈大;当波速一定时,频率愈低,波长就愈长。

二、超声波的发射和接收

次声波、声波、超声波都是在弹性介质中传播的机械波。次声波、声波、超声波的区分是以其波动频率而定的,人耳能听到的波称为声波,其频率为 20 ~ 2 000 Hz,频率小于 20 Hz 的称为次声波,频率大于 2 000 Hz 的称为超声波。

把高频超声频率伸缩振动设法加到被检弹性材料上,材料的质点也会随之产生振动,从而产生超声波并在材料内传播,这一过程叫超声波的发射。

超声波的接收是和发射完全相反的过程,即超声波传至压电晶片时,使压晶片产生伸缩,其伸缩将使压电晶片电极间产生电压,此电压经放大处理后可在示波屏上得以显示,这一过程就是超声波的接收。

第二节　超声波及其波型

超过人耳能听到的物体振动的声音的频率范围的声波叫超声波。超声波探伤常用的频率范围是 0.5 ~ 10 MHz。

超声波探伤常用的超声波波型(声振动质点振动的模型)有纵波(压缩波)、横波(剪切波)、表面波(瑞利波)和板波(兰姆波)。

一、纵波(L)

当弹性介质受到交替变化的拉应力或压应力作用时,就会产生交替变化的伸长或压缩形变,质点产生疏密相间的纵向振动,并在介质中传播,质点的振动方向与波的传播方向相同,这种波称为纵波(图 1-1),又称压缩波。

因为弹性力是由于弹性介质体积发生变化而产生的,所以纵波能够在任何弹性介质中传播(包括固体、液体和气体)。

二、横波(S)

固体介质既具有体积弹性,又具有剪切弹性。当固体介质受到交变剪切应力作用时,将发生相应的剪切形变,介质质点产生具有波峰和波谷的横向振动,这时质点的振动方向与波的传播方向相互垂直,这种波称为横波,又称为剪切波(图 1-1)。

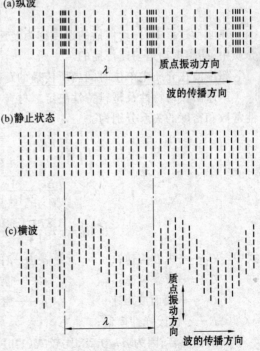

图 1-1　纵波、横波

由于液体和气体(统称流体)中只具有体积弹性,而不具有剪切弹性,所以在流体中不能传播横波。

三、表面波(R)

当固体介质表面受到交替变化的表面张力作用时,质点在介质表面的平衡位置附近作椭圆轨迹的振动,这种振动又作用于相邻的质点而在介质表面传播,这种波称为表面波,又称瑞利波(图1-2)。表面波可以看做是一种特殊的"横波",仅限于材料表面传播,超过一个波长的深度时,能量急剧下降。

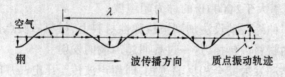

图1-2　表面波

四、板波

板波是在薄板状固体(含细棒材等)中传播的超声波,声波的波动情况较为复杂,它包含有纵波和横波的分量。在板波的传播中,按板中振动波节的形式分为对称型(S型)和非对称型(A型)两种。板波广泛地应用于薄板超声波探伤。

第三节　声　速

在波动过程中,振动传播的速度称为波速,它的大小与介质本身的性质有关。在均匀介质中,同类振动是匀速传播的。

超声波在介质中单位时间内所传播的距离称为超声波的传播速度(简称声速)。

声速由振动特性及材料特性决定。材料中的纵波、横波和表面波的声速与材料的弹性常数和密度的关系分别为

$$C_L = \sqrt{\frac{E}{\rho} \cdot \frac{1-\sigma}{(1+\sigma)(1-2\sigma)}} \tag{1-1}$$

$$C_S = \sqrt{\frac{E}{\rho} \cdot \frac{1}{2(1+\sigma)}} = \sqrt{\frac{G}{\rho}} \tag{1-2}$$

$$C_R = \frac{0.87 + 1.12\sigma}{1+\sigma} \sqrt{\frac{E}{\rho} \cdot \frac{1}{2(1+\sigma)}} \tag{1-3}$$

式中　C_L——纵波声速;　　　　σ——泊松比;

$\quad\quad C_S$——横波声速;　　　　G——剪切弹性模量;

$\quad\quad C_R$——表面波声速;　　　ρ——密度。

$\quad\quad E$——杨氏弹性模量;

就钢铁而言,因为 $\sigma \approx 0.28$,比较式(1-1)、式(1-2)和式(1-3)即可得:$C_S \approx 0.55C_L$,$C_R \approx 0.9C_S$。并从中得知,声速与声波频率无关。常用材料的声速和波长见表1-1。

表 1-1　常用材料的声速、波长和声阻抗

材　料	密　度 (10^3 kg/m^3)	横波声速 (m/s)	纵波声速 (km/s)	纵 波 波 长 (mm)			声阻抗 (10^6 kg/(m^2·s))
				1.25 MHz	2.5 MHz	5 MHz	
钢	7.80	3.23	5.90	4.70	2.36	1.18	45.4
铝	2.70	3.08	6.32	5.00	2.53	1.26	16.9
铜	8.90	2.05	4.70	3.76	1.88	0.94	41.8
有机玻璃	1.18	1.43	2.73	2.18	1.09	0.55	3.2
甘油	1.26		1.92	1.54	0.77	0.38	2.4
水(20℃)	1.00		1.48	1.18	0.59	0.30	1.5
变压器油	0.92		1.40	1.12	0.56	0.28	1.3
空气	0.001 3		0.34	0.27	0.14	0.07	0.000 4
钢中横波波长(mm)				2.58	1.29	0.65	

第四节　垂直入射的反射和透射

一、声阻抗

声阻抗是描述介质传播声波特性的一个物理量,常用 Z 表示,单位为 kg/(m^2·s)。介质的声阻抗为介质的密度和声速的乘积,即

$$Z = \rho C \tag{1-4}$$

式中　Z——介质的声阻抗;　　ρ——介质的密度;

　　　C——声速。

常用材料的纵波声阻抗见表 1-1。

如果相邻的两种介质声阻抗不同,在这两种介质中超声波传播的情况就不同,超声波入射这两种介质交界面(界面)时,就会引起反射、透射现象。

二、声压和声强

在超声波探伤中,通常将声压转换成电信号,并通过仪器示波屏显示出反射回波的高度,所以在探伤中往往使用声压这一概念进行分析及推导演算,而不使用声强。

1. 声压

材料中没有声波传播时,质点处于平衡状态,质点间有相互作用力,此时质点所具有的声压称为静压。当材料中传播超声波时,质点离开平衡位置振动,质点所受压力有所变化。超声波在材料中传播时,质点在某一瞬间时压力与静压之差称为声压,常用 P 表示,声压单位为 Pa。声压与介质密度、声速及质点振动速度有关,可用下式表示

$$P = \rho C A \omega_0 \tag{1-5}$$

式中　P——声压;　　　ρ——介质密度;

　　　C——声速;　　　A——介质振幅;

　　　ω_0——角频率。

在超声波探伤中是通过观察示波屏上出现的反射波的高度(波高在理论上与声压成正比)来识别声压大小的。

2. 声强

声强就是声波的能流密度，即单位时间内在垂直于声波传播速度方向上的单位面积内所通过的声能，常用 I 表示，单位为 W/m^2。声强与声压的平方成正比，可用下式表示

$$I = P^2/2\rho C \tag{1-6}$$

式中　I——声强；　　　　ρ——介质密度；

　　　P——声压；　　　　C——声速。

三、反射和透射现象

当声波从一种介质进入另一种介质时，传播特性即产生变化。声波在两种不同介质的结合面（界面）上可分为反射声波和透射声波两个部分。反射和透射声波的比例，与组成界面的两种介质声阻抗有关。

当声波垂直入射光滑的界面时，反射波声压 P_r 与入射波声压 P_e 之比，称为声压反射率。用下式表示

$$R_i = \frac{P_r}{P_e} = \frac{Z_2 - Z_1}{Z_2 + Z_1} \tag{1-7}$$

当声波垂直入射光滑的界面时，透射波声压 P_d 与入射波声压 P_e 之比，称为声压透射率。用下式表示

$$D_i = \frac{P_d}{P_e} = \frac{2Z_2}{Z_2 + Z_1} \tag{1-8}$$

上述两式中　R_i——声压反射率；　　　Z_1——介质Ⅰ的声阻抗；

　　　　　　D_i——声压透射率；　　　Z_2——介质Ⅱ的声阻抗。

综上所述可说明下列几种情况：

（1）当 $Z_1 = Z_2$ 时，不产生反射波，可以视为全透射（$P_e = P_d$）。

（2）当 $Z_1 \approx Z_2$ 时，则可认为基本上不产生反射波（$P_e \approx P_d$）。

（3）当 $Z_1 > Z_2$（$D_i > R_i$）时，超声波由声阻抗高的介质射向声阻抗低的介质，反射声压与入射声压符号相反，表示声波相位产生变化，且透射声压小于反射声压。

（4）当 $Z_2 > Z_1$（$D_i > 1$）时，超声波由声阻抗低的介质射向声阻抗高的介质，反射声压 P_r 与入射声压 P_e 符号相同、相位也相同，透射声压大于入射声压。

纵波垂直入射各常见材料所组成的不同界面时的声压反射率见表 1-2。

表 1-2　常见材料所组成的不同界面时的声压反射率

物　质	声阻抗 $(10^6 kg/(m^2 \cdot s))$	空　气	油	水	甘　油	有机玻璃	钢
铝	16.9	100	86	84	75	68	46
钢	45.4	100	94	94	90	87	
有机玻璃	3.2	100	42	36	14		
甘油	2.43	99.9	30	23			
水(20℃)	1.5	99.9	7				
变压器油	1.28	99.9					
空气	4×10^{-4}						

当入射声波透过界面传入介质Ⅱ中,又经介质Ⅱ反射返回介质Ⅰ时,返回声压与入射声压之比称为声压往复透过率。可用下式表示

$$d_i = \frac{4Z_1Z_2}{(Z_1+Z_2)^2}$$ (1-9)

式中　d_i——声压往复透过率;

　　　Z_1——介质Ⅰ的声阻抗;

　　　Z_2——介质Ⅱ的声阻抗。

d_i 和 R_i 的关系为

$$d_i = 1 - R_i^2$$ (1-10)

四、薄层介质的反射和透射

在同一介质中同时传播几列超声波并在介质中相遇时,则相遇点的振动是各个波所引起的振动的合成,这种现象叫做超声波的叠加。

当两列振动方向相同、波长(或频率)相同、相位相同或相位恒定的超声波互相叠加时,使介质中的质点各以一定的振幅振动,并且会使某处质点振动最强和振动最弱的位置互相间隔的现象,叫做超声波的干涉。

在实际探伤中,探头与工件之间有气隙时,由于探头、工件的声阻抗和空气声阻抗相差甚远,超声波极难传播。如果是油层或水层,超声波在薄层中就能传播。但超声波在薄层介质中的反射和透射较为复杂,不可能用某个数值简单地表示。

超声波在厚度较大的薄层中产生多次反射的示意图见图1-3。当入射波脉冲宽度很狭时,可以看到反射波和透射波能分成多个脉冲。但在一般情况下,这些波会重叠在一起,产生干涉现象,以致反射声波和多次透射声波的大小产生变化,简单来讲,薄层厚度略有变化,透过声波大小就会产生变化,而且脉冲宽度会变得较宽。所以,在实际超声波探伤时,要求探头与工件接触稳定。如果接触不稳定,超声波探伤结果的判定,就不能简单凭缺陷反射回波大小下结论。

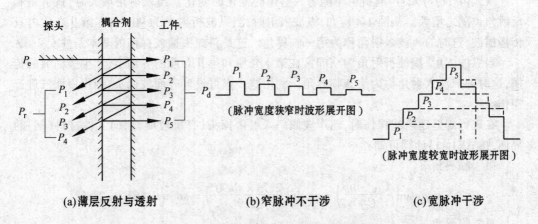

图1-3　超声波在薄层介质中的反射和透射

第五节　倾斜入射时的反射与折射

一、反射和折射现象

当一束光线照到镜面上会产生反射,而当一束光线倾斜照到水面上时,其中一部分在水面上产生反射,而另一部分产生折射,进入水中。超声波也会产生同光线相似的现象。

若超声波由一种介质倾斜入射到另一种介质时,在异质界面上将会产生波的反射和折射,并产生波型转换(图1-4)。

按几何光学原理,不同波型的声波入射角、反射角、折射角的关系为

$$\frac{C_{1L}}{\sin\alpha} = \frac{C_{1L}}{\sin\gamma_L} = \frac{C_{1S}}{\sin\gamma_S} = \frac{C_{2L}}{\sin\beta_L} = \frac{C_{2S}}{\sin\beta_S} \qquad (1\text{-}11)$$

式中　C_{1L}——介质Ⅰ的纵波声速;

C_{1S}——介质Ⅰ的横波声速;

C_{2L}——介质Ⅱ的纵横波声速;

C_{2S}——介质Ⅱ的横波声速;

α——超声波入射角;

γ_L——纵波反射角;

γ_S——横波反射角;

β_L——纵波折射角;

β_S——横波折射角。

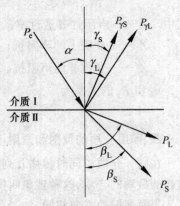

P_e—入射声波;　γ_L—纵波反射角;
α—超声波入射角;　P_L—折射纵波;
$P_{\gamma S}$—反射横波;　β_L—纵波折射角;
γ_S—横波反射角;　P_S—折射横波;
$P_{\gamma L}$—反射纵波;　β_S—横波折射角。

图1-4　超声波倾斜入射时的
反射与折射($C_Ⅰ < C_Ⅱ$)

从式(1-11)可知:声波折射角随着入射角的变化而变化。当入射角增大时,折射角和反射角也随之增大。从图1-4得知,纵波入射时,当纵波折射角为90°时,在第Ⅱ介质内只传播横波,这时的声波入射角称为第一临界角。这是斜探头横波探伤的基本条件。

当纵波入射,横波折射角为90°时,在第Ⅰ介质和第Ⅱ介质的界面上,产生表面波的传播,这时的声波入射角称为第二临界角。利用这一点可设计表面波探头,利用表面波进行探伤。

在进行焊缝超声波探伤时,超声波倾斜入射由探头(有机玻璃)射向工件材料(钢)的界面,按式(1-11)计算可知:

第一临界角 $\alpha_Ⅰ$

$$\alpha_Ⅰ = \arcsin\left(\frac{C_{1L} \cdot \sin\beta}{C_{2L}}\right) = \arcsin\left(\frac{2.73 \times \sin 90°}{5.9}\right) = \arcsin 0.462\,7 = 27.6°$$

第二临界角 $\alpha_Ⅱ$

$$\alpha_Ⅱ = \arcsin\left(\frac{C_{1L} \cdot \sin\beta}{C_{2S}}\right) = \arcsin\left(\frac{2.73 \times \sin 90°}{3.23}\right) = \arcsin 0.845\,2 = 57.7°$$

二、反射率与透射率

声波倾斜入射时的反射率和透射率的计算比较复杂。使用折射横波探伤时，其透射率随折射角的变化而变化。

横波在固体材料内传播时，若射到材料侧面上，有时会产生波型转换，从而可能产生反射纵波和反射横波（视横波入射角而定），其反射率与入射横波的入射角有关。

第六节　超声场

一、压电晶片发射的超声场

超声波分布的空间称为超声场。

压电晶片在高频电场作用下产生振动，如在压电晶片和工件之间通过油（或水）耦合，工件表面产生振动并向工件材料内传播超声波。由圆形平面压电晶片发射的超声场如图1-5所示。

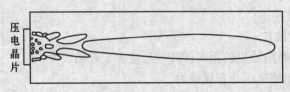

图1-5　由压电晶片发射的超声场示意图

压电晶片所发射的超声场特点：定向发射；有主瓣和副瓣之分；大部分能量集中在主瓣内；靠近声源（压电晶片）的区域声压分布不规则，在远离声源一定距离后，声压有规律地随距离增大而下降。

二、声场指向性

使声源与工件材料接触，将声波传给工件材料时，超声波的声压集中于一个方向发射，这一特性为声场指向性，如图1-6所示。声场指向性常用表示指向性尖锐程度的角表示。

有限晶片尺寸的平面声源发射的超声波束以一定的角度向外扩散。在声束横截面上，中心轴线上的声压最大，随扩散角增大而减小，当声压减小到零时的扩散角称为第一零辐射角（也称半扩散角），常用 θ_0 表示，有下列关系

$$\theta_0 = \arcsin\left(1.22\frac{\lambda}{D}\right) \tag{1-12}$$

式中　λ——波长；　　D——压电晶片直径。

圆晶片 $\theta_0 \approx 70\lambda/D$（°），方晶片 $\theta_{0a} \approx 57\lambda/a$（°）、$\theta_{0b} \approx 57\lambda/b$（°），式中 a、b 为方晶片尺寸。

从式(1-12)中可以看出：

(1)声波频率越高，波长越短，半扩散角越小，声场指向性越好。

(2)压电晶片尺寸越大，半扩散角越小，声场指向性越好。

三、近场区和远场区

有限平面声源发射的超声波，沿声束中心轴线由近及远声压逐渐降低。

如图 1-7 所示超声波在近声源的一段距离中,声压起伏不定,变化频繁。最后一个声压极大值处与声源的水平距离称为近场长度,常用 N 表示。图 1-7 上 N 左侧区域称为近场区, N 右侧的区域称为远场区。

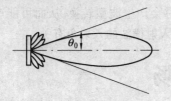

图 1-6 声场指向性

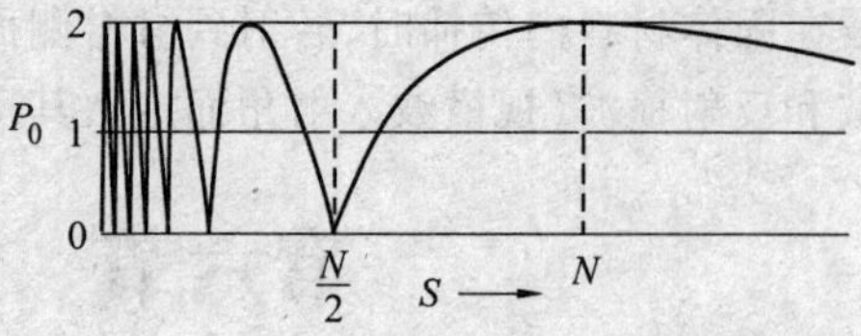

图 1-7 圆形平面声源轴线上声压分布

近场长度的计算公式为

$$N = \frac{D^2}{4\lambda} \tag{1-13}$$

式中　N——近场长度;

　　　　D——晶片直径;

　　　　λ——超声波波长。

在探伤中,声束单向通过的距离(即声程)应大于近场长度。

声束中心轴线上的声压分布规律为

$$P = 2P_0 \sin\left(\frac{\pi}{\lambda}\sqrt{S^2 + \frac{D^2}{4}} - S\right) \tag{1-14}$$

式中　P——声场中某处的声压;　　　　π——圆周率;

　　　　P_0——压电晶片发射的声压;　　　λ——波长;

　　　　D——压电晶片直径;　　　　　　S——计算声压处距压晶片的距离。

第七节　材料中超声波传播的规律

一、波阵面的类型

同一时刻介质中相位相同的所有质点所联成的面称为波阵面。

1. 平面波

当平面声源的尺寸与波长相比为无限大时($D \gg \lambda$, D 为晶片尺寸),超声波的波阵面可以视为平面。如不考虑超声波在材质中的衰减,则超声波的声压不随距声源的距离变化而变化,即声压是个恒量。在实际超声波探伤中要做到这一点是不可能的,因为晶片尺寸有一定的限制。

2. 柱面波

当声源是一根直线或平面声源在一方向上尺寸无限大,而在另一方向上尺寸很小时,超声波的波阵面是以声源为中心的圆柱面,称为柱面波(图 1-8(a))。

柱面波声压与距离平方根成反比,其关系式为

$$P = P_0 \sqrt{\frac{1}{S}} \tag{1-15}$$

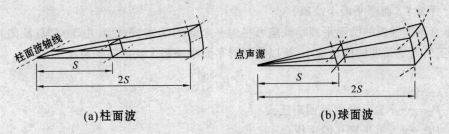

(a)柱面波   (b)球面波

图 1-8　柱面波与球面波

式中　P——距声源为 S 处的声压；　　　　S——距声源的距离。

　　P_0——初始声压；

3. 球面波

当声源是点声源(球体)时,超声波的波阵面是以声源为中心的球面,称为球面波(见图 1-8(b))。

球面波声压与距离成反比,其关系式为

$$P = P_0 \frac{1}{S} \tag{1-16}$$

式中　P——距声源 S 处的声压；　　　　S——距声源的距离。

　　P_0——初始声压；

4. 活塞波

如果规则的振动面上各个质点以相同的振幅和位相振动(类似活塞杆在汽缸中的往复运动一样),并激发周围介质振动,形成的波称为活塞波。

在探伤中使用电晶片产生的超声场即为活塞波声场,在近场区中超声波干涉现象严重,情况比较复杂。在远场中,波阵面类似于球面,即在远场中可将活塞波当作球面波处理。

二、超声波声压变化规律

当超声波在工件材料中传播时,随着声程的增加,声压有所变化。在超声波探伤中,声程介于近场长度和三倍近场长度之间,将超声波的波阵面视为活塞波,超过三倍近场长度则视为球面波。由此得出材料中所传播的超声波声束轴线上声压变化规律为:

(1) $N \leqslant S \leqslant 3N$ 时,声束轴线上声压变化规律仍由式(1-14)表示。

(2) $S > 3N$ 时,可简化为

$$P = P_0 \frac{\pi D^2}{4 \lambda S} \tag{1-17}$$

式中　P——距声源 S 处的声压；　　　　π——圆周率；

　　P_0——压电晶片发射的原始声压；　　　λ——超声波波长；

　　D——压电晶片直径；　　　　　　　S——距声源的距离。

三、缺陷反射返回声压规律

从式(1-15)、式(1-16)可以得知超声波探伤时,在工件材料中所传播的超声波随声程变化而产生的声压变化规律。但在实际探伤中,往往需要了解从缺陷反射返回声压的大小,从而测定缺陷的有关参数。

1. 平底孔(圆形平面小缺陷)

垂直声束轴线的圆形平面小缺陷可视为一个新的活塞波声源,由于声源(缺陷)尺寸很小,三倍近场长度的值也很小,所以从圆形平面小缺陷上反射返回声压为

$$P_\varnothing = P_S \frac{\pi \varnothing^2}{4\lambda S} \qquad (1\text{-}18)$$

式中 $P_\varnothing$——平底孔反射返回声压;

        P_S——入射平底孔的声压;

        $\varnothing$——平底孔直径;

        λ——超声波波长;

        S——声程;

        π——圆周率。

2. 大平底

垂直于声束的大平底可视为镜面反射体。当声程大于三倍近场长度时,大平底反射返回声压为

$$P_B = P_S/2 \qquad (1\text{-}19)$$

式中 P_B——大平底反射返回声压;

        P_S——入射大平底的声压。

3. 曲底面

超声波射达圆柱形镜面产生反射的返回声压为

$$P_C = \frac{P_S}{2} \sqrt{\frac{R_S}{S \mp R_S}} \qquad (1\text{-}20)$$

式中 P_C——曲底面反射返回声压; S——声程;

        P_S——入射曲底面的声压; R_S——圆柱形反射面的曲率半径。

式(1-20)中"-"号适用于凹曲底面的反射,"+"号适用于凸曲底面的反射。

4. 横孔(细长缺陷)

超声波射达垂直声束轴线的横孔产生反射的返回声压为

$$P_\varnothing = \frac{P_S}{2} \sqrt{\frac{\varnothing}{2S}} \qquad (1\text{-}21)$$

式中 $P_\varnothing$——横孔孔反射返回声压; $\varnothing$——横孔直径;

        P_S——入射横孔的声压; S——声程。

第八节　分贝(dB)

由于声强变化范围较大,声强的数量相差悬殊(10^{21}倍),通常进行数字计算很不方便,而人的耳朵对声音音响的感觉又近似地与声强变化的对数成正比,所以常用对数来表示声强级(Δ),可用下式表示

$$\Delta = \lg \frac{I}{I_0} \qquad \text{(Bel)} \qquad (1\text{-}22)$$

因贝尔单位太大,故取 1/10 值后用分贝(dB)表示

$$\Delta = 10\lg\frac{I}{I_0} \quad (dB) \tag{1-23}$$

式中　I——比较声强；　　　I_0——初始声强。

由式(1-6)和(1-21)关系可得

$$\Delta = 20\lg\frac{P}{P_0} \tag{1-24}$$

式中　P——比较声压；　　　P_0——初始声压。

在超声波探伤中,常用 dB 值来表示反射脉冲波幅度,当超声波仪器具有较好的讯号放大(垂直刻度)线性时,可用反射波幅度直接代表声压,即

$$\Delta = 20\lg\frac{h}{h_0} \tag{1-25}$$

式中　h——比较波高；　　　h_0——初始波高。

表 1-3 列出了反射脉冲波幅度变化时 dB 值的对应关系。

表 1-3　回波高度比值与 dB 值关系

回波高度比值(h/h_0)	10	5	2	1	1/2	1/5	1/10
dB	20	14	6	0	−6	−4	−20

第九节　超声波的衰减

一、超声波衰减

超声波在介质中传播时,随着距离的增加,能量逐渐减弱的现象称为超声波衰减。

二、衰减的原因

1. 声束扩散引起的衰减

如第六节所述,由压电晶片发射的超声波束在材料中传播一段距离以后,声束开始扩散。由于声束的扩散,随着离声源(压电晶片)的距离增加,超声波声压下降,声波即产生衰减。声压下降规律见图 1-7 及公式(1-14)所描述。

2. 材质引起的衰减

声波在固体材料中传播除了因声束扩散引起的衰减以外,还有材料组织界面(如晶界)造成的声波散射,使沿某一方向传播的超声波声压减低而衰减。

材料晶粒散射是引起超声波声压衰减的主要原因。当超声波在材料内传播时而碰到材料的晶界,会在晶间产生反射和折射,振动形式发生变化以及在晶间形成多次反射,从而使部分超声波丧失方向性,最终表现为沿材料某一方向传播的超声波产生衰减现象。

超声波在固体材料中的衰减程度与材料晶粒大小存在一定关系,在常用的探伤频率范围内,一般来讲,频率越高衰减越严重,晶粒尺寸越大衰减越严重,当波长与晶粒平均尺寸的比值约为 3 时,其衰减量最大。

3. 吸收衰减

超声波在介质中传播时,由于介质质点间的内摩擦(即黏滞性)和热传导引起的衰减称为超声波的吸收衰减,又称黏滞衰减。

超声波在弹性介质中传播时,介质中质点之间产生相对运动,互相摩擦,使部分超声波能量转换为热能,通过介质的热传导将热能向周围传播,导致超声波能量的损失。

对于固体介质,吸收衰减相对于散射衰减几乎可以略去不计。但对于液体介质,吸收衰减则是主要的。

应该指出的是,声波探伤中所谓的衰减仅指介质对声波的衰减作用,即与介质有关的、表征介质声学特性的材质衰减。它包括介质黏滞性引起的吸收衰减和介质界面杂乱反射引起的散射衰减,不包括扩散衰减。

【复习思考题】

1. 超声波与普通声波的相同点和不同点是什么?

2. 简述超声波探伤的特点。

3. 简述超声波在同一材料中,波速、频率和波长三者之间的关系。

4. 简述声强、声压和分贝的关系,为什么在实际超声波探伤中要使用 dB 数来比较反射体回波幅度的大小?

5. 什么是声压往复透过率? 对实际超声波探伤有什么作用?

6. 如何调整近场长度与扩散角之间的关系?

7. 超声场如何描述?

8. 若超声波由钢垂直入射至水的界面时,求:声压反射率 R_i 及声压透射率 D_i。(钢声阻抗 4.5×10^7 kg/(m² · s),水声阻抗 1.5×10^6 kg/(m² · s))

9. 若用 PZT 晶片制作直探头($Z_1 = 2.91 \times 10^7$ kg/(m² · s))去探测钢制锻件($Z_2 = 4.5 \times 10^7$ kg/(m² · s))时,假设耦合剂中声压能完全透射,而钢制锻件中的透射声压在大平底上产生全反射,求探测时探头与锻件界面上的声压往复透过率 d_i。

10. 若纵波入射角为 25°时,求钢中的纵波反射角和横波反射角。

11. 若入射纵波由有机玻璃倾斜入射至钢时,求第一临界角和第二临界角大小。

12. 求 5 MHzØ12 mm 纵波直探头扩散角大小。

13. 若有机玻璃纵波入射角为 20°,求钢中纵波折射角和横波折射角。(有机玻璃纵波声速为 2.73 km/s,钢纵波声速为 5.90 km/s,钢横波声速为 3.23 km/s)

14. 若用 K_2 斜探头(钢材数据)探测铝,求该探头在探伤时的实际 K 值($K = \text{tg} \beta$)。(铝横波声速为 3.10 km/s)

第二章　超声波探伤设备

第一节　超声波探伤仪结构和原理

一、超声波探伤仪分类

超声波探伤仪种类繁多,大致可按图2-1所示分类。

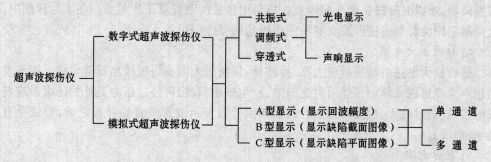

图2-1　超声波探伤仪分类

在锅炉压力容器生产、检验的超声波探伤中,最常用的超声波探伤仪有:

(1)模拟式A型脉冲反射式单通道超声波探伤仪;

(2)数字式A型脉冲反射式内置多通道超声波探伤仪。

二、模拟式A型脉冲反射式单通道超声波探伤仪的工作原理

此种仪器工作原理(电路)方框图见图2-2。

1. 同步电路

同步电路是一对不对称的多谐振荡器,在每秒时间内发出数次至数千次的触发脉冲(窄脉冲)、分别触发时间扫描电路及发射电路,从而协调整台仪器各电路能正常同步工作。

2. 发射电路

发射电路可由两个可控硅组成,在由同步电路发生的触发脉冲控制下,产生高频电振荡,激发探头中的压电晶片振动而产生超声波。由于触发脉冲很窄,振荡回路本身消耗能量起阻尼作用,加在压电晶片上的电振荡持续时间很短,从而形成脉冲超声波。

发射电路在一秒钟内发射超声波脉冲的次数,称为脉冲重复频率。在探伤时脉冲重复频率的作用见表2-1。

3. 时间扫描电路

时间扫描电路由扫描闸门、开关电路、密勒扫描发生器及倒相器组成。在同步电路发

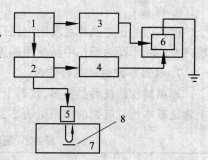

1—同步电路;2—发射电路;3—时间扫描电路;4—接收放大电路;5—超声波探头;6—显示电路示波屏;7—试件;8—缺陷

图2-2　A型脉冲反射式单通道超声波探伤仪工作原理(电路)

179

表 2-1 脉冲重复频率的作用

脉冲重复频率	高	低
示波管回波亮度	亮	暗
自动探伤速度	能加快	不能加快
虚影	容易产生	不会产生

生的触发脉冲控制下,产生锯齿波电压,加在示波管的水平偏转板之间,扫描形成示波管上自左至右的水平扫描线(称为时基线),锯齿波电压按线性上升并与超声波在材料内的传播同步,所以时基线长度与超声波在材料中传播的距离成正比关系。在实际探伤中,据此可测定回波时间或超声波在材料中传播的路程(声程)。

4. 接收放大电路

接收放大电路由通频带放大器、检波器、视频放大器及阴极输出器等组成。探头发射的超声波经过在试件中传播后射达缺陷,产生缺陷回波,再经过压电晶片的压电效应转换成电信号,通过放大、检波和抑制后以视频信号输至示波管垂直偏转板之间,形成垂直的显示(回波)。

5. 显示电路

显示电路由示波管及面板组成,能显示由时基线和回波共同组成的探伤图形。在面板上标有等分的垂直和水平刻度,用以读取回波高度和反射体与探头相对应的位置(时间)。所以,在探伤中仪器示波屏上显示的探伤图形可获得下列与反射体有关的数据:

(1)反射体距探头的距离。

(2)从反射体返回探头的声压大小。

(3)脉冲回波的形状。

6. 探头

探头内的压电晶片在发射电路产生的发射脉冲激发下,产生振动而定向发射超声波。超声波的频率即为探伤中所使用的工作频率。

7. 仪器各控制旋钮的作用

超声波探伤仪种类甚多,仪器上所设置控制旋钮因仪器型号、种类不同而不同。仪器上常见基本控制旋钮的作用见表 2-2。

表 2-2 超声波探伤仪各控制旋钮的作用

旋钮名称	调节目的	作用
重复频率	调节发射脉冲的频率	重复频率高,示波管亮度高
显示形式	检波和不检波信号的显示转换	检波显示时,示波管亮度高
工作频率	探伤频率选择	转换发射和接收频率
发射强度	调节加在晶片上的电压及晶片振动时间	脉冲亮度增加,发射输出提高
增益	调节接收放大器增益(可用 dB 表示)	调节示波管回波高度

旋钮名称	调节目的	作用
衰减器	用 dB 表示探测灵敏度	以 dB 值测定回波高度
抑制	抑制杂波及不需要的回波	改变示波管极电压,仪器垂直线性变差
探测范围	按探测声程远近选择	改变时基线扫描速度
延迟	时基线需要扩大时使用	延迟扫描时间
聚焦(辅助聚焦)	调节时基线及回波的清晰度	易于观测波形
辉度	调节时基线及脉冲的亮度	易于观测波形
水平	调节时基线左右的位置	易于观测波形
垂直	调节时基线上下的位置	易于观测波形
探头选择	使用单探头时置于单	反射法时用
	使用双探头时置于双	穿透法、特殊反射法时用
发射插座	与发射探头连接	发射与接收超声波信号
接收插座	与接收探头连接	接收超声波信号
电源插座	接通电源	使仪器正常工作

三、数字式 A 型脉冲反射式内置多通道超声波探伤仪的一般工作原理

此类仪器的工作原理见图 2-3。

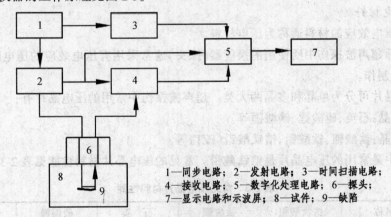

1—同步电路；2—发射电路；3—时间扫描电路；
4—接收电路；5—数字化处理电路；6—探头；
7—显示电路和示波屏；8—试件；9—缺陷

图 2-3　数字式 A 型反射式内置多通道超声波探伤仪工作原理图

数字式 A 型脉冲内置多通道超声波探伤仪是随信息数字化处理技术及计算机系统的广泛应用,在模拟机的基础上而开发的新型超声波探伤仪,通过对其工作原理(图 2-3)与模拟机的工作原理(图 2-2)比较可以看出,数字机与模拟机在同步电路、发射电路、时间扫描电路、接收电路的设置和功能上基本相同,区别在于数字化电路的增加及显示电路的数字化,从而将发射电路、扫描电路同步后的信息(信号)及接收电路的信号进行数字化处理,使显示屏显示出图、文、波形等信息(模拟只能显示波形);数字化处理电路还可以对自

身进行区域划分,以分别接收、处理、储存多个内置通道的设置,输入、输出参数,可与外围信息处理设施如计算机、打印机、数码录音机、录像机等进行联接,以输入、输出、存贮、处理有关检测信息,从而实现了探伤时机、状态的可记录,进一步发展还可以实现超声波探伤的自动化操作。

目前,数字式超声波探伤仪以操作面板(触摸键)替代了模拟机的控制旋钮。面板的设计有功能键形式,即触摸键对应于模拟机的控制旋钮,(+ 、 -)键相应于旋钮的调节,也有菜单键形式及功能与菜单键混合形式。目前因生产厂家的不同和产品型号的不同而互有较大差异,仪器的操作应按仪器使用说明书中的说明进行。

第二节　超声波探头

超声波探头是电—声换能器(简称换能器)。它的主要作用是在高频电脉冲激发下发射超声波信号和把接收到的超声波信号转换成电信号,包括探伤时搜索工件材料中的缺陷或将参考反射体反射的超声波信号转换成电信号,以便以波幅或数字形式显示出来。

一、压电晶片

1. 压电效应

某些晶体材料或多晶陶瓷材料在应力作用下会产生形变,晶片在厚度伸缩过程中就产生极化和电场(机械能—电能转换),这种现象称为正压电效应。反之,当压电晶片处于电场作用下时,由于极化作用,在晶片中将会产生应力和应变(电能—机械能转换),这种现象称为逆压电效应。正、逆压电效应总称为压电效应。

2. 压电材料

具有压电效应的材料通称为压电材料。

在实际超声波探伤中所使用的换能器(探头)通常采用有压电效应的压电陶瓷(亦称压电晶片)制作。

压电晶片可分为单晶和多晶两大类。超声波探伤中常用的压电晶片有:

(1)单晶:石英、硫酸锂、碘酸锂等。

(2)多晶:钛酸钡、钛酸铅、锆钛酸铅(PZT)等。

探伤中最常用的压电晶片是锆钛酸铅。常见的压电晶片材料性能见表2-3。

表2-3　常见压电晶片材料性能

材料名称	锆钛酸铅	钛酸钡	石 英	硫酸锂	钛酸铅
型式	多晶	多晶	单晶	单晶	多晶
密度(10^3kg/m^3)	7.5	5.4	2.65	2.06	7.5
声速(m/s)	4 000	5 100	5 740	5 460	3 800
声阻抗(10^6kg/(m$^2 \cdot$s))	30	27	15.2	11.2	28
频率常数(MHz·mm)	2.0	2.55	2.87	2.73	1.90
居里点(℃)	365	120	576	130	365
机电耦合系数 K_t	0.6	0.3	0.1		0.45

3. 压电晶片厚度与频率关系

压电晶片的振动频率即所产生的超声波频率主要取决于压电晶片的厚度和声速。当晶片厚度为传播声波的 1/2 波长($\lambda/2$)时,晶片产生共振。通常把晶片共振频率和厚度的乘积作为晶片的频率常数。它们之间的关系为

$$N_t = f \cdot \delta = C_L/2 \tag{2-1}$$

$$\delta = \frac{N_t}{f} \quad 或 \quad \delta = \frac{C_L}{2f} \tag{2-2}$$

式中　f——频率;

　　　δ——晶片厚度;

　　　C_L——晶片材料纵波声速;

　　　N_t——晶片频率常数。

二、超声波探头的分类

超声波探头按型式、晶片尺寸大小、功能、使用条件基本上可分成直探头、斜探头、双晶探头、聚焦探头等(详见图 2-4)。探伤中最常用的是单晶片直探头(纵波)和单晶片斜探头(横波)。

三、常用探头的结构

探头由压电晶片(电-声换能元件)、楔块、阻尼块(兼作晶片支体)、接插件及外壳等组成。

1. 纵波单晶片直探头

纵波单晶片直探头基本结构见图 2-5,各组件的作用见表 2-4。

纵波单晶片直探头主要用于锻件、钢板超声波探伤中。

2. 纵波双晶片直探头

纵波双晶片直探头基本结构见图 2-6,各组件的作用见表 2-5。

表 2-4　单晶直探头各组件的作用

序　号	组件名称	材料	作用
1	插座		使用高频电缆线与仪器连接
2	阻尼块	环氧树脂、钨粉	降低晶片背面超声波脉冲幅度及宽度,改善探头内噪声,提高探头检测能力
3	外壳	金属	支撑和保护探头内元件
4	晶片	PZT	发射、接收超声波信号
5	保护膜	陶瓷、金属、塑料	保护晶片,防止磨损,改善耦合条件

纵波双晶片直探头实际上是由两个单晶直探头用机械方法组合而成的,只是在两个探头组之间用一块吸声性强、绝缘性能好的薄片加以分离,并在晶片下面增设延迟块,使声波的发射和接收功能分开。

纵波双晶片直探头主要用于薄工件的探伤以及对缺陷进行精确测定。

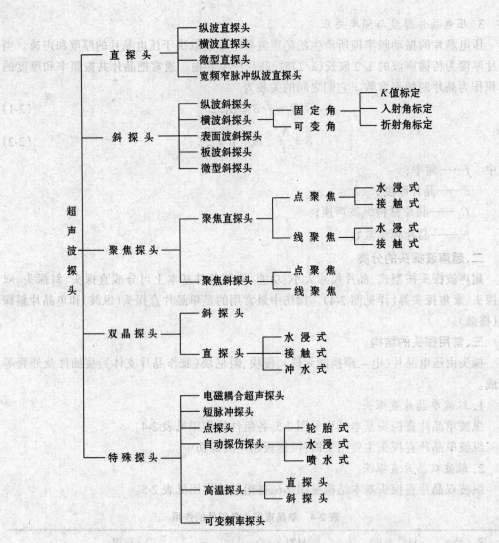

图 2-4　超声波探头分类

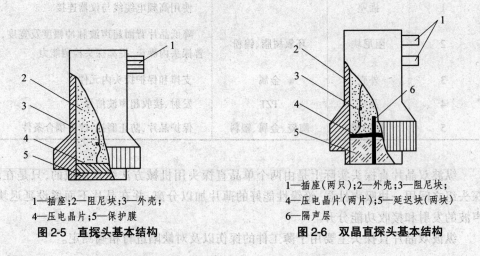

1—插座；2—阻尼块；3—外壳；
4—压电晶片；5—保护膜

图2-5　直探头基本结构

1—插座(两只)；2—外壳；3—阻尼块；
4—压电晶片(两片)；5—延迟块(两块)
6—隔声层

图2-6　双晶直探头基本结构

表 2-5　双晶直探头各组件的作用

序　号	组件名称	材　料	作　　用
1	插座		使用高频电缆线与仪器连接
2	外壳	金属	支撑和保护探头内元件
3	阻尼块	环氧树脂、钨粉	降低晶片背面超声脉冲幅度及宽度,改善探头内噪声,提高超声波信号
4	压电晶块	PZT	发射、接收超声波信号
5	延迟块	有机玻璃	减小探头盲区
6	隔声层	软木	隔离发射与接收信号

3. 冲水纵波直探头

在单晶片直探头或双晶片直探头外增设水套,即可组成冲水直探头。冲水直探头的基本结构见图 2-7。

冲水直探头有单晶片与双晶片之分,主要应用于钢板的超声波探伤。

4. 斜探头

斜探头的基本结构见图 2-8。

斜探头中的斜楔,通常采用有机玻璃制作。它的主要作用是与试件材料组成异质界面,使超声波产生折射,倾斜入射试件进行探伤。

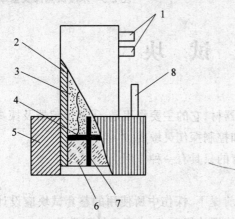

1—插座(两只);2—外壳;3—阻尼块;4—压电晶片(两片);5—冲水水套;6—延迟块(两只);7—隔声层;8—冲水接管

图 2-7　冲水双晶直探头基本结构

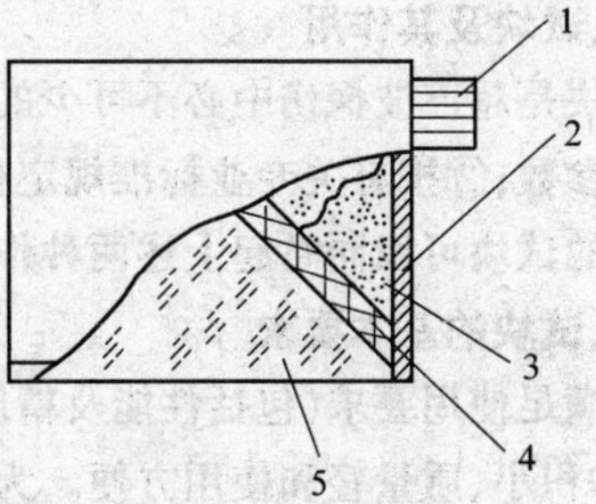

1—插座;2—外壳;3—阻尼块;4—压电晶块;5—斜楔

图 2-8　斜探头基本结构

在探伤中使用的斜探头标定方法有下列几种:

(1)声波入射角标定法。

(2)声波折射角标定法。

(3)K 值(折射角正切值)标定法。

· 185 ·

目前,国内斜探头主要使用 K 值系列探头,K 值定义如下

$$K = \text{tg}\,\beta \qquad\qquad (2\text{-}3)$$

式中　β——超声波的折射角,(°)。

钢铁材料探伤时使用的 K 值系列斜探头、K 值、折射角、入射角关系见表2-6。

表2-6　K值、折射角、入射角关系(有机玻璃－钢铁)

K 值	1.0	1.5	2.0	2.5	3.0
入射角(°)	36.9	45.0	49.5	52.1	53.8
折射角(°)	45.0	56.3	63.4	68.2	71.6

注:有机玻璃纵波声速为 2.73 km/s;钢铁横波声速为 3.23 km/s。

探伤中使用 K 值系列斜探头的最突出的优点是简化操作过程中的计算,可以非常方便地对缺陷进行定位计算。但斜楔精度要求高,制作比较困难。

斜探头主要应用于焊缝超声波探伤。

5. 水浸聚焦探头

水浸聚焦探头基本结构见图 2-9。其中声透镜一般使用环氧树脂浇注成型。其主要作用使声波沿一定方向聚焦,形成聚焦声束,提高探伤精度。

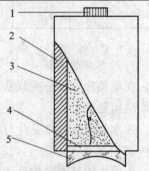

1—插座;2—外壳;3—阻尼块;
4—压电晶片;5—声透镜
图 2-9　水浸聚焦探头基本结构

第三节　试　块

一、试块及其作用

试块是超声波探伤中必不可少的一种器材,它的主要作用是:①测定仪器及探头的有关特性参数;②按有关专业标准规定校准和控制探伤灵敏度。

有的试块可以同时起上述两种作用,有的只具有一种作用。

二、试块的基本要求

在满足使用要求(包括性能及精度)的前提下,探伤中所使用的整套试块应设计得数量少、体积小、质量轻和使用方便。为保证使用性能要求,应考虑如下要求。

1. 材质

试块应采用与工件材料相同或声学特性相近似的材料制作,基本要求为:

(1)声速误差≤2%。

(2)以 Ø2 平底孔灵敏度探伤,不得存在大于相当于 Ø2 平底孔的缺陷。

(3)材质均匀。

2. 表面粗糙度和几何尺寸

为保证探头与试块接触稳定,试块表面粗糙度不得大于 6.3 μm。

试块的形状和尺寸应能避免试块侧面反射而影响试块中参考反射体的反射。

三、参考反射体

试块上的参考反射体形状主要有:大平底、平底孔、横孔、竖孔和槽等。

1. 大平底

大平底是尺寸大于或等于到达该处的声束尺寸的平底面,它可以提供良好的反射讯号,在探伤中被用来校验仪器及探头的性能。探伤中通常用试块或试件平整光滑的与声波传播方向垂直的底面作为大平底。

2. 平底孔

平底孔可以提供较小面积(如 $\varnothing 10\ mm$ 以下)的反射面。它对工件中的小尺寸面积型缺陷有较好的代表性,较多地用于锻件、钢板探伤的试块中。因为这些工件中缺陷的主要形式为点状面积型。但平底孔加工精度要求较高,工艺较复杂,特别当孔径较小时更不易加工。平底孔底面还必须垂直于声波的传播方向,所以,平底孔试块不适用于横波斜探头,一般只用于纵波直探头探伤场合。

3. 横孔

长横孔作为一种线状反射体能较好地代表焊缝中长度较长的缺陷,同时它有轴对称的特点,适用于各种角度或 K 值的斜探头。制作方便,加工精度要求不高,因而横孔试块被广泛用于焊缝探伤。

短横孔能较好地代表点状缺陷的反射特性,但制作比较困难,其不同声程之间的 dB 差值计算也较复杂。

4. 竖孔

在薄壁焊缝的横波探伤中,一般采用竖孔作为参考反射体。

5. 槽

槽形反射体(如直角槽、三角槽、U 形槽、V 形槽)与表面开口的长条缺陷相似。因此主要用于检测管子的试块中,能较好地代表管子两面裂缝、划道等缺陷。

四、标准试块

标准试块(又称校正试块)主要用于探伤仪器及探头性能测试或灵敏度调整。试块的材质、形状尺寸由有关专业标准规定。现将国内有关专业标准规定的标准试块介绍如下。

1. 仪器、探头组合性能测试所用的试块

1)CSK-ⅠA 试块(JB4730—94)

CSK-ⅠA 试块(尺寸见图 2-10)主要用途如下:

(1)利用 $R100$ 或 $R50$ 的曲底面反射回波测定斜探头声束入射点及探头前沿长度。校准仪器与斜探头的组合灵敏度。

(2)利用有机玻璃 $\varnothing 50\ mm$ 圆柱面的反射回波测定斜探头的 K 值(或折射角、入射角)。

(3)纵波直探头探伤时,利用试块 25 mm、100 mm 大平底反射回波标定仪器的时基线;横波斜探头探伤时,利用试块 $R50$ 或 $R100$ 的曲底面反射回波标定仪器的时基线。

(4)使用纵波直探头时,利用试块上 85 mm、91 mm、100 mm 三个不同深度的底面反射回波测定仪器与探头的组合分辨力。

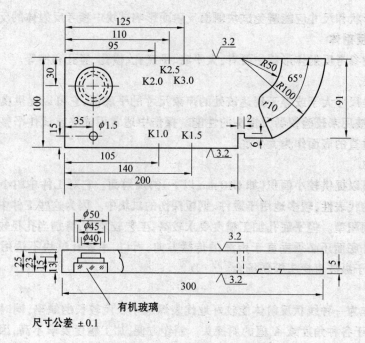

图 2-10　CSK-ⅠA 试块 （单位:mm）

（5）使用纵波直探头时利用试块 25 mm 或 100 mm 的底面反射回波测定仪器的垂直线性。

（6）使用纵波直探头时利用有机玻璃 Ø50 mm 的底面的反射回波,测定仪器与探头的组合盲区。

（7）使用横波斜探头时利用试块上 Ø1.5 mm 横孔测定探伤灵敏度及 *K* 值(或折射角、入射角)。

（8）利用试块 Ø1.5 mm 竖孔测定横波探头声束轴线偏角。

（9）利用 Ø50 mm、Ø44 mm、Ø40 mm 圆柱曲面测定斜探头与仪器组合后的分辨力。

2）200/Ø1 平底孔试块

200/Ø1 平底孔试块主要用于仪器灵敏度余量的测试。

2. 检验灵敏度调节用试块(JB4730—94)

1）压力容器钢板超声波检测用试块

（1）用双晶直探头检测壁厚小于或等于 20 mm 的钢板时,采用 JB4730—94 图 8-1 试块。

（2）用单直探头检测板厚大于 20 mm 的钢板时,标准试块应符合 JB4730—94 图 8-2 和表 8-2 的规定。试块厚度与被检钢板厚度相近。

2）压力容器锻件超声检测用试块

（1）CS1 型和 CS2 型试块(纵波直探头)：

CS1 型和 CS2 型试块为圆柱形平底孔试块。CS1 型整套 5 组 26 块,是我国 1964 年召开的无损检测年会上推荐的。CS2 型整套 11 组 66 块,是我国原一机部颁发的 JB1581—75

标准中推荐的。CS1 型试块尺寸较小、重量较轻,但由于直径较小,在不少情况下会产生边缘反射,影响测试和定量结果。CS2 型试块是 CS1 的改进型,直径较大,可以避免 CS1 型试块的缺点,但试块尺寸大,成套试块重量以吨计,不便携带,也不便于推广使用。

JB4730—94 规定除采用 CS1 和 CS2 试块亦可自行加工标准试块,其形状和尺寸应符合 JB4730—94 表 8-4 和图 8-4 的规定。

(2)纵波双晶直探头标准试块:

纵波双晶直探头标准试块适用于工件检测距离小于 45 mm 的情况。该试块的形状和尺寸应符合 JB4730—94 图 8-5 和表 8-5 的规定。

(3)曲面对比试块:

检测面是曲面时,应采用对比试块来测定由于曲率不同而引起的声能损失,其形状和尺寸按 JB4730—94 图 8-6 所示。

3)压力容器复合钢板超声检测用试块

试块材料应与被检复合板的规格、材质、热处理工艺和表面状态相同或相似的复合钢板制备。

对比试块的尺寸和形状见 JB4730—94 表 8-9、表 8-10 和图 8-8。试块厚度与被检件厚度误差应 ≤ ±10%。

4)高压无缝钢管超声检测试块

对比试样应选取与被检钢管的规格相同,材质、热处理工艺和表面状况相同或相似的钢管制备。对比试块不得有影响人工缺陷正常指示的自然缺陷。

钢管纵向缺陷检测试块的尺寸、尖角槽和位置应符合 JB4730—94 图 8-11 和表 8-11 的规定。

5)压力容器奥氏体钢锻件超声检测试块

试块的形状和尺寸按 JB4730—94 图 8-14、表 8-15 所示。

6)焊缝斜探头超声检测灵敏度校正试块

CSK-Ⅱ A、CSK-Ⅲ A、CSK-Ⅳ A 试块的形状和尺寸应分别符合 JB4730—94 图 9-2、图 9-3、图 9-5 和表 9-1 的规定。

7)其他试块

执行其他检验标准时,应采用执行标准指定的灵敏度校正试块。

第四节　仪器和探头的性能参数

仪器和探头的性能将直接影响超声波探伤结果的正确性。影响探伤的主要性能参数有如下几项。

1. 时基线性(水平线性)

时基线性是表示超声波探伤仪对距离不同的反射体所产生的一系列回波(通常是一组多次的底面回波)的显示距离和反射体距离之间能按比例方式显示的能力。时基线性的优劣以按时基线刻度测定值和实际值偏差大小来表示。按 ZBY230—84《A 型脉冲反射式超声波探伤仪通用技术条件》(下略标准名称)规定,时基线性误差不大于2%。

2. 垂直线性

垂直线性是超声波仪的接收信号与示波屏所显示的反射波幅度之间能按比例方式显示的能力。垂直线性的优劣以测定的比值与理论比值的偏差大小来表示。按 ZBY230 规定,垂直线性误差不大于8%。

3. 动态范围

动态范围是在增益不变时,超声波探伤仪示波屏上能分辨的最大反射面积与最小反射面积波高之比,通常以分贝(dB)表示。ZBY230 规定,仪器的动态范围不小于26 dB。

4. 衰减器精度

衰减器精度是衰减器上 dB 刻度指示脉冲下降幅度的正确程度,以及组成衰减器各同量级间的可换性能。ZBY230 规定:衰减器总衰减量不得小于60 dB。在探伤仪器规定的工作频率范围内,衰减器每12 dB 的工作误差不超过 ±1 dB。

5. 灵敏度

灵敏度是超声波探伤仪与探头组合后所具有的探测最小缺陷的能力。可检出的缺陷愈小或检出同样大小缺陷的可探测距离愈大,表示仪器和探头组合后的灵敏度愈高。

6. 盲区

盲区是在正常探伤灵敏度下,从探伤表面到最近可探缺陷的距离。仪器的发射脉冲愈宽,盲区愈大。因此盲区可近似地用显示器显示的发射脉冲所占宽度来表示。

7. 分辨力

分辨力表示超声波探伤仪和探头组合后,能够区分横向或深度方向相距最近的两个相邻缺陷的能力。分辨力的优劣,以能区分的两个缺陷的最小距离表示。

8. 回波频率

回波频率是指透入工件并经界面反射返回的超声波频率,通常与探头所标称的频率不同,其误差应限制在一定范围内。

9. 波束中心轴线偏斜角

波束中心轴线偏斜角是指发射超声波束中心轴线与晶片表面不垂直的程度。

10. 斜探头入射点

斜探头入射点是斜探头发射的超声波中心入射于工件探测面上的一点,即超声波透入工件材料的起始点,它是计算缺陷位置的相对参考点。

11. 斜探头前沿距离

斜探头前沿距离是从斜探头入射点到探头底面前端的距离,此值在实际探测时可用来在工件表面上确定缺陷距探头前端的水平投影距离。

12. 波束折射角(K 值)

波束折射角(K 值)表示折射透入工件的波束中心轴线与从入射点引出的工件表面法线之间的夹角(或折射角正切值),与探头上标称折射角有一定误差。斜探头用 K 值(折射角正切值)表示。

上述 1~4 项是与探头无关的仪器电气性能,其余各项是仪器与探头组合后的性能。

第五节　仪器探头和试块的维护保养

超声波探伤仪属于精密电子仪器设备,探头和试块是主要的配件,为保证探伤结果的可靠性,对仪器、探头和试块必须妥善使用及保养。

(1)存放仪器的场所及探伤现场,不要靠近震动强烈、灰尘弥漫、温度较高、有腐蚀性气体及湿度过高的地方,以防受震损坏和因灰尘堆积、潮湿使仪器产生短路等故障。

(2)电源电压不得波动过大,不要在强电场、强磁场附近使用仪器,以防电磁干扰。

(3)仪器连续工作时间不宜过长。

(4)仪器工作环境、工件温度不宜过高(或过低),以防电子元件变质或探头压电晶片失效。

(5)工作完毕,仪器、探头和试块应保持清洁。

(6)不经常使用的仪器,每周应开启 12 h;不经常使用的试块,应在其表面涂上一层薄薄的机油防止生锈。

(7)发现故障及性能不佳时应及时检查和修理,但一般不宜在探伤现场打开仪器外壳。

(8)防止探头从高处跌落,以免损坏。

(9)电源线和探头电缆不宜反复曲折,防止断芯。

【复习思考题】

1. 简述 A 型脉冲反射式超声波探伤仪的工作原理。

2. 什么是压电效应?

3. 简述纵波单晶片直探头的结构,并说明各元件的作用。

4. 超声波探伤中试块有什么用途?

5. 在设计试块时应该注意什么问题?

6. 探伤时试块上的参考反射体选择的依据是什么?

7. 简述试块的种类及各自用途。

8. 简述仪器、探头和试块维护保养注意事项。

9. 影响探伤的主要性能参数有哪些?

第三章 超声波探伤方法概述

第一节 超声波探伤方法分类及原理

一、探伤方法分类

超声波探伤方法按探伤原理分为脉冲反射法、穿透法和共振法三大类。其中脉冲反射法应用最为广泛。超声波探伤方法分类及其应用见图3-1。

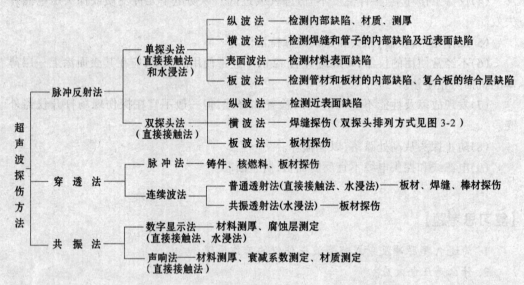

图 3-1 超声波探伤法分类及应用

二、脉冲反射法原理

超声波探伤仪产生的高频窄脉冲激励探头,由探头发射持续时间极短的脉冲超声波,通过耦合介质在工件中传播。当遇到缺陷或底面等异质界面即产生反射,返回的超声波被探头接收,并转换成电信号在仪器示波屏上显示反射脉冲回波,据此对工件质量状况予以评定。其原理见图3-3。

三、穿透法原理

穿透法是依据脉冲波或连续波穿透试件之后的能量变化来判断缺陷情况的一种方法,如图3-4所示。

穿透法常采用两个探头,一个作发射用,一个作接收用,分别放置在试件的两侧进行探测,图3-4(a)为无缺陷情况时的波形,图3-4(b)为有缺陷时的波形。

四、共振法原理

若声波(频率可调的连续波)在被检工件内传播,当试件的厚度为超声波的半波长或半波长的整数倍时,由于入射波和反射波的相位相同,则引起共振,因而仪器可显示出共

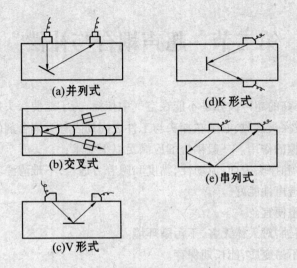

图 3-2 双探头的排列方式

(a)并列式
(d)K 形式
(b)交叉式
(e)串列式
(c)V 形式

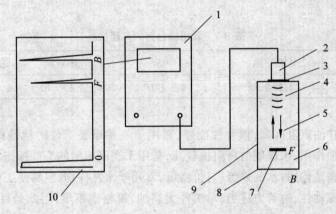

1—超声波探伤仪;2—探头;3—探伤面及耦合剂;4—声波的传播;5—缺陷对声波的反射;
6—工件;7—缺陷(F);8—底面(B);9—工件侧面;10—探伤图形

图 3-3 脉冲反射法原理

振频率点,用相邻的两个共振频率之差,由以下公式算出试件厚度

$$\delta = \frac{C}{2(f_n - f_{n-1})} \qquad (3-1)$$

式中 f_n——第 n 点的共振频率;

C——被检试件的声速;

δ——试件厚度。

当试件内存在缺陷时,将改变试件的共振频率。

依据试件的共振特性,来判断缺陷情况的方法称为共振法。

共振法常用于试件测厚。

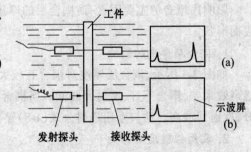

图 3-4 穿透法原理

第二节　超声耦合与补偿

一、耦合剂

如前所述,频率高的超声波几乎不能在空气中传播,为了能使探头发射的超声波进入工件材料,并返回被探头接收,必须在探头与工件之间加入称为耦合剂的透声介质。此外耦合剂还有减少摩擦的作用。一般耦合剂应满足以下要求:

(1)能润湿工件和探头表面,流动性、黏度和附着力适当,不难清洗。

(2)声阻抗高,透声性能好。

(3)来源广,价格便宜。

(4)对工件无腐蚀,对人体无害,不污染环境。

(5)性能稳定,不易变质,能长期保存。

超声波探伤中常用的耦合剂有机油、变压器油、甘油、水、水玻璃等。它们的声阻抗如表 3-1 所示。

表 3-1　常用耦合剂的声阻抗

耦合剂	机　油	水	水玻璃	甘　油
$Z(\text{kg}/(\text{m}^2 \cdot \text{s}))$	1.28×10^6	1.5×10^6	2.17×10^6	2.43×10^6

由此可见,甘油声阻抗高,耦合性能好,常用于一些重要工件的精确探伤,但价格较贵,对工件有腐蚀作用;水玻璃的声阻抗较高,常用于表面粗糙的工件探伤,但清洗不太方便,且对工件有腐蚀作用;水的来源广,价格低,常用于水浸探伤,但易使工件生锈;机油和变压器油黏度、流动性、附着力适当,对工件无腐蚀,价格也不贵,因此是目前应用最广泛的耦合剂。

此外,近年来化学浆糊也常用来作耦合剂,耦合效果比较好。

二、影响声波耦合的主要因素

影响声耦合的主要因素有:耦合层的厚度、耦合剂的声阻抗、工件表面粗糙度和工件表面形状。

1. 耦合层厚度的影响

如图 3-5 所示,耦合层厚度对耦合有较大的影响。当耦合层厚度为 $\lambda/4$ 的奇数倍时,透声效果差,耦合不好,反射回波低。当耦合层厚度为 $\lambda/2$ 的整数倍或很薄时,透声效果好,反射回波高。这与声压透射公式(1-8)导出的结果是一致的。

2. 表面粗糙度的影响

由图 3-6 可知,工件表面粗糙度对声耦合有显著影响。对于同一种耦合剂,表面粗糙度低,耦合效果差,反射回波低。声阻抗低的耦合剂,随粗糙度的增大,耦合效果降低得更快。但粗糙度也不必太低,因为粗糙度太低,耦合效果无明显增加,而且使探头因吸附力大而移动困难。一般要求工件表面粗糙度不高于 $6.3\ \mu m$。

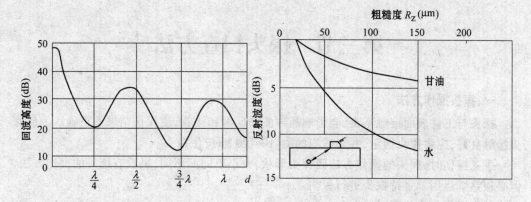

图 3-5　耦合层厚度对耦合的影响　　图 3-6　表面粗糙度对耦合的影响

3. 耦合剂声阻抗的影响

由图 3-6 还可以看出,耦合剂的声阻抗对耦合效果也有较大的影响。对于同一探测面,即粗糙度一定时,耦合剂声阻抗大,耦合效果好,反射回波降低小。例如,表面粗糙度 $R_z = 100~\mu m$ 时,$Z = 2.43 \times 10^6~kg/(m^2 \cdot s)$ 的甘油耦合回波比 $Z = 1.5 \times 10^6~kg/(m^2 \cdot s)$ 的水耦合回波高 6~7 dB。

4. 工件表面形状的影响

工件表面形状不同,耦合效果不一样,其中平面耦合效果最好,凸曲面次之,凹曲面最差。因为常用探头表面为平面,与曲面接触为点接触或线接触,声强透射率低。特别是凹曲面,探头中心不接触,因此耦合效果更差。

不同曲率半径的耦合效果也不相同,曲率半径大,耦合效果好。

三、表面耦合损耗的测定和补偿

在实际探伤中,当调节探伤灵敏度用的试块与工件表面光洁度、曲率半径不同时,往往由于工件耦合损耗大而使探伤灵敏度降低。为了弥补耦合损耗,必须增大仪器的输出功率来进行补偿。

1. 耦合损耗的测定

为了恰当地补偿耦合损耗,应首先测定工件与试块表面耦合损耗的分贝差。

一般测定耦合损耗差的方法为:在表面耦合状态不同,其他条件(如材质、反射体、探头和仪器等)相同的工件和试块上测定二者回波或穿透波高分贝差。具体测定方法见第九章实验二。

2. 补偿方法

设测得的工件与试块表面耦合差补偿为 ΔdB,具体补偿方法如下:

先用"衰减器"衰减 ΔdB,将探头置于试块上调好探伤灵敏度,然后再用"衰减器"增益 ΔdB(即减少 ΔdB 衰减量),这时耦合损耗恰好得到补偿,试块和工件上相同反射体回波高度相同。

第三节　探头扫查方法

一、探头操作方法

探头与工件表面接触不良,会影响超声波的反射和接收,使探伤结果不正确。为使探头接触良好,应将探头摆正,并加适当的力(10~20 N)按住探头。

手工探伤时,探头的操作方法因探头形状、大小不同而不同,虽没有统一的操作方法,但必须熟练运用单手持探头进行探伤。

基本操作方法如下:

(1)一般探头用拇指、食指夹持,大尺寸探头可用拇指、食指和中指夹持,斜探头也可用拇指和中指夹持,食指按在探头上部。

(2)其余手指可轻轻放在工件表面,辅助探头缓慢移动,增加探头移动时的稳定性。

(3)工件表面不宜施加过多的耦合剂。

二、探头扫查方法

在超声波探伤时,探伤面上的探头与工件的相对运动称为扫查。在探伤中探头在探伤面上应按一定方式及运动轨迹缓慢移动。探头扫查方式有以下几种。

1. 前后扫查

探头在工件表面沿一定方向前后移动,并同时缓慢地向左(或向右)移动探头,探头运动轨迹呈锯齿形(或方齿形)(图3-7)。探头每前后移动一次向右(或向左)移动的距离(d)不得超过探头在同一方向上的晶片尺寸,并保证每次移动有10%~20%的覆盖区域。前后扫查主要应用于探伤时搜索工件材料中的缺陷,适用于直、斜探头。但使用斜探头时,探头前后移动同时应向左右摆动,摆动角度为10°左右。

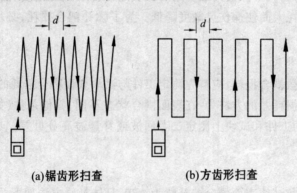

(a)锯齿形扫查　　　　　　(b)方齿形扫查

图 3-7　探头前后扫查

2. 左右扫查

探头在工件表面保持前后位置不变,而仅向左、右移动探头(图3-8)。在扫查过程中,探头沿某一方向保持固定距离,在另一方向上平行移动。这种扫查方法主要应用于当使用前后扫查发现缺陷后,测定缺陷区域的尺寸,适用于直、斜探头。

3. 转角扫查

使用斜探头进行超声波探伤时,发现缺陷后为了区别缺陷形状、方向及大小,以探头中心为支点,做左右转角扫查(图 3-9)。探头在转角扫查时,不得前后、左右移动。

4. 环绕扫查

在使用斜探头探伤时,发现缺陷后为了区分缺陷形状、方向及大小,以缺陷为圆心,探头与缺陷保持一定距离做圆形轨迹的扫查(见图 3-10)。

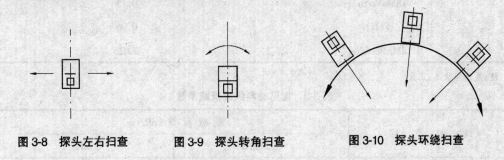

图 3-8　探头左右扫查　　　　图 3-9　探头转角扫查　　　　图 3-10　探头环绕扫查

第四节　材料衰减系数

在超声波探伤中为了测定缺陷当量,经常测定材料的衰减系数并在探伤中予以补偿。

一、原理

超声波在介质中传播时,存在着散射、吸收和扩散等三种衰减。散射衰减是超声波在介质中产生散乱反射引起的衰减。吸收衰减是介质内部质点的内摩擦引起的衰减。扩散衰减是由于波束扩散引起的衰减。其中散射和吸收衰减是介质引起的,因此称为介质衰减。

超声波在一般固体材料中的介质衰减主要是散射衰减引起的,衰减系数 $\alpha \approx CFd^3 f^4$(C 为常数,F 为各向异性系数)。由此可见固体介质中超声波的衰减与材质晶粒直径 d^3 和频率 f^4 成正比。因此,当 f 一定,材质晶粒度增大时,超声波的衰减急剧增加。当材质晶粒度一定,f 增加,超声波的衰减急剧增加。

在超声波探伤中,当工件与试块的衰减明显不同时,材质衰减不仅会影响探伤灵敏度的变化,而且会影响对缺陷定量的精度。为了减少定量误差,提高定量精度,应该测定工件材质的衰减系数。

超声波探头发射的声场分为未扩散区($x \leqslant 1.64N$)和扩散区($x > 1.64N$)。在未扩散区内,波束不扩散,这时只存在介质衰减。在扩散区内,波束开始扩散,这时不仅存在介质衰减,而且存在扩散衰减。

二、常用材料的衰减系数

常用钢材 2.5 MHz 横波的衰减系数见表 3-2,常见材料的纵波衰减系数见表 3-3。

表 3-2　常用钢材横波衰减系数(2.5 MHz)

钢材牌号	衰减系数(dB/cm)
10CrMo910	0.222
16Mn	0.1
19Mn5	0.2
BHW35	0.025
18MnMoNb	0.15
F11	0.06
18MnMoNbNi	0.025

注:热处理状态:正火。

表 3-3　常见材料纵波衰减系数

材 料 名 称	衰 减 系 数 (dB/cm)	
	2.5 MHz	5 MHz
钢　铁	< 0.01	0.02
铝	0.2	0.7
有机玻璃	3.5	7
水	0.16	0.63
空　气	110	400

三、材料衰减系数的测定方法

见第九章实验三。

第五节　时基扫描线的调节

在 A 型脉冲反射式超声波探伤仪中,示波屏横轴的水平扫描线称为时基扫描线,简称时基线。时基线的指示值与超声波在材料中传播的距离成正比。读出缺陷回波的前沿或最高点位置,就可测出超声波从探伤面(声波入射面)到缺陷的距离(声程)。探测面到缺陷的距离是从反射回波上获得的重要信息之一。

为此,必须调节探伤仪的扫描速度,使时基线的水平度值与实际声程呈一定的比例关系。它类似于地图比例尺,如扫描速度 1:2 表示仪器示波屏上水平刻度 1 mm 代表实际声程 2 mm。

探伤前应根据探测范围来调节扫描速度,以便在规定的范围内发现缺陷并对缺陷定位。

调节扫描速度的一般方法是根据探测范围利用已知尺寸的试块或工件上的两次不同反射波的前沿分别对准相应的水平刻度值来实现的。不能利用一次反射波和始波来调节,因为始波与一次反射波的距离包括超声波通过保护膜、耦合剂(直探头)或有机玻璃斜楔(斜探头)的时间,这样调节扫描速度误差大。

下面分别介绍纵波、横波、表面波探伤时扫描速度的调节方法。

一、纵波扫描速度的调节

纵波探伤一般按纵波声程来调节速度。具体调节方法是:将纵波探头对准厚度适当的平底面或曲底面,使两次不同的底波分别对准相应的水平刻度值。

例如,探测厚度为 400 mm 的工件,扫描速度为 1:4,现利用 CSK-ⅠA 试块来调节。将探头对准试块上厚为 100 mm 的底面,调节仪器上"深度微调"、"水平"等旋钮,使底波 B_2、B_4 分别对准水平刻度 50、100,这时扫描线水平刻度值与实际声程的比例正好为 1:4,如图 3-11(a)。

二、表面波扫描速度的调节

表面波探伤一般也是按声程调节扫描速度的,具体调节方法基本上与纵波相同。只是表面波不能在同一反射体上形成多次反射。调节时要利用两个不同的反射体形成的两次反射波分别对准相应的水平刻度值来调节。如图 3-11(b)。探头置于图示位置,调节仪器使棱边 A、B 反射波 A 波和 B 波分别对准水平刻度值 40、65,这时表面波扫描速度为 1:1。

三、横波扫描速度的调节

如图 3-12 所示,横波探伤时,缺陷位置可由折射角 β 和声程 x 来确定,也可由缺陷的水平距离 l 和深度 d 来确定。

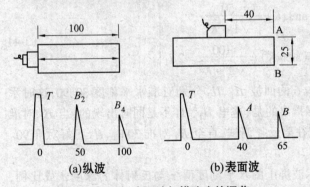

图 3-11　纵波、表面波扫描速度的调节　　　图 3-12　横波探伤缺陷位置的确定

一般横波扫描速度的调节方法有三种:声程调节法、水平距离法和深度调节法。因为声程调节显示的缺陷不直观,应用较少。下面仅介绍水平距离调节法和深度调节法。

1. 水平距离调节法

按水平距离调节横波扫描速度是指示波屏上水平刻度值 τ 与反射体的水平距离 l 成比例,即 $\tau:l=1:n$。这时示波屏水平刻度值直接显示反射体的水平投影距离(简称水平距离),多用于薄板工件焊缝横波探伤。

按水平距离调节横波扫描速度可在 CSK-ⅠA 试块、半圆试块、横孔试块上进行。

1)利用 CSK-ⅠA 试块调节

先计算 $R50$、$R100$ 对应的水平距离 l_1、l_2:

$$l_1 = 50\sin(\text{arctg}K) = \frac{50K}{\sqrt{1+K^2}} \left.\right\}$$

$$l_2 = 100\sin(\text{arctg}K) = \frac{100K}{\sqrt{1+K^2}} \left.\right\} \quad (3-2)$$

式中　　K——斜探头的 K 值(实测值)。

　　然后将探头对准 $R50$、$R100$,调节仪器使 B_1、B_2 分别对准水平刻度 l_1、l_2。当 $K=1.0$ 时,$l_1 = 35$ mm,$l_2 = 70$ mm,若使 $B_1 = 35$ mm,$B_2 = 70$ mm,则水平距离扫描速度为 1:1。

　　2)利用 $R50$ 半圆试块调节

　　先计算 B_1、B_2 对应的水平距离 l_1、l_2:

$$l_1 = 50\sin(\text{arctg}K) = \frac{50K}{\sqrt{1+K^2}} \left.\right\}$$

$$l_2 = 3 \times 50\sin(\text{arctg}K) = \frac{3 \times 50K}{\sqrt{1+K^2}} = 3l_1 \left.\right\} \quad (3-3)$$

　　然后将探头对准 $R50$ 圆弧,调节仪器 B_1、B_2 分别对准水平刻度值 l_1、l_2。当 $K=1.0$ 时,$l_1 = 35$ mm,$l_2 = 105$ mm。若使 B_1、B_2 对准 0、70,再调"水平"使 $B_1 = 35$。则水平距离扫描速度为 1:1。

　　3)利用横孔试块调节

　　以 CSK-ⅢA 试块为例说明之。

　　设探头的 $K = 1.5$,并计算深度为 20、60 的 $\varnothing1 \times 6$ 对应的水平距离 l_1、l_2:

$$d_1 = 50\cos(\text{arctg}K) = \frac{50}{\sqrt{1+K^2}} \left.\right\}$$

$$d_2 = 100\cos(\text{arctg}K) = \frac{100}{\sqrt{1+K^2}} = 2d_1 \left.\right\} \quad (3-4)$$

　　调节仪器使深度为 20、60 的 $\varnothing1 \times 6$ 的回波 H_1、H_2 分别对准水平刻度 30、90,这时水平距离扫描速度 1:1 就调好了。需要指出的是,这里 H_1、H_2 不是同时出现的,当 H_1 对准 30 时,H_2 不一定正好对准 90,因此往往要反复调试,直至 H_1 对准 30 时,H_2 正好对准 90。

　　2. 深度调节法

　　按深度调节横波扫描速度是使示波屏上的水平刻度值 τ 与反射体的深度 d 成比例,即 $\tau : d = 1 : n$,这时示波屏水平刻度值直接显示深度距离。常用于较厚工件焊缝的横波探伤。

　　1)利用 CSK-ⅠA 试块调节

　　先计算 $R50$、$R100$ 圆弧反射波 B_1、B_2 对应的深度 d_1、d_2

$$d_1 = 50\cos(\text{arctg}K) = \frac{50}{\sqrt{1+K^2}} \left.\right\}$$

$$d_2 = 100\cos(\text{arctg}K) = \frac{100}{\sqrt{1+K^2}} = 2d_1 \left.\right\} \quad (3-5)$$

　　然后调节仪器使 B_1、B_2 分别对准水平刻度值 d_1、d_2,当 $K = 2.0$ 时,$d_1 = 22.4$ mm,$d_2 = 44.8$ mm,调节仪器使 B_1、B_2 分别对准水平刻度 22.4、44.8,则深度 1:1 就调节好了。

2)利用 $R50$ 半圆试块调节

先计算半圆试块 B_1、B_2 对应的深度 d_1、d_2

$$\left.\begin{aligned} d_1 &= 50\cos(\mathrm{arctg}K) = \frac{50}{\sqrt{1+K^2}} \\ d_2 &= 3 \times 50\cos(\mathrm{arctg}K) = \frac{3 \times 50}{\sqrt{1+K^2}} = 3d_1 \end{aligned}\right\} \tag{3-6}$$

然后调节仪器使 B_1、B_2 分别对准水平刻度值 d_1、d_2 即可,这时深度 1:1 就调好了。

3)利用横孔试块调节

探头分别对准深度 $d_1 = 40$、$d_2 = 80$ 的 CSK-ⅢA 试块上的 Ø1×6 横孔,调节仪器使 d_1、d_2 对应的 Ø1×6 回波 H_1、H_2 分别对准水平刻度 40、80,这时深度 1:1 就调好了。这里同样要注意反复调试,使 H_1 对准 40 时的 H_2 正好对准 80。

第六节　探伤灵敏度的调节

探伤灵敏度是指在确定的探测范围内的最大声程处发现规定大小缺陷的能力。例如探伤某工件的灵敏度为 400/Ø2,表示在 400 mm 处 Ø2 平底孔回波正好达基准高,即在 400 mm 处发现 Ø2 平底孔当量的缺陷。

探伤灵敏度一般是根据有关标准或技术要求来确定的,通过调节仪器上的"增益"、"衰减器"等灵敏度旋钮来实现。

探伤前调节灵敏度的目的在于发现工件中规定大小的缺陷,并对缺陷定量。探伤灵敏度太高或太低都对探伤不利。灵敏度太高,杂波多,探伤困难。灵敏度太低,容易引起漏检。

实际探伤中,在粗探时为了提高扫查速度而以不致引起漏检,常常在探伤灵敏度的基础上将灵敏度适当提高,这种提高后的灵敏度称为搜索灵敏度,或称扫查灵敏度。

调节探伤灵敏度的常用方法有试块调节法、工件底波调节法和 AVG 曲线法。

一、利用试块调节法

试块调节法是根据工件对灵敏度的要求选择适当的试块来调节探伤灵敏度。下面举例说明。

例如,探伤厚度为 200 mm 的锻件,探伤灵敏度 200/Ø2,探伤灵敏度的调节方法是先加工一块材质、声程与工件相同的 Ø2 平底孔试块,将探头对准试块上 Ø2 平底孔。调节仪器使 Ø2 的最高回波达 50%(或 80%)基准高即可。如果试块与工件表面耦合不同,那么还应考虑耦合补偿。

在钢板探伤中,常常利用 Ø5 平底孔试块来调节灵敏度。调节仪器使试块上 Ø5 回波达 50% 即可。

利用试块调节灵敏度比较直观,操作简单方便,但往往需要加工大量试块和进行耦合补偿。另外,当试块与工件材质不同时,还要测定材质的衰减系数,以便考虑材质衰减损失的补偿。利用试块调灵敏度的方法常用于钢板、钢管探伤等情况。

二、利用工件底波调节法

利用工件底波调节灵敏度是根据工件底波与同深度(或不同深度)的特定的人工缺陷回波高度的分贝差($\triangle$)为定值,这个定值可由以下理论公式推算出来

$$\triangle = 20\lg \frac{P_B}{P_\emptyset} = 20\lg \frac{2\lambda x}{\pi \emptyset^2} \quad (x \geqslant 3N) \tag{3-7}$$

式中 x——探测面至底面的距离;

$\emptyset$——要求检出的最小平底孔当量尺寸;

P_B——底面反射声压;

$P_\emptyset$——平底孔反射声压;

λ——波长;

N——近场长度。

利用底波调节灵敏度是将探头对准工件底面,仪器保留足够的衰减余量,一般 $\geqslant$ ($\triangle + 5 \sim 10$)dB(考虑搜索灵敏度),调"增益"使底波 B_1 最高达 50%(或 80%)基准高,然后用"衰减器"增益 $\triangle$dB(即衰减量减少 $\triangle$dB),这时探伤灵敏度就调好了。

下面举例说明。

例如,用 2.5P20Z(2.5 MHz、$\emptyset$20 mm 直探头)探头探测厚度为 400 mm 的钢工件,钢中 C_L = 5 900 m/s,探伤灵敏度为 400/$\emptyset$2。利用工件底波调节 400/$\emptyset$2 灵敏度。

①计算:$\lambda = \dfrac{C}{f} = \dfrac{5.9}{2.5} = 2.36 (\text{mm})$

利用式(3-7)算出 400 mm 处大平底与同距离处 $\emptyset$2 平底孔回波的分贝差 $\triangle$

$$\triangle = 20\lg \frac{2\lambda x}{\pi \emptyset^2} = 20\lg \frac{2 \times 400 \times 2.36}{4 \times \pi} = 44 (\text{dB})$$

分贝差 $\triangle$ 也可由纵波平底孔 AVG 曲线得到。

②调节:将探头对准工件大平底面,衰减 50 dB,调"增益"使底波 B_1 达 50%基准高,然后用"衰减器"增益 44 dB(衰减器无 0.5 dB 挡),这时 400/$\emptyset$2 灵敏度就调好。也就是说这时 400 mm 处 $\emptyset$2 回波正好达 50%基准高。

由此可见,利用工件底波调节探伤灵敏度不需要任何试块。也不要考虑耦合和材质衰减补偿,因为调灵敏度和探伤在同一表面。但这种方法只适用于 $x \geqslant 3N$ 的大平底面或曲面(圆柱),且要求底面光洁干净,当底面粗糙、有水有油或大平底面与探测面不平行时,将使底面反射率降低,底波高度下降,这样调节的灵敏度将会偏高。

利用底波调灵敏度的方法常用于锻件探伤。

三、利用 AVG 曲线调节法

以横坐标表示实际声程,纵坐标表示规则反射体相对波高,用来描述距离、波幅、当量大小之间的关系曲线,称为实用 AVG 曲线,如图 3-13 所示。

1. 原理

当 $x \geqslant 3N$ 时,同距离大平底与平底孔回波分贝差公式为

$$\triangle_1 = [B] - [\emptyset] = 20\lg \frac{H_B}{H_\emptyset} = 20\lg \frac{2\lambda x}{\pi \emptyset^2} \tag{3-8}$$

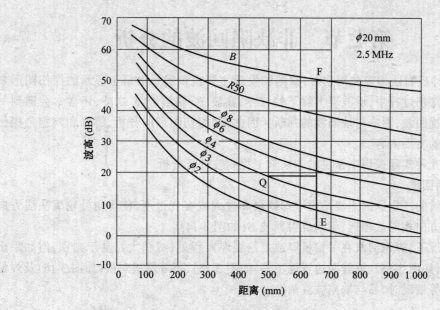

图 3-13　平底孔实用 AVG 曲线

式中　H_B——底面反射波高；

　　　$H_Ø$——平底孔反射波高。

当 $x \geqslant 3N$ 时,相同直径不同距离平底孔回波分贝差公式为

$$\Delta_2 = [Ø]_1 - [Ø]_2 = 40 \lg \frac{x_1}{x_2} \tag{3-9}$$

对于 Ø20 mm、2.5 MHz 直探头,以距离 x 为横坐标,以 750 mm 处为 Ø2 mm 平底孔回波达基准高作为 0 dB,以相对波高(即分贝差 Δ_1、Δ_2)为纵坐标,根据公式(3-8)和(3-9)计算出不同距离大平底及不同直径不同距离平底孔的相对波高,即可绘出图 3-13 所示的平底孔实用 AVG 曲线。

2. 应用

实用 AVG 曲线同样可用于调整探伤灵敏度和对缺陷定量,而且比通用 AVG 曲线更方便。

例:用 2.5 MHz、Ø20 mm 直探头探测饼形钢锻件,锻件厚 650 mm,探伤中在 500 mm 处发现一缺陷,缺陷波高比大平底回波低 31 dB。问:①如何利用底波调整 Ø2 灵敏度? ②求缺陷的当量大小。

解:①灵敏度的调整:

如图 3-13 所示,在 x = 650 mm 处作垂线交曲线于 E,交 B 曲线于 F,则 EF 对应的分贝值 Δ = 48 dB 就表示该处大平底与 Ø2 平底孔回波分贝差。然后再按前面所述灵敏度的调整方法进行调整。

②对缺陷定量:

如图 3-13 所示,在 X_f = 500 mm 处作垂线与比 F 点低 31 dB 的水平线相交于 Q 点,则 Q 点所对应的曲线的当量尺寸 Ø4 就是所求缺陷的当量大小。

第七节 非缺陷回波的分析

A型脉冲反射法超声波探伤时,缺陷的发现主要由仪器示波屏上显示的探伤图形来确认。但在探伤过程中,示波屏上除了始波 T、底波 B、缺陷波 F 之外,还常常会遇到一些非缺陷干扰回波,影响对缺陷波的判断。因此,对探伤图形的分析、解释和判别是探伤中必不可少的主要内容。

下面对几种实际探伤中常见的非缺陷干扰回波进行分析。

一、焊角回波

焊角回波的产生原因主要是由于焊缝余高过大或突变过度,使焊角处轮廓法线方向与声束入射方向相同或相近,引起反射回波 S(如图 3-14)。

正常情况下,焊角回波在一倍板厚或二倍板厚声程处(或稍大),易于判别,但如果出现焊缝错边(如图 3-15)、焊缝两边宽度不等(如图 3-15)、不等厚板对接(如图 3-16)及焊偏(如图 3-16)等情况时,易与缺陷波混淆。

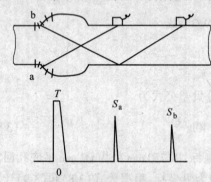

图 3-14 焊角回波的产生

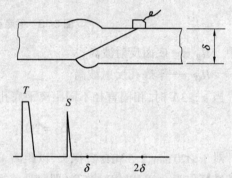

图 3-15 焊缝错边、两面宽度不等产生的焊角回波

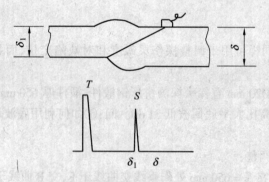

图 3-16 不等厚板对接、焊偏产生的焊角回波

判别方法:

(1)探伤前必须熟悉焊缝结构,做到心中有数。

(2)只有探头对侧的焊角才能产生回波,因此可用双侧探测予以鉴别。

(3)二次波检测时,可用手指蘸油拍打对侧焊角,焊角回波会明显跳动。

二、山形回波

1. 产生原因

如图 3-17 所示,当超声波主声束方向与焊角处轮廓法线方向的夹角 α 小于第三临界角 $\alpha_{\text{Ⅲ}}$ 时,界面处除反射一个横波 S_2 外,还会产生一个变形纵波 L。如果 L 波和 S_2 波对焊缝轮廓的入射角较小,它们就会和焊角回波 S_1 一起在示波屏上形成一个如汉字"山"形的回波群,故称"山形回波"。

2. 形态的变化

由于各反射源反射面积、聚焦程度、法线方向的不同,引起反射回波能量及回波方向的差异,因此山形回波并不总是三个波峰一起出现,也可能是任意一个或两个的组合。

另外,S_2 波和 L 波还可以分别派生出两个子波,在示波屏上形成一个复杂的山形回波群(如图 3-18)。这种山形回波群也并不总是几个波峰一起出现,有时只是其中几个波峰的组合。

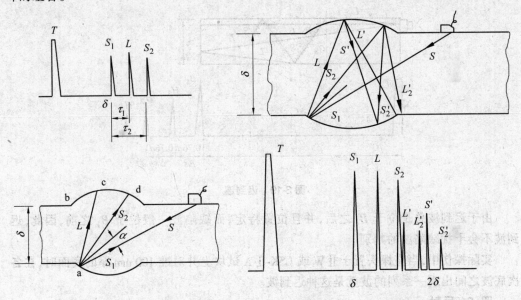

图 3-17　山形回波的产生　　　　图 3-18　山形回波群的产生

3. 特征及判别方法

(1)位置估判,如图 3-17 所示,S_1 波是焊角回波,位于一倍板厚或二倍板厚声程处。L 波和 S_2 波的声程相近(可视为相等),但波速相差甚远。以钢焊缝为例

$$\frac{\tau_1}{\tau_2} = \frac{C_S}{C_L} = \frac{3\,230}{5\,900} = 0.55$$

即:在时基线上,L 波位于 S_1 波和 S_2 波之间距的 0.55 倍处。而 S_2 波在时基线上的具体位置则与定位方法有关。设 S_2 波的实际声程为 $S_{\text{Ⅱ}}$($S_{\text{Ⅱ}}$ 可用板厚加余高约略估算)。

则:深度定位时　　　$\tau_2 = S_{\text{Ⅱ}} \cdot \cos(\text{arctg}K)$

　　水平定位时　　　$\tau_2 = S_{\text{Ⅱ}} \cdot \sin(\text{arctg}K)$

根据这一特征,可计算出 S_2 波和 L 波在时基线上的大概位置。S_2 波和 L 波在工件

上的水平位置在探头对侧的热影响区上。

(2)山形回波是从焊缝表面反射的,可用手指蘸油拍打焊缝表面,山形回波会明显跳动。二次波检测时,可拍打探头对侧焊角。

(3)山形回波是由焊角回波所派生的,同样可用双侧检测予以鉴别。

三、迟到波

如图 3-19 所示,当纵波直探头置于细长(或扁长)工件或试块上时,扩散纵波波束在侧壁产生波型转换,转换为横波,此横波在另一侧面转换为纵波,最后经底面反射回到探头,被探头接收,从而在示波屏上出现一个回波。由于转换的横波声程长,波速小,传播时间较直接从底面反射的纵波长,因此,转换后的波总是出现在第一次底波 B_1 之后,故称为迟到波。又由于变型横波可能在两侧壁产生多次反射,每反射一次就会出现一个迟到波,因此迟到波往往有多个,如图 3-19 中的 H_1、H_2、H_3…。迟到波之间的纵波声程差 Δx (单程)是特定的。

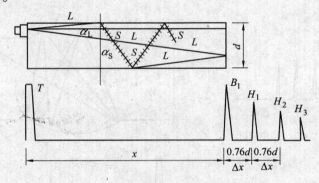

图 3-19 迟到波

由于迟到波总是位于 B_1 之后,并且位置特定,而缺陷波一般位于 B_1 之前,因此,迟到波不会干扰缺陷波的判别。

实际探伤中,当直探头置于 ⅡW 或 CSK-ⅠA 试块上并对准 100 mm 厚的底面时,在各次底波之间出现一系列的波就是这种迟到波。

四、61°反射

当探头置于图 3-20 所示的直角三角形试件上时,若纵波入射角 α 与横波反射角 β 的关系为:$\alpha + \beta = 90°$,则会在示波屏上出现位置特定的反射波。61°反射的应用见图 3-21。

五、三角反射

如图 3-22 所示,纵波直探头径向探测实心圆柱体时,由于探头平面与柱面接触面积小,使波束扩散角增加,这样扩散波束就会在圆柱面上形成三角反射路径,从而在示波屏上出现三角反射波,人们把这种反射称为三角反射。

六、其他非缺陷回波

1. 探头杂波

当探头吸收块吸收不良时,会在始波后出现一些杂波。当斜探头有机玻璃斜楔设计不合理时,声波在有机玻璃内的反射回到晶片,也会引起一些杂波。还有双晶直探头探测厚壁工件时,由于入射角比较小,声波在延迟块内的多次反射也可能产生一些非缺陷信号,干扰缺陷回波的判别。

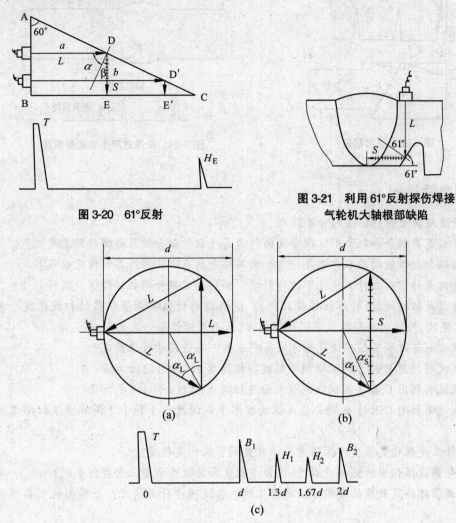

图 3-20   61°反射

图 3-21   利用 61°反射探伤焊接
气轮机大轴根部缺陷

图 3-22   三角反射波

2. 仪器杂波

由于仪器性能不好或灵敏度调节偏高而产生。当探头移动时,此杂波在示波屏上的位置不变;当降低灵敏度后,此种杂波即行消失。

3. 耦合剂反射

探伤时,由于探头前沿耦合剂堆积过多,也会引起反射讯号。探头不动,此波时而升高、时而降低,很不稳定;探头稍一移动,波形变化很大,无一定规律。如果用手指放在探头前面或消除耦合剂以后,反射波立即降低,或者消失。

4. 工件轮廓回波

当超声波射达工件的台阶、螺纹等轮廓时在示波屏上将引起一些轮廓回波,如图 3-23 所示。焊缝内部未焊透引起的反射射达焊缝轮廓时,也会引起轮廓回波,如图 3-24 所示。

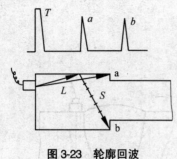

图 3-23　轮廓回波

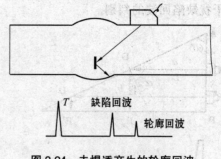

图 3-24　未焊透产生的轮廓回波

【复习思考题】

1. 简述超声波探伤方法的分类情况。

2. 什么是声耦合和耦合剂？耦合剂的作用是什么？耦合效果与哪些因素有关？

3. 对耦合剂性能的基本要求是什么？常用耦合剂有哪几种？各有何优缺点？

4. 什么是补偿？在什么情况下进行补偿？如何测定耦合损耗补偿值？怎样补偿？

5. 什么是扫描速度（时基扫描线比例）？探伤前为什么要调节仪器的扫描速度？调节扫描速度时，为什么要用二次不同的反射波，而不用始波和一次反射波？

6. 横波探伤时调节扫描速度的方法有哪三种？各适用于什么情况？

7. 试说明利用 CSK-ⅠA 试块调节纵波扫描速度 1:1 和 1:2 的方法。

8. 试说明利用 CSK-ⅠA 试块调节表面波扫描速度 1:1 和 1:2 的方法。

9. 试说明利用 CSK-ⅠA、CSK-ⅢA 试块按水平或深度 1:1 和 1:2 调节横波扫描速度的方法。

10. 什么是探伤灵敏度？探伤前为什么要调节探伤灵敏度？

11. 超声波探伤中的探伤灵敏度、搜索灵敏度和灵敏度余量三者有何不同？

12. 调节探伤灵敏度的常用方法有哪几种？各适用于什么情况？并举例说明具体调节方法。

13. 分析缺陷性质的基本原则是什么？

14. 超声波探伤中常见非缺陷信号回波有哪几种？如何鉴别缺陷回波和非缺陷回波？

15. 什么是焊角回波？什么是山形回波？它们是怎样产生的？有何特点？怎样判别？

16. 什么是迟到波？什么是三角反射？什么是 61° 反射？

17. 简述材料衰减系数的测定方法和操作要领。

18. 用 2.5P13×13K2 探头在 CSK-ⅠA 试块上按水平距离调节法将时基扫描线比例调为 1:2，试计算 $R50$、$R100$ 两反射波时基线上的水平刻度值 τ_1 和 τ_2。

19. 在厚度为 200 mm 的试件上调节纵波扫描速度，若 B_2 对准 50、B_4 对准 100，问这时的扫描速度为多少？这时 B_1、B_3 分别对准的水平刻度值为多少？

20. 在 $C_L = 5\,900$ mm/s 的试样上按 1:1 调节好纵波扫描速度后去探伤厚为 75 mm，

$C_L = 7\,390$ m/s 的合金钢。这时的实际扫描速度为多少？B_1 对应的水平刻度值是多少？水平刻度 40 处的缺陷波对应的声程又是多少？

21．斜探头入射点对准 CSK-ⅠA 试块的圆心，仪器按声程 1:4 调节横波扫描速度，试在示波屏时基线上画出可能出现的反射波。

22．用 2.5P20Z 探头径向探测 Ø500 mm 的圆柱形工件，$C_L = 5\,900$ m/s，如何利用工件底波调节 500/Ø2 灵敏度？

23．用 2.5P20Z 探头径向探伤外径为 Ø1 000 mm 的实心圆柱体钢工件，$C_L = 5\,900$ m/s，如何利用底波调节 500/Ø4 灵敏度？

24．用 2.5P20Z 探头探伤 400 mm 的工件，如何利用 150 mm 处 Ø4 平底孔调节 400/Ø2 灵敏度？

第四章　缺陷测定

超声波探伤的目的不仅在于发现缺陷,还要对缺陷的位置及大小进行测定,进而依据有关标准对缺陷的危害程度作出评价。

第一节　缺陷定位

超声波探伤中缺陷位置的测定是确定缺陷在工件中的位置,简称定位。一般可根据示波屏上缺陷波的水平刻度值与扫描速度来对缺陷定位。

一、纵波(直探头)探伤时缺陷定位

仪器按 $1:n$ 调节纵波扫描速度,缺陷波前沿所对的水平刻度值为 τ_f,则缺陷至探头的距离 x_f 为

$$x_f = n\tau_f \tag{4-1}$$

若探头波束轴线不偏离,则缺陷正位于探头中心轴线上。

例如,用纵波直探头探伤某工件,仪器按 $1:2$ 调节纵波扫描速度,探伤中示波屏上水平刻度值 70 处出现一缺陷波,那么此缺陷至探头的距离 x_f 为

$$x_f = n\tau_f = 2 \times 70 = 140(\text{mm})$$

二、表面波探伤时缺陷定位

表面波探伤时,缺陷位置的确定方法基本同纵波,只是缺陷位于工件表面,并正对探头中心轴线。

例如,表面波探伤某工件,仪器按 $1:1$ 调节表面波扫描速度,探伤中在示波屏水平刻度 60 处出现一缺陷波,则此缺陷至探头入射点距离 x_f 为

$$x_f = n\tau_f = 1 \times 60 = 60(\text{mm})$$

三、横波探伤时缺陷定位

横波斜探头探伤时,波束轴线在探测面处发生折射,折射角随探头的 K 值(或入射角)而变化。工件中缺陷的位置由探头的折射角和声程确定或由缺陷的水平和垂直方向的投影来确定。由于横波扫描速度可按声程、水平、深度来调节,因此缺陷定位的方法也不一样。

1. 按水平调节扫描速度时

仪器按水平距离 $1:n$ 调节横波扫描速度,缺陷波的水平刻度值为 l_f,采用 K 值探头探伤。

一次波探伤时,如图 4-1(a)所示,缺陷在工件中的水平距离 l_f 和深度 d_f 为

$$\left. \begin{array}{l} l_f = n\tau_f \\ d_f = \dfrac{l_f}{K} = \dfrac{n\tau_f}{K} \end{array} \right\} \tag{4-2}$$

二次波探伤时,如图 4-1(b)所示,缺陷在工件中的水平距离 l_f 和深度 d_f 为

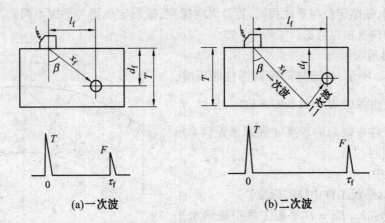

(a)一次波　　　　　　　　　(b)二次波

图 4-1　横波探伤缺陷定位

$$\left.\begin{array}{l} l_f = n\tau_f \\[2mm] d_f = 2T - \dfrac{l_f}{K} = 2T - \dfrac{n\tau_f}{K} \end{array}\right\} \tag{4-3}$$

例如,用 $K2$ 横波斜探头探测厚度 $T = 15$ mm 的钢板焊缝,仪器按水平 1:1 调节横波扫描速度,探伤中在水平刻度 $\tau_f = 45$ mm 处出现一缺陷波,求此缺陷的位置。

由于 $KT = 2 \times 15 = 30, 2KT = 60, KT < \tau_f = 45 < 2KT$,因此可以判定此缺陷是二次波发现的。那么缺陷在工件中的水平距离 l_f 和深度 d_f 为

$$l_f = n\tau_f = 1 \times 45 = 45(\text{mm})$$

$$d_f = 2T - \frac{l_f}{K} = 2 \times 15 - \frac{45}{2} = 7.5(\text{mm})$$

2. 按深度调节扫描速度时

仪器按深度 1:n 调节横波扫描速度,缺陷波的水平刻度值为 τ_f,采用 K 值探头探伤。一次波探伤时,缺陷在工件中的水平距离 l_f 和深度 d_f 为

$$\left.\begin{array}{l} l_f = Kn\tau_f \\[2mm] d_f = n\tau_f \end{array}\right\} \tag{4-4}$$

二次波探伤时,缺陷在工件中的水平距离 l_f 和深度 d_f 为

$$\left.\begin{array}{l} d_f = 2T - n\tau_f \\[2mm] l_f = Kn\tau_f \end{array}\right\} \tag{4-5}$$

例如,用 $K1.5$ 横波斜探头探伤厚度 $T = 30$ mm 的钢板焊缝,仪器按深度 1:1 调节横波扫描速度,探伤中在水平刻度处 $\tau_f = 40$ 出现一缺陷波,求此缺陷位置。

由于 $T < \tau_f < 2T$,因此可以判定此缺陷是二次波发现的。缺陷在工件中的水平距离 l_f 和深度 d_f 为

$$l_f = Kn\tau_f = 1.5 \times 1 \times 40 = 60(\text{mm})$$

$$d_f = 2T - n\tau_f = 2 \times 30 - 1 \times 40 = 20(\text{mm})$$

四、横波周向探测圆柱曲面时缺陷定位

前面讨论的是横波探伤中探测面为平面时缺陷定位问题。当横波探测圆柱面时,若

· 211 ·

沿轴向探测,缺陷定位与平面相同;若沿周向探测,缺陷定位则与平面不同。下面分外圆和内壁两种情况加以讨论。

1. 外圆周向探测

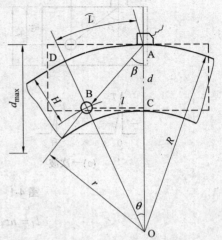

如图 4-2 所示,外圆周向探测圆柱曲面时,缺陷的位置由深度 H 和弧长 $\hat{L}$ 来确定,显然 H、$\hat{L}$ 与平板工件中缺陷的深度 d 和水平距离 l 是有较大差别的。

图 4-2 中:

$AC = d$(平板工件中缺陷深度)

$BC = d\,\mathrm{tg}\,\beta = Kd = l$(平板工件中缺陷水平距离)

$AO = R, CO = R - d$

$$\mathrm{tg}\,\theta = \frac{BC}{OC} = \frac{Kd}{R - d} \qquad \theta = \mathrm{arctg}\,\frac{Kd}{R - d}$$

$$BO = \sqrt{(Kd)^2 + (R - d)^2}$$

图 4-2 外圆周向探测

从而可得

$$\left.\begin{array}{l} H = OD - OB = R - \sqrt{(Kd)^2 + (R - d)^2} \\[2mm] \hat{L} = \dfrac{R\pi\theta}{180} = \dfrac{R\pi}{180}\mathrm{arctg}\,\dfrac{Kd}{R - d} \end{array}\right\} \tag{4-6}$$

由式(4-6)算出用 $K1.0$ 探头外圆周向探测 $\varnothing\,2\,388 \times 148$(外圆直径×壁厚)圆柱曲面时不同 d 值所对应的 H 和 $\hat{L}$ 列于表 4-1。

表 4-1 外圆周向探测定位修正表($K1.0$)

d	10	20	30	40	50	60	70	80	90	100	110	120	130	140	150	160
$\hat{L}$	10	20	31	41	52	63	74	85	97	109	120	132	145	157	170	183
H	10	20	30	39	49	58	68	77	86	95	104	113	122	131	139	148

从表 4-1 可以看出,当探头从圆柱曲面外壁作周向探测时,弧长 $\hat{L}$ 总比水平距离 l 值大,但深度 H 却总比 d 值小。而且差值随 d 值增加而增大。

2. 内壁周向探测

如图 4-3 所示,内壁周向探测圆柱曲面时,缺陷的位置由深度 h 和弧长 l 来确定,这里的 h 和 l 与平板工件中缺陷深度 d 和水平距离 l 是有较大差别的。

图 4-3 中:

$AC = d$(平板工件中缺陷的深度)

$BC = d\,\mathrm{tg}\,\beta = Kd = l$(平板工件中缺陷的水平距离)

$AO = r, CO = r + d$

$$\mathrm{tg}\,\theta = \frac{BC}{OC} = \frac{Kd}{r + d}, \qquad \theta = \mathrm{arctg}\,\frac{Kd}{r + d}$$

$$BO = \sqrt{(Kd)^2 + (r + d)^2}$$

· 212 ·

从而可得

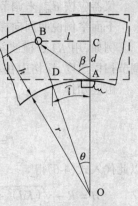

$$
\left.\begin{array}{l}
h = \mathrm{BO} - \mathrm{DO} = \sqrt{(Kd)^2 + (r+d)^2} - r \\
\hat{l} = \dfrac{r\pi\theta}{180} = \dfrac{r\pi}{180}\mathrm{arctg}\dfrac{Kd}{r+d}
\end{array}\right\}
\qquad (4\text{-}7)
$$

由式(4-7)算出用 $K1.0$ 探头内壁周向探测 $\varnothing\,2\,388 \times 148$
圆柱曲面时,不同 d 值所对应的 h 和 $\hat{l}$ 值列于表 4-2。

由表 4-2 可以看出,当探头从圆柱曲面内壁作周向探测
时,弧长总比水平距离 l 小,但深度 h 却总比 d 值大。

周向探测圆柱曲面时以下几点是值得注意的:

(1)仪器常按深度调节扫描速度,缺陷对应的 d 值可由
示波屏水平刻度 τ_{f} 和扫描速度 $1:n$ 来确定,即 $d = n\tau_{\mathrm{f}}$。但缺

图 4-3　内壁周向探测

陷在工件中的位置应由 H、$\hat{L}$(外圆探测)或 h、$\hat{l}$(内壁探测)确定,其中 H、$\hat{L}$ 由式(4-6)得
到,h、$\hat{l}$ 由式(4-7)得到。

表 4-2　内孔周向探测定位修正表($K1.0$)

d	10	20	30	40	50	60	70	80	90	100	110	120	130	140
$\hat{l}$	10	20	29	38	48	57	65	74	82	91	99	107	115	123
h	10	20	30	41	51	62	72	83	94	104	115	126	137	148

(2)外圆周向探测圆柱曲面时,为使声束轴线射达
工件内壁,K 值探头的探测范围可根据图来确定。

由图 4-4 可知,使声束轴线射达内壁的条件为

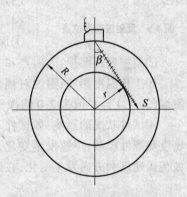

$$
\sin \beta \leqslant \frac{r}{R} = \frac{R-T}{R} = \frac{D-2T}{D} = 1 - \frac{2T}{D}
$$

式中　D——工件外径;

　　　T——工件壁厚;

　　　K——探头 K 值,$K = \mathrm{tg}\,\beta$。

由式(4-7)算出不同 K 值探头对应的 T/D 范围列
于表 4-3。在 K 值符合表 4-3 条件下,应尽量选用较大
的 K 值探头,以便发现危险径向缺陷。

图 4-4　斜探头 K 值范围的确定

表 4-3　K 值对应的 T/D 值范围

K	0.8	1.0	1.5	2.0	2.5	3.0
T/D	$\leqslant 0.18$	$\leqslant 0.14$	$\leqslant 0.08$	$\leqslant 0.05$	$\leqslant 0.03$	$\leqslant 0.02$

注:T 为工件壁厚,D 为工件外径。

(3)外圆周向探测圆柱曲面时,一次波对应的最大深度 $d_{\max}$(如图 4-2 所示)为

$$
d_{\max} = R - r\sin \beta = \frac{R}{1+K^2} > T\text{(壁厚)}
\qquad (4\text{-}8)
$$

仪器应按 d_{max} 来调节扫描速度。

下面举例说明周向探测圆柱曲面时缺陷的定位。

例如,用 $K1.5$ 横波斜探头外圆周向探测 $\varnothing 1\,080 \times 85$ 压力容器纵缝。仪器按深度1:2调节扫描速度,探伤中在水平刻度40处出现一缺陷波,试确定此缺陷的位置。

由已知得

$$d = n\tau_f = 2 \times 40 = 80(\text{mm}) , K = 1.5$$

$$l = Kd = 1.5 \times 80 = 120(\text{mm}) , R = \frac{1\,080}{2} = 540(\text{mm})$$

以此代入式(4-6)得

$$H = R - \sqrt{(Kd)^2 + (R - d)^2} = 540 - \sqrt{(1.5 \times 80)^2 + (540 - 80)^2} = 64.6(\text{mm})$$

$$\widehat{L} = \frac{R\pi}{180}\text{arctg}\frac{Kd}{R - d} = \frac{540 \times 3.14}{180} \times \text{arctg}\frac{1.5 \times 80}{540 - 80} = 137.7(\text{mm})$$

这说明该缺陷至外圆的距离 $H = 64.6$ mm,对应的外圆弧长 $\widehat{L} = 137.7$ mm。

五、影响定位精度的因素

(1)时基线标定误差(包括仪器水平线性不良和时基线刻度校准不当)及读数误差。例如,在斜探头入射点测定及 K 值测定、扫描速度调节及缺陷回波读数中的视差积累。反射回波一律按其前沿来确定其位置,如图4-5所示。

(2)探头指向性与缺陷取向的影响。

(3)周向探测圆柱曲面时定位方法不当。

(4)波束方向偏离标准值,由以下几种因素造成:

①探头质量不良:如波束轴线偏斜、双峰等。

图4-5 反射波前沿位置

②斜楔底面磨损,入射点和 K 值发生变化。

③工作温度影响:温度对耦合剂的声速影响较大,导致声束折射角发生变化。例如:室温(20 ℃)下 K 值为2.0的探头在温度为50 ℃时 K 值会增至2.4。

④试件状况的影响:如试件表面粗糙会导致波束方向发生变化;试件材质具有不同的密度和弹性模数,声速发生变化,导致 K 值变化;试件内存在有较大的内应力时,使超声波传播速度和方向发生变化;在试件边界探测时,侧壁干涉会使声束方向发生偏离。

第二节　缺陷当量测定

当缺陷尺寸小于声束截面时,一般采用当量法来确定缺陷的大小。采用当量法确定的缺陷尺寸是缺陷的当量尺寸。缺陷的当量尺寸总是小于或等于缺陷的实际尺寸。常用的当量法有当量试块比较法、当量计算法和当量 AVG 曲线法。

一、当量试块比较法

当量试块比较法是将缺陷回波与试块上人工缺陷回波进行比较来对缺陷定量的方法。一般预先加工一系列不同声程不同尺寸的人工缺陷试块,探伤中发现缺陷时,将工件中自然缺陷的回波与人工缺陷回波比较,当同声程处的自然缺陷与某人工缺陷回波等高时,该人工缺陷的尺寸就是此自然缺陷的当量大小。

当量试块比较法是超声波探伤中应用最早的一种定量法,直观易懂,当量概念明确,定量比较稳妥可靠。但需要制作大量的试块,成本高,携带不方便,操作也比较麻烦。因此,当量试块比较法目前应用不多,仅在 $x < 3N$ 的情况下或特别重要零件的精确定量时才应用。

二、当量计算法

当 $x \geqslant 3N$ 时,规则反射体的回波声压变化规律基本符合理论回波声压公式。当量计算法就是利用各种规则反射体的理论回波声压公式进行计算来确定缺陷当量尺寸的定量方法。应用当量计算法对缺陷定量不需要专门加工试块,是目前应用较为广泛的一种定量方法。

下面以纵波探伤为例来说明平底孔当量计算法的应用。

当 $x \geqslant 3N$,并考虑介质衰减时,大平底与平底孔回波声压为

$$P_{\text{B}} = \frac{P_0 F}{2 \lambda x_{\text{B}}} e^{-\frac{2\alpha x_\emptyset}{8.68}}$$

$$P_\emptyset = \frac{P_0 F F_\emptyset}{\lambda^2 x_\emptyset^2} e^{-\frac{2\alpha x_\emptyset}{8.68}}$$

式中　P_0——波源起始声压;　　　　　F——波源面积;

$F_\emptyset$——平底孔面积;　　　　　　x_{B}——大平底至探测面的距离;

$x_\emptyset$——平底孔至探测面的距离;　λ——波长;

α——介质的衰减系数;　　　　　e——自然对数的底。

不同距离处大平底与平底孔回波分贝差为

$$\Delta_{\text{B}\emptyset} = 20 \lg \frac{P_{\text{B}}}{P_\emptyset} = 20 \lg \frac{2 \lambda x_\emptyset^2}{\pi x_{\text{B}} \emptyset^2} + 2\alpha (x_\emptyset - x_{\text{B}}) \tag{4-9}$$

不同距离不同直径两平底孔回波分贝差为

$$\Delta_{12} = 20 \lg \frac{P_{\emptyset 1}}{P_{\emptyset 2}} = 40 \lg \frac{\emptyset_1 x_2}{\emptyset_2 x_1} + 2\alpha (x_2 - x_1) \tag{4-10}$$

根据探伤中测得的大平底与平底孔缺陷回波的分贝差或平底孔缺陷与灵敏度基准平底孔回波分贝差,利用式(4-9)、式(4-10)可以算出缺陷的平底孔当量大小。

例1:用 2.5P14Z(2.5 MHzØ14 直探头)探测厚为 420 mm 的工件,钢中 $C = 5\,900$ m/s,$\alpha = 0$,灵敏度为 420/Ø2。探伤中在 210 mm 处发现一缺陷,其回波比底波低 26 dB。求此缺陷的平底孔当量大小。

由已知得

$$\lambda = \frac{C}{f} = \frac{5.9}{2.5} = 2.36 (\text{mm})$$

$$N = \frac{D^2}{4\lambda} = \frac{14^2}{4 \times 2.36} = 21 (\text{mm})$$

故可以应用当量计算法定量。

由 $\Delta_{\text{B}\emptyset} = 20 \lg \frac{2 \lambda x_\emptyset^2}{\pi x_{\text{B}} \emptyset^2} = 26$　得此缺陷的当量大小为

$$\emptyset = \sqrt{\frac{2\lambda x_\emptyset^2}{10^{1.3}\pi x_B}} = \sqrt{\frac{2\times 2.36\times 210^2}{10^{1.3}\times 3.14\times 420}} \approx 2.8(\text{mm})$$

例2:2.5P20Z探头径向探测500的实心圆柱体，$C = 5\,900$ m/s，$\alpha = 0.01$ dB/mm，灵敏度为500/Ø2，探伤中在400 mm处发现一缺陷，其回波比500 mm处Ø2高22 dB，求此缺陷的当量大小。

由已知得
$$\lambda = \frac{C}{f} = \frac{5.9}{2.5} = 2.36(\text{mm})$$

$$N = \frac{D^2}{4\lambda} = \frac{20^2}{4\times 2.36} = 42.4(\text{mm})$$

$3N = 3\times 42.4 = 127.2 < 400(\text{mm})$ 故可以利用当量计算法定量。

又由已知得
$$\Delta_{12} = 20\lg\frac{P_{\emptyset 1}}{P_{\emptyset 2}} = 40\lg\frac{\emptyset_1 x_2}{\emptyset_2 x_1} + 2\alpha(x_2 - x_1) = 22$$

即
$$40\lg\frac{\emptyset_1 x_2}{\emptyset_2 x_1} = 22 - 2\alpha(x_2 - x_1) = 22 - 2\times 0.01\times 100 = 20$$

$$\therefore \emptyset_1 = \frac{\emptyset_2 x_1}{x_2}\times 10^{0.5} = \frac{2\times 400\times 10^{0.5}}{500} = 5.1(\text{mm})$$

即此缺陷的当量平底孔尺寸为Ø5.1 mm。

三、当量 AVG 曲线法

当量 AVG 曲线法是利用通用 AVG 或实用 AVG 曲线来确定工件中缺陷的当量大小。下面举例说明之。

例3:条件同当量计算法例2，用实用 AVG 曲线定量。

实用 AVG 曲线(图 4-6)未考虑介质衰减，因此这里也应扣除介质衰减的分贝差
$$\Delta_{12} = 22 - 2\alpha(x_2 - x_1) = 22 - 2\times 0.01\times 100 = 20\ (\text{dB})$$

在图 4-6 中，由 $x_B = 500$ 作垂线交Ø2曲线于 a 点，由 a 向上数 20 dB 至 b 点，过 b 点作水平线交过 $x_\emptyset = 400$ 所作垂线于 C 点，C 点对应的当量大小为 Ø5，即此缺陷的当量尺寸为 Ø5 mm。

此结果与当量计算结果基本一致。

四、影响定量精度的因素

1. 仪器及探头性能的影响

仪器和探头性能的优劣，对缺陷定量精度影响很大。仪器的垂直线性、衰减器精度、频率、探头形式、晶片尺寸、折射角大小等都直接影响回波高度。因此，在探伤时，除了要选择垂直线性好、衰减器精度高的仪器外，还要注意频率、探头形式、晶片尺寸和折射角的选择。

2. 耦合与衰减的影响

耦合剂的声阻抗和耦合层厚度对回波波高有较大影响。在检测晶粒较粗大和大型工件时，应测定材料的衰减系数 α，并在定量计算时考虑介质衰减的影响。

3. 试件几何形状和尺寸的影响

探测面和底面的凸凹形状、底面与探测面的平行度、底面的粗糙度和干净程度、侧壁

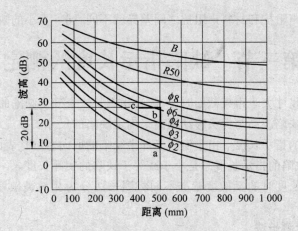

图 4-6 利用实用 AVG 曲线定量

干涉现象及试件尺寸大小等都会影响缺陷的定量精度。

4. 缺陷的影响

1) 缺陷形状的影响

圆片形、球形、长圆柱形等形状的缺陷,其回波声压不同,对缺陷回波波高有较大影响。

2) 缺陷方位的影响

缺陷表面相对于声波入射方向的倾斜程度对回波波高有很大影响。图 4-7 所示为光滑面回波随声波入射角的增大而急剧下降的曲线。

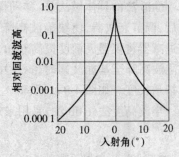

3) 缺陷波的指向性

缺陷波的指向性与缺陷大小有关。缺陷越大,其指向性越好。

当缺陷直径大于波长的 3 倍时,不论是垂直入射还是倾斜入射,都可把缺陷对声波的反射看成是镜面反射。当缺陷直径小于波长的 3 倍时,缺陷反射不能看成镜面反射,这时缺陷波能量呈球形分布。垂直入射和倾斜入射都有大致相同的反射指向性。表面光滑与否,对反射波指向性已无影响。因此,探伤时倾斜入射也可能发现这种缺陷。

图 4-7 光滑面回波与入射角的关系

4) 缺陷表面粗糙度的影响

如果缺陷表面凹凸不平的高度差小于 1/3 波长,就可认为该表面是平滑的,这样的表面反射类似镜面反射。否则是粗糙表面。

对于表面粗糙的缺陷,当声波垂直入射时,声波被乱反射,同时各部分反射波由于有相位差而产生干涉,使缺陷回波波高随粗糙度的增大而下降。当声波倾斜入射时,缺陷回波波高随着凹凸程度与波长的比值增大而增高。当凹凸程度接近波长时,即使入射声波角较大,也能接收到反射波。

5) 缺陷性质的影响

声波在界面的反射率是由界面两边介质的声阻抗决定的。试件中缺陷性质不同(即声阻抗不同),缺陷声阻抗和材料声阻抗之间差异就不同,同一大小的缺陷波波高就不同。

第三节　缺陷指示长度的测定

当工件中缺陷尺寸大于声束截面时,一般采用测长法来确定缺陷的长度。

测长法是根据缺陷波高与探头移动距离来确定缺陷的尺寸。按规定的方法测定的缺陷的长度称为缺陷的指示长度。由于实际工件中缺陷的取向、性质、表面状态等都会影响缺陷回波高,因此缺陷的指示长度总是小于或等于缺陷的实际长度。

根据测定缺陷长度时的灵敏度基准不同将测长法分为相对灵敏度法和绝对灵敏度法。

一、相对灵敏度测长法

相对灵敏度测长法是以缺陷最高回波为相对基准,沿缺陷的长度方向移动探头,降低一定的 dB 值来测定缺陷的长度。降低的分贝值有 3 dB、6 dB、10 dB、12 dB、20 dB 等几种。常用的是 6 dB 法和端点 6 dB 法。

1.6 dB 法(半波高度法)

由于波高降低 6 dB 后正好为原来的一半,因此 6 dB 法又称为半波高度法。

6 dB 法的具体做法是:移动探头找出缺陷的最大反射波后,调节衰减器,使缺陷波高降至基准波高时。然后,用衰退减器将仪器灵敏度提高 6 dB,沿缺陷方向移动探头,当缺陷波高降至基准波高时,探头中心线之间距离就是缺陷的指示长度。如图 4-8 所示。

半波高度法(6 dB 法)是用来对缺陷测长较常用的一种方法。

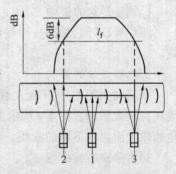

图 4-8　半波高度法(6 dB 法)测长

2. 端点 6 dB 法(端点半波高度法)

当缺陷各部分反射波高有很大变化时,测长采用端点 6 dB 法。

端点 6 dB 法测长的具体做法是:当发现缺陷后,探头沿着缺陷方向左右移动,找出缺陷两端的最大反射波,分别以这两个缺陷的反射波高为基准,继续和向左、向右移动探头。当缺陷反射波高降低一半时(或 6 dB 时),探头中心线之间的距离即为缺陷的指示长度,如图 4-9 所示。

半波高度法和端点 6 dB 法都属于相对灵敏度法,因为它们是以被测缺陷本身的最大反射波或以缺陷本身两端最大反射波为基准来测缺陷长度的。

二、绝对灵敏度测长法

绝对灵敏度测长法是在仪器灵敏度一定的条件下,探头沿缺陷长度方向平行移动,当缺陷波高降到规定位置时(如图 4-10 所示 B 线),探头移动的距离,即为缺陷的指示长度。

绝对灵敏度测长法测得的缺陷指示长度与测长灵敏度有关。测长灵敏度高,缺陷长度大。在自动探伤中常用绝对灵敏度法测长。

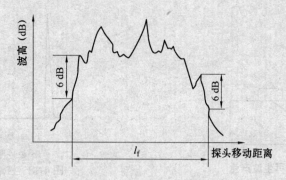

图 4-9　端点 6 dB 法测长

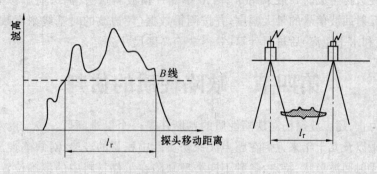

图 4-10　绝对灵敏度测长法

三、端点寻找法

以较高的探伤灵敏度从不垂直于缺陷的方向,用探头的主声束扫查,寻找缺陷端部反射回波的波峰,从而确定缺陷的指示长度(见图4-11)。

四、缺陷高度的测定

断裂力学的基本观点认为:缺陷在材料厚度方向上的尺寸如达到材料厚度的某个值(如1/3)时,将是导致材料断裂的临界尺寸(临界尺寸由断裂力学根据材料的性能和材料将承受的应力状况决定)。所以,在超声波探伤中,对缺陷在材料厚度方向上尺寸(缺陷高度)的测定比

图 4-11　端点寻找法

缺陷当量及指示长度的测定更有实用意义。正因为如此,近年来,国内外从事超声波探伤人员对缺陷高度测定进行了大量研究工作,已取得的成果结合断裂力学原理被应用于材料断裂破坏研究分析之中。较为有效的缺陷高度测定方法是棱边再生波法。

如前所述,当声波在工件材料中传播射达缺陷后,缺陷在声波作用下就会形成一个新的声源,在一定方向上辐射声波,被超声探头所接收。由于缺陷高度方向上的两个端部一般尺寸较小,所以缺陷的两端部在入射声波激发下将辐射球面波(如图 4-12 所示),即棱边再生波。

由于棱边再生波的能量较低,在常规的探伤灵敏度下超声探头难以接收到这一微弱的信号,但当探伤灵敏度提高到一定的程度时,在探头前后移动过程中即会在缺陷反射回波前后显示一个小信号(如图 4-13 所示)。

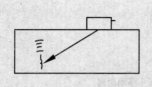

图 4-12　棱边再生波产生

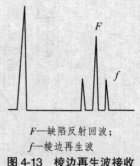

F—缺陷反射回波；
f—棱边再生波

图 4-13　棱边再生波接收

在测定棱边再生波时一般采用 $K = 1.0$ 单晶片横波斜探头,探头前后移动测得缺陷棱边再生波反射回波信号的最大幅度,并按测得数据(棱边波的时基线刻度数值)换算成声程(或深度和水平距离)后进行计算,获得缺陷高度尺寸。

第四节　缺陷性质的估判

到目前为止,超声波探伤对缺陷性质的判断还是一个疑难问题。按当前对超声波探伤的认识水平以及几十年来人们在超声波探伤实践中积累的经验,对缺陷性质的估判主要是对缺陷反射回波形状、特点,各种不同类型缺陷在工件材料中的精确位置,缺陷产生的原因,工件制造工艺、结构及热处理条件等方面的因素进行综合分析并作出判断。判断正确与否,主要取决于探伤人员的技术水平以及实践经验。

一、波形分析

从 A 型脉冲反射式超声波探伤仪示波屏上所获得反射回波,除了获得时基线刻度读数和波幅高度作为缺陷定位、定量依据之外,还可以获得缺陷反射回波形状,随探头前后、左右移动而形成的缺陷反射回波包络线(或称缺陷反射回波的动态波形)。从动态波形中可以推断缺陷是长条状还是点状,是连续分布还是断续分布,是单个存在还是呈密集状态存在等方面的情况,从而为判断缺陷性质提供一个比较有用的信息数据。

二、精确定位

在仪器示波屏上发现缺陷反射回波以后,对缺陷在工件材料中的空间坐标必须进行精确测定,然后为结合各种不同类型的缺陷在工件材料中分布规律以及结合工件制造工艺、热处理条件、工件结构等因素进行分析、判断缺陷性质,提供一个比较有用的信息数据。

三、精确测定缺陷尺寸

发现缺陷以后,应利用一切可利用的条件,对缺陷三维尺寸进行比较精确的测定,判断是面积型缺陷还是体积型缺陷,是长条状缺陷还是点状缺陷,从而进一步判断缺陷性质。

四、精确测定缺陷方向

某些缺陷在工件中沿一定的方向分布。为此除缺陷形状、尺寸、位置之外,缺陷的方向是判断缺陷性质时一个较为有用的参数。在超声波探伤中,发现缺陷以后,必要时可改变超声波入射缺陷的方向,推断缺陷在工件中的分布方向,从而进一步判断缺陷性质。

五、工件制造情况

从金属工艺学的基本原理中得知,缺陷是在特定的条件下才有可能产生。因此,对工件制造工艺过程、结构、热处理条件等方面因素的了解,将有益于对缺陷性质的估判,可帮助探伤人员结合缺陷形状、尺寸、位置、分布规律进行综合分析,判断缺陷性质。

【复习思考题】

1. 简述纵波和表面波探伤时缺陷定位方法。

2. 画图说明横波探伤时缺陷定位的方法。

3. 仪器按水平 $1:n$ 调节横波扫描速度,缺陷波读数为 τ_f,试分别导出用一、二次波探伤时缺陷定位的计算公式(K 值探头)。

4. 画图说明外壁或内壁周向探测圆柱曲面时,缺陷定位与平板工件有何不同?

5. 超声波探伤中常用定量方法有哪三种? 各适用于什么情况?

6. 什么是当量法? 常用当量法有哪几种? 各有何优缺点?

7. 什么是相对灵敏度测长法和绝对灵敏度测长法? 二者有何不同?

8. 什么是半波高度法($6\,dB$ 法)、端点半波高度法(端点 $6\,dB$ 法)? 简述用半波高度法和端点 $6\,dB$ 法测定缺陷指示长度的方法。

9. 什么是缺陷的当量尺寸和指示长度? 缺陷的指示长度和当量尺寸与缺陷的实际尺寸有何关系?

10. 缺陷的定位精度与哪些因素有关?

11. 缺陷的定量精度与哪些因素有关?

12. 试分析说明缺陷状况对缺陷定量精度的影响。

13. 探伤时对缺陷性质的估判应从哪些方面综合分析和判断?

14. 用 2.5P20Z 探头探伤 $500\,mm$ 的工件,$C_L = 5\,900\,m/s$,探伤中在 $200\,mm$ 处发现一缺陷,其波高比 B_1 低 $12\,dB$,求此缺陷的当量大小。

第五章　板材超声波探伤

根据板材的材质不同,将板材分为钢板、铝板、铜板等。实际生产中钢板应用最广,因此这里以钢板为例来说明板材的超声波探伤工艺。

第一节　钢板加工及常见缺陷

钢板是由板坯轧制而成的,而板坯是由钢锭轧制而成的。

钢板中常见缺陷有分层、折叠、白点等,如图5-1。

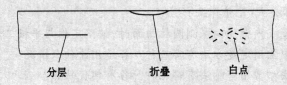

分层　　　　　　　　折叠　　　　　　　白点

图 5-1　钢板中常见缺陷

分层是钢板中有明显分离层。分层是钢坯中的缩孔、夹渣等在轧制过程中未焊合(未压合)而形成的。分层破坏了钢板的整体连续性,影响钢板承受垂直于板面的拉应力作用的强度。

折叠是钢板表面局部形成互相折合的双层金属。

白点是钢板在轧制后的冷却过程中氢原子来不及扩散而形成的微小裂纹,其裂面呈白色,多出现在厚度大于 40 mm 的钢板中。

钢板中的分层、折叠等缺陷是在轧制过程中形成的,它们大都平行于板面。

根据钢板的厚度,将钢板分为薄板和中厚板。一般薄板厚度 $T < 6$ mm,中厚板 $T \geqslant 6$ mm(中厚板 $T = 6 \sim 40$ mm,厚板 $T > 40$ mm)。

第二节　中厚板探伤

中厚板常用垂直于板面的纵波探伤法,简称垂直探伤法;薄板常用板波探伤法,因为薄板厚度多在盲区内,无法用垂直探伤法。这里只介绍中厚板的探伤。

一、耦合方式

中厚板垂直探伤法的耦合方式有接触法和充水耦合法(水浸法),采用的探头有单晶直探头、双晶直探头和聚集探头。

探伤中厚板一般采用多次底波反射法,即在示波屏上显示多次底波。这样不仅可以根据缺陷波来判断缺陷情况,而且可以根据底波衰减情况来判定缺陷情况。只有当板厚很大时才采用一次或二次底波法。一次底波法示波屏上只出现钢板界面回波和一次底波,只计界面回波 S_1 与底波 B_1 之间的缺陷波。

1. 接触法

探头与工件探测面通过薄层耦合剂实现耦合的探伤方法,称为接触法。

如图 5-2 所示,探头位于完好区时,示波屏上显示多次等距离的底波。探头位于缺陷处时,如果缺陷较大,则缺陷波较高,并有多次反射,底波明显下降,次数减少,甚至消失;如果缺陷较小,缺陷波与底波共存,底波无明显变化。

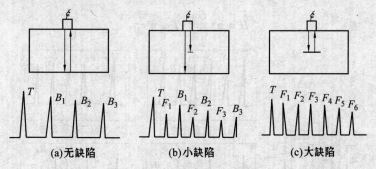

(a)无缺陷   (b)小缺陷   (c)大缺陷

图 5-2 多次反射法

值得注意的是,当板较薄、板中缺陷较小时,各次底波之前的缺陷波开始几次逐渐升高,然后再逐渐下降,这是由于不同反射路径声波互相叠加的结果,因此称为叠加效应,如图 5-3 所示。图中 F_1 只有一条路径,F_2 比 F_1 多 3 条路径,F_3 比 F_1 多 5 条路径。路径多,叠加能量多,缺陷回波高。但当路径进一步增加时,衰减也增加,增加到一定程度后衰减的影响比叠加效应更大,因此缺陷波升高到一定程度后又逐渐降低。在钢板探伤中,若出现叠加效应,一般应根据 F_1 来评价缺陷。只有当 $T < 20\ \text{mm}$ 时,才以 F_2 来评价缺陷,这主要是为了减少近场区的影响。

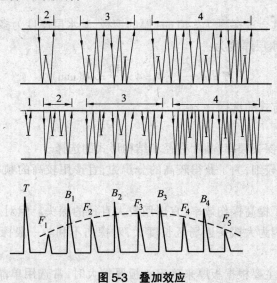

图 5-3 叠加效应

2. 水浸法(充水耦合法)

如图 5-4 所示,水浸法探头不直接与钢板接触,而是通过一层水来耦合。这时水层界面(水/钢)多次回波与钢板底波相互干扰,不利探伤。调整水层厚度,使水层界面回波分别与底波重合,从而使示波屏上波形清晰,便于探伤。这种方法称为多次重合法。当界面各次回波分别与钢板底波一一重合,称为一次重合法。当界面各次回波分别与第二、四……底波重合时,称为二次重合法。三、四次重合法依次类推。

根据钢和水中的声速,可得各次重合法水层厚度 H 与钢板厚度 T 的关系为

$$H = n \cdot \frac{C_水}{C_钢} \cdot T \approx n \frac{T}{4} \tag{5-1}$$

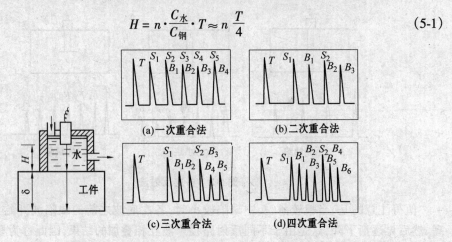

(a) 一次重合法　　(b) 二次重合法　　(c) 三次重合法　　(d) 四次重合法

图 5-4　水浸重合波法

应用充水耦合可以减少近场区影响,特别是高次重合法,近场区全部在水中,完全可以避免近场区探伤,从而使探伤结果更可靠。高次重合法的另一个优点是界面回波不干扰前几次底波高度,因此可以根据底波高度的变化来判定缺陷的严重程度。实际探伤中常用四次重合法。

例:用水浸四次重合法探测 $T = 40$ mm 厚的钢板,其水层厚度为多少?

解:由式(5-1)得水层厚度为:

$$H = n \cdot \frac{C_水}{C_钢} \cdot T = 4 \times \frac{40}{4} = 40 (\text{mm})$$

二、探头与扫查方式的选择

1. 探头的选择

探头的选择包括探头频率、晶片直径和结构形式的选择。

由于钢板晶粒比较细,为了获得较高的分辨力,宜选用较高的频率,一般为 $2.5 \sim 5.0$ MHz。

钢板面积大,为了提高探伤效率,宜选用较大直径的探头。但对于厚度较小的钢板,探头直径不宜过大,因为大探头近场区长度大,对探伤不利。一般探头直径范围为 $10 \sim 30$ mm。

探头的结构形式主要根据板厚来确定。板厚较大时,常选用单晶直探头。板厚较薄时可选用联合双晶直探头,因为联合双晶直探头盲区很小。双晶直探头主要用于探测厚度为 $6 \sim 30$ mm 的钢板。

2. 扫查方式的选择

根据钢板用途和要求(标准、技术合同、协议书或图样的要求)不同,采用的主要扫查方式分为全面扫查、列线扫查、边缘扫查和格子扫查等几种。

(1)全面扫查:对钢板作 100%的扫查,每相邻两次扫查应有 10%重复扫查面,探头移动方向垂直于压延方向。全面扫查用于重要的、要求高的钢板探伤。

(2)列线扫查:在钢板上划出等距离的平行列线,探头沿列线扫查,一般列线间距为 100 mm,并垂直于压延方向,如图 5-5(a)。

(3)边缘扫查:在钢板边缘的一定范围内作面扫查,例如某钢板四周 50 mm 范围内作全面扫查,如图 5-5(b)。

(4)格子扫查:在钢板边缘 50 mm 范围内作全面扫查,其余按 200 mm×200 mm 的格子线扫查,如图 5-5(c)。

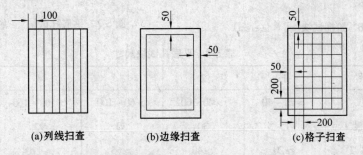

(a)列线扫查   (b)边缘扫查   (c)格子扫查

图 5-5　钢板探伤扫查方式　(单位:mm)

为了防止漏检,手工探伤时探头移动速度应在 0.2 m/s 以内,水浸自动探伤探头移动速度以 0.5~1 m/s 为宜。扫查中发现缺陷时应在其周围细探,确定缺陷的面积。

三、探测范围和灵敏度的调整

1. 探测范围的调整

探测范围的调整一般根据板厚来确定。接触法探伤板厚 30 mm 以下时,应能看到 B_{10},探测范围调至 300 mm 左右。板厚在 30~80 mm,应能看到 B_5,探测范围为 400 mm 左右。板厚大于 80 mm,可适当减少底波的次数,但探测范围仍保证在 400 mm 左右。

2. 灵敏度的调整

钢板探伤中灵敏度的调整方法有以下几种:

(1)阶梯试块法:当板厚≤20 mm 时,用图 5-6 阶梯试块上与工件等厚的底面第一次底波达满幅度 50%,再提高 10 dB 作为探伤灵敏度。

(2)平底孔试块法:当厚板>60 mm,使图 5-7 平底孔试块的 Ø5 平底孔第一次回波达 50%作为探伤灵敏度,试块尺寸见表 5-1。

(3)底波法:当板厚>60 mm 时,也可取钢板无缺陷处的第一次底波达 50%来校准灵敏度,但结果应与(2)要求一致。此外还可利用多次底波来调节,例如要求示波屏上出现五次底波,底波 B_5 达 50%即可。

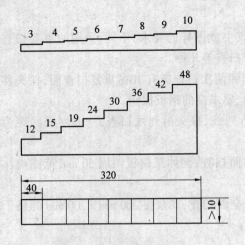

图 5-6　阶梯试块　（单位：mm）

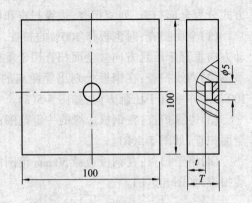

图 5-7　平底孔试块　（单位：mm）

表 5-1　平底孔试块尺寸 　　　　　　　　　　　　　　　　　（单位：mm）

试件编号	1	2	3	4	5
钢板厚度	> 20 ~ 40	> 40 ~ 60	> 60 ~ 100	> 100 ~ 160	> 160 ~ 200
平底孔深度 t	15	30	50	90	140
试块厚度 T	≥20	≥40	≥65	≥110	≥170

四、缺陷的判别与测定

1. 缺陷的判别

在钢板探伤中，一般根据缺陷波和底波来判别钢板中的缺陷情况，JB4730—94 标准规定以下几种情况作为缺陷：

(1)缺陷第一次反射波 $F_1 \geqslant 50\%$。

(2)第一次底波 $B_1 < 100\%$，第一次缺陷波 F_1 与第一次底波 B_1 之比 $F_1/B_1 \geqslant 50\%$。

(3)第一次底波 $B_1 < 50\%$。

2. 缺陷的测定

探伤中发现缺陷以后，要测定缺陷的位置、大小，并估判缺陷的性质。

(1)缺陷位置的测定：缺陷位置的测定包括缺陷的深度和平面位置。前者可据示波屏上缺陷波所对的刻度来确定。后者根据发现缺陷的探头位置来确定，并在工件或记录纸上标出缺陷至工件相邻两边界的距离。

(2)缺陷定量：钢板中缺陷常采用测长法测定其指示长度和面积。JB4730—94 规定当 $F_1 \geqslant 50\%$ 或 $F_1/B_1 \geqslant 50\%$（$B_1 < 100\%$）时，使 F_1 达 25% 或 F_1/B_1 达 50% 时探头中心移动距离为缺陷指示长度，探头中心轨迹即为缺陷边界。需要注意的是，用双晶直探头测长时，探头的移动方向应与其声波分割面相垂直。

当 $B_1 < 50\%$ 时，使 B_1 达 50% 时探头中心移动距离为缺陷指示长度，探头中心轨迹即为缺陷边界。

（3）缺陷性质的估计。分层：缺陷波形陡直，底波明显下降或消失。折叠：不一定有缺陷波，但底波明显下降，次数减少甚至消失，始波加宽。白点：波形密集、尖锐、活跃，底波明显降低，次数减少，重复性差，移动探头，回波此起彼伏。

五、钢板质量级别判定

JB4730—94 根据缺陷指示长度、单个缺陷面积与缺陷指示面积占有率不同将钢板质量分为 Ⅰ、Ⅱ、Ⅲ、Ⅳ 等四级，Ⅰ 级最高，Ⅳ 级最低。具体分级方法见表5-2。

缺陷指示长度是指缺陷最大长度尺寸。缺陷指示面积是缺陷边界范围内的面积。对于间距小于 100 mm 或小于较小缺陷指示长度的多个缺陷，以各块缺陷面积之和作为单个缺陷指示面积。

探伤过程中，探伤人员确认钢板中有白点、裂纹等危害性缺陷存在，则应判废，不作评级。

表 5-2　钢板质量分级

级别	不允许存在的单个缺陷指示长度（mm）	不允许存在的单个缺陷指示面积（cm²）	在任意 1 m×1 m 探伤面积内不允许存在的缺陷面积百分比（%）	以下单个缺陷指示面积不计（cm²）
Ⅰ	≥100	≥25	>3	<9
Ⅱ	≥100	≥100	>5	<15
Ⅲ	≥120	≥100	>10	<25
Ⅳ	≥150	≥100	>10	<25

例：超声波探测 1 m² 甲、乙两钢板。甲钢板有以下缺陷：90 cm² 2 个，60 cm² 2 个，20 cm² 3 个，各缺陷间距均大于 100 mm。乙钢板有以下缺陷：40 cm² 2 个，间距为 80 mm；30 cm² 8 个，间距为 100 mm。试根据 JB4790—94 标准评定甲、乙钢板的质量级别。

解：（1）甲钢板评级

①单个缺陷评级：最大单个缺陷面积为 90 cm²，JB4730—94 标准规定：Ⅱ 级：< 50 cm²，Ⅲ 级：< 100 cm²，∴ 评为 Ⅲ 级。

②据 1 m² 内缺陷总面积占的百分比评级：JB4730—94 标准规定：Ⅱ 级：< 15 cm² 不计，Ⅲ 级：< 25 cm² 不计。这里按 Ⅱ 级计缺陷总面积：

$$F_{总} = 90 \times 2 + 60 \times 2 + 20 \times 3 = 360(cm^2)$$

$F_{总}$ 占 1 m² 的百分比：$\dfrac{360}{10\,000} \times 100\% = 3.6\% < 4\%$　∴ 评为 Ⅲ 级。

③综合评级：根据 JB4730—94 标准，甲钢板为 Ⅲ 级。

（2）乙级钢板评级

①单个缺陷评级：40 cm² 2 个缺陷间距为 80 mm < 100 mm，以二者之和作为单个缺陷，∴ 单个缺陷最大面积为：$F_m = 40 \times 2 = 80(cm^2)$。JB4730—94 标准规定：Ⅲ 级：< 100 cm²，Ⅱ 级：< 50 cm²，∴ 评为 Ⅲ 级。

②据 1 m² 内缺陷总面积占的百分比评级：缺陷总面积 $F_{总} = 40 \times 2 + 30 \times 8 = 320$（cm²）。

$F_{总}$ 占 $1\,m^2$ 的百分比:$(320/10\,000) \times 100\% = 3.2\% < 4\%$ ∴评为Ⅱ级。

③综合评级:根据 JB4730—94 标准,乙钢板评为Ⅲ级。

第三节 复合钢板探伤方法

复合钢板是以碳素钢或低合金钢为基材,在表面复合一层不锈钢或钛合金等材料的叠层板材。复合钢板的材料强度取决于基材,在基材上复合的合金材料主要是为了提高材料抗腐蚀性能。

一、复合钢板制造方法及常见缺陷

复合钢板制造方法主要有轧制复合和爆炸复合。

复合钢板中的缺陷主要是基材与复合层材料之间结合不良所形成的脱层,可分为完全脱层和不完全脱层两类。

二、复合层界面反射

复合钢板复合层材料和基材即使完全结合,由于两者声阻抗不同,因此在对复合钢板进行纵波直探头探伤,在结合界面处仍会产生反射回波(图5-8)。若以底面反射回波幅度 B 与界面反射回波幅度 I 之比作为一个衡量指标,则

$$\frac{B}{I} = \frac{1 - r^2}{r}$$

式中 r——复合层界面反射率,常见复合板界面声压反射率见表5-3。

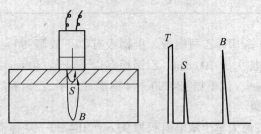

T—始脉冲;S—界面波;B—底波

图 5-8 复合钢板超声波探伤的界面反射

若不考虑材料衰减和声束扩散,则底波 B 与界面回波 I 的分贝差为

$$\Delta = 20\lg \frac{B}{I} = 20\lg \frac{1 - r^2}{r} \quad (\text{dB}) \tag{5-2}$$

若水浸探伤复合板,则 $\Delta = 20\lg \dfrac{1 - r^2}{r} \cdot r'$ (r' 为底面声压反射率)

三、复合钢板的探伤方法

复合板材与一般板材探伤方法基本相同,常用单直探头或联合双探头进行纵波探伤。耦合方式一般为接触式,探伤频率为 2.5～5.0 MHz,探头直径为 Ø10～30 mm。

复合板材探伤灵敏度:将对比试块(见 JB4730—94 图8-8)或复合板材完好区域的第一次底波 B_1 调至满幅度的 80%～100% 即可。

探伤时,可从母材一侧探测,也可从复合层一侧探测。

表 5-3　常见复合板界面声压反射率 r

表 5-3　常见复合板界面声压反射率 r

复合层材料	$Z_1(10^6\ \text{kg}/(\text{m}^2 \cdot \text{s}))$	Z_1/Z_2	r	$B/I(\text{dB})$
镍	53.5	1.163	0.075	22.5
18-8 钢	45.7	0.993	0.003 5	49
铜	44.6	0.970	0.015 4	36
钛	27.4	0.569	0.253	12.5
铝	17.3	0.376	0.453	8.5

注：$Z_2 = 42 \times 10^6\ \text{kg}/(\text{m}^2 \cdot \text{s})$。

四、缺陷的判别与评级

若复合钢板中不存在脱层时,则在探伤仪示波屏上只显示一定高度的界面反射回波和底波信号(图 5-8),两波幅高度差值符合式(5-2)计算结果。

如在复合钢板中存在脱层,由于脱层内部介质一般为气体,那么界面反射回波幅度将升高,底波会相应减弱或消失(图 5-9)。

一般情况下,复合钢板中允许存在一定面积的局部脱层,大面积连续分布的脱层则不允许存在。不允许存在的脱层部位应予以剔除。

复合钢板的判废标准应按相应的技术文件规定。

未接合缺陷的等级评定见表 5-4。

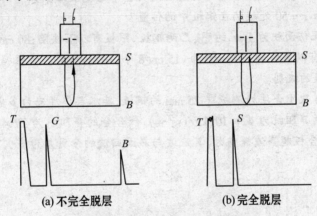

(a) 不完全脱层　　　　(b) 完全脱层

T—始脉冲;S—界面波;B—底波

图 5-9　复合钢板脱层探伤图形

表 5-4　未接合缺陷的等级评定

等　级	单个缺陷指示面积(mm^2)	单个缺陷指示长度(mm)	任意 1 m×1 m 面积内存在缺陷面积占百分比(%)
I	<1 600	<60	≤2
II	<3 600	<80	≤3
III	<6 400	<120	≤4

注：①单个缺陷面积小于 900 mm^2 不计。

②两个缺陷之间的最小间距小于或等于 20 mm 时,应作为单个缺陷处理,其面积为两个缺陷面积之和(不考虑间距)。

【复习思考题】

1. 简述钢板中主要缺陷形成的原因和特点。

2. 为什么在复合钢板探伤时在复合层界面处会产生反射回波信号？

3. 什么是叠加效应？叠加效应是怎样产生的？产生叠加效应时应根据第几次 F 波来评价缺陷大小？

4. 什么是水浸重合波探伤法？这种方法有何优点？

5. 在钢板超声波探伤中,常采用什么方法来调节探伤灵敏度？

6. 在钢板探伤中,哪几种情况可以判定为缺陷？

7. 在钢板探伤中,引起底波消失的原因是什么？

8. JB4730 标准将钢板质量分为哪几级？钢板的级别是怎样划分的？

9. 什么是复合板材？复合板材中常见缺陷是什么？一般采用什么方法探伤？如何调节探伤灵敏度？

10. 用水浸二次波重合法探伤 $T=40\,mm$ 的钢板,仪器在钢试块上按 1:2 调节扫描速度并校正"0"点。求：

(1)水层厚度为多少？

(2)钢板中距上表面 12 mm 处的缺陷回波的水平刻度值为多少？

(3)示波屏上 $\tau=50$ 处缺陷在钢板中的位置？

11. 超声波探伤面积为 $1\,m^2$ 的甲、乙两钢板,甲板有以下缺陷：$80\,cm^2$ 2 个,$50\,cm^2$ 2 个,$20\,cm^2$ 1 个；乙板有以下缺陷：$20\,cm^2$ 6 个,$15\,cm^2$ 8 个,$10\,cm^2$ 5 个。试根据 JB4730—94 标准判定甲、乙两钢板的级别。

12. 用水浸 5 次重合法检测板厚 25 mm 的钢板,其水层厚度应为多少？

13. 已知钢的声阻抗为 $42\times10^6\,kg/(m^2\cdot s)$,钛合金的声阻抗为 $27.4\times10^6\,kg/(m^2\cdot s)$,对钢—钛合金复合板超声波探伤时,其底波与界面回波的分贝差为多少？

第六章 管材探伤

管材分为碳钢管、不锈钢管、铜管、铝管等,其中以无缝钢管应用最广,因此这里以无缝钢管为例说明管材探伤的基本理论和实施方法。

凡是要求超声波探伤的管材,使用条件较为苛刻,如承受高温高压、输送易燃易爆或有毒介质的管路等,对于其余管材缺陷,一般不做探伤。

一、管材加工方法及常见缺陷

无缝钢管采用穿孔法或高速挤压法制造。穿孔法是用穿孔机在棒材中穿孔,并同时用轧辊滚轧,最后用心棒轧管机定径压延平整成型。高速挤压法是在挤压机中直接挤压成型,这种方法加工的管材尺寸精度高。

无缝钢管常见缺陷有裂纹、分层、折叠。裂纹按其在管壁中的分布走向可分为纵向裂纹和横向裂纹两种。纵向裂纹属于平行于管轴线的径向裂纹,统称为纵向缺陷,见图 6-1;横向裂纹则属于垂直于管轴线的径向裂纹,统称为横向缺陷,见图 6-2。两种裂纹的开裂面相差 90°,因此不可能通过一次探伤同时检出两种缺陷,要各自单独进行检测。分层属于平行于管轴线的周向缺陷,统称为与管轴线平行的周向缺陷,与板材中分层缺陷相似,见图 6-3。除特殊要求外,一般管材探伤中不做分层缺陷检测。折叠呈纵向分布于管壁表面,属于纵向缺陷。

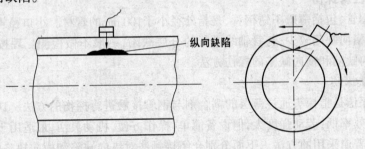

图 6-1 纵向缺陷探伤,探头作周向旋转和轴向移动

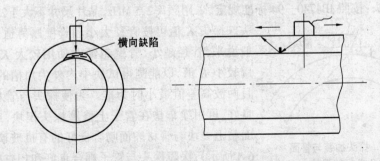

图 6-2 横向缺陷探伤,探头作轴向移动和周向旋转

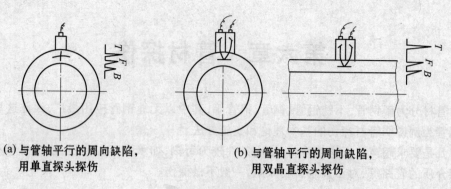

(a) 与管轴平行的周向缺陷，
用单直探头探伤

(b) 与管轴平行的周向缺陷，
用双晶直探头探伤

图 6-3　周向缺陷探伤

二、管材探伤方法概述

管材探伤方法与其几何尺寸、缺陷在管壁中的分布走向、对管材的级别要求、检测的批量大小等有关。一般来讲，批量大的采用水浸聚焦法，批量小的采用直接接触法；平行于管轴线的周向缺陷采用纵波探伤法，纵向和横向缺陷采用横波探伤法。

其基本方法如下：

纵向缺陷采用直接接触法或水浸聚焦法探伤，见图 6-1。

横向缺陷采用横波直接接触法探伤，见图 6-2。

与管轴线平行的周向缺陷采用纵波单直探头或纵波双直探头直接接触法探伤，见图 6-3(a)、(b)。

三、小口径管探伤

小口径钢管，包括薄壁不锈钢管，是指外径小于100 mm的管材。小口径管材主要缺陷为纵向缺陷，横向缺陷较少；与管轴线平行的分层缺陷，一般不做检测。现按耦合方式的不同叙述纵向缺陷和横向缺陷的探伤方法。

1. 接触法探伤

接触法探伤是指探头通过薄层的耦合剂与钢管接触进行探伤的方法。这种方法为手工操作，检测效率低，劳动强度大，但设备简单，操作方便，机动灵活，最适用于小批量管材探伤，是目前普遍采用的方法。下面分别介绍接触法对纵向缺陷和横向缺陷的探伤方法。

1) 纵向缺陷探伤

(1) 探头：按照JB4730—94标准规定，采用频率2.5 MHz，晶片尺寸不大于25 mm的斜探

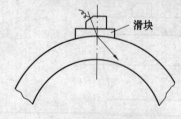

图 6-4　探头加装与管面
吻合良好的滑块

头。探头 K 值可按管径大小和管壁厚薄适当选择。一般说来，管径越小、管壁越薄时使用较大 K 值，反之选用较小 K 值，以能测得试块中内外尖角槽的最高回波，且两波高差值最小时为准。为使探头与管材曲面耦合良好，可用纱布垫在管子上修磨探头楔块，或在探头底面粘上一块与管材表面吻合良好的有机玻璃滑块（如图6-4所示），保障探头与管子耦合良好和扫查操作的稳定性。

(2) 试块：按 JB4730—94 标准规定，探测纵向缺陷的对比试块的制作应选取与被检管

材规格相同,材质、热处理及表面状态相同或相似的管材,条件允许时可从被检管中截取一段管制作试块,以满足上述条件,免除试块与管径产生的曲面、材质衰减以及表面耦合差的补偿,简化对探伤结果的评定。试块人工缺陷为尖角槽,尖角槽的位置及尺寸见图6-5和表6-1。

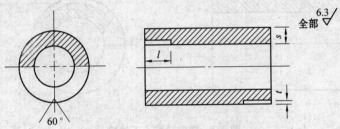

图6-5 纵向缺陷人工试块

表6-1 对比试块上人工缺陷尺寸

级 别	长 度 (mm)	深度 t 占壁厚的百分比（%）
Ⅰ	40	5（0.2 mm≤ t ≤1 mm）
Ⅱ	40	8（0.2 mm≤ t ≤3 mm）
Ⅲ	40	10（0.2 mm≤ t ≤3 mm）

(3)灵敏度调节:探头放在试块上作周向扫查,寻找试块上的内壁尖角槽,最高回波调至满幅度的80%,再移动探头找到外尖角槽的最高回波,二者波峰连线为距离—波幅曲线(如图6-6),作为判别缺陷的基准灵敏度。在基准灵敏度的基础上提高6 dB作为扫查灵敏度。

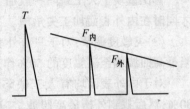

图6-6 距离—波幅曲线图

(4)探伤扫查:探头沿管子周向呈螺旋线进行扫查。具体的扫查方法有三种:一是探头不动,管材旋转的同时作轴向移动;二是探头作轴向移动,管子旋转;三是管材不动,探头沿管子周向和轴向移动。操作者可按现场条件和习惯选定一种扫查方式。探头扫查螺旋线的螺距不能太大,保证超声束对管材进行100%扫查,并有不小于15%的覆盖,以防漏检缺陷。

(5)结果评定:在扫查探测中发现缺陷时,要将仪器调节到基准灵敏度,若缺陷回波幅度≥基准灵敏度时则判为不合格。不合格品允许在管材尺寸公差范围内采取修磨处理,然后再复探。管子合格级别由供需双方商定。

2)横向缺陷探伤

(1)探头:频率2.5～5.0 MHz,晶片尺寸不大于25 mm的斜探头。为使探头与管子吻合良好,探头楔块应修磨。

(2)试块:探测横向缺陷用对比试块,同样应选用与被检管材规格相同,材质、热处理及表面状态相同或相似的管材制成。按JB4730—94标准规定,对比试块上的人工缺陷为周向尖角槽,尖角槽位置和尺寸如图6-7和表6-2所示。

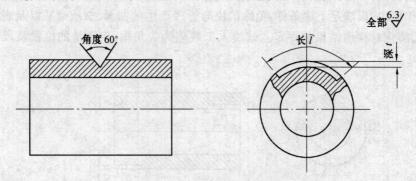

图6-7 横向缺陷人工试块

表6-2 对比试块上人工缺陷尺寸

等 级	长度 $\hat{l}$	人 工 缺 陷 深 度 t
Ⅰ	40 mm	公称壁厚的5%,最小为0.2 mm,最大为1 mm
Ⅱ	40 mm	公称壁厚的8%,最小为0.2 mm,最大为3 mm
Ⅲ	40mm	公称壁厚的10%,最小为0.2 mm,最大为3 mm

对比试块上人工缺陷一般加工在外表面,只有当外径 $D \geqslant 80$mm,且壁厚 $t \geqslant 10$mm 时才同时在内外表面加工尖角槽。二槽在轴向要有足够的距离,以免测试时互相影响。

(3)灵敏度调节:对于只有外表面人工尖角槽的试块,可直接将对比试块上的人工缺陷最高回波调至满幅度的50%作为基准灵敏度。

对于内外表面均有人工缺陷的试块,应将内表面人工缺陷最高回波调至满幅度的80%,然后找到外槽最高回波,二者波峰连线为距离—波幅曲线,该曲线为基准灵敏度。在基准灵敏度的基础上提高6 dB为扫查灵敏度。

(4)探伤扫查:探头沿管材轴向按螺旋线进行扫查。当发现缺陷时将仪器调回到基准灵敏度,若缺陷回波≥基准灵敏度时则判为不合格。不合格品允许在其几何尺寸公差范围内进行修磨,然后复探。合格级别由供需双方商定。

2. 水浸法探伤

小口径管水浸法探伤属自动化或半自动化探伤法,检测效率高,劳动强度小,适用于批量大的管材探伤,但其整体结构比较复杂,价格较高。商家可提供成套装置,也可应用平常的超探设备,自行设计一套机械传动装置,实现管材水浸法半自动化探伤。

小口径管存在缺陷多数为纵向裂纹,产生横向裂纹的几率较低,除特殊要求外一般不作横向缺陷检测。这里只介绍水浸法探伤纵向缺陷的基本原理和方法。

小口径管水浸探伤纵向缺陷是将水浸纵波探头放在水中,利用纵波倾斜入射到水/钢界面,当入射角 α 在 $\alpha_Ⅰ \sim \alpha_Ⅱ$ 之间时可在管壁中实现纯横波探伤,如图6-8所示。

1)探测参数的选择

(1)偏心距的选择:如图6-8所示,偏心距是指探头声束轴线与管材中心轴线的距离,

常用 x 表示。入射角 α 随偏心距 x 增大而增大,控制 x 就可控制 α。

偏心距范围由以下两个条件决定。

①纯横波探测条件

$$\alpha_{\text{I}} \geqslant \arcsin \frac{C_{\text{L1}}}{C_{\text{L2}}} \qquad (6-1)$$

②横波探测内壁条件

$$\because \frac{\sin \alpha_{\text{II}}}{\sin \beta_1} = \frac{C_{\text{L1}}}{C_{\text{S2}}}$$

$$\therefore \alpha_{\text{II}} \leqslant \arcsin \frac{C_{\text{L1}}}{C_{\text{S2}}} \cdot \frac{r}{R} \qquad (6-2)$$

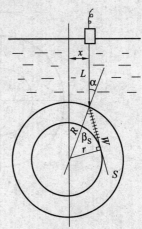

图 6-8　偏心距的确定

同时满足纯横波探测内壁的条件为

$$\arcsin \frac{C_{\text{L1}}}{C_{\text{L2}}} \leqslant \alpha \leqslant \arcsin \frac{C_{\text{L1}}}{C_{\text{S2}}} \cdot \frac{r}{R} \quad 又 \quad \alpha = \arcsin \frac{x}{R}$$

$$\therefore \qquad \frac{C_{\text{L1}}}{C_{\text{L2}}} \cdot R \leqslant x \leqslant \frac{C_{\text{L1}}}{C_{\text{S2}}} \cdot r \qquad (6-3)$$

式中　α_{I}、α_{II}——第一、第二临界角;

C_{L1}——水的纵波声速;

C_{L2}——钢的纵波声速;

C_{S2}——钢的横波声速;

R——小径管外半径;

r——小径管内半径。

对于水浸法探伤钢管,$C_{\text{L1}} = 1\,480$ m/s,$C_{\text{L2}} = 5\,900$ m/s,$C_{\text{S2}} = 3\,230$ m/s,有:

$$0.251\,R \leqslant x \leqslant 0.458\,r$$

取平均值:$\bar{x} = \dfrac{0.251\,R + 0.458r}{2}$

(2)水层厚度的选择:如图 6-9 在水浸探伤中,要求水层厚度 H 大于钢管中横波全声程的 1/2(即 $H > x_{\text{S}}$)。这是因为水中 $C_{水} = 1\,480$ m/s,钢中 $C_{\text{S}} = 3\,230$ m/s,$C_{水}/C_{\text{S}} \approx 1/2$。当水层厚度大于钢管中横波声程的 1/2 时,水/钢界面的第二次回波 S_2 将位于管子的缺陷波 $F_内$(一次波)、$F_外$(二次波)之后,这样有利于对缺陷判别。

(3)焦距的选择:用水浸聚焦探头探伤小径管,应使探头的焦点落在与声束轴线垂直的管心线上,如图 6-10 所示。

在△OAB 中,OA = R,OB = F - H,则

$$F = H + \sqrt{R^2 - x^2} \qquad (6-4)$$

式中　F——焦距;

H——水层厚度;

R——钢管外半径;

x——偏心距。

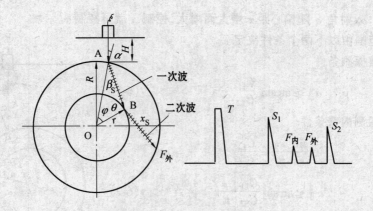

图 6-9 水层厚度的选择

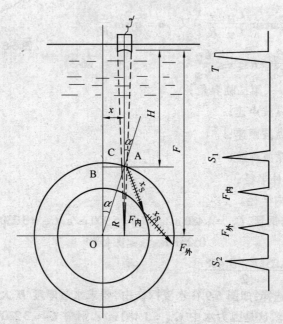

图 6-10 焦距的确定

例 1： 用有机玻璃聚焦探头水浸探伤 Ø42×4 小径管,已知水中 $C_水 = 1\,480$ m/s,钢中 $C_{L2} = 5\,900$ m/s, $C_{S2} = 3\,230$ m/s。求偏心距 $\bar{x}$,水层厚度 H,透镜曲率半径 r'。

解:(1)求偏心距 $\bar{x}$(平均值):

$R = 21, r = R - t = 24 - 4 = 17$

$$\bar{x} = \frac{0.251R + 0.458r}{2} = \frac{0.251 \times 21 + 0.458 \times 17}{2} = 6.5(\text{mm})$$

(2)求水层厚度 H:

①求 $\sin\alpha$: $\qquad\qquad \sin\alpha = \dfrac{\bar{x}}{R} = \dfrac{6.5}{21} = 0.31$

②求 $\sin\beta$: $\qquad\qquad \sin\beta = \dfrac{C_{S2}}{C_{L1}} \cdot \sin\alpha = \dfrac{3\,230}{1\,480} \times 0.31 = 0.677$

③求钢中横波全声程之半 x_S

在图 6-9 的△ABO 中,由正弦定律得

$$\frac{\sin \theta}{R} = \frac{\sin \beta_S}{r}$$

$$\theta = \arcsin(\frac{R}{r}\sin \beta_S) = \arcsin(\frac{21}{17} \times 0.677) = 56.7°$$

∵ θ 最小为 90°,∴ $\theta = 180° - 56.7° = 123.3°$

$\varphi = 180° - \theta - \beta_S = 180° - 123.3° - \arcsin 0.677 = 14.2°$

又有正弦定律得

$$x_S = \frac{\sin \varphi}{\sin \beta_S} \cdot r = \frac{\sin 14.2°}{0.677} \times 17 = 6.2(\text{mm})$$

④水层厚度选取:$H > 6.2$ mm,这里取 $H = 10$ mm。

(3)求焦距 F

$$F = H + \sqrt{R^2 - x^2} = 10 + \sqrt{21^2 - 6.5^2} = 30(\text{mm})$$

(4)求声透镜曲率半径 r'

由 $F = 2.2r'$(关系式推导见探测条件的确定)得

$$r' = 0.455F = 0.455 \times 30 = 13.7(\text{mm})$$

例2:水浸聚焦探伤 Ø60×8 小管径,声透镜曲率半径 $r' = 36$ mm,求偏心距 $\bar{x}$ 和水层厚度 H。

解:(1)偏心距 $\bar{x}$:$R = 30$,$r = 30 - 8 = 22$

$$\bar{x} = \frac{0.251R + 0.485r}{2} = \frac{0.251 \times 30 + 0.458 \times 22}{2} = 8.8(\text{mm})$$

(2)求焦距 F

$$F = 2.2r' = 2.2 \times 36 = 79.2(\text{mm})$$

(3)求水层厚度 H

$$H = F - \sqrt{R^2 - r^2} = 79.2 - \sqrt{30^2 - 8.8^2} = 50.5(\text{mm})$$

2)探测条件的确定

(1)探头:小径管水浸探伤,一般采用聚焦探头。聚焦探头分为线聚焦和点聚焦。一般钢管采用线聚焦探头。对于薄壁管,为了提高检测能力,也可用点聚焦探头。探头的频率为 2.5~5.0 MHz。聚焦探头声透镜的曲率半径 r 应符合下述条件

$$r = \frac{C_1 - C_2}{C_1}F \tag{6-5}$$

式中 C_1——声透镜中纵波波速;

  C_2——水中波速; F——水中焦距。

对于有机玻璃声透镜:$C_1 = 2\,730$ m/s,$C_2 = 1\,480$ m/s,则

$$r = \frac{C_1 - C_2}{C_1}F \approx \frac{2\,730 - 1\,480}{2\,730}F = 0.46F \qquad F = 2.2r$$

(2)声耦合:小管径探伤常用耦合剂为水,为了增强水对钢管表面的润湿作用,需加入

少量活性剂。为了防止钢管生锈,需加入适量的防锈剂。

(3)扫查方式:小管径探伤时探头扫查方式为螺旋线。一是探头不动,钢管作螺旋运动;二是探头沿管轴转动,钢管直线运动;三是探头沿管移动,钢管转动。螺距应小于或等于探头声束有效宽度,探头移动速度 v 为

$$v = n \cdot t$$

式中　n——管子转速;

　　t——螺距。

3)探伤灵敏度的调整和质量评定

小管径探伤时,常用如图 6-5 所示的内外壁开有尖角槽的对比试样来调整灵敏度,试样材质及规格同被探钢管。

调整时,转动水中试样使内外壁人工槽回波均达 50% 基准高,以此作为基准灵敏度。扫查探伤灵敏度比基准灵敏度高 6 dB。

探伤中当缺陷回波≥基准灵敏度时,就判为不合格。不合格品允许在壁厚的公差范围内进行打磨,然后再复探。

四、大口径管探伤

超声波探伤中,大口径管一般是指外径大于 100 mm 的管材。

大口径管曲率半径较大,探头与管壁声耦合比小口径管要好,通常采用接触法探伤,批量较大时,也可采用水浸线聚焦法探伤。大口径无缝钢管大多数以检测纵向缺陷为主,对于某些承受高温高压、输送易燃易爆物质的管材则有可能要求检测横向缺陷。一般情况下大口径管壁厚比小口径管大,存在面积较大的与管轴线平行的周向缺陷(分层)的几率高,检出机遇就多。现按分布方向不同的缺陷探伤方法分述如下。

1. 纵向缺陷探伤

1)接触法探伤

大口径管纵向缺陷探伤与小口径管接触法探伤所使用的探头、试块、灵敏度调节、扫查方式以及对检测结果的评定相同。考虑到大口径管纵向缺陷走向较复杂,探伤时探头应对正反两个方向进行扫查,以防漏检。

2)水浸聚焦法探伤

水浸聚焦法探伤大口径管,常采用线聚焦探头,一次扫查面大,比点聚焦工效高。当焦点调在管材中心线时,横波声束在内外壁多次反射,产生多次敛聚发散,在整个管壁截面上形成平均宽度基本一致的声束,这样不仅探伤灵敏度高,而且内外壁缺陷检出灵敏度大致相同,如图 6-11 所示。大口径管水浸聚焦法探伤原理、探伤方法及其结果评定与小口径管相同。

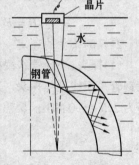

图 6-11　水浸聚焦探伤法

2. 横向缺陷探伤

采用单斜探头探测大口径管横向缺陷,与小口径管探伤法使用的探头、试块、灵敏度调节、扫查方式以及对检测结果的评定相同。探头在工件中的相对位置以及波形如图 6-12 所示。单斜探头探伤,由于管子的曲率大,声束在内壁的反射波更进一步发散,声能

损失大,对外壁缺陷灵敏度较低,探伤时要注意这一点。如有条件可采用聚焦探头,能量集中,减少声束发散。

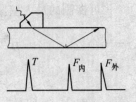

图6-12　单斜探头探伤

3. 与轴线平行的周向缺陷探伤

大口径管中与轴线平行的周向缺陷多数为分层缺陷,采用纵波单直探头或纵波双晶直探头,如图6-3所示。其探伤方法与板材分层缺陷检测相似。当缺陷较小时,缺陷波 F 与底波 B 同时存在,按当量大小评定缺陷;当缺陷较大时,底波 B 消失,用半波高度法测定缺陷边界,用面积和长度评定缺陷。JB4730—94 标准中未涉及管材分层缺陷的级别评定,如有必要,可由供需双方或技术主管部门商定检测规范。

五、缺陷定位

横波探伤横向缺陷时,缺陷定位与平板工件类似,但横波探伤纵向缺陷时,与平板工件不同,如图6-13所示。这时不但入射到管壁的入射角增大,而且一次波声程和跨距也都增大,缺陷定位有待修正,修正计算较为复杂。

这里介绍一种简易的纵向缺陷水平定位方法,如图6-14(a)、(b)所示。发现缺陷时,测得其最大回波,并在探头前沿划一标记。应用同一探头在相反 180°方向寻找该缺陷最大反射回波,也在探头前沿作一标记。如正反二次回波均在仪器水平扫描线的同一位

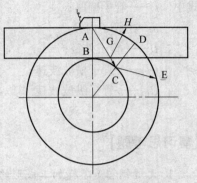

图6-13　横波探伤纵向缺陷与平板探伤定位的比较

置出现,可以认定正反二次回波为同一缺陷。缺陷水平位置在探头前沿的 $0.5\widehat{L}$(弧长)处。(a)图为内壁缺陷测试方法,(b)图为外壁测试方法。

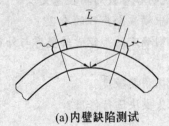

(a)内壁缺陷测试　　　　　　　　(b)外壁缺陷测试

图6-14　缺陷定位

六、最大探测壁厚的确定

横波探测管材纵向缺陷,第一临界角对应的探测壁厚最大。由于第一临界角 α_{I} 对应的横波折射角 β_{S} 是确定的,因此探测壁厚也受到限制,如图6-8所示。

对于钢而言,α_{I} 对应的 β_{S} 为

$$\sin\beta_{\mathrm{S}} = \frac{C_{\mathrm{S2}}}{C_{\mathrm{L2}}} = \frac{3\,230}{5\,900} = 0.547, \beta_{\mathrm{S}} = 33°$$

又　$\dfrac{r}{R} = \sin\beta_{\mathrm{S}}$　(如图6-8所示)

∴可探测的最大壁厚与管外径之比为

$$\frac{t}{D} = \frac{D-d}{2D} = \frac{1}{2}\left(1 - \frac{x}{R}\right) = \frac{1}{2}(1 - \sin\beta_S)$$

$$= \frac{1}{2}(1 - 0.547) = 0.226$$

即 $\quad\quad \dfrac{t}{D} \leqslant 0.226$ $\hfill$ (6-6)

当 $t/D > 0.226$ 时,横波扫查不到管子内壁缺陷,发生漏检。考虑到管材曲率大,声束在内壁的反射波将进一步引起发散,声能损失大,一般探伤规范中选用 $t/D \leqslant 0.1$,即

$$d/D \geqslant 80\%$$

式中　　t——管子壁厚;

$\quad\quad\quad d$——管子内径;

$\quad\quad\quad D$——管子外径;

$\quad\quad\quad C_{S2}$——管子横波波速;

$\quad\quad\quad C_{L2}$——管子纵波波速。

【复习思考题】

1. 无缝钢管是怎样加工成形的?常见缺陷有哪几种?

2. 无缝钢管中的缺陷按其分布走向划分为几类?一般采用什么方法探伤?

3. 写出聚焦探头声透镜曲率半径的计算公式,并说明各参数的物理意义。

4. 什么是偏心距?确定偏心距的原则是什么?

5. 写出水浸探伤小径管时偏心距范围的计算公式,并说明各参数的物理意义。

6. 写出水浸探伤小径管时焦距的计算公式,并说明各参数的物理意义。

7. 水浸探伤钢管时为什么水层厚度要大于钢管中横波全声程的1/2?

8. 横波探伤钢管的最大允许壁厚是根据什么原则确定的?钢管的壁厚与外径比 t/D 的最大值为多少?

9. 直接接触法和水浸探伤无缝钢管时如何调节探伤灵敏度?

10. 直接接触法探伤无缝钢管时,为什么要对探头楔块进行修磨?

11. 试说明大口径无缝钢管的一般探伤方法。

12. 水浸聚焦探伤 Ø50 × 6 的无缝钢管,声透射半径 $r' = 40$ mm,求偏心距和水层厚度。

13. 水浸探伤钢管,入射角 $\alpha = 12°$ 时能探测到的钢管壁厚与外径之比 t/D 为多少?

14. 用 $K3.0$ 斜探头探伤外径 $D = 300$ mm,壁厚 $t = 15$ mm 的钢管,问能否探测到钢管的内壁?

第七章　锻件探伤

锻件主要用于高压反应容器、各类转动机械的传动部件以及锅炉压力容器的零部件等。如合成氨反应容器、人工合成水晶反应釜、大型压缩机内燃机的主轴曲轴连杆活塞杆、高压容器顶封头和底封头、高压阀门阀体,以及高压紧固件等属于锻造件。锻件,尤其是大型锻件处于高负荷、高速度下运行,使用条件苛刻,因此超声波探伤保障其质量显得更为重要。从原材料开始到成品,一直到在用锻件都要进行超声检测。

大多数锻件几何尺寸较大,缺陷分布取向多样,难于应用射线进行探伤,对锻件内部缺陷采用超声波探伤是当前惟一的较好方法。由于锻件的用途、形状、材质以及可能产生的缺陷种类等是多样化的,作为有针对性的最佳检测方法也各有差异,本章就一般的检测原理和检测方法加以叙述。

一、锻件加工方法及常见缺陷

1. 锻件加工方法

锻件原材料为钢锭或型钢(轧材)。首先由不定型的原材料在热态下锻压成锻件坯料,然后机械加工成规定的几何尺寸。为了改变钢材的金相组织和机械性能,锻件坯料或在机加工过程中还需要进行热处理。

由热态的原材料锻压成锻件坯料的方式有如下三种:

(1)镦粗:锻压力施加于钢锭或型钢的两端,形变发生在横截面上,主要用于饼形或碗形锻件坯料制作。

(2)拔长:锻压力施加于钢锭或型钢的外圆,形变发生在长度方向,主要用于轴类锻件的毛坯料制作。

(3)滚压:将已镦粗的坯件经冲孔并插入芯棒,在外圆施加锻压力。滚压既有纵向变形,又有横向变形,主要用于筒形锻件坯料制作。

锻件机械加工方法包括车削、精磨、镗孔、钻孔、铣槽、攻丝等工序。锻件热处理方式包括退火、回火、正火和淬火,其中淬火加回火称为调质处理。

2. 锻件常见缺陷

锻件按生产过程和使用过程其可能产生的缺陷分为:

(1)原材料缺陷:即钢锭中的缺陷,属铸造缺陷,主要有缩孔、疏松、夹杂、裂纹等。缩孔是钢锭中形成的较大孔穴;疏松是指钢锭在凝固收缩时形成的不致密和微小孔穴,主要分布于钢锭的中心及头部;夹杂有非金属夹杂和金属夹杂,主要分布在钢锭的中心及头部,夹杂缺陷经锻压后由体积性缺陷变为面积性缺陷分布在成品之中;钢锭裂纹存在于内部或外表,合金钢材产生裂纹几率较高,奥氏体钢轴心裂纹就是铸造引起的裂纹,钢锭中的裂纹在锻件锻压和热处理过程中无法消除,存在于成品之中。

(2)锻造缺陷:锻件在锻压过程中可能产生的缺陷有裂纹、白点、折叠等。白点是锻件含氢量较高,锻后冷却过快,钢中溶解的氢来不及逸出,造成应力过大引起开裂而形成的。白点主要聚集在锻件大截面轴心,总是成群出现。合金总量超过 3.5% ~ 4.0% 和 Cr、Ni、

Mn 的合金钢大型锻件容易产生白点。

(3)机加工中可能产生的缺陷为磨削裂纹。磨削裂纹同属裂纹,只不过是裂纹很浅,长度很短,非肉眼可见,对于某些合金材料锻件,在磨削加工时有可能出现。

(4)热处理缺陷,锻件在热处理过程中主要可能产生裂纹。

(5)在用锻件缺陷,即锻件运行后可能产生新的或发展的缺陷。主要为疲劳裂纹,多发生在应力集中处。

二、探伤方法概述

按探伤时间分类,锻件探伤可分为原材料探伤和制造过程中的探伤,产品检验及在用检验。

原材料探伤和制造过程中探伤的目的是及早发现缺陷,以便及时采取措施避免缺陷扩大造成报废。产品检验的目的是保证产品质量。在用检验的目的是监督运行后可能产生或发展的缺陷,主要是疲劳裂纹。

锻件按其形状分类,有轴类锻件、饼形碗形锻件和筒类锻件。轴类锻件为主轴、曲轴、联杆等;饼形碗形锻件为压力容器的大盖和底封头;筒形锻件主要为压力容器的筒节。按材质分类有碳素钢和合金钢锻件。现按锻件形状、缺陷分布走向采用不同类型探头进行检测的方法分述如下。

1. 轴类锻件的探伤

轴类锻件的锻造工艺主要以拔长为主,因而大部分缺陷的取向与轴线平行,此类缺陷的探测以纵波直探头从径向探测效果最佳。考虑到缺陷会有其他的分布及取向,因此轴类锻件探伤,还应辅以直探头轴向探测和斜探头周向探测及轴向探测。

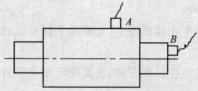

图 7-1 轴类锻件
直探头径向、轴向探伤

(1)直探头径向和轴向探测:如图 7-1 所示,直探头作径向探测时将探头置于轴的外缘,沿外缘作全面扫查,以发现轴类锻件常见的纵向缺陷。

直探头作轴向探测时,探头置于轴的端头,并在轴端作全面扫查,以检出与轴线相垂直的横向缺陷。但当轴的长度太长或轴有多个不等直径时,会有声束扫查不到的死区,因而此方法有一定的局限性。

(2)斜探头周向及轴向探测:锻件中若存在片状轴向及径向缺陷用直探头从径向或轴向探测都难以检出的,则必须使用斜探头在轴的外圆作周向及轴向探测。考虑到缺陷的取向,探测时探头应作正、反两个方向的全面扫查,如图 7-2 所示。

2. 饼类、碗类锻件的探伤

饼类和碗类锻件的锻造工艺主要以镦粗为主,缺陷的分布主要平行于端面,所以用直探头在端面探测是检出缺陷的最佳方法。

对于一些重要的饼类、碗类锻件,要从两个端面进行探伤,此外有时还要从侧面进行径向探伤,如图 7-3 所示。

从两端面探测时,探头置于锻件端面进行全面探测,以探出与端面平行的缺陷。从锻件侧面进行径向探测时,探头在锻件侧面扫查,以发现某些轴向缺陷。

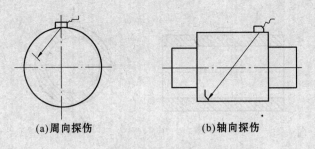

(a)周向探伤　　　　　　　(b)轴向探伤

图7-2　轴类锻件斜探头周向、轴向探伤

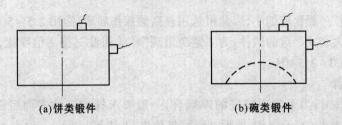

(a)饼类锻件　　　　　　　(b)碗类锻件

图7-3　饼类、碗类锻件探伤

3.筒类锻件的探伤

筒类锻件的锻造工艺是先镦粗,后冲孔,再滚压。因此,缺陷的取向比轴类锻件和饼类锻件中的复杂。但由于锻锭中质量最差的中心部分已在冲孔时去除,因而筒类锻件的质量一般较好。其缺陷的主要取向仍与筒体的外圆表面平行,所以筒类锻件的探伤仍以直探头外圆面探测为主,但对于壁较厚的筒类锻件,须加用斜探头探测。

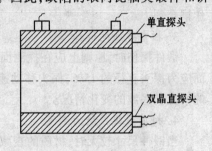

图7-4　筒类锻件直探头探伤图

(1)单直探头探测:如图7-4所示,用直探头从筒体外圆或端面进行探测。外圆探测的目的是发现与轴线平行的周向缺陷。端面探测的目的是发现与轴线垂直的横向缺陷。

(2)双晶直探头探测:如图7-4所示,为了探测筒体近表面缺陷,需要采用双晶探头从外圆面或端面探测。

(3)斜探头探测:对于某些重要的筒形锻件还要用斜探头从外圆进行轴向和周向探测,如图7-5所示。轴向探测为了发现与轴线垂直的径向缺陷。周向探测是为了发现与轴线平行的径向缺陷。周向探测时,缺陷定位计算参见第四章第一节。

三、探测条件的选择

1.探头的选择

锻件超声波探伤时,主要使用纵波直探头,晶片尺寸为 Ø14～Ø28 mm,常用 Ø20 mm。对于较小的锻件,考虑近场区和耦合损耗原因,一般采用小晶片探头。有时为了探测与探测面成一定倾角的缺陷,也可采用一定 K 值的斜探头进行探测。对于近表面缺陷,由于直探头的盲区和近场区的影响,常采用双晶直探头探测。

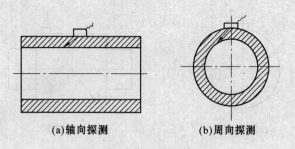

(a)轴向探测   (b)周向探测

图 7-5　筒类锻件斜探头探伤

锻件的晶粒一般比较细小,因此可选用较高的探伤频率,常用 2.5~5.0 MHz。对于少数材质晶粒粗大衰减严重的锻件,为了避免出现"林状回波",提高信噪比,应选用较低的频率,一般为 1.0~2.5 MHz。

2. 耦合选择

在锻件探伤时,为了实现较好的声耦合,一般要求探测面的表面粗糙度 R_a 不高于 6.3 μm,表面平整均匀,无划伤、油垢、污物、氧化皮、油漆等。

当在试块上调节探伤灵敏度时,要注意补偿试块与工件之间因曲率半径和表面粗糙度不同引起的耦合损失。

锻件探伤时,常用机油、浆糊、甘油等作耦合剂。当锻件表面较粗糙时也可用水玻璃作耦合剂。

3. 扫查方法的选择

锻件探伤时,原则上应在探测面上从两个相互垂直的方向进行全面扫查。扫查覆盖面应为探头直径的 15%,探头移动速度不大于 150 mm/s。扫查过程中要注意观察缺陷波的情况和底波的变化情况。

4. 材质衰减系统的测定

当锻件尺寸较大时,材质的衰减对缺陷定量有一定的影响。特别是材质衰减严重时,影响更明显。因此,在锻件探伤中有时要测定材质的衰减系数 α。衰减系数可利用下式来计算

$$\alpha = \frac{[B]_1 - [B]_2 - 6}{2x} \quad (\text{dB/mm}) \tag{7-1}$$

式中　$[B]_1 - [B]_2$——无缺陷处第一、二次底波高的分贝差;

　　　　x——底波声程(单程)。

值得注意的是,测定衰减系数时,探头所对锻件底面应光洁干净,底面形状为大平底或圆柱面,$x \geqslant 3N$(N 为近场区长度),测试处无缺陷。一般选取三处进行测试,最后取平均值。

5. 试块选择

锻件探伤中,要根据探头和探测面的情况选择试块。

采用纵波直探头探伤时,常选用 CS1 和 CS2 试块来调节探伤灵敏度和对缺陷定量。采用纵波双晶直探头探伤时常选用图 7-6 所示的试块来调节探伤灵敏度和对缺陷定量。该试块的人工缺陷为平底孔,孔径有 Ø2、Ø3、Ø4、Ø6 等四种,距离 L 分别为 5、10、15、25、

30、35、40、45 mm。

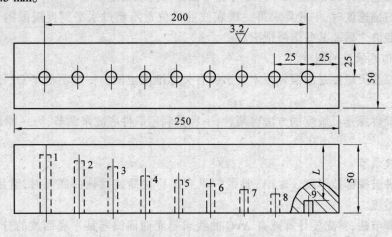

图 7-6　双晶探头平底孔试块　（单位:mm）

当探测面为曲面时,应采用曲面对比试块来测定由于曲率不同引起的耦合损失。对比试块如图 7-7 所示。

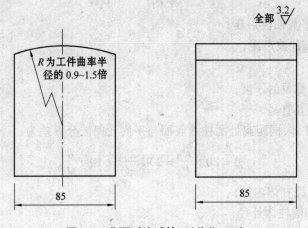

图 7-7　曲面对比试块　（单位:mm）

6. 探伤时机

锻件超声波探伤应在热处理后进行,因为热处理可以细化晶粒,减少衰减。此外,还可以发现热处理中产生的缺陷。

对于带孔、槽和台阶的锻件,超声波探伤应在孔、槽、台阶加工前进行。因为孔、槽、台阶对探伤不利,容易产生各种非缺陷回波。

当热处理后材质衰减仍较大且对于探测结果有较大影响时,应重新进行热处理。

四、扫描速度和灵敏度的调节

1. 扫描速度的调节

锻件探伤前,一般根据锻件要求的探测范围来调节扫描速度,以便发现缺陷,并对缺陷定位。

扫描速度的调节可在试块上进行,也可以在锻件上尺寸已知的部位上进行。在试块上调节扫描速度时,试块上的声速尽可能与工件相同或相近。

调节扫描速度时,一般要求第一次底波前沿位置不超过水平刻度极限的 80%,以利观察一次底波之后的某些信号情况。

2. 探伤灵敏度的调节

锻件探伤灵敏度是由锻件技术要求或有关标准确定的。一般不低于 Ø2 平底孔当量直径。

调节锻件探伤灵敏度的方法有两种,一种是利用锻件底波来调节,另一种是利用试块来调节。

1)底波调节

当锻件被探部位厚度 $x \geqslant 3N$,且锻件具有平行底面或圆柱曲底面时,常用底波来调节探伤灵敏度。

底波调节法,首先要计算或查 AVG 曲线求得底面回波与某平底回波的分贝差,然后再调节。

(1)计算:对于平底面或实心圆柱体底面,同距离处底波与平底孔回波的分贝差 Δ 为

$$\Delta = 20 \lg \frac{P_B}{P_f} = 20 \lg \frac{2\lambda x}{\pi \varnothing^2} \tag{7-2}$$

式中 P_B——大平底回波声压;

P_f——缺陷回波声压;

λ——波长;

x——被探部位的厚度;

$\varnothing$——平底孔直径。

对于空心圆柱体,同距离处圆柱曲底面与平底孔回波分贝差为

$$\Delta = 20 \lg \frac{P_B}{P_f} = 20 \lg \frac{2\lambda x}{\pi \varnothing^2} \pm 10 \lg \frac{d}{D} \tag{7-3}$$

式中 d——空心圆柱体内径;

D——空心圆柱体外径;

"+"——外圆径向探测,内孔凸柱面反射;

"–"——内孔径向探测,外圆凹柱面反射。

(2)调节:探头对准完好区的底面,衰减$(\Delta + 5 \sim 10)$dB,调"增益"使底波 B_1 达基准高,然后用"衰减器"增益 Δ dB,这时灵敏度就调好了。为了便于发现缺陷,可再增益 $5 \sim 10$ dB 作为搜索灵敏度,即扫查灵敏度。

2)试块调节法

(1)单直探头探伤:当锻件的厚度 $x < 3N$ 或由于几何形状所限或底面粗糙时,应利用具有人工缺陷的试块来调节探伤灵敏度,如 CS1 和 CS2 试块。调节时将探头对准所需试块的平底孔,调"增益"使平底孔回波达基准高即可。

值得注意是,当试块表面形状、粗糙度与锻件不同时,要进行耦合补偿。当试块与工件的材质衰减相差较大时,还要考虑材质衰减补偿。

(2)双晶直探头探伤:采用双晶直探头探伤时,要利用图 7-6 所示的双晶探头平底孔

试块来调节探伤灵敏度。先根据需要选择相应的平底孔试块,并测试一组距离不同直径相同的平底孔的回波,使其中最高回波达满刻度的80%,在此灵敏度条件下测出其他平底孔的回波最高点,并标在示波屏上,然后连接这些回波最高点,从而得到一条平底孔距离—波幅曲线,并以此作为探伤灵敏度。

五、缺陷位置和大小的测定

1. 缺陷位置的测定

在锻件探伤中,主要采用纵波直探头探伤,因此可根据示波屏上缺陷波前沿所对的水平刻度值 τ_f 和扫描速度 $1:n$ 来确定缺陷在锻件中的位置。缺陷至探头的距离 x_f 为

$$x_f = n\tau_f \tag{7-4}$$

2. 缺陷大小的测定

在锻件探伤中,对于尺寸小于声束截面的缺陷一般用当量法定量。若缺陷位于 $x \geqslant 3N$ 区域时,常用当量法和当量 AVG 曲线法定量;若缺陷位于 $x < 3N$ 区域时,常用试块比较法定量。对于尺寸大于声束截面的缺陷一般采用测长法。必要时还可采用底波高度法来确定缺陷的相对大小。下面重点介绍当量计算法和 6 dB 测长法在锻件探伤中的应用。

1)当量计算法

当量计算法是利用各种规则反射体的回波声压公式和实际探伤中测得结果(缺陷的位置和波高)来计算缺陷的当量大小。当量计算法是目前锻件探伤中应用最广泛的一种定量方法。用当量计算法定量时,要考虑调节探伤灵敏度的基准。

当用平底面和实心圆柱体曲底面调节灵敏度时,当量计算公式为

$$\Delta_{Bf} = 20\lg \frac{P_B}{P_f} = 20\lg \frac{2\lambda x_f^2}{\pi \varnothing^2 x_B} + 2\alpha(x_f - x_B) \tag{7-5}$$

式中　x_f——平底孔缺陷至探测面的距离;

　　　x_B——锻件底面至探测面的距离;

　　　α——材质衰减系数;

　　　λ——波长;

　　　$\varnothing$——平面孔缺陷的当量直径;

　　　Δ_{Bf}——底波与平底孔缺陷的回波分贝差。

当用空心圆柱体内孔或外圆曲底面调节灵敏度时,当量计算公式为

$$\Delta_{Bf} = 20\lg \frac{P_B}{P_f} = 20\lg \frac{2\lambda x_f^2}{\pi \varnothing^2 x_B} \pm 10\lg \frac{d}{D} + 2\alpha(x_f - x_B) \tag{7-6}$$

式中　d——空心圆柱体内径;

　　　D——空心圆柱体外径;

　　　"+"——外圆径向探测,内孔凸柱面反射;

　　　"–"——内孔径向探测,外圆凹柱面反射;

　　　Δ_{Bf}——圆柱曲底面与平底孔缺陷的回波分贝差。

此外,锻件探伤中,还可利用当量 AVG 曲线法来定量,具体方法见第四章第二节。

2)6 dB 测长法

在平面探伤中,用 6 dB 法测定缺陷的长度时,探头的移动距离就是缺陷的指示长度,

如图 7-8 所示。然而在对圆柱形锻件进行周向探伤时,探头的移动距离不再是缺陷的指示长度了,这时要按几何关系来确定缺陷的指示长度,如图 7-9 所示。

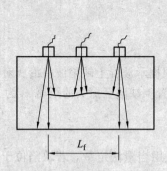

图 7-8　平面探伤 6 dB 测长法图

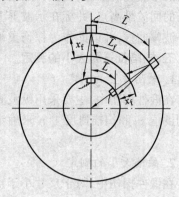

图 7-9　圆弧面探伤 6 dB 测长法

外圆周向探伤测长时,缺陷的指示长度 $\widehat{L}_f$ 为

$$\widehat{L}_f = \frac{\widehat{L}}{R}(R - x_f) \tag{7-7}$$

式中　$\widehat{L}$——探头移动的外圆弧长;

　　　x_f——缺陷的声程;

　　　R——圆柱体外半径。

内孔周向探伤测长时,缺陷的指示长度 $\widehat{L}_f$ 为

$$\widehat{L}_f = \frac{\widehat{L}}{r}(r + x_f) \tag{7-8}$$

式中　$\widehat{L}$——探头移动的内圆弧长;

　　　x_f——缺陷的声程;

　　　r——圆柱体内半径。

六、缺陷回波的判断

在锻件探伤中,不同性质的缺陷回波是不同的。在实际探伤时,可根据示波屏上的缺陷回波情况来分析缺陷的性质和类型。

1. 单个缺陷回波

锻件探伤中,示波屏上单独出现的缺陷回波称为单个缺陷回波。一般单个缺陷是指与邻近缺陷间距大于 50 mm、回波高大于 Ø2 平底孔反射波高的缺陷。如锻件中单个的夹层、裂纹等。探伤中遇到单个缺陷时,要测定缺陷的位置和大小。当缺陷较小时,用当量法定量,当缺陷较大时,用 6 dB 法测定其面积范围。

2. 分散缺陷回波

锻件探伤时,工件中的缺陷较多且较分散,缺陷彼此间距较大,这种缺陷回波称为分散缺陷回波。一般在边长为 50 mm 的立方体内少于 5 个,回波高大于 Ø2 平底孔反射波高。如分散性的夹层。分散缺陷一般不太大,因此常用当量法定量,同时还要测定分散缺陷的位置。

3. 密集缺陷回波

锻件探伤中,示波屏上同时显示的缺陷回波甚多,波与波之间距离甚小,有时波的下沿连成一片,这种缺陷回波称为密集缺陷回波。

密集缺陷的划分,根据不同的验收标准有不完全相同的定义。

(1)以缺陷的间距划分,规定相邻缺陷间的间距小于某一值时为密集缺陷。

(2)以单位长度时基线内显示的缺陷回波数量划分,规定在相当于工件厚度值的基线内,当探头不动或稍作移动时,一定数量的缺陷回波连续或断续出现时为密集缺陷。

(3)以单位面积中的缺陷回波划分,规定在一定探测面积下,探出的缺陷回波数量超过某一值定为密集缺陷。

(4)以单位体积内缺陷回波数量划分,规定在一定体积内缺陷回波数量多于规定值时定为密集缺陷。

实际探伤中,以单位体积内缺陷回波数量划分较多。一般规定在边长 50 mm 的立方体内,数量不少于 5 个,当量直径不小于 Ø2 mm 的缺陷为密集缺陷。

密集缺陷可能是疏松、非金属夹杂物、白点或成群的裂纹等。

锻件内不允许有白点缺陷存在,这种缺陷的危险性很大。通常白点的分布范围较大,且基本集中于锻件中心部位,它的回波清晰、尖锐,成群的白点有时会使底波严重下降或完全消失。这些特点是判断锻件中白点的主要依据,如图 7-10。

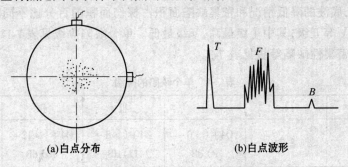

(a)白点分布   (b)白点波形

图 7-10   白点的分布与波形

4. 游动回波

在圆柱形轴类锻件探伤过程中,当探头沿着轴的外圆移动时,示波屏上的缺陷波会随着该缺陷探测声程的变化而游动,这种游动的动态波形称为游动回波。

游动回波的产生是由于不同波束射至缺陷产生反射引起的。波束轴线射至缺陷时,缺陷声程小,回波高。左右移动探头,扩散波束射至缺陷时,缺陷声程大,回波低。这样同一缺陷回波的位置和高度随探头移动发生游动,如图 7-11。

不同的探测灵敏度,同一缺陷回波的游动情况不同。一般可根据探测灵敏度和回波的游动距离来鉴别游动回波。一般规定游动范围达 25 mm 时,才算游动回波。

根据缺陷游动回波包络线的形状,可粗略地判别缺陷的形状。

5.底面回波

在锻件探伤中,有时还可根据底波变化情况来判别锻件中的缺陷情况。

当缺陷回波很高,并有多次重复回波,而底波严重下降甚至消失时,说明锻件中存在平行于探测面的大面积缺陷。

当缺陷回波和底波都很低甚至消失时,说明锻件中存在大面积但倾斜的缺陷或在探测面附近有大缺陷。

当示波屏上出现密集的互相彼连的缺陷回波,底波明显下降或消失时,说明锻件中存在密集性缺陷。

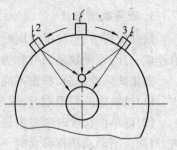

七、非缺陷回波分析

锻件探伤中还会出现一些非缺陷回波影响对缺陷波的判别。常见的非缺陷回波有以下几种:①三角反射波;②迟到波;③61°反射波;④轮廓回波。这些非缺陷回波的分析判别详见第三章第七节。

此外在锻件探伤中还可能产生一些其他的非缺陷

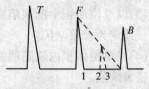

图 7-11 游动回波

回波,这时应根据锻件的结构形状、材质和锻造工艺应用超声波反射、折射和波型转换理论进行分析判别。

八、锻件质量级别的评定(见 JB4730—94 标准)

锻件探伤中常见缺陷有单个缺陷和密集缺陷两大类,实际探伤中根据锻件中单个缺陷的当量尺寸,底波的降低情况和密集缺陷面积占探伤面积的百分比不同将锻件质量分Ⅰ、Ⅱ、Ⅲ、Ⅳ、Ⅴ等五级,其中Ⅰ级最高,Ⅴ级最低。单个缺陷等级见表 7-1,底波降低量的等级见表 7-2,密集性缺陷等级见表 7-3。

表 7-1　单个缺陷的等级

等级	Ⅰ	Ⅱ	Ⅲ	Ⅳ	Ⅴ
缺陷当量	≤Ø4	Ø4 + (> 0 ~ 8) dB	Ø4 + (> 8 ~ 12) dB	Ø4 + (> 12 ~ 16) dB	> Ø4 + 16 dB

表 7-2　底波降低量的等级

等级	Ⅰ	Ⅱ	Ⅲ	Ⅳ	Ⅴ
$[B]_C/[B]_F$(dB)	≤8	8 ~ 14	> 14 ~ 20	> 20 ~ 26	> 26

注:$[B]_C/[B]_F$表示无缺陷处底波与缺陷处底波分贝差。

表 7-3　密集性缺陷等级

等级	Ⅰ	Ⅱ	Ⅲ	Ⅳ	Ⅴ
缺陷面积占探伤面积百分比(%)	0	> 0 ~ 5	> 5 ~ 10	> 10 ~ 20	> 20

表 7-1、表 7-2、表 7-3 三表的等级应作为独立的等级分别使用。

如果某些缺陷波被检测人员判为危害性缺陷,那么可以不受上述条件的限制,一律评为最低级,不合格。

【复习思考题】

1. 锻件中常见缺陷有哪几种? 各是怎样形成的?

2. 锻件按其形状划分,一般分哪几类? 并简述其主要用途。

3. 在锻件探伤中,调节探伤灵敏度的常用方法有哪几种? 各适用于什么情况?

4. 利用锻件底波调节探伤灵敏度有何好处? 调节时应注意什么?

5. 锻件探伤中,常用哪几种方法对缺陷进行定量? 各适用于什么情况?

6. 用 2.5P20Z 探头探测 400 mm 厚的饼形锻件,$C_L = 5\,900$ m/s,问如何利用底波调节 400/Ø2 探伤灵敏度?

7. 锻件探伤中,常见的非缺陷回波有哪几种? 各是怎样形成的? 如何判别?

8. 什么是游动回波? 游动回波是怎样产生的? 如何鉴别游动回波?

9. 锻件探伤中,常用什么方法测定材质的衰减系数? 影响测试结果精度的主要因素是什么?

10. 用 2.5P20Z 探头探伤外径 $D = 800$ mm 的实心圆柱体锻件,$C_L = 5\,900$ m/s,衰减系数 $\alpha = 0.005$ dB/mm,问如何利用底波来调节 800/Ø2 和 400/Ø2 灵敏度?

11. 用 2.5P14Z 探头探伤外径 $D = 1\,000$ mm,内径 $d = 200$ mm 空心圆柱钢锻件,$C_L = 5\,900$ m/s。

(1)外圆探伤时,如何利用内孔回波调节 400/Ø2 灵敏度?

(2)内孔探伤时,如何利用外圆回波调节 400/Ø2 灵敏度?

12. 用 2.5P14Z 探头探伤厚为 400 mm 的锻件,$C_L = 5\,900$ m/s,锻件与试块同材质 $\alpha = 0.001$ dB/mm。

(1)如何利用 200/Ø4 的试块(CS1)来调节 400/Ø2 灵敏度?

(2)如何利用厚为 100 mm 大平底试块来调节 400/Ø2 灵敏度?

13. 用 2.5P14Z 探头探伤厚为 400 mm 的锻件,$C_L = 5\,900$ m/s,锻件与试块同材质,$\alpha = 0.005$ dB/mm,锻件与试块表面耦合损失差为 5 dB,问如何利用 100/Ø4 试块(CS1)来调节 400/Ø2 灵敏度?

14. 用 2.5P20Z 探头探伤厚为 500 mm 的锻件,$C_L = 5\,900$ m/s,利用底波调灵敏度,底波高 50 dB,探伤中在 200 mm 处发现一缺陷波高 26 dB,求此缺陷的当量大小?

15. 用 2.5P14Z 探头探伤厚为 300 mm 锻件,已知 300/Ø2 回波为 12 dB,170 mm 处缺陷波高为 32 dB。求此缺陷的当量大小?

16. 用 2.5P20Z 探头探伤 500 mm 锻件,$\alpha = 0.005$ dB/mm,$C_L = 5\,900$ m/s,探伤中在 200 mm 处发现一缺陷,其回波高比底波低 9 dB,求此缺陷的当量大小?

17. 用 2.5P14Z 探头探伤锻件,已知 200/Ø4 回波达 80% 高度时,180 mm 处缺陷波高达 60%,求此缺陷的当量大小?

18. 用 2.5P14Z 探头探伤锻件，$C_L = 5\ 900$ m/s，利用 100 mm 大平底试块调灵敏度，探伤中在 200 mm 处发现一缺陷，其波高比试块底波低 43 dB，二者材质相同，$\alpha = 0.005$ dB/mm，求此缺陷的当量大小？

19. 用 2.5P14Z 探头探伤锻件，利用 100 mm 大平底试块调灵敏度，$C_L = 5\ 900$ m/s，底波高 50 dB，锻件 $\alpha = 0.01$ dB/mm，试块 $\alpha = 0.005$ dB/mm，二者表面耦合损失差为 8 dB。探伤中在 150 mm 处发现一缺陷，其波高为 15 dB，求此缺陷的当量大小？

20. 2.5P20Z 探头探伤 400 mm 锻件，利用 400/Ø4 试块调节 400/Ø2 灵敏度，二者耦合差为 6 dB，锻件第一次底波达 100% 时第二次底波高为 20%。探伤中在 200 mm 处发现一缺陷，其波高比 400/Ø2 高 18 dB，求此缺陷的当量大小？

21. 用 2.5P20Z 探头探伤外径 $D = 1000$ mm 的实心圆柱体，$C_L = 5\ 900$ m/s，$\alpha = 0.005$ dB/mm。

(1)如何利用底波调节 500/Ø2 灵敏度？

(2)探伤中在 250 mm 处发现一缺陷，其波高比底波低 10 dB，求此缺陷的大小。

22. 用 2.5P20Z 探头探伤外径 $D = 1\ 000$ mm，内孔 $d = 100$ mm 的锻件，$C_L = 5\ 900$ m/s，$\alpha = 0.005$ dB/mm。

(1)如何利用内孔回波调节 450/Ø2 灵敏度？

(2)探伤中在 200 mm 处发现一缺陷，其波高比内孔回波低 12 dB，求此缺陷的大小。

23. 用 2.5P20Z 探头探伤厚为 400 mm 的锻件，$C_L = 5\ 900$ m/s，$\alpha = 0.01$ dB/mm，仪器按 1∶4 调节扫描速度，探伤中在示波屏 80 mm 处发现一缺陷，其波高比底波低 30 dB，求此缺陷的位置和大小。

24. 用 2.5P14Z 探头探测 300 mm 厚的锻件，$C_L = 5\ 900$ m/s，$\alpha = 0.005$ dB/mm，已知 300 mm 处 Ø4 平底孔波高为 10 dB，探伤中在 150 mm 处发现一缺陷，其波高为 26 dB，试根据 JB4730—94 标准评定该锻件的质量级别。

25. 超声波探伤甲、乙、丙三锻件。甲锻件有一个 Ø6 当量平底孔缺陷。乙锻件由缺陷引起底波降低量为 20 dB。丙锻件探伤面积为 1 m²，密集缺陷面积为 300 cm²。试根据 JB4730—94 标准评定甲、乙、丙三锻件的质量级别。

第八章 焊缝探伤

锅炉压力容器主要是采用焊接方法制造的,为保证焊缝质量,超声波探伤是重要的检测手段之一,尤其是对由于某些原因不能进行射线探伤的焊缝,如厚壁焊缝,不能拆除内件或保温层的在用锅炉压力容器焊缝等。在焊缝探伤中,不但要求探伤人员具有熟练的超声探伤技术,而且要求探伤人员掌握有关焊接基本知识,如焊接接头型式、焊缝坡口形式、焊接方法以及可能产生的缺陷种类等。只有这样,探伤人员才能针对各种不同的焊缝,采用适当探伤方法,从而获得比较正确的探测结果。

可以进行超声探伤的焊缝类型较多,从焊接接头型式来划分有对接焊缝、大口径角焊缝和T形接焊缝等;若从材质上划分有钢焊缝、铝焊缝和铜焊缝等。本章仅叙述全熔化钢对接焊缝和管座角焊缝探伤的基本方法及质量评定标准,这两种检测方法在目前锅炉压力容器焊缝探伤中应用较广。

第一节 焊缝加工及常见缺陷

一、焊接加工

(1)焊接过程及焊接方法:焊接过程和不同焊接方法与焊缝中存在缺陷的类型和性质密切相关,参阅本教材锅炉压力容器篇第五章。

(2)接头型式:参阅本教材锅炉压力容器篇第五章。锅炉压力容器焊缝接头型式主要为对接,其次有角接和搭接焊缝隙。

(3)坡口形式:参阅本教材锅炉压力容器篇第五章。锅炉压力容器坡口形式主要为X形,其次为I字形、V形和K形。

二、焊缝中常见缺陷

焊缝中常见缺陷有气孔、夹渣、未焊透、未熔合和裂纹等五个类型。缺陷形成及其在焊缝中的分布走向与焊接方法、材质、焊接工艺等条件有关。从超声波探伤和射线探伤特性分析出发,焊缝中缺陷又可分为体积性缺陷和面积性缺陷两类。体积性缺陷是指缺陷在焊缝中仅有一定空间位置为主的缺陷,如气孔、夹渣;面积性缺陷是指在焊缝中以较大面积展现在焊缝中,占据空间较小,如裂纹、未熔合和未焊透。这类缺陷危害性较大,对超声波反射比较敏感,检出率较高。

第二节 中厚板对接焊缝探伤

中厚板对接焊缝探伤是指中等厚度板和厚板对接焊缝的探伤。按 JB4730—94 标准规定,压力容器对接焊缝板厚范围为 8 ~ 300 mm。板厚小于 8 mm 的钢板叫薄板。

目前,锅炉压力容器对接焊缝采用横波倾斜入射探伤,不采用纵波垂直入射探伤,其主要原因有二:一是焊缝中存在的主要危害性缺陷垂直或近似垂直于板面,如裂纹、未焊透和未熔合缺陷,横波倾斜入射比纵波垂直入射能得到较大声压反射;二是焊缝余高不利于纵波探头接触耦合。

一、探测条件的选择

1. 探测面的修整

焊缝横波探伤是靠斜探头与焊缝两侧板材耦合倾斜入射进行扫查,耦合表面状况好坏,直接影响探伤结果。因此,应清除焊接工件表面飞溅物、氧化皮、凹坑及锈蚀等。

一般使用砂轮机、锉刀、喷砂机、钢丝刷、磨石、砂纸等对探测面进行修整,表面粗糙度 R_a 一般不大于 6.3 μm。

焊缝两侧探测面的修整宽度 P 一般根据母材厚度确定。按 JB4730—94 标准,厚度为 8~46 mm 的焊缝采用二次波探伤,探测面修整宽度为

$$P_1 \geqslant 2TK \times 1.25 \tag{8-1}$$

厚度大于 46 mm 的焊缝采用一次波探伤,探伤面修整宽度为

$$P_2 \geqslant 2TK \times 0.75 \tag{8-2}$$

式中　K——探头的 K 值;

　　　T——工件厚度。

2. 耦合剂的选择

在焊缝探伤中,常用的耦合剂有机油、甘油、浆糊、润滑脂和水等。目前实际探伤中用得最多的是机油和浆糊。从耦合效果看,浆糊同机油差别不大。不过浆糊有一定的黏性,可用于任意方位的探伤操作,并具有较好的水洗性。用于垂直面或顶面探伤具有独到的好处。

3. 频率选择

焊缝的晶粒比较细小,可选用较高的频率探伤,一般为 2.5~5.0 MHz。对于板厚较小的焊缝,可采用较高的频率;对于板厚较大,衰减明显的焊缝,应选用较低的频率。

4. K 值选择

探头 K 值的选择应从以下三个方面考虑。

(1)使声束能扫查到整个焊缝截面。

(2)使声束中心线尽量与主要危险性缺陷垂直。

(3)保证有足够的探伤灵敏度。

一般的焊缝能满足使声束扫查整个焊缝截面。只有当上下焊缝宽度较大、K 值选择不当时才会在焊缝中部出现扫查不到的菱形区域。

由图 8-1 可以看出,用一、二次波单面探测双面焊时

$$d_1 = \frac{a + l_0}{K}, d_2 = \frac{b}{K}$$

其中一次波只能扫查到 d_1 以下的部分(受余高限制),二次波只能扫查到 d_2 以上的部分(受余高限制)。为保证能扫查整个焊缝截面,必须满足 $d_1 + d_2 \leqslant T$,从而得到

$$K \geqslant \frac{a + b + l_0}{T} \tag{8-3}$$

式中　a——上焊缝宽度的一半;

　　　b——下焊缝宽度的一半;

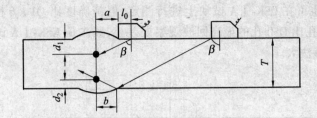

图 8-1　探头 K 值的选择

l_0——探头的前沿距离;

T——工件厚度;

K——探头的 K 值, $K = \mathrm{tg}\,\beta$。

对于单面焊, b 可忽略不计,这时　　$K \geqslant \dfrac{a + l_0}{T}$。

一般斜探头 K 值可根据工件厚度来选择,薄工件采用大 K 值,以便避免近场区探伤,提高定位精度。厚工件采用小 K 值,以便缩短声程,减少衰减和打磨宽度,提高探伤灵敏度。实际探伤时,可按表 8-1 选择 K 值。在条件允许的情况下,尽量采用大 K 值探头。

探伤时要注意, K 值常因斜楔中的声速、探头的磨损不同而产生变化,所以必须在探伤前应用试块测出 K 值,并在探伤中经常校验。

表 8-1　斜探头 K 值的选择

板厚 T(mm)	K 值
8 ~ 25	3.0 ~ 2.0
> 25 ~ 46	2.5 ~ 1.5
> 46 ~ 300	2.0 ~ 1.0

实际探伤中常利用 CSK-ⅢA 和 CSK-ⅠA 试块来测定探头 K 值。测定斜探头 K 值之前,先测定好探头入射点至探头的前沿距离 l_0,应用 CSK-ⅠA 试块的 $R100$ 的圆弧内反射波测定 l_0,测定方法如图 8-2 所示。将探头放在试块端面上,前后左右移动,找到试块上 $R100$ 圆弧最大反射波高时,可以认为横波主声束与 $R100$ 的圆心线重合,用钢板尺测量圆弧端点至探头前沿尺寸 l_1, $R100$ 与 l_1 之差即为 l_0。

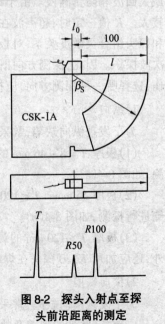

图 8-2　探头入射点至探头前沿距离的测定

利用 CSK-ⅢA 试块上 $\varnothing 1 \times 6$ 横孔测定探头 K 值的方法如图 8-3 所示。将探头对准 CSK-ⅢA 试块上某一 $\varnothing 1 \times 6$ 横孔,前后左右移动探头,找到横孔最大回波,并量出探头前沿至该孔的水平距离 l_1 和该孔的深度 d,则 K 值为

$$K = \mathrm{tg}\,\beta_\mathrm{S} = (l_1 + l_0)/d \qquad (8\text{-}4)$$

K 值测定应重复操作 1 ~ 2 次,取其平均值作为该探头的 K 值。

斜探头 K 值也可在 CSK-ⅠA 试块上进行测定,但精确度比 Ø1×6 横孔测定要低一些,原因是 Ø1×6 孔比 Ø50 孔的最高回波观察误差小,其次是 CSK-ⅠA 试块上的 K 值刻度观察误差比计算法大。

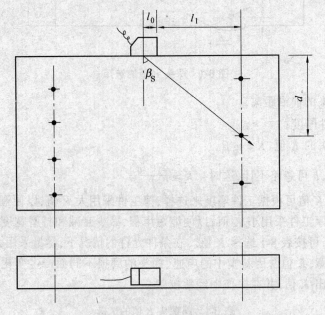

图 8-3　应用 CSK-ⅢA 试块测定斜探头 K 值

5. 探测方向的选择

探测方向是指探头与焊缝的相对位置以及探头的移动范围,目的是得到焊缝缺陷的最大回波和防止漏检。由于焊缝中可能存在的缺陷方向有纵向和横向,其探测方向差异较大。K 值一定时,超声波在厚板中传播的一、二次声程比在薄板中要长得多。由于仪器和探头组合灵敏度关系,对板厚较小的对接焊缝采用一、二次波探伤,对厚板只能采用一次波探伤。因此,探测方向既要检出不同方向的缺陷,又要满足不同板厚的对接焊缝探伤,选择哪一种探测方向,应按工件具体情况和检出缺陷类型决定。

1)纵向缺陷

为了发现纵向缺陷,常采用以下三种方式进行探测:

(1)板厚 $T = 8 \sim 46$ mm 的焊缝,以一种 K 值探头用一、二次波在焊缝单面双侧进行探测,如图 8-4(a)。

(2)板厚 46 mm $< T \leqslant 120$ mm 的焊缝,以一种或两种 K 值探头用一次波在焊缝两面双侧进行探测,如图 8-4(b)。

(3)板厚 $T > 120$ mm 的焊缝,除以两种 K 值探头用一次波在焊缝两面双侧进行探测外,还应加用 $K1.0$ 探头在焊缝单面双侧进行串列式探测,如图 8-4(c)。

2)横向缺陷

为了发现横向缺陷,常采用以下三种方式探测:

(1)在已磨平的焊缝及热影响区表面以一种(或两种)K 值探头用一次波在焊缝两面

作正、反两个方向的全面扫查,如图 8-5(a)。

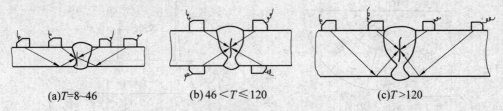

(a)T=8~46　　　　(b)46<T≤120　　　　(c)T>120

图 8-4　焊缝纵向缺陷的探测　（单位:mm）

(2)用一种(或两种)K值探头的一次波在焊缝两面双侧作斜平行探测。声束轴线与焊缝中心线夹角小于 10°,如图 8-5(b)。

(3)对于电渣焊中的人字形横裂,可用 $K1.0$ 探头在 45°方向以一次波在焊缝两面双侧进行探测,如图 8-5(c)。

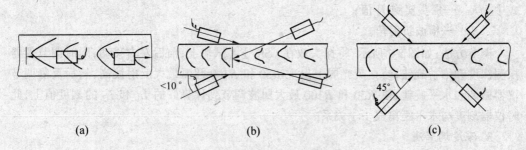

(a)　　　　　　　　(b)　　　　　　　　(c)

图 8-5　焊缝横向缺陷的探测

二、扫描速度(时基线比例)的调节

仪器水平扫描速度调节方法有三种,即声程法、水平法和深度法。在用 K 值探头探伤时,最常用的是后两种。当板厚小于或等于 20 mm 时采用水平法,当板厚大于 20 mm 时采用深度法。采用已知尺寸的人工试块进行扫描速度调节,其方法较多,如用 CSK-ⅠA 试块、CSK-ⅢA 试块,半圆试块以及边角反射试块等,目的是既要调得快又要调得准确。数字式超探仪只需输入必要参数即可调好,速度快、精度高。下面介绍采用 CSK-ⅠA 试块的手工调节法。

1. 声程调节法

声程调节法是使横波至反射体的实际声程调节成与示波屏刻度值成一定比例关系,如图 8-6 所示。将已测量好入射点至探头前沿距离及 K 值的探头放在试块上,前后左右移动,同时调节仪器上探测深度和增益旋钮,使 $R50$ 和 $R100$ 的圆弧反射回波均达到最大波高,然后应用仪器上微调和水平旋钮反复调整,使 $R50$ 和 $R100$ 的回波调节到刻度值的 50 和 100,此时水平刻度值与声程成 1:1 关系。

2. 水平调节法

先计算声程为 50 和 100 的对应水平距离 L_1 和 L_2(如图 8-7),公式如下

$$L_1 = \frac{50K}{\sqrt{1+K^2}} \qquad 或 \ L_1 = 50\sin\beta_S \qquad (8-5)$$

$$L_2 = 2L_1 \qquad\qquad (8-6)$$

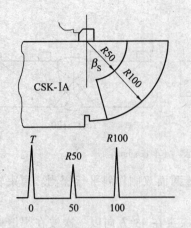

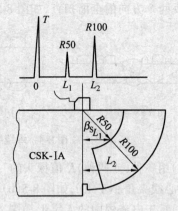

图 8-6 应用 CSK-ⅠA 试块,声程调节法

图 8-7 用 CSK-ⅠA 试块,水平调节法

式中 K——探头实测 K 值;

  β_S——横波折射角。

调节方法:如图 8-7 所示,将探头放在 CSK-ⅠA 试块上,前后左右移动,同时调节仪器探测深度和增益旋钮,使在荧光屏上出现 $R50$ 和 $R100$ 圆弧最大反射波高,然后反复调节仪器微调和水平旋钮,使 $R50$ 和 $R100$ 最大回波调节到计算好的 L_1 和 L_2 的刻度值上,此时仪器刻度与水平距离成 1:1 关系。

3. 深度调节法

先计算好声程为 50 和 100 的对应深度距离 d_1 和 d_2(如图 8-8),公式如下

$$d_1 = \frac{50}{\sqrt{1 + K^2}} \qquad \text{或 } d_1 = 50\cos\beta_S \qquad (8\text{-}7)$$

$$d_2 = 2d_1 \qquad\qquad (8\text{-}8)$$

式中 K——探头实测 K 值;

  β_S——横波折射角。

调节方法如图 8-8 所示。将探头放在 CSK-ⅠA 试块上,前后左右移动,同时调节仪器探测深度和增益旋钮,使荧光屏上出现 $R50$ 和 $R100$ 的圆弧最大反射波高,然后反复调节仪器微调和水平旋钮,使 $R50$ 和 $R100$ 最大反射波高调节到计算好的 d_1 和 d_2 值上,此时仪器刻度值与深度距离成 1:1 关系。

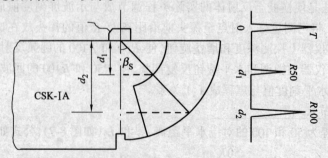

图 8-8 用 CSK-ⅠA 试块,深度调节法

三、距离—波幅曲线的绘制与应用

缺陷波高与缺陷大小、距离有关，大小相同的缺陷由于声程不同，回波高度也不相同。描述某一确定反射体回波高度随距离变化的关系曲线称为距离—波幅曲线。

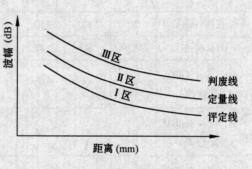

图 8-9　距离—波幅曲线示意图

距离—波幅曲线由定量线、判废线和评定线组成，如图 8-9 所示。评定线和定量线之间称为Ⅰ区，定量线与判废线之间称为Ⅱ区，判废线以上称为Ⅲ区。不同板厚范围的距离—波幅曲线的灵敏度见表 8-2（JB4730—94）。

表 8-2　距离—波幅曲线的灵敏度（JB4730—94）

试块型式	板厚(mm)	评定线	定量线	判废线
CSK-ⅡA	8～46 ＞46～120	Ø2×40－18 dB Ø2×40－14 dB	Ø2×40－12 dB Ø2×40－8 dB	Ø2×40－4 dB Ø2×40＋2 dB
CSK-ⅢA	8～15 ＞15～46 ＞46～120	Ø1×6－12 dB Ø1×6－9 dB Ø1×6－6 dB	Ø1×6－6 dB Ø1×6－3 dB Ø1×6	Ø1×6＋2 dB Ø1×6＋5 dB Ø1×6＋10 dB
CSK-ⅣA	＞120～300	Ød－16 dB	Ød－10 dB	Ød

距离—波幅曲线有两种形式。一种是波幅用 dB 值表示作为纵坐标，距离为横坐标，称为距离—dB 曲线。另一种是波幅用毫米（或％）表示作为纵坐标，距离为横坐标，实际探伤中将其绘在荧光屏面板上，称为面板曲线。

1. 距离—dB 曲线（设板厚 $T = 30$ mm）

1）距离—dB 曲线的绘制

（1）测定探头的入射点和 K 值。并根据板厚按水平或深度调节扫描速度，一般为1:1，这里按深度 1:1 调节。

（2）探头置于 CSK-ⅢA 试块上，衰减 48 dB（假定），调[增益]使深度为 10 mm 的 Ø1×6孔的最高回波达基准 60％高，记下这时[衰减器]读数和孔深。然后分别探测不同深度的Ø1×6孔，[增益]不动，用[衰减器]将各孔的最高回波调至 60％高，记下相应的 dB 值和孔深填入表 8-3。并将板厚 $T = 30$ mm 对应的定量线、判废线和评定线的 dB 值填入表中（实际探伤中，只要测到 60 mm 孔深即可）。

（3）利用表 8-3 中所列数据，以孔深为横坐标，以 dB 值为纵坐标，在坐标纸上描点绘出定量线、判废线和评定线，标出Ⅰ区、Ⅱ区和Ⅲ区，并注明所用探头的频率、晶片尺寸和 K 值，如图 8-10。

（4）用深度不同的距离—dB 曲线的校核：应用横孔校验距离—dB 曲线，若不相符应重测。

表 8-3

孔深(mm)	10	12	30	40	50	60	70	80	90
$\varnothing 1 \times 6$ (dB)	52	50	47	44	41	38	36	34	32
$\varnothing 1 \times 6 + 5$ (dB)（判废线）	57	55	52	49	46	43	41	39	37
$\varnothing 1 \times 6 - 3$ (dB)（定量线）	49	47	44	41	38	35	33	31	29
$\varnothing 1 \times 6 - 9$ (dB)（评定线）	43	41	38	35	32	29	27	25	23

2）距离—dB 曲线的应用

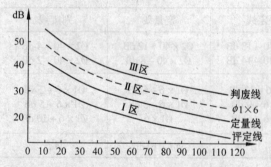

图 8-10　距离—dB 曲线　（单位：mm）

（1）了解反射体波高与距离之间的对应关系。

（2）调整探伤灵敏度：标准要求焊缝探伤灵敏度不低于评定线。这里 $T = 30$ mm，评定线为 $\varnothing 1 \times 6 - 9$ dB，二次波探伤最大深度为 60 mm。由距离—波幅曲线可知评定线灵敏度为 26 dB，因此将［衰减器］打到 26 dB 时灵敏度就调好了（若考虑耦合补偿 3 dB）。实际探伤过程中还应定期利用某一深度的孔来校正探伤灵敏度。例如 $d = 40$ mm 的 $\varnothing 1 \times 6$ 孔回波是否为 44 dB。

（3）比较缺陷大小：例如，探伤中发现两缺陷，缺陷 1#：$d_{f1} = 30$ mm，波高为 45 dB；缺陷 2#：$d_{f2} = 50$ mm，波高为 40 dB，试比较二者大小。

由距离—波幅曲线可知，$d = 30$ mm，$\varnothing 1 \times 6$ 波高为 47 dB，所以缺陷 1# 当量为 $\varnothing 1 \times 6 + 45 - 47 = \varnothing 1 \times 6 - 2$ dB。$d = 50$ mm，$\varnothing 1 \times 6$ 波高为 41 dB，所以缺陷 2# 当量为 $\varnothing 1 \times 6 + 40 - 41 = \varnothing 1 \times 6 - 1$ dB。不难看出缺陷 1# 小于缺陷 2#。

（4）确定缺陷所处区域：例如探伤中发现一缺陷 $d_{f1} = 20$ mm，波高为 45 dB，另一缺陷 $d_{f2} = 60$ mm，波高为 40 dB，在定量线以下，即距离—波幅曲线可知，$d = 20$ mm，定量线为 46 dB，缺陷 1# 波高为 45 dB（< 46 dB），在定量线以下，即Ⅰ区，故不必测长。$d = 60$ mm，定量线为 35 dB，缺陷 2# 波高为 40 dB（> 35 dB），在定量线以上，即Ⅱ区，应测定缺陷长度。

2．面板曲线（设板厚 $T = 30$ mm）

实际探伤中，使用距离—dB 曲线比较麻烦，而面板曲线使用方便，可根据缺陷波高直接确定缺陷当量和区域，目前国内外应用很广。

1）面板曲线的绘制

（1）测定探头的入射点和 K 值，根据板厚按深度或水平调节扫描速度，这里按深度 1:1 调节。

(2)探头对准 CSK-ⅢA 试块上深为 10 mm 的 Ø1×6 横孔找到最高回波,调至满幅度的 100%(但不饱和),在面板上标记波峰对应的点,并记下此时的 dB 值 N(假定 $N = 30$ dB)。

(3)固定[增益]和[衰减器],分别探测深度为 20、30、40、50、60 mm 的 Ø1×6 横孔,找到最高回波,并在面板上标记相应波峰对应的点①、②、③、④、⑤、⑥,然后连接点①、②、③、④、⑤、⑥得到一条 Ø1×6 参考曲线,这就是面板曲线。如图 8-11 所示。

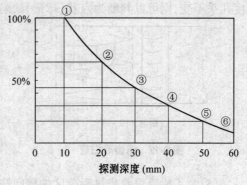

图 8-11　面板曲线

2)面板曲线的应用

(1)灵敏度的调节:若工件厚度在 15~46 mm 范围内,只要在 $N = 30$ dB 的基础上再提高 9 dB,即[衰减器]读数为 21 dB。这时灵敏度就调节好了。如果考虑补偿,应再提高需补偿的 dB 数。设补偿 5 dB,则[衰减器]读数为 16 dB 即可。

(2)确定缺陷区域:探伤时若缺陷波高低于参考线,则说明缺陷波低于评定线,可以不予考虑。若缺陷波高于参考线,则用[衰减器]将缺陷波调至参考线,根据衰减的 dB 值求出缺陷的当量和区域。例如:

+4 dB,则缺陷当量为 Ø1×6 − 9 + 4 = Ø1×6 − 5 dB,在Ⅰ区。

+8 dB,则缺陷当量为 Ø1×6 − 9 + 8 = Ø1×6 − 1 dB,在Ⅱ区。

+16 dB,则缺陷当量为 Ø1×6 − 9 + 16 = Ø1×6 + 7 dB,在Ⅲ区。

应用上述面板曲线时,只要记住 +6 dB 和 +14 dB 即可。+6 dB 表示缺陷达到定量线,注意测长。+14 dB 表示缺陷达到判废线,应判废。

目前,有些地方将判废线、定量线、评定线都绘在示波屏面板上,使用更为方便。不过这时要求仪器的动态范围大,垂直线性更好一些。

四、扫查方式

扫查方式是指探头与焊缝相对摆放位置、移动方法及移动范围。目的是发现焊缝缺陷,对缺陷定位、定量以及进一步推论缺陷性质等。由于焊缝缺陷分布方向及其性质不同,扫查方式也各有差异,经常采用的扫查方式有如下几种:

(1)锯齿形扫查。这是检查焊缝中有无缺陷的一般方法,特别要注意的是:锯齿形扫查时,探头要作 10~15°的摆动。这是因为探头不摆动,就不能发现与焊缝倾斜的缺陷。此外,每次前进齿距 d 不得超过探头晶片直径。这是因为间距太大,会造成漏检(见图 8-12)。

(2)左右扫查与前后扫查(见图 8-13)。当用锯齿形扫查发现缺陷时,可用左右扫查和前后扫查找到回波的最大值,进而判定缺陷位置:可用左右扫查来确定缺陷沿焊缝方向的长度;用前后扫查来确定缺陷的水平距离或深度。

(3)转角扫查(见图 8-13)。利用它可以推断缺陷与焊缝的相对方向和性质。

(4)环绕扫查(见图 8-13)。它可作为推断缺陷的形状时用,如果环绕扫查时,回波高度几乎不变,则可以判断为点状(球形)缺陷。

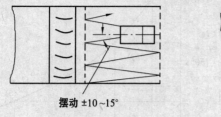

图 8-12 锯齿形扫查

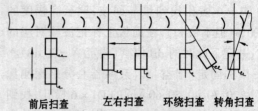

前后扫查　　左右扫查　环绕扫查　转角扫查

图 8-13 四种基本扫查

(5)为了检验焊缝或热影响区的横向缺陷,对于磨平的焊缝可将斜探头直接放在焊缝下作平行移动;对于有加强层的焊缝可在焊缝两侧边缘,使探头与焊缝成一定夹角(10~45°)作平行或斜平行移动,但灵敏度要适当提高(见图 8-14)。

(6)串列式扫查。在厚板焊缝探伤中,与探伤面垂直的内部未焊透、未熔合等缺陷用单斜探头很难探出。国内一般采用两种探头,即小 K 值探头和大 K 值探头,也有采用串列式扫查(见图 8-15)。但是要注意,这种扫查会有探测不到的区域(常称死区)。对于死区,可以用单斜探头探测。

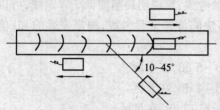

图 8-14 平行或斜平行扫查

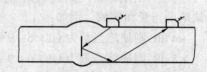

图 8-15 串列式扫查

五、缺陷位置的测定

在探伤中发现缺陷波以后,应根据示波屏上缺陷波的位置来确定缺陷在实际焊缝中的位置。缺陷定位法分为:声程定位法、水平定位法和深度定位法三种(声程定位法不常用,在此略去)。

1. 水平定位法

当仪器按水平 1:n 调节扫描速度时,应采用水平定位法来确定缺陷的位置,如图 8-16所示。若仪器按水平 1:1 调节扫描速度,那么示波屏上缺陷波前沿所对的水平刻度值 τ_f 就是水平距离 L_f。

用一次波探伤发现缺陷时

$$L_f = n\tau_f \tag{8-9}$$

$$d_f = L_f / K \tag{8-10}$$

用二次波探伤发现缺陷时

$$L_f = n\tau_f \tag{8-11}$$

$$d_f = 2T - L_f / K \tag{8-12}$$

式中　K——探头的 K 值,$K = \mathrm{tg}\,\beta_s$;

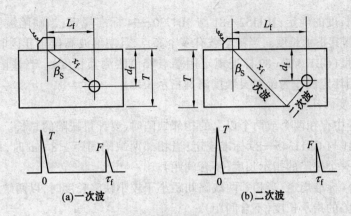

(a)一次波　　　　　　　　　　(b)二次波

图 8-16　横波探测缺陷定位

d_f——缺陷深度；

T——板厚。

例：用 $K2$ 探头探伤 $T = 15\ mm$ 的对接焊缝，仪器按水平 1:1 调节扫描速度，探伤中示波屏上水平刻度 50 处发现一缺陷波，求此缺陷的位置。

解：由已知得一、二次波的水平距离为

$$L_1 = KT = 2 \times 15 = 30\,(\text{mm})$$

$$L_2 = 2KT = 2 \times 2 \times 15 = 60\,(\text{mm})$$

$$30 < L_f = 50 < 60$$

可见此缺陷是二次波发现的，它的水平距离和深度分别为

$$L_f = n\tau_f = 1 \times 50 = 50\,(\text{mm})$$

$$d_f = 2T - L_f / K = 2 \times 15 - 50/2 = 5\,(\text{mm})$$

2. 深度定位法

当仪器按水平 1:n 调节扫描速度时，应采用深度定位法来确定缺陷的位置。若仪器按水平 1:1 调节扫描速度，示波屏上缺陷波前沿所对的水平刻度值为 τ_f。

用一次波探伤发现缺陷时

$$d_f = n\tau_f \tag{8-13}$$

$$L_f = Kd_f \tag{8-14}$$

用二次波探伤发现缺陷时

$$d_f = 2T - n\tau_f \tag{8-15}$$

$$L_f = Kn\tau_f \tag{8-16}$$

关于曲率大的筒体纵缝探伤定位问题，参阅本篇第四章第一节。

六、缺陷大小的测定

1. 缺陷幅度与指示长度的测定

探伤中发现位于定量线或定量线以上的缺陷，要测定缺陷波的幅度和指示长度。

缺陷幅度的测定：首先找到缺陷最高回波，按其最高回波由距离—dB 曲线或距离—波高曲线，结合有关标准确定其所在区域，提供评级依据。

缺陷指示长度的确定：JB1152—81 与 JB4730—94 标准规定：当缺陷波只有一个高点时，用 6 dB 法测其指示长度。当缺陷波有多个高点，且端部波高位于Ⅱ区时，用端点 6 dB 法测其指示长度(GB11345—89 标准规定用端点峰值法测其长度)。当缺陷波位于Ⅰ区，如有必要，可用评定线作为绝对灵敏度测其指示长度。

2．缺陷长度的计算

(1)当焊缝中存在两个或两个以上的相邻缺陷时，要计量缺陷的总长。

JB1152—81 与 GB11345—89 标准规定：当相邻两缺陷间距≤8 mm 时，以两缺陷指示长度之和作为一个缺陷的指示长度(不含间距)。

JB4730—94 标准规定：当相邻两缺陷间距小于较小缺陷长度时，以两缺陷指示长度之和作为一个缺陷的指示长度(不含间距)。

(2)缺陷指示长度小于 10 mm 者，按 5 mm 计。

七、焊缝质量评级

缺陷的大小测定以后，要根据缺陷的当量和指示长度结合有关标准的规定评定焊缝的质量级别。

JB4730—94 标准将焊缝质量级别分为Ⅰ、Ⅱ、Ⅲ等三级，其中Ⅰ级质量最高，Ⅲ级质量最低。具体分级规定如下：

(1)焊缝中不允许存在以下缺陷：

①反射波幅位于Ⅲ区者。

②检验人员判定为裂纹等危害性缺陷。

(2)位于Ⅱ区的缺陷按表 8-4 评定焊缝的质量级别。

(3)位于Ⅰ区的非危害性缺陷评为Ⅰ级。

JB1152—81 标准关于单个缺陷长度的评级与 JB4730—94 标准中 $T = 8 \sim 120$ mm 的情况相同，关于多个缺陷累计长度评级与 JB4730—94 有所不同，见表 8-4。

表 8-4 JB4730—94Ⅱ区缺陷级别评定

级　别	板厚(mm)	单个缺陷指示长度(mm)	多个缺陷累计长(mm)
Ⅰ	8 ~ 120	$T/3$(最小 10，最大 30)	9T 长度范围内不超过 T (JB1152—81:2T 范围内不超过 $T/3$)
	> 120 ~ 300	$T/3$(最大 50)	
Ⅱ	8 ~ 120	2$T/3$(最小 12，最大 40)	4.5T 长度范围内不超过 T (JB1152—81:2T 范围内不超过 2$T/3$)
	> 120 ~ 300	(最大 75)	
Ⅲ	超过Ⅱ级者		

GB11345—89 标准将焊缝质量分为Ⅰ、Ⅱ、Ⅲ、Ⅳ等四级，其中Ⅰ级质量最高，Ⅳ级质量最低。具体分级规定如下：

(1)Ⅳ级焊缝：存在以下缺陷时评为Ⅳ级：

①反射波位于Ⅲ区的缺陷者。

②反射波超过评定线，检验人员判为裂纹等危害缺陷者。

③位于Ⅱ区的缺陷指示长度超过表 8-5 中Ⅲ级者。

表 8-5　GB11345—89 标准 Ⅱ 区缺陷级别评定 　　　　　　　（单位：mm）

级　别	A	B	C
	8～50	8～300	8～300
Ⅰ	2T/3(最小 12)	T/3(最小 10，最大 30)	T/3(最小 10，最大 20)
Ⅱ	3T/4(最小 12)	2T/3(最小 12，最大 50)	T/2(最小 10，最大 30)
Ⅲ	T(最小 20)	3T/4(最小 16，最大 75)	2T/3(最小 12，最大 50)
Ⅳ	超过Ⅲ级者		

(2) Ⅰ、Ⅱ、Ⅲ级焊缝：

①位于Ⅱ区的缺陷按表 8-5 评定其级别。

②位于Ⅰ区的非危害性缺陷评为Ⅰ级。

八、探伤记录和探伤报告

探伤记录有多种形式。

1. 直接写在工件上

在工件上画出缺陷大小，并标上缺陷的当量值（习惯上标以定量线上几个 dB）、长度、深度（或水平距离）。

2. 写在记录纸上

在记录纸上记录下列内容：

(1) 工件名称、编号、材质、板厚、焊接方法、坡口形式、所使用的仪器和探头（频率、尺寸、K 值）型号、试块型号、耦合剂、探伤部位、距离—波幅曲线和探伤灵敏度、返修部位、返修的长度、深度和返修次数、焊工号，探伤操作者姓名和资格证编号，探伤责任工程师（技术负责人）的签名、探伤日期。

(2) 反射波高位于Ⅱ区的缺陷应作记录，反射波高位于Ⅱ区，指示长度较长时，也要记录备案。

目前国内探伤报告有多种形式，难以统一。因此，标准中只规定了探伤报告的内容，而没有规定其格式。探伤报告主要内容包括：工件名称、厚度、编号、探伤方法、所使用的仪器、探头、探测频率试块、验收标准、探伤比例、部位示意图、缺陷情况、返修情况、探伤结论、操作者和资格编号、负责人及探伤日期等。

九、缺陷性质的估判

检出缺陷后，应从不同扫查方向进行探测，根据反射波形状和动态波形，结合缺陷在焊缝中所处部位和焊接工艺，对缺陷性质进行综合判断。到目前为止，超声波探伤还没有一个成熟可靠的方法对缺陷进行定性，因此缺陷评级主要依据缺陷回波和数量。下面简单介绍对典型缺陷的估判方法。

1. 气孔

气孔是焊接熔池中的气体在凝固时未能逸出而形成的空穴，呈球形。气孔可分为单个气孔和密集气孔。单个气孔回波高度低，波形较稳定。从各个方向探测，反射波高大致相同,但稍一移动探头就消失。密集气孔为一簇反射波,其波高随气孔的大小而不同,当探头作定点转动时,会出现此起彼落的现象。

2. 夹渣

夹渣是焊后残留在焊缝中的熔渣,夹渣表面不规则。夹渣分点状夹渣和条状夹渣。点状夹渣的回波信号与点状气孔相似。条状夹渣回波信号多呈锯齿状,它的反射率低,一般波幅不高,波形常呈树枝状,主峰边上有小峰。探头平移时,波幅有变动,从各个方向探测,反射波幅不相同。

3. 未焊透

焊接时,接头处母材与母材未完全熔透的现象称为未焊透。一般位于焊缝中心线上,有一定的长度。在厚板双面焊缝中,未焊透位于焊缝中部,声波在未焊透缺陷表面上类似镜面反射,用单斜探头探测时有漏检的危险,特别是 K 值较小时,漏检可能性更大。为了提高这种缺陷的检出率,应再增加大 K 值探头探伤或采用串列式探伤。对于单面焊根部未焊透,类似端角反射,$K = 0.7 \sim 1.5$ 灵敏度较高。探头平移时,未焊透波形较稳定。焊缝两侧探伤时,均能得到大致相同的反射波幅。

4. 未熔合

熔焊时,焊道与母材之间或焊层与焊层之间,未完全熔化结合的部分叫未熔合。当超声波垂直入射到其表面时,回波高度大。但如果探伤方法和折射角选择不当,就有可能漏检。

未熔合反射波的特征是:探头平移时,波形较稳定。两侧探测时,反射波幅不同,有时只能从一侧探到。

5. 裂纹

一般来说,裂纹的回波高度较大,波幅宽,会出现多峰。探头平移时,反射波连续出现,波幅有变动;探头转动时,波峰有上、下错动现象。

6. 咬边反射

一般情况下此种缺陷反射波的位置分别出现在一次与二次波的前边。当探头在焊缝两侧探伤时,一般都能发现,见图8-17。

咬边辨别的方法如下:

(1)测量这个信号的部位是否在焊缝边缘处,如能用肉眼直接观察到咬边存在,即可判定。

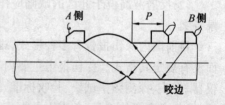

图8-17　咬边的判别

(2)在探头移到出现最高反射信号处固定探头,适当降低仪器灵敏度。用手指蘸油轻轻敲打焊缝边缘咬边处,观察反射信号是否有明显的跳动现象。若信号跳动,则证明是咬边反射信号。

此外还可用动态波形法估判缺陷性质。动态波形法主要是依靠探头移动过程中波形的变化和缺陷的表面状态,进而判断缺陷性质,它是假定缺陷由许多微元面积组成的,这些微元面积又是按不同的方位排列起来的。

例如,可以把未熔合面看做是微元面积排列在一条直线上,裂纹是按折线排列的,而条状夹渣则可看做按圆滑曲线排列的。在从任何方向探测时,波形都可以看做是这些微元面积的反射信号叠加的结果。微元面积的排列情况不同,信号的叠加情况亦不同,同一个缺陷从不同方向探测,信号的叠加情况也不同。从探头在移动过程中波形的变化情况判断微元面积的排列情况,以达到判断缺陷性质的目的。

基本的探头移动路径有纵向移动、横向移动、环绕移动和定点移动四种。几种不同的缺陷,在探头移动过程中,波幅变化规律也不同。从幅度上看,有表8-6中的几种情况。

表8-6　几种典型缺陷的动态波形

项　　目	扫描图形	识别包络线	备　　　　注
孤立的气孔或圆形杂质 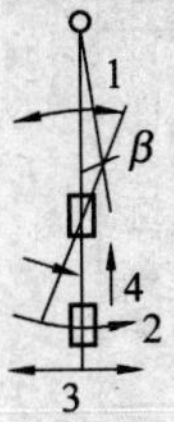	信号游动 $a \to b \to a$  ①	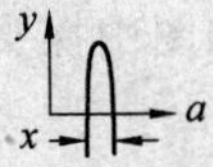	包络线尖锐,消失很快,x 值由缺陷大小决定
	不游动  ②	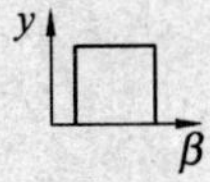	缺陷反射波高一定,不消失,包络线是方形的
	游动 $a \to b \to a$  ③	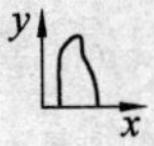	与①类似,但宽度稍大,顶部稍圆
	游动 $a \to b$  ④	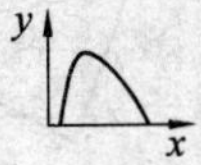	探头向前移动,波高先增加较快,缓慢增加,最后波高消失很快
凸凹状的缺陷 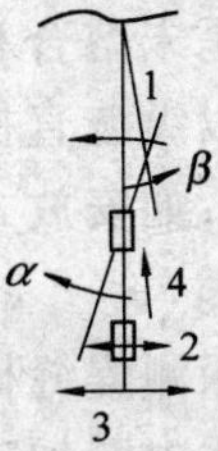	信号游动 $a \to b \to a$  ①		对凸凹状的裂纹缺陷,包络线顶端起伏
	游动 $a \to b \to a$  ②	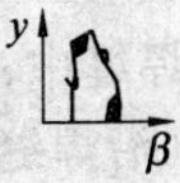	包络线凸凹起伏形状,或在顶端形成若干尖峰
	游动不大 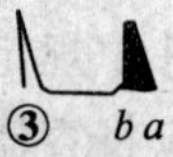 ③	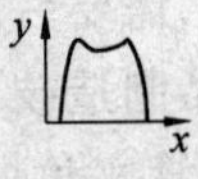	探头横向移动中,信号的游动,与缺陷位置有关,游动信号幅度增加,表示探头到缺陷距离发生变化,x 由缺陷大小决定
	游动 $a \to b$  ④		探头向缺陷方向前进时,声束刚和缺陷接触反射波波高迅速上升,继续前进,波高的下降很快,x 由缺陷深度决定,但也受探头角度的影响

· 267 ·

第三节 管座角焊缝探伤

一、结构特点与探伤方法

管座角焊缝的结构型式有插入式和安放式两种。

插入式管座角焊缝是接管插入容器筒件内焊接而成,如图8-18所示,可采用以下几种方式探测:

(1)采用直探头在接管内壁进行探测,如图中探头位置1。

(2)采用斜探头在容器筒体外壁利用一、二次波进行探测,如图中探头位置2。

(3)采用斜探头在接管内壁利用一次波探测,如图中探头位置3。也可在接管外壁利用二次波探测,但后者灵敏度较低。

安放式管座角焊缝是接管安放在容器筒体上焊接而成的,如图8-19所示。可采用以下几种方式探测:

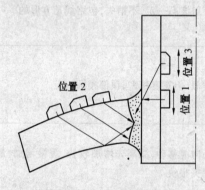

图8-18 插入式管座角焊缝

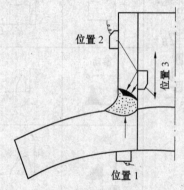

图8-19 安放式管座角焊缝

(1)采用直探头在容器筒体内壁进行探测,如图中探头位置1。

(2)采用斜探头在接管外壁利用二次波进行探测,如图中探头位置2。

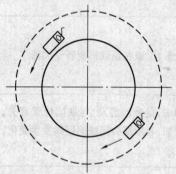

图8-20 管座角焊缝横向缺陷的探测

(3)采用斜探头在接管内壁利用一次波进行探测,如图中探头位置3。

由于管座角焊缝中,危害最大的缺陷是未熔合和裂纹等纵向缺陷(沿焊缝方向),因此一般以纵波直探头探测为主。对于直探头扫查不到的区域,如安放式管座角焊缝根部,需要另加斜探头进行探测。

此外,凡产品制造技术条件中规定要探测焊缝横向缺陷的插入式管座角焊缝,应将容器筒体内壁加工平,利用大 K 值探头在筒体内壁沿焊缝方向进行正反两个方向的探测,如图8-20所示。

二、探测条件的选择

1.探头

在管座角焊缝探伤中,探测频率2.5~5.0 MHz。采用单晶直探头或双晶直探头探测时,由于容器筒体或接管表面为曲面,探头表面为平面,二者接触面小,耦合面小,耦合不良。为了实现较好的直接耦合,探头的尺寸不宜过大。一般推荐探头与工件接触面尺寸 $W < 2R^{1/2}$,式中 R 为探测面曲率半径。

采用斜探头探测时,探头与工件接触面尺寸应满足以下要求

$$a(\text{或 } b) \leqslant \sqrt{\frac{D}{2}} \tag{8-17}$$

式中 a——斜探头接触面长度(周向探测);

b——斜探头接触面宽度(轴向探测);

D——探测面曲面直径。

2. 耦合剂

管座角焊缝探伤中,常用的耦合剂有机油、化学浆糊等。探测面应打磨使之平整光洁,表面粗糙度 $R_a \leqslant 6.3\ \mu m$。

3. 试块

直探头探伤用试块如图 8-21 所示(按 JB3144—82 锅炉大口径管座角焊缝超声波探伤标准),试块中 S、b 见表 8-7。试块材质、曲率半径、表面粗糙度同工件。该试块用于调整探伤灵敏度和对缺陷定量。

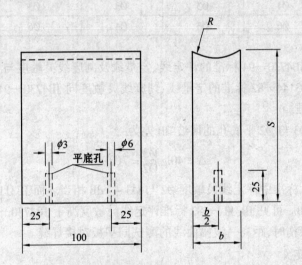

图 8-21   曲面平底孔试块 (单位:mm)

表 8-7   曲面平底孔试块 S、b 尺寸

S(mm)	100	125	150	175
b(mm)	50	50	60	60

斜探头探伤用试块同平板对接焊缝探伤。

三、仪器的调整

1. 时基线比例调整

直探头探测时,可利用工件上或试块上已知尺寸的底面来调整。斜探头探测时,可利

用 CSK-ⅠA 试块按声程调整仪器时基线比例,使最大探测声程位于仪器时基线后半部分。

2. 灵敏度调整

直探头探伤时,常利用工件的圆柱曲底面的底波来调节。具体调整方法同锻件探伤。此外也可利用图 8-21 所示的曲面平底孔试块来调整。直探头探伤灵敏度要求不低于 Ø2 平底孔。

斜探头探伤时,按平板对接焊缝探伤中的方法调整。

四、距离—波幅曲线

直探头探伤时,平底孔距离—波幅曲线可在 CS1 或 CS2 试块上测试。距离—波幅曲线的灵敏度按表 8-8 确定。

表 8-8 平底孔距离—波幅曲线灵敏度

标　准	GB11345—89			JB4730—94	JB3114—82
	A	B	C		
评定线(EL)	Ø3	Ø2	Ø2	Ø2 (Ø3 − 7 dB)	Ø3 − 6 dB
定量线(SL)	Ø4	Ø3	Ø3	Ø3	Ø3
判废线(RL)	Ø6	Ø6	Ø4	Ø6	Ø6

由上表可知,JB4730—94 标准的评定线、定量线及判废线灵敏度与 GB11345—89 标准 B 级检验相同。JB3144—82 标准的定量线、判废线灵敏度同 JB4730—94,评定线灵敏度高于 JB4730—94 标准。

∵同距离处 Ø3 与 Ø2 平底孔的回波 dB 差为

$$\Delta = 40\lg\frac{Ø3}{Ø2} = 7(\text{dB})$$

∴JB4730—94 标准中评定线灵敏度 Ø2 与 Ø3 − 7 dB 相当。而 JB3114—82 标准评定线灵敏度为 Ø3 − 6 dB。可见 JB3114—82 标准评定线灵敏度高于 JB4730—94 标准。

采用斜探头探伤时,距离—波幅曲线的测试同平板对接焊缝。

五、缺陷的测定

探伤过程中发现超过定量线的缺陷时,要测定缺陷的位置、当量大小和指示长度。

缺陷当量大小:直探头探伤时,可用当量计算法或试块比较法来确定。斜探头探伤时,按平板对接焊缝方法处理。

缺陷指示长度:当缺陷反射波只有一个高点时,用半波高度法测长。当缺陷反射波有多个高点时,用端点半波高度法或端点峰值法测长。

同深度的两个相邻缺陷间距小于其中较小者时作为同一缺陷处理,以各缺陷指示长度之和作为该缺陷的指示长度,若间距大于较小者时,则分别计算其长度。

六、质量验收

JB4730—94、GB11345—89 标准规定管座角焊缝质量评定方法同平板对接焊缝。

【复习思考题】

1. 焊缝中常见缺陷有哪几种？各是怎样形成的？

2. 焊缝超声波探伤中，为什么常采用横波探伤？

3. 横波探伤焊缝时，如何选择探头的 K 值？

4. 试说明利用 CSK-ⅠA 和 CSK-ⅢA 试块测定探头 K 值的方法。

5. 试分别说明焊缝纵向缺陷和横向缺陷的探伤方法。

6. 焊缝探伤中，调节扫描速度的常用方法有哪几种？各适用于什么情况？

7. 试说明利用 CSK-ⅠA 试块按水平和深度 1:1 调节横波扫描速度的方法。

8. 什么是距离—波幅曲线？距离—波幅曲线有何用途？

9. 试说明利用 CSK-ⅢA 试块测试距离—dB 曲线和面板曲线的方法(设板厚为 40 mm)。

10. 画图说明焊缝探伤中扫查方式的种类和作用。

11. 焊缝探伤中，如何测定缺陷在焊缝中的位置？

12. 焊缝探伤中，测定缺陷指示长度的方法有哪几种？各适用于什么情况？

13. 焊缝探伤中，常见的伪缺陷波有哪几种？

14. 焊缝探伤中，如何选择探头的频率、晶片尺寸和耦合剂？

15. JB4730—94 标准规定如何调节焊缝探伤灵敏度？

16. JB4730—94 标准规定在什么情况下测定缺陷的幅度和指示长度？

17. 用 $K2$ 探头探伤厚度分别为 30 mm 和 60 mm 的钢板对接焊缝，按 JB4730—94 标准确定焊缝两侧的打磨宽度。

18. 用 $K2$ 探头探测厚度 $T=40$ mm 的焊缝，仪器按深度 1:1 调节扫描速度，探伤在示波屏水平刻度 30 和 60 处出现两缺陷波，求此两缺陷的位置。

19. 用入射角 $\alpha_L=50°$ 的斜探头探伤 $T=22$ mm 的钢焊缝，已知探头楔块中 $C_L=2\,730$ m/s，钢中 $C_S=3\,230$ m/s，仪器按水平 1:1 调节扫描速度，探伤时在水平刻度 60 处发现一缺陷，求此缺陷的位置。

20. 用 K 值探头探测 $T=20$ mm，上下焊缝宽度为 20 mm 的工件，探头前沿长度为 20 mm，为保证声束能扫查整个焊缝截面，试确定用一、二次波探伤时探头的 K 值。

21. 超声波探伤厚度 $T=40$ mm 的钢板焊缝，探伤中发现位于 Ⅱ 区的缺陷情况为：14 mm 长一个，8 mm 长一个。以上缺陷间距大于 8 mm，且均在 80 mm 范围内。试根据 JB4730—94 标准评定该焊缝的级别。

22. 超声波探伤厚度 $T=100$ mm 的钢板焊缝，在 150 mm 长度范围内发现间距大于 8 mm 的缺陷情况如下：$\varnothing 2\times40+1$ dB 长 25 mm 一个，$\varnothing 2\times40-6$ dB 长 8 mm 三个，$\varnothing 2\times40-12$ dB 长 5 mm 二个，试根据 JB4730—94 标准评定焊缝级别。

23. 管座角焊缝有哪几种结构型式？各属于什么坡口形式？

24. 管座角焊缝探伤主要采用什么探头探测？为什么？

25. 试述插入式管座角焊缝的横向缺陷检测方法。

第九章 超声波探伤实验

本章介绍超声波探伤及探头的主要性能测试方法,以及钢板、锻件、对接焊缝的探伤方法。

实验一 超声波探伤仪及探头主要性能测试方法

一、实验目的

(1)掌握水平线性、垂直线性和动态范围的测试方法。

(2)掌握盲区、分辨力和灵敏度余量等综合性能的测试方法。

二、仪器的主要性能

1.水平线性

仪器荧光屏上时基线水平刻度值与实际声程成正比的程度,称为仪器的水平线性或时基线性。水平线性主要取决于扫描锯齿波的线性。仪器水平线性的好坏直接影响测距精度,进而影响缺陷定位。

2.垂直线性

仪器荧光屏上的波高与输入信号幅度成正比的程度称为垂直线性或放大线性。垂直线性主要取决于放大器的性能。垂直线性的好坏影响应用面板曲线对缺陷定量的精度。

3.动态范围

仪器的动态范围是指反射信号从垂直极限衰减到消失时所需的衰减量,也就是仪器荧光屏容纳信号的能力。

三、仪器与探头的主要综合性能

仪器与探头的综合性能不仅与仪器有关,而且与探头有关。主要综合性能有盲区、分辨力、灵敏度余量等。

1.盲区

从探测面到能发现缺陷的最小距离,称为盲区。盲区内缺陷一概不能发现。盲区与放大器的阻塞时间和始脉冲宽度有关,阻塞时间长,始脉冲宽,盲区大。

2.分辨力

在荧光屏上区分距离不同的相邻两缺陷的能力称为分辨力。能区分的两缺陷的距离愈小,分辨力就愈高。分辨力与脉冲宽度有关,脉冲宽度小,分辨力高。

3.灵敏度余量

灵敏度余量指仪器与探头组合后,在一定的探测范围内发现微小缺陷的能力。具体指从一个规定测距孔径的人工试块上获得规定波高时仪器所保留的 dB 数。保留的 dB 数高,说明灵敏度余量高。

四、实验用品

(1)仪器:CTS-22、CTS-26 型等。

(2)探头:2.5P20Z 或 2.5P14Z。

(3)试块:CSK-ⅠA、200/Ø1 平底孔试块等。

(4)耦合剂:机油。

(5)其他:压块、坐标纸等。

五、实验内容与步骤

1. 水平线性的测试

(1)调有关旋钮使时基线清晰明亮,并与水平刻度线重合。

(2)将探头通过耦合剂置于 CSK-ⅠA 试块上,如图 9-1A 处。

(3)调[微调]、[水平]或[脉冲移位]等旋钮,使荧光屏上出现五次底波 $B_1 \sim B_5$,且使 $B_1 \sim B_5$ 前沿分别对准水平刻度值 2.0 和 10.0,如图 9-2。

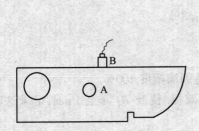

图 9-1 水平、垂直线性的测试

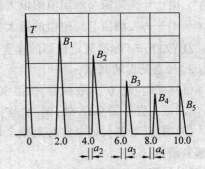

图 9-2 水平线性测试波形

(4)观察记录 B_2、B_3、B_4 与水平刻度值 4.0、6.0、8.0 的偏差值 a_2、a_3、a_4。

(5)计算水平线性误差

$$\delta = \frac{|a_{max}|}{0.8b} \times 100\% \tag{9-1}$$

式中　δ——水平线性误差;

　　a_{max}——a_2、a_3、a_4 中最大者;

　　b——荧光屏水平满刻度值。

ZBY230—84 标准规定仪器的水平线性误差 $\delta \leqslant 2\%$。

2. 垂直线性的测试

(1)[抑制]至"0",[衰减器]保留 30 dB 衰减余量。

(2)探头通过耦合剂置于 CSK-ⅠA 试块上,如图 9-1B 处,并用压块恒定压力。

(3)调[增益]使底波达荧光屏满幅度 100%,但不饱和,作为 0 dB。

(4)固定[增益],调[衰减器],每次衰减 2 dB,并记下相应回波高度 H_i 填入表 9-1 中,直至消失。表中:

$$\text{实测相对波高}(\%) = \frac{\text{衰减 } \Delta_i \text{ dB 后的波高 } H_i}{\text{衰减 0 dB 时波高 } H_0} \times 100\% \tag{9-2}$$

表 9-1

衰减量 Δ_i dB			0	2	4	6	8	10	12	14	16	18	20	22
回波高度	实测	绝对波高 H_i	H_0											
		相对波高(%)	100											
		理想相对波高(%)	100											
偏　差　（%）			0											

$$\text{理想相对波高}\left(\frac{H_i}{H_0}\right)\% = 10^{\frac{\Delta_i}{20}} \times 100\% \quad \left(20\lg\frac{H_i}{H_0} = \Delta_i\right) \tag{9-3}$$

(5)计算垂直线性误差

$$D = (\,|d_1| + |d_2|\,)\% \tag{9-4}$$

式中　D——垂直线性误差;

　　　d_1——实测值与理想值的最大正偏差;

　　　d_2——实测值与理想值的最大负偏差。

ZBY230—84 标准规定仪器的垂直线性误差 $D \leqslant 8\%$。

3. 动态范围的测试

(1)[抑制]至"0",[衰减器]保留 30 dB。

(2)探头置于图 9-1A 处,调[增益]使底波 B_1 达到满幅度 100%。

(3)固定[增益],记录这时衰减余量 N_1,调[衰减器]使波 B_1 降至 1 mm,记录这时的衰减余量 N_2。

(4)计算动态范围:

$$\Delta = N_2 - N_1 \quad \text{(dB)}$$

ZBY230—84 标准规定仪器的动态范围 $\Delta \geqslant 26$ dB。

4. 盲区的测试

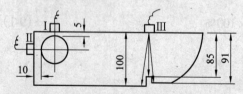

图 9-3　盲区和分辨力的测试　(单位:mm)

盲区的精确测定是在盲区试块上进行的,由于盲区试块加工困难,因此通常利用CSK- I A或 II W 试块来估计盲区的范围。

(1)[抑制]至"0",其他旋钮位置适当。

(2)将直探头置于图 9-3 所示的 I、II 处。

(3)调[增益]、[水平]等旋钮,观察始波后有无独立的回波。

(4)盲区范围估计:

探头置位 I 处有独立回波,盲区小于 5 mm。

探头置位 I 处无独立回波,于 II 处有独立回波,盲区在 5~10 mm 之间。

探头置位 II 处无独立回波,盲区大于 10 mm。

一般规定盲区不大于 7 mm。

5. 分辨力的测定(直探头)

(1)[抑制]至"0",其他旋钮位置适当。

(2)探头置于图 9-3 所示的 CSK-ⅠA 试块上Ⅲ处,前后左右移动探头,使荧光屏上出现声程为 85、91、100 的三个反射波 A、B、C。

(3)当 A、B、C 不能分开时,如图 9-4(a),则分辨力 F_1 为

$$F_1 = (91 - 85)\frac{a}{a - b} = \frac{6a}{a - b}(\text{mm}) \tag{9-5}$$

(4)当 A、B、C 能分开时,如图 9-4(b),则分辨力 F_2 为

$$F_1 = (91 - 85)\frac{c}{a} = \frac{6c}{a}(\text{mm}) \tag{9-6}$$

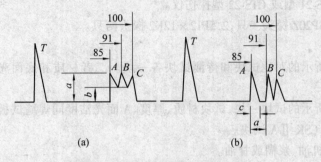

图 9-4　测分辨力波形 （单位:mm)

一般规定分辨力不大于 6 mm。

6.灵敏度余量的测试

(1)[抑制]至"0",[增益]最大,[发射强度]调至强。

(2)连接探头,调节[衰减器]使仪器噪声电平为满幅度的 10%,记录这时[衰减器]的读数 N_1。

(3)探头置于图 9-5 所示的灵敏度余量试块上(200/Ø1 平底孔试块),调[衰减器]使 Ø1 平底孔回波达满幅度的 80%,这时[衰减器]读数为 N_2。

(4)计算:灵敏度余量 $\Delta N = N_2 - N_1$。

六、实验报告要求

(1)写出实验名称、目的和用品。

(2)简要说明仪器性能、仪器与探头综合性能的测试方法及测试结果。

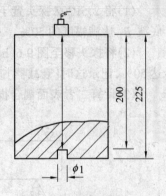

图 9-5　灵敏度余量试块
（单位:mm)

实验二　表面声能损失的测定

一、实验目的

(1)掌握直探头探伤时表面声能损失差的测定方法。

(2)掌握斜探头探伤时表面声能损失差的测定方法。

二、原理概述

在实际探伤中,当调节探伤灵敏度用的试块与工件表面光洁度和曲率半径不同时,往往由于工件表面耦合损失大而使探伤灵敏度下降。为了弥补耦合损失差,必须增大仪器

的输出来进行补偿。

要想恰到好处地进行补偿，首先应测定二者的耦合损失差。

纵波直探头探伤时，一般用一次波探伤，因此只要测定工件与试块探测面的耦合损失就行了。

横波斜探头探伤时，常常采用一、二次波探伤，因此在测定二者探测面耦合损失差的同时，还要测二者底面反射损失差。

三、实验用品

(1)仪器：CTS-21 型或 CTS-22 型探伤仪。

(2)探头：2.5P20Z 探头一只，2.5P12×12K2 探头两只。

(3)试块：

①如图 9-6 所示的对比试块和待测试块各一块。二者材质和底面光洁度相同，探测面光洁度不同。

②如图 9-7 所示的试块一块，试块材质、厚度、A 面光洁度同焊缝试板，试块 B 面光洁度同 CSK-ⅢA 或 CSK-ⅡA 试块。

(4)耦合剂：机油、浆糊或甘油。

四、实验内容与步骤

1. 直探头探伤时表面耦合损失的测定

(1)将 2.5P20Z 探头置于图 9-6(a)所示的对比试块上，预衰减 $N_1 = 20$ dB，调[增益]使底波 B_1 达满幅度的 50%。

(2)将探头移至图 9-6(b)所示的待测试块上，固定[增益]不动，调[衰减器]使底波 B_1 达 50%，记录这时[衰减器]读数 N_2(dB)。

(3)计算二者表面耦合损失差 Δ：$\Delta = N_1 - N_2$(dB)

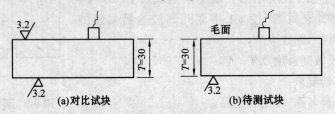

(a)对比试块　　　　　　(b)待测试块

图 9-6　直探头表面耦合损失差的测定　（单位：mm）

2. 斜探头探伤时表面声能损失的测定

1)一次反射法表面声能损失的测定

(1)把两个斜探头沿探伤方向置于焊缝两侧的探伤面上，间距约 1P，作一发一收测试，如图 9-8(a)。调节灵敏度使最大穿透波幅为基准高(50%)。

(2)按同样的方法，把探头置于试块 B 面上，如图 9-8(b)。调节衰减器，使其最大穿透波幅也为基准高，此时试板与试块的衰减分贝差，即为上表面声能损失差。

B 面光洁度 CSK-ⅢA

A 面光洁度 ＝被检工件

图 9-7　中厚板焊缝超声波探伤表面声能损失差试块

(3)重复(1)和(2)步骤按图 9-9 测出试板与试块 A 面的 dB 差，即为下表面声能损失差。

(2)调节仪器,使时基扫描线清晰明亮,并与水平刻度线重合。

(3)调扫描速度:探头对准 $T = 30$ mm 无缺陷处的钢板,调整[微调]和[脉冲移位]使底波 B_1、B_2 分别对准 30 和 60,这时扫描速度为 1:1。

(4)调灵敏度:探头对准 $100 \times 100 \times 22$ 试块上 Ø5 平底孔,调节[增益]使 Ø5 平底孔的第一次回波达满幅度的 60% 即可。

(5)扫查探测:探头置于钢板上作 100% 的全面扫查,探头移动间距小于晶片尺寸,移动速度不大于 0.15 m/s。

(6)缺陷测定:扫查过程中发现缺陷后,先用半波高度法(或 6 dB 法)测定缺陷的面积范围。缺陷波高下降一半(相对 Ø5 回波)时探头中心的轨迹线作为缺陷的轮廓线,这种轮廓线一般不规则,可用方格法确定缺陷面积。然后再根据扫描速度和缺陷波所对的刻度值确定缺陷的深度。对于较小的缺陷也可测定缺陷的当量。

(7)记录:在钢板上或记录纸上标出缺陷的位置、深度和面积。

(8)评级:根据钢板验收标准评定级别。

2. 钢板厚度小于 20 mm 的接触法探伤

用 2.5T20FG20Z 探头探伤 $T = 18$ mm 的钢板试块。

(1)清除钢板试块表面的氧化皮、锈蚀和油污。

(2)调节探伤灵敏度:探头放在 $T = 18$ mm 的阶梯式试块上,调节[微调]和[增益]旋纽,使 B_1 波达满幅度的 50%,然后再提高 10 dB 即为扫查灵敏度。

(3)扫查探测:探头置于钢板上作 100% 的全面扫查,在有缺陷的板面上作标记。

(4)确定缺陷边界或指示长度:探头移动方向应与探头分割面相垂直,并使缺陷波下降到扫查灵敏度条件下荧光屏满幅度的 25%,此时探头中心点即为缺陷边界,探头中心的轨迹线为缺陷的边界线,可用方格法确定其面积。

(5)缺陷位置与当量测定:缺陷平面位置可由缺陷边界线确定,但其深度位置和小缺陷当量,双晶直探头不能测定,需要单直探头进行测定。

(6)记录:在记录纸上标出缺陷位置、深度和面积。

(7)评级:根据钢板验收标准评定级别。

实验五　纵波实用 AVG 曲线的测试与锻件探伤

一、实验目的

(1)掌握纵波探伤时扫描速度的调整方法。

(2)掌握纵波探伤时灵敏度的调整方法。

(3)掌握纵波探伤时缺陷定位、定量的方法。

(4)掌握纵波平底孔 AVG 曲线的测绘方法,验证理论回波声压公式。

二、原理

1. 纵波发射声场与规则反射体的回波声压

超声振动所波及的部分介质称为超声场,超声场分为近场区和远场区。近场区波源轴线上声压起伏变化,存在极大极小值,纵波声场的近场区长度 $N = D_s^2/(4\lambda)$。至波源的距离大于近场区长度的区域称为远场区。远场区内波源轴线上声压随距离 x 增加单调减少，当 $x \geqslant 3N$ 时，声压与距离成反比，符合球面规律，关系如下

$$P = \frac{P_0 F_S}{\lambda x}$$

式中　P——距波源 x 处的声压；

　　　P_0——波源起始声压；

　　　F_S——波源面积。

在实际探伤中，广泛采用单探头反射法探伤，波高与声压成正比。平底孔、大平底回波声压计算公式如下：

平底孔　　$P_f = \dfrac{P_0 F_S}{\lambda_2 x_2}$　　　　　　　　　　　　　　　　　　(9-7)

大平底　　$P_B = \dfrac{P_0 F_S}{2\lambda x}$　　　　　　　　　　　　　　　　　　(9-8)

式中　F_S——平底孔面积，$F_S = \dfrac{\pi D_S^2}{4}$（$D_S$ 为探头晶片直径）。

由式(9-7)得不同直径、不同距离的平底孔分贝差

$$\Delta = 20\lg \frac{P_{f1}}{P_{f2}} = 40\lg \frac{\emptyset_1 x_2}{\emptyset_2 x_1} \quad (\text{dB}) \tag{9-9}$$

式中　P_{f1}、P_{f2}——第一个、第二个缺陷的回波声压；

　　　$\emptyset_1$、$\emptyset_2$——第一个、第二个缺陷的当量尺寸；

　　　x_1、x_2——第一个、第二个缺陷的声程。

由式(9-8)得不同距离大平底回波分贝差

$$\Delta = 20\lg \frac{P_{B1}}{P_{B2}} = 20\lg \frac{x_2}{x_1} \quad (\text{dB}) \tag{9-10}$$

式中　P_{B1}、P_{B2}——第一个、第二平底孔的回波声压。

由式(9-7)、式(9-8)可得，不同距离处大平底与平底孔回波分贝差

$$\Delta = 20\lg \frac{P_B}{P_f} = 20\lg \frac{2\lambda x_f^2}{\pi \emptyset^2 x_B} \quad (\text{dB}) \tag{9-11}$$

式中　x_f——缺陷的回波声程；

　　　x_B——大平底的回波声程；

　　　$\emptyset$——缺陷的当量尺寸。

2. 距离—波幅—当量曲线（AVG 曲线）

在超声波探伤中，自然缺陷的形状、性质和方向各不相同，回波相同的缺陷实际上往往相差很大，为此特引进"当量尺寸"来衡量缺陷的大小。在相同探测条件下，当自然缺陷与某形状规则的人工缺陷回波等高时，则该人工缺陷的尺寸就为此自然缺陷的当量尺寸。

描述规则反射体的距离、波幅、当量大小之间的关系曲线称为距离—波幅—当量曲线，德文为 AVG 曲线，英文为 DGS 曲线。

AVG 曲线常见形式是横坐标表示反射体至反射体波源的距离，纵坐标表示反射体回

波相对于基准波高的分贝差。每一条曲线对应于一种当量尺寸的规则反射体的回波高随距离而变化的规律。

纵波平底孔 AVG 曲线如图 9-10,图中 $x \geqslant 3N$ 范围内的曲线可以通过实测 CS2 试块得到,也可以通过理论计算公式(9-9)、(9-10)、(9-11)得到。但 $x < 3N$ 区域的曲线只能通过实测 CS2 试块得到。

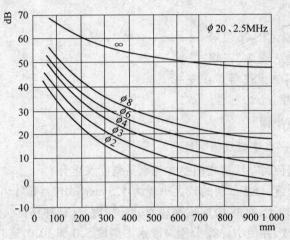

图 9-10　平底孔 AVG 曲线

利用 AVG 曲线可以对缺陷定量和调节探伤灵敏度。

3.扫描速度与探伤灵敏度

(1)扫描速度:仪器荧光屏上的水平刻度值与实际声程之间的比例关系称为扫描速度。例如扫描速度 1:2,表示荧光屏上水平刻度值 1 代表实际声程 2 mm。

探伤前调整扫描速度是为了在规定的范围内发现缺陷并对缺陷定位。

调整扫描速度,是以两次不同声程的反射波分别对准相应的水平刻度值来实现的。

(2)探伤灵敏度:灵敏度是指发现最小缺陷的能力,探伤灵敏度是通过调节仪器的灵敏度旋钮来调节仪器输出功率,使探伤系统在规定的距离范围内正好能发现规定大小的缺陷。

探伤前调节探伤灵敏度是为了发现规定大小的缺陷,并对缺陷定量。

探伤灵敏度可以利用工件底波或试块来调节。

4.缺陷定位和定量

(1)定位:工件中缺陷的位置可以根据荧光屏上缺陷波前沿所对的刻度值和扫描速度来确定。设扫描速度为 $1:n$,缺陷波所对读数 τ_f,则缺陷至探头距离为

$$x_f = n\tau_f \tag{9-12}$$

例如,扫描速度为 1:2,缺陷波水平刻度值 $\tau_f = 25$,则工件中缺陷至探头的距离 $x_f = 2 \times 25 = 50(mm)$。

(2)定量:超声波探伤中,对缺陷定量的常用方法有当量法和测长法。

当量法包括当量试块比较法、当量计算法、当量 AVG 曲线法等。当量法适用于尺寸

小于波束截面的较小缺陷定量。

测长法包括半波高度法、端点半波高度法等。测长法适用于大于波束截面的缺陷定量。

在锻件纵波探伤中,常用当量计算法对缺陷定量。先测定缺陷的距离 x_f 和缺陷相对波高的 dB 数,然后代入公式(9-9)、(9-10)来计算缺陷的当量尺寸。

三、实验用品

(1)仪器:CTS-22、CTS-26 型等。

(2)探头:2.5P20Z 或 2.5P14Z。

(3)试块:CSK-ⅠA、CS2 等。

(4)耦合剂:机油。

四、实验内容与步骤

1. 距离—波幅—当量曲线的测绘

(1)调有关旋钮使时基线清晰明亮并与水平刻度线重合。

(2)调整扫描速度:CS2 试块的最大声程为 525 mm,故仪器按 1:6 调整扫描速度。探头置于 CSK-ⅠA 试块上,对准 100 mm 平底面,调[深度]、[脉冲移位]、[增益]等旋钮,使荧光屏上出现 6 次底波,并使 B_3、B_6 分别对准水平刻度 5.0 和 10.0,这时仪器 1:6 的扫描速度就调好了。

(3)调灵敏度(起始灵敏度):

①[衰减器]位置的确定:一般以使最低反射波达规定高时衰减量尽可能小为原则。这里统一以 500/Ø2 为 0 dB 作为起始灵敏度。

500 mm 处其他平底孔回波高由公式

$$\Delta = 40\lg\frac{\text{Ø}}{2} \quad (\text{dB})$$

确定。500 mm 处大平底回波高由公式

$$\Delta = 20\lg\frac{\lambda x}{2\pi} \quad (\text{dB})$$

确定。具体参见表 9-2。

表 9-2

规则反射体尺寸	Ø2	Ø3	Ø4	Ø6	Ø8	∞
与 Ø2 平底孔分贝差	0	7	12	19	24	45

②调节方法:探头对准声程最大的 CS2 试块中心,找到规则反射体最高反射波。衰减表 9-3 中对应的 dB 数,调[增益]使规则反射体回波达基准高(50%)。然后使[衰减器]增益 ΔdB,这时起始灵敏度调好,即 500 mm 处 Ø2 平底回波正好达 60% 高。

(4)测试:固定[增益],探头置于不同厚度的试块上,前后、左右移动探头,找到规则反射体的最高回波,调[衰减器]使回波达 60% 高,记录相应 dB 值填入表 9-3。

表 9-3

距离 x											
平底孔波高 (dB)	Ø2										
	Ø3										
	Ø4										
	Ø6										
	Ø8										
大平底波高(dB)											

对于 $3N$ 以外的点也可用理论计算公式(9-9)、(9-10)、(9-11)推算得到,但 $3N$ 以内必须实测。

(5)绘制曲线:以距离 x 为横坐标,相对波高(dB)为纵坐标,在坐标纸上根据表 9-3 中列出的数据绘制平底孔 AVG 曲线。

图中应注明探测条件:探头的频率和直径。

2. 锻件纵波探伤

任选 1~2 件厚度 $x \geqslant 3N$ 的 CS2 试块作为锻件。要求探伤灵敏度为 Ø2。

(1)调扫描速度:据所选锻件的最大探测距离调整扫描速度。

(2)调探伤灵敏度:

①计算:由理论公式(9-11)确定最大声程处大平底与 Ø2 平底孔的分贝差 Δ 为

$$\Delta = 20 \lg \frac{P_B}{P_{Ø2}} = 20 \lg \frac{\lambda x}{2\pi} \ \text{(dB)} \tag{9-13}$$

分贝差 Δ 也可从表 9-3 所列数据查到。

②调节:探头对准锻件大平底,[衰减器]衰减 Δ dB,调[增益]使底波 B_1 达基准高(60%),然后用[衰减器]增益 Δ dB。至此,Ø2 探伤灵敏度调好。

(3)扫查探测:固定[增益],探头在探测面上扫查探测。发现缺陷后,前后左右移动探头找到最高回波,并用[衰减器]调至基准高,记录缺陷前沿正对的水平刻度值 τ_f 和缺陷波达基准高(60%)时[衰减器]对应的 dB 值。

(4)缺陷定位:设扫描速度为 $1:n$,则缺陷至探测面的距离:$x_f = n\tau_f$(mm)。

(5)缺陷定量:根据缺陷的距离 x_f 和缺陷与最大声程处 Ø2 平底孔的分贝差(即[衰减器]所对 dB 值),利用公式(9-9)计算确定其当量尺寸

$$\Delta = 20 \lg \frac{P_{f1}}{P_{f2}} = 40 \lg \frac{Ø_1 x_2}{2 x_1} \ \text{(dB)} \tag{9-14}$$

也可根据 AVG 曲线来确定缺陷的当量尺寸。

五、实验报告要求

(1)写出实验名称、目的和用品。

(2)说明 AVG 曲线的测试方法,记录测试数据,绘制曲线。

(3)说明锻件探伤步骤,确定缺陷的位置和当量大小(当量计算法),注明所探锻件

（CS2试块）的序号。

实验六　横波距离—波幅曲线的制作与焊缝探伤

一、实验目的

（1）掌握横波斜探头入射点、K 值（或折射角）的测试方法。

（2）掌握按深度或水平距离调节横波扫描速度的方法。

（3）掌握横波探伤时灵敏度的调节方法。

（4）掌握横波距离—波幅曲线的测试方法。

（5）掌握中厚板对接焊缝探伤时缺陷定位和定量方法。

二、实验原理

1. 横波声场与距离—波幅曲线

目前，探伤中广泛应用的横波是通过波型转换得到的，整个声场实际上由斜楔中的纵波声场和工件中的横波声场组成。为了便于讨论和计算，引进了假想波源，横波声场是由假想波源发射出来的。假想波源发射的横波声场声压分布类似于纵波声场，同样存在近场区、远场区和半扩散角，只是在入射平面内半扩散角不对称，$\theta_上 > \theta_下$。

由于横波声场的理论推导计算比较复杂，也不成熟，因此在焊缝横波探伤中常利用距离—波幅曲线来对缺陷定量和评价焊缝的质量级别。距离—波幅曲线是描述某一特定规则反射体的回波高度随距离变化的曲线。AVG 曲线簇中的任意一条曲线就是距离—波幅曲线。

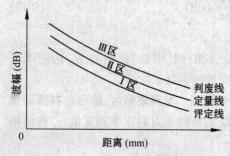

距离—波幅曲线可以通过试块实测得到，也可以由通用 AVG 曲线或理论计算公式得到，但后两种方法只适用于 $x \geq 3N$ 的情况，而焊缝探伤中往往是在 $x < 3N$ 以内，因此焊缝探伤用的距离—波幅曲线一般是在试块上实测得到的。JB1152—81 标准规定用CSK-ⅡA或 CSK-ⅢA 试块实测距离—波幅曲线。

JB1152—81 标准规定的距离—波幅曲线如图 9-11 所示。曲线由定量线、测长线和判废线组成。测长线与定量线之间为Ⅰ区，定量线与判废线之间（含定量线）为Ⅱ区，判废线以上（含判废线）为Ⅲ区。

图 9-11　距离—波幅曲线

2. 斜探头的入射点和 K 值（或折射角）

斜探头的入射点是指探头发射的声束轴线与探头楔块底面的交点。入射点至探头前沿的距离为斜探头前沿长度。

斜探头的折射角是指工件中横波折射角 β_S，横波折射角的正切称为探头的 K 值，即 $K = \mathrm{tg}\,\beta_S$。

3. 扫描速度和灵敏度

调节横波扫描速度有三种方法：声程法、深度法和水平距离法。在焊缝探伤中常用深度法和水平距离法。当板厚 $T \geqslant 20\ \text{mm}$ 时,一般采用深度法;当板厚 $T < 20\ \text{mm}$ 时,一般采用水平距离法。

深度法是调节仪器使示波屏上水平刻度值与反射体的深度成比例,仪器直接显示反射体的深度。水平距离法是调节仪器使示波屏上水平刻度值与反射体的水平距离成比例,仪器直接显示反射体至入射点的水平距离。

焊缝探伤中规定探伤灵敏度不低于测长线。

4. 缺陷定位和定量

1)定位

(1)当仪器按深度 1:1 调节扫描速度,缺陷波前沿所对应的刻度值为 τ_f 时:

若 $\tau_f \leqslant T$,说明此缺陷是一次波发现的,此缺陷的深度 d_f 和水平距离 l_f 为

$$\left. \begin{array}{l} d_f = \tau_f \\ l_f = K d_f \end{array} \right\} \tag{9-15}$$

若 $T < \tau_f \leqslant 2T$,说明此缺陷是二次波发现的,则

$$\left. \begin{array}{l} d_f = 2T - \tau_f \\ l_f = K \tau_f \end{array} \right\} \tag{9-16}$$

(2)当仪器按水平 1:1 调节扫描速度,缺陷波前沿所对应的刻度值为 τ_f 时:若 $\tau_f \leqslant KT$,说明此缺陷是一次波发现的,则

$$\left. \begin{array}{l} l_f = \tau_f \\ d_f = l_f / K \end{array} \right\} \tag{9-17}$$

若 $KT < \tau_f \leqslant 2KT$,说明此缺陷是二次波发现的,则

$$\left. \begin{array}{l} l_f = \tau_f \\ d_f = 2T - l_f / K \end{array} \right\} \tag{9-18}$$

2)定量

在焊缝探伤中,对于定量线或定量线以上的缺陷要进行波幅和指示长度的测定。首先找到缺陷波的最高回波,测出它与基准高的 dB 差,然后测其指示长度。

当缺陷波只有一个高点时,用半波高度法(6 dB)测其指示长度。

当缺陷波有多个高点时,若缺陷端部波高在Ⅱ区,则用端点半波高度法测其指示长度;若缺陷端部波高在Ⅰ区,则用绝对灵敏度法测其指示长度,测长灵敏度为测长线。最后根据验收标准对焊缝进行评级。

三、实验用品

(1)仪器:CTS-22 型或 CTS-26 型。

(2)探头:2.5P12 × 12K2 或 2.5P14K2 探头。

(3)试块:CSK-ⅠA、CSK-ⅡA 或 CSK-ⅢA 试块。

(4)耦合剂:甘油、机油或浆糊。

(5)带缺陷的对接焊缝试样,$T = 20$ 或 $30\ \text{mm}$。

四、实验内容与步骤

设焊缝试样 $T = 30\ \text{mm}$,采用 CSK-ⅢA 试块。

1. 距离—波幅曲线的测试

(1)调节仪器,使时基扫描线清晰明亮,并与水平刻度线重合。[抑制]至"0"。

(2)测定探头的入射点和 K 值:探头置于 CSK-ⅠA 试块上,对准 $R100$ 圆弧面,平行移动探头,找到最高回波,这时试块上 $R100$ 圆心正对的楔块底面上的点就是入射点,用铅笔作好标记,并量出探头的前沿长度 l_0。然后将探头对准 Ø50(或 Ø1.5),找到最高回波,这时入射点正对的试块上的刻度值就是探头的 K 值。

(3)按深度1:1调节扫描速度:

①用[水平]将示波屏上的始脉冲左移约 10 mm。

②探头置于 CSK-ⅢA 试块上,选定两个深度相差一倍的孔,如 $d = 30$ 和 60 mm 的横孔,先将探头对准 $d = 30$ mm 的横孔 Ø1×6,找到最高回波,用[微调]将其前沿调至水平刻度 30 处。

③后移探头,找到 $d = 60$ mm Ø1×6 的最高回波,若此回波前沿所对的水平刻度值为 y,应求出 $x = 60 - y$。当 x 为 0 时,正好是深度1:1。当 x 为正时,用[微调]将回波向大读数移动到 $y + 2|x|$,当 x 为负时,用[微调]将回波向小读数移动到 $y - 2|x|$。

④用[水平]将回波前沿调至水平刻度 60 处,这时深度1:1的扫描速度就调好了,$d = 300$ mm Ø1×6 的最高回波也正对 30 处。

(4)调起始灵敏度:探头对准 $d = 70$ mm(d 略大于 $2T$)Ø1×6,衰减 20 dB(大于测长线和耦合补偿所需增益的 dB 值),调[增益]使 $d = 70$ mm Ø1×6 最高回波达基准 60% 高。

(5)固定[增益],调[衰减器],分别使 $d = 60,50,40,30,20,10$mm 的 Ø1×6 最高反射波达 60%,记录相应的衰减器的读数于表 9-5。

表 9-5

d	70	60	50	40	30	20	10
dB	20						

(6)绘距离—波幅曲线:根据板厚 $T = 30$ mm 和表 9-5 所列数据:

测长线:Ø1×6 − 9 dB

定量线:Ø1×6 − 3 dB

判废线:Ø1×6 − 5 dB

以深度 d 为横坐标,以 dB 值为纵坐标,在坐标纸上描点绘制距离—波幅曲线。注明所用探头、试块。

若考虑表面光洁度和材质补偿 $\triangle$ dB,可将所有曲线都往下平移 $\triangle$ dB,将会使调节灵敏度和定量更方便。

(7)校验距离—波幅曲线:探头置于 CSK-ⅢA 试块上,分别对准 $d = 20$ 和 50 mm,找到最高回波,先看回波是否对准水平刻度 20 和 50 处,然后再看最高波基准高时,[衰减器]读数是否和前面测试的结果相同。若二者有一条不符,且误差较大,则应重新测试曲线。

2. 焊缝探伤

(1)清理打磨探测面:$P = 2KT + 50 = 2 \times 2 \times 30 + 50 = 170$(mm)

焊缝两侧清理打磨 170 mm 宽。

(2)测探头的入射点和 K 值(测曲线后立即探伤此项可省)。

(3)按深度 1:1 调节扫描速度(测曲线后立即探伤此项可省)。

(4)校正距离—波幅曲线,不少于两点。

(5)测耦合与材质损失(详见实验二、三)。

(6)调节探伤灵敏度(二次波探伤):由 $d = 2T = 2 \times 30 = 60(\text{mm})$,查距离—波幅曲线的测长线对应的 dB 值 N,设 $\Delta N = 14$ dB。又设耦合与材料损失为 $\Delta N = 4$ dB,则探伤灵敏度应为 $N - \Delta N = 14 - 4 = 10(\text{dB})$。即将 [衰减器] 读数调至 10 dB,这时探伤灵敏度就调好了。

(7)扫查探测:探头分别置于焊缝的两侧作锯齿形扫查,齿距不大于晶片尺寸,保持探头与焊缝中心线垂直的同时作 10 ~ 15° 的摆动。为了发现横向缺陷,可使探头与焊缝成 10 ~ 45° 作斜平行扫查。为了确定缺陷的位置、方向、形状,还可采用前后、左右转角和环绕等方式进行扫查。

(8)缺陷定位:在扫查过程发现缺陷后,要根据扫描速度和缺陷波所对的水平刻度值来确定缺陷在焊缝中的位置。

(9)缺陷定量:在测定缺陷位置的同时,还要测定缺陷的波幅和指示长度,并根据验收标准评定焊缝的级别。

(10)记录:记录缺陷的位置、波幅、长度。

五、实验报告要求

(1)写出实验名称、目的和用品。

(2)根据所测数据,绘制距离—波幅曲线。

(3)标明缺陷的位置和大小,并评定焊缝的级别。

(4)注明探伤条件。

磁 粉 篇

第一章　磁粉探伤的物理基础

第一节　磁学中的几个重要概念

一、磁性

自然界中有一种现象,某些物体具有吸引铁质物体的能力,这种能力称为磁性。具有磁性的物体称为磁体。磁体各处的磁性不同,磁性最强的地方称为磁极。图 1-1 所示的是条形磁铁吸引磁粉的情况,可见条形磁铁的磁极在条形磁铁的两端。

地球在宇宙空间中是一个巨大的磁体。如果把一条形磁铁水平悬挂在空间,它的两极会永远指向地球的南北方向。我们把指北的磁极称为指北极,用 N 表示;把指南的磁极称为指南极,用 S 表示,如图 1-2 所示。

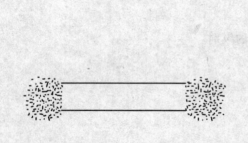

图 1-1　磁极显示

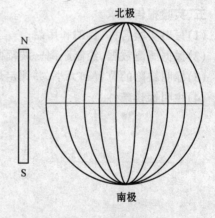

图 1-2　磁极指示

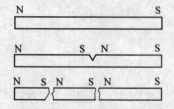

图 1-3　一块磁体被断开时,
两个断端分别具有相反的磁极

每个磁体都具有一个 N 极和一个 S 极。当把它分开时,每一块仍然是一个完整的磁体,各块仍具有一个 N 极和一个 S 极,如图 1-3 所示。自然界中尚未发现单独存在的 N 极和 S 极,即使是微小的磁粉也一样具有 N 极和 S 极。

图 1-4 所示的是磁极的相互作用现象:同性相斥,异性相吸。

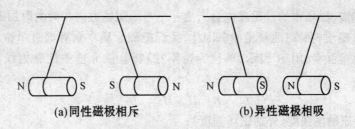

(a)同性磁极相斥　　　　　　　(b)异性磁极相吸

图1-4　磁体极性之间相互作用图

二、磁场和磁场强度

磁体能够吸引铁质物体,说明磁体周围存在一个功能场,我们称之为磁场。磁场是一种看不见摸不着的特殊物质,它的强弱和方向常用磁力线来形象地描述。

磁力线是用来描述磁场中各处磁场强度和方向的曲线。如图1-5所示,磁力线密集处,对应的磁场较强,磁力线稀疏处,显示的磁场较弱;磁力线上任意一点的切线方向表示该点磁场方向。假定磁力线由磁体的N极出发,从S极进入磁体,并在磁体内由S极通向N极,组成闭合的曲线,那么这些曲线总是各自闭合,互不相交。

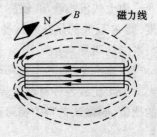

图1-5　磁力线分布

为了定量描述磁场的强弱,我们把垂直通过某一截面磁力线的条数称为磁通量,用 Φ 表示,单位为韦伯(Wb)。在真空或空气中,垂直通过单位面积的磁力线条数称为磁场强度,用 H 表示,单位为安/米(A/m)。

$$H = \Phi / S \tag{1-1}$$

式中　　Φ——磁通量;

　　　　S——截面积。

可见,磁场中磁力线愈密处,通过单位面积的磁力线就愈多,磁场强度就愈大。

三、磁介质及其分类

能够被磁场作用的物质称为磁介质。

试验研究证明,由于物质内部原子之间的排列和相互作用的不同,其外在表现为各种物质对磁场作用的反应是不一样的。

会轻微地被磁场所排斥的物质称为抗磁性物质。如铜、水、氯化钠等及大部分无机物和几乎所有的有机物都是抗磁性的。

能被吸向较强磁场区域的物质称为顺磁性物质。如铝、钠、硫酸镍、氯化铜等。

而像铁、钴、钢等能被磁场强烈地吸引的物质称为铁磁性物质。它们对磁场作用的反映很明显,是磁粉探伤的对象。

抗磁性物质和顺磁性物质统称为非铁磁性材料,不能进行磁粉探伤。铁磁性物质也称为铁磁性材料或铁磁质,可以进行磁粉探伤。

四、磁感应强度和磁导率

如果把本来不具有磁性的铁钉放在磁场中,铁钉就会具有强磁性,能够吸附磁粉,这种现象叫做磁感应现象。

由于磁感应,磁场中的铁磁质内会产生一个与原磁场方向相同的附加磁场,二者互相叠加从而使铁磁质内的磁通量增加。因此,我们把磁介质中垂直通过单位面积的磁力线条数称为磁感应强度,用 B 表示,单位为特斯拉(T)。磁介质中的磁力线也称为磁感应线。

$$B = H + H' = \mu H \tag{1-2}$$

式中　　H——原磁场强度(外加磁场强度);

　　　　H'——磁介质中产生的附加磁场强度;

　　　　μ——材料的磁导率,T·m/A。

磁导率 μ 表示材料被磁化的难易程度或导磁能力的强弱,也称作导磁系数。μ 大,表示该材料易磁化,导磁能力强;μ 小,表示该材料难磁化,导磁能力弱。

由上式不难看出,磁感应强度 B 与磁场强度 H 不同。H 是真空或空气中的磁场强度,而 B 反映的是在外磁场作用下磁介质中的复合磁场强度,取决于外磁场强度 H 和材料本身的磁导率 μ。

在真空中,磁导率是一个恒量,用 μ_0 表示。$\mu_0 = 4\pi \times 10^{-7}$ T·m/A。

为了比较各种材料的导磁能力,我们把任意一种材料的磁导率 μ 与真空中磁导率 μ_0 的比值,叫做该材料的相对磁导率,用 μ_r 表示,无计量单位。

$$\mu_r = \mu / \mu_0 \tag{1-3}$$

由于空气的 $\mu_r \approx 1$,所以在一般情况下,空气中的磁场可以看成为真空中的磁场。

抗磁性物质,μ_r 略小于 1,如铜 $\mu_r = 0.999\ 995$;顺磁性物质,μ_r 略大于 1,如铝 $\mu_r = 1.000\ 021$;铁磁性物质,μ_r 远大于 1,如工业纯铁 $\mu_r = 5\ 000 \sim 7\ 000$。

需要指出的是,铁磁质不仅具有很大的磁导率 μ,而且 μ 不是一个常量,它会随着外加磁场强度 H 的变化而变化;并且在外磁场停止作用后,铁磁质仍能保持其磁特性。

第二节　电流的磁场

电与磁就像光与热一样是一对双生子,它们之间有着密切的内在联系。请看下面的试验。

将一段长导线经过一个电键接到一个电池的两极,如图 1-6 所示,当电键断开时,我们可以将导线放置在磁针下方,并使导线与磁针平行,然后合上电键。若导线中的电流足够强,我们可以看到磁针突然偏转,此时磁针的指向与导线垂直。由此可见,电流载体能在其周围空间产生磁场。

一、电流磁场的方向

试将一些细小铁屑撒在纸上,并轻轻地敲击,便能显示电流通过长直导线的磁场的磁力线,如图 1-7(a)所示。再将小长磁针放在磁场内不同位置,就可以确定出磁场的方向,如图 1-7(b)用箭头表示之。

若将电流方向改变,测试发现电流磁场的方向也随之改变。由此可知,电流磁场的方向和电流的方向是有关系的,它们的关系可用右手定则和右手螺旋定则来表示。如图 1-8、图 1-9 所示。

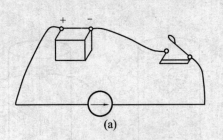 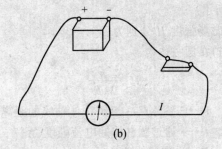

(a)   (b)

(a)将一条导线放置在磁针下方,使导线与磁针平行,电键断开时导线内没有电流;
(b)当导线内通过电流时磁针偏转,方向与导线垂直。

图1-6 电流载体的磁场检验

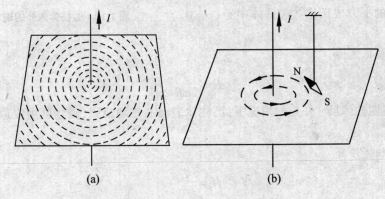

(a)   (b)

(a)通过电流的长直导线的磁场显示;
(b)通过电流的长直导线附近的磁场方向。

图1-7 磁场的显示及方向

 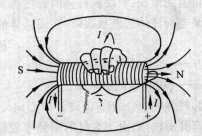

图1-8 右手定则图示   **图1-9 右手螺旋定则图示**

  右手定则:用右手握住导线,拇指指向电流的方向,则环绕通电长直导线的其余四指所指的方向就是磁场方向。

  右手螺旋定则:用右手握住螺线管,四指指向电流的方向,则大拇指所指的方向就是通电螺线管内部的磁场方向。

二、几种典型通电导体的磁场

1.通电长直圆柱体内外的磁场

设通电长直圆柱体的半径为 R,通过圆柱体的电流为 I,则圆柱体内外的磁场如图

· 291 ·

1-10所示。

磁场强度 H 分别为：

1)在圆柱体内部

$$H = \frac{Ir}{2\pi R^2} \qquad (1-4)$$

式中　r——参考点 A 至圆柱体轴线的距离,m;

　　　I——通过圆柱体的电流强度,A;

　　　R——圆柱体的半径,m。

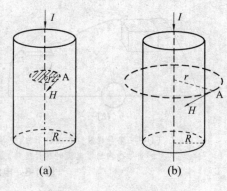

图 1-10　圆柱体内外的磁场

由此可知,通电长直圆柱体内部某点的磁场强度与该点至轴线的距离及电流成正比,与圆柱体半径的平方成反比。圆柱体中心, $r = 0$,则 $H = 0$。

2)在圆柱体表面

$$H = \frac{I}{2\pi R} \qquad (1-5)$$

可见,在圆柱体尺寸一定的情况下,圆柱体表面的磁场最强,磁场强度仅取决于通电电流的大小。

3)在圆柱体外部

$$H = \frac{I}{2\pi r} \qquad (1-6)$$

磁场强度与电流成正比,与参考点 A 至圆柱体轴线的距离 r 成反比。离开通电圆柱体越远,磁场强度越小。

上述公式是假定通电圆柱体为无限长的情况下应用安培环路定律求得的。实际上圆柱体不可能无限长,只要圆柱体的长度远大于 $r(R)$,公式(1-4)、(1-5)、(1-6)就成立。

当通电圆柱体为铁磁质时,在圆柱体的内外部还会产生磁感应强度 B。

$$B = \mu H \qquad (1-7)$$

式中　H——通电圆柱体的磁场强度;

　　　μ——磁介质的磁导率。

在圆柱体的中心, $B = 0$;离开中心向外时,磁感应强度逐步增加,在圆柱体表面达到峰值。离开圆柱体,由于空气的磁导率较铁磁质的磁导率小得多,所以磁感应强度 B 急剧减小到一个很小的数值,相当于通电长直圆柱体在空气中的磁场强度 H。

图 1-11 表示的是通电长直圆柱体内外的磁场强度和磁感应强度的分布变化规律。

从图中还可以看出,交流电有较强的表面磁场,但直流电比交流电具有更好的穿透性。采用直流电时,磁感应强度 B 由圆柱体中心的零值沿一条直线均匀地增加,在表面达到峰值。当采用交流电时,其变化曲线是弯曲的,在离开圆柱体中心时增加很慢,随后才显著上升,到表面达到同样的峰值。这是由于交流电在通过导体时有集肤效应发生,即在接近导体表面处的电流密度比在导体内部的电流密度大。

2. 通电空心圆柱体内外的磁场

设空心圆柱体的外表面半径为 R_0,内表面半径为 r_0。通过的电流 I 均布于截面上,

则空心圆柱体内某点的磁场强度为

$$H = \frac{I(r^2 - r_0^2)}{2\pi r (R_0^2 - r_0^2)} \tag{1-8}$$

式中　r——空心圆柱体内某一点至中心轴线的距离，$r_0 \leqslant r \leqslant R_0$。

同理，可以推出铁磁质通电空心圆柱体的磁场强度 H 和磁感应强度 B 在空心圆柱体内外的分布情况，如图 1-12 所示。

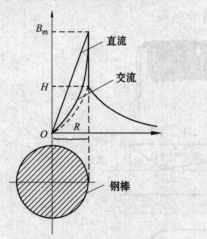

图 1-11　实心圆柱体内外的
磁场强度和磁感应强度

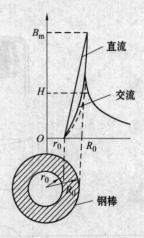

图 1-12　空心圆柱体内外的
磁场强度和磁感应强度

不难看出，通电空心圆柱体的空心部分和内表面的磁感应强度 $B = 0$；空心圆柱体横截面内某点的磁感应强度随该点至中心轴线距离的增大而增大，在外表面达到最大值，这时 $r = R_0$，$B = \dfrac{\mu I}{2\pi R_0}$。而在空心圆柱体外的磁场分布与长直圆柱体的磁场分布相同。

3. 通电中心棒空心圆柱体内外的磁场

由通电长直圆柱体外部磁场强度的计算公式，我们可以推出铁磁质空心圆柱体在通电中心棒磁场作用下，空心圆柱体截面内某点的磁感应强度 B

$$B = \frac{\mu I}{2\pi r} \tag{1-9}$$

式中　μ——空心圆柱体的磁导率，$T \cdot m/A$；

　　　I——通过中心棒的电流强度，A；

　　　r——空心圆柱体横截面内某点至中心轴线的距离，$r_0 \leqslant r \leqslant R_0$，m。

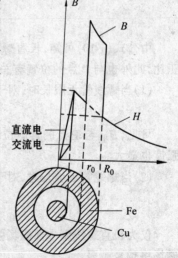

图 1-13　穿心空心圆柱体内外
的磁场强度和磁感应强度

如图 1-13 所示，通电中心棒空心圆柱体内表面的磁感应强度最大，为 $B = \dfrac{\mu I}{2\pi r_0}$，外表面的磁感应强度最小,为 $B = \dfrac{\mu I}{2\pi R_0}$。

在实际工作中,常运用通电中心棒法对空心圆柱体的内表面进行探伤。

4. 通电螺线管线圈内的磁场

如图 1-14 所示,设螺线管半径为 R,通过每匝线圈的电流为 I,螺线管上单位长度的匝数为 $n(n = N/L$,N 为线圈的总匝数,L 为线圈长度),则螺线管内 P 点的磁场强度为

$$H = \frac{nI}{2}(\cos \beta_1 - \cos \beta_2) \tag{1-10}$$

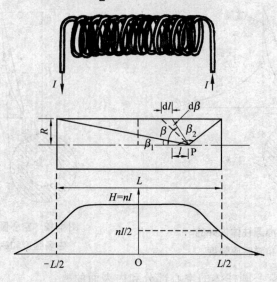

图 1-14　螺线管内的磁场

由公式(1-10)可知,长直螺线管内磁场强度 H 与电流 I 及单位长度的线圈匝数 n 成正比,此外也与 P 点的位置有关。

(1)当螺线管无限长时,对于螺线管中部的 P 点,$\beta_1 = 0$,$\beta_2 = \pi$。这时磁场强度为

$$H_{中} = nI \tag{1-11}$$

可见,$H_{中}$ 与 P 点的具体位置关系不大,螺线管中部的磁场可看做是均匀磁场,磁场强度也最大。

(2)当螺线管足够长时,对于螺线管端部的 P 点,$\beta_1 = 0$,$\beta_2 = \pi/2$。这时磁场强度为

$$H = \frac{1}{2} nI \tag{1-12}$$

仅为长直螺线管中部磁场强度的一半。同理可知,随着离开螺线管端部的距离增加,磁场将越来越弱。

(3)当螺线管直径 R 较大,长度 L 较短时,对于螺线管端部的 P 点,$\beta_2 = \pi/2$,$\cos \beta_1 = \dfrac{L}{\sqrt{R^2 + L^2}}$。这时磁场强度为

$$H_{端} = \frac{NI}{2\sqrt{R^2 + L^2}} \tag{1-13}$$

此时,螺线管内靠近螺线管壁的磁场强,中心的磁场弱。

若 $R \gg L$,N 可看成 1,L 可看成 0,则 $H = I/2R$,与通电圆线圈中心的磁场一样。

第三节　铁磁质

铁磁质在外磁场的作用下具有磁性的过程称为磁化。

一、磁畴

物质是由分子和原子组成的,原子中每个电子同时参与绕核旋转和自旋。而任何带电粒子的运动都会产生磁效应,因此,每个电子都具有一定的磁矩。磁矩又分为轨道磁矩和自旋磁矩,物质外在磁性的显示主要取决于电子自旋磁矩。

在铁磁质中,原子壳层内存在较多的未被抵消的电子自旋磁矩,由此产生的原子磁矩较强。如果原子间的间距适当,相邻电子的静电交换作用较强,就会出现一些原子磁矩取向一致,排列整齐的小区域,并且具有相当的磁性。我们把这种不靠外磁场作用而自发磁化的小区域称之为磁畴,如图 1-15(a)所示。

磁畴虽然极小,仅在显微镜下可见,但每个磁畴中含有 $10^{12} \sim 10^{15}$ 个原子。当无外磁场存在时,磁畴取向各异,为无序排列,磁性相互抵消,因此对外不显示磁性。当有外磁场存在,磁畴在外加磁场作用下发生偏移,最后趋向与外磁场方向一致,成为有序排列,磁场互相叠加,从而对外显示强磁性,如图 1-15(b)所示。

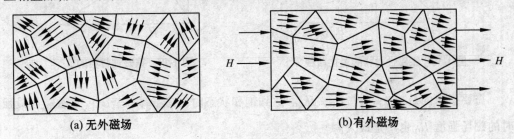

(a) 无外磁场　　　　　　　　　　　(b)有外磁场

图 1-15　磁畴

由此可见,磁畴的存在是磁化的内因,外加磁场则是磁化的外因。

二、居里温度

铁磁质通过磁化可以具有磁性,也可以通过加热使它的磁性消失。这是因为温度升高时,物质的分子热运动加剧,会破坏磁畴的有序排列,从而使材料的磁场减弱。当温度升高到一定值时,磁畴被分子热运动完全破坏,材料的铁磁性也就完全消失。这一使铁磁质的磁性完全消失的温度称为居里温度,用 T_C 表示。如铁的 $T_C = 768\ ℃$,钴的 $T_C = 1\ 150\ ℃$。

同理,振动也会破坏磁畴的有序排列,从而使材料的磁性减弱。振动愈剧烈,磁性减弱愈明显。

实际工作中用加热或敲打振动退磁就是基于上述原理。

三、磁化曲线

铁磁性材料磁化时,材料的磁感应强度与磁场强度有密切的关系,我们把描述材料磁感应强度随磁场强度变化的曲线称为磁化曲线,如图1-16所示。

由图可知,当外加磁场强度 H 由0开始增加时,磁感应强度 B 沿曲线 Oa 变化,这里 Oa 称为初始磁化曲线。当 H 较小时,H 增加,B 缓慢增加;当 H 较大时,H 增加,B 急剧增加;当 H 增到一定程度后,H 再增加,B 也不再增加,达到饱和,这种现象叫做磁饱和。对应的磁感应强度 B_m 和磁场强度 H_m 称为饱和磁感应强度和饱和磁场强度。这时材料内部的所有磁畴与外磁场方向一致,因此 H 增加,B 不再增加。

根据初始磁化曲线,我们可以得到铁磁质的磁导率曲线图1-17。由图可以看出,铁磁质的磁导率 $\mu = \dfrac{B}{H}$ 是一个变量,存在一个极大值 μ_m。当 $H < H_0$ 时,H 增加,μ 增加,当 $H > H_0$ 时,H 增加,μ 减小;当 $H = H_0$ 时,$\mu = \mu_m$。

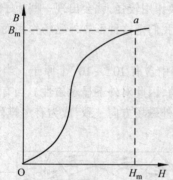

图 1-16　铁磁性材料的磁化曲线

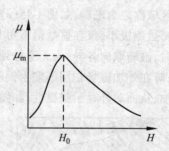

图 1-17　铁磁性材料的 μ

需要指出的是,$\mu_m \neq \dfrac{B_m}{H_m}$,$H_0 \neq H_m$。达到饱和状态时的磁导率 μ 较小,导磁能力最强时的磁场强度 H_0 也不是最大。

四、磁滞回线

铁磁质磁化时,如果它原来未被磁化,试验表明,当外磁场强度 H 从零起稳定增加到 H_m,然后减小至零,在反方向再增加到 H_m,然后再减至零,再继续增加到 H_m,变化一个周期时,磁感应强度 B 也变化一个周期,但 B 的变化总滞后于 H 的变化,如图1-18所示。我们把描述磁感应强度 B 的变化滞后于磁场强度 H 变化的闭合曲线称为磁滞回线。它对称于坐标原点。

由图可知,当 H 降低时,B 并不按初始磁化曲线 Oa 降低,而是沿曲线 ab 变化。当 $H = 0$ 时,$B = B_r$,即外磁场取消后材料内部仍保留一定的磁感应强度,B_r 称为剩余磁感应强度简称剩磁或顽磁度。

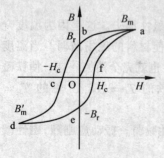

图 1-18　磁滞回线

为消除材料内的剩磁所需施加的反向磁场强度 H_c 称为

矫顽力。它表示铁磁质保存剩磁的能力,是衡量铁磁质磁性稳定性的重要参数。

不同铁磁质的磁滞回线的面积形状不同。据此可以将铁磁质分为软磁性材料和硬磁性材料。如图 1-19、图 1-20 所示。

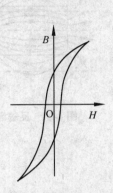

图 1-19　软磁性材料的磁滞回线

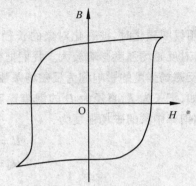

图 1-20　硬磁性材料的磁滞回线

软磁性材料的磁滞回线面积小,磁化耗能小,磁导率大,易磁化,剩磁 B_r 小,矫顽力 H_c 小,易退磁。一般用于制造变压器、继电器、电磁铁及其他电磁元件的铁心和磁粉探伤中用的磁粉。

硬磁性材料的磁滞回线面积大,磁化耗能大,磁导率 μ 小,难磁化,剩磁 B_r 大,矫顽力 H_c 大,难退磁。一般的永久磁铁、高碳淬火钢属于硬磁性材料。

五、影响钢铁材料磁特性的因素

钢铁材料的磁特性,与其晶体结构、组织、含 C 量、热处理状态及合金含量有关。面心立方体晶格的 γ 铁不显磁特性,而体心立方体晶格的 α 铁则具有磁特性。即使对于体心立方体晶格的材料,随含 C 量的增加,磁导率减小,剩磁增大,矫顽力 H_c 增大。如45号钢等。合金元素的加入,也会使矫顽力 H_c 增大。同一种材料,淬火状态比正火状态的 H_c 要大,淬火状态的材料回火后,H_c 又能恢复。

钢铁材料中的组织有铁素体、奥氏体、马氏体、渗碳体(Fe_3C)和珠光体等,一般情况下,铁素体(F)和珠光体(P)具有较强的磁特性,马氏体(M)和渗碳体(Fe_3C)只显弱的磁特性,而奥氏体(A)则不显磁特性。

不锈钢分为奥氏体不锈钢、铁素体不锈钢和马氏体不锈钢。室温下奥氏体不锈钢为非铁磁性材料,而铁素体不锈钢和马氏体不锈钢则为铁磁性材料,具有较强的磁特性,可以采用磁粉探伤。

第四节　反磁场

一、反磁场的产生

前面我们所讲的磁场和磁化都是理想状态的,如长直圆柱体、长直螺线管等。实际上,在线圈磁化时,铁磁质被磁化后会形成磁极,产生磁场。该磁场的方向与外加磁场的方向相反,如图 1-21 所示。我们把这类磁场称之为反磁场,反磁场强度用 H_d 表示,单位:A/m。

二、反磁场系数

反磁场的磁场强度在被磁化材料的不同位置是不一样的,和材料的形状、尺寸、数量、材质、磁化方式等有关系。

采用线圈磁化时,被磁化对象的长径比(径指短轴方向尺寸)对反磁场强度影响极大。我们把被磁化材料的长径比对反磁场强度的影响称为反磁场系数,用 N 表示。

例如,把长为 L,直径为 D 的钢棒置于螺线管外加磁场中,则钢棒中段的磁场强度为

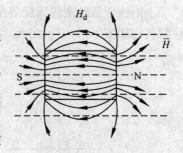

图 1-21　反磁场的影响

$$\left.\begin{array}{l} H = H_0 - H_d \\ H_d = NJ \end{array}\right\} \tag{1-14}$$

$$N = 1 - \frac{L/D}{\sqrt{1 + (L/D)^2}} \tag{1-15}$$

式中　H_0——外加磁场强度;

　　　H_d——反磁场强度;

　　　N——反磁场系数;

　　　J——磁极化程度,表示铁磁质在磁场中被磁化的程度;

　　　L/D——钢棒的长径比。

由以上几式可知,长径比增加,反磁场系数降低,反磁场减小,合磁场 H 增加;长径比减小,反磁场系数增加,反磁场增大,合磁场 H 降低。这说明钢棒长径比 L/D 大,反磁场影响小,钢棒中段的磁场强度大;钢棒长径比 L/D 小,反磁场影响大,钢棒中段的磁场强度小。反磁场的存在,减弱了外磁场对工件的磁化作用。

第五节　漏磁场

一、漏磁场的形成

铁磁质工件在外磁场作用下被磁化,若工件表面或近表面存在与磁力线方向近于垂直的缺陷时,就会明显改变磁感应线在工件内的分布。这是因为缺陷(如裂纹、非金属夹渣物等)一般都是非铁磁性物质,其磁导率远小于铁磁质的磁导率。磁化区域在外磁场条件相同的情况下,单位面积上能穿过磁感应线数比铁磁质的少得多。即缺陷区域不能容纳像铁磁质中相应那样多的磁感应线全部通过去,但磁感应线又是连续的,缺陷区域会影响这部分磁感应线,并导致它从缺陷周围的铁磁质里通过,部分磁感应线绕过缺陷时在工件内发生弯曲。又由于缺陷周围材料所能容纳的磁感应线数目是有限的,以及缺陷本身的形态和在工件中的位置等关系,所以有部分磁感应线逸出工件的表面,从工件中缺陷所在区域的一边离开工件,在工件的另一边进入工件。即在缺陷的两边分别形成 N 极和 S 极,产生了一个小磁场。如图 1-22 所示。

因为这个小磁场是由于缺陷的存在而使铁磁质工件中的磁感应线逸漏才形成的,故称为漏磁场。

缺陷漏磁场可以分解为水平分量 B_x 和垂直分量 B_y。矩形缺陷的 B_x、B_y 分布如图 1-23 所示。由图可知,漏磁场水平分量 B_x 对称于纵轴,具有最大值,最大值位于矩形中心,如图 1-23(a)。漏磁场的垂直分量 B_y,对称于原点,如图 1-23(b)。合成漏磁场对称于纵轴,也具有最大值,最大值位于矩形缺陷中心,如图 1-23(c)。

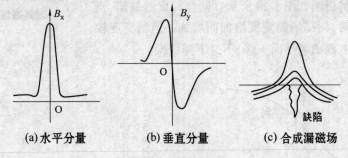

图 1-22　漏磁场的形成

二、影响漏磁场的因素

在磁粉探伤中,漏磁场的强弱对探伤灵敏度有直接的影响。而影响漏磁场强弱的因素有很多,下面仅定性地讨论其中较主要的几个因素。

(a)水平分量　　(b)垂直分量　　(c)合成漏磁场

图 1-23　缺陷漏磁场

1.工件磁化程度的影响

缺陷的漏磁场与工件的磁化程度有关。试验证明,当钢材的磁感应强度达到饱和值的 80% 以上(1.5~2.0 T)时,缺陷漏磁场便会迅速增加。当磁感应强度低于 80% 时,缺陷漏磁场较弱,如图 1-24 所示。

2.缺陷方向的影响

缺陷方向对漏磁场的影响见图 1-25。当缺陷与磁力线垂直或接近垂直时,漏磁场最强。当缺陷与磁力线平行或接近于平行时,几乎不产生漏磁场。

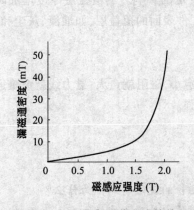

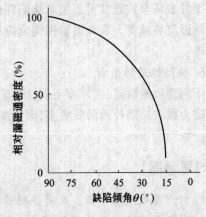

图 1-24　漏磁场与磁化程度的关系　　　图 1-25　缺陷方向对漏磁场的影响

3. 缺陷埋藏深度的影响

在铁磁质工件的近表层内有缺陷存在时，则工件的表面上有漏磁场。

图 1-26 所示是缺陷的埋藏深度（缺陷上端距工件表面的距离）对漏磁场的影响。显见，缺陷埋藏深度愈深，漏磁场显著变小，若缺陷位于距表面很深的地方，则几乎不能测出漏磁场来。

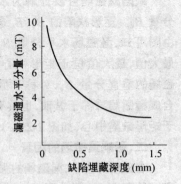

图 1-26　缺陷埋藏深度
对漏磁场的影响

4. 缺陷深度和宽度的影响

缺陷深度的影响如图 1-27 所示。同样宽度的缺陷，当缺陷深度增加时，漏磁场也随着增加。

缺陷宽度的影响如图 1-28 所示。同样深度的缺陷，当缺陷宽度很小时，漏磁场随宽度增加而增加。但当宽度较大时，宽度增加，漏磁场反而下降，不过下降缓慢。

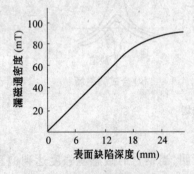

图 1-27　缺陷深度对漏磁场的影响

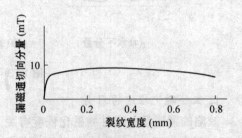

图 1-28　缺陷宽度对漏磁场的影响

缺陷深度与宽度之比对漏磁场的影响。当缺陷深宽比增加时，检出缺陷所需的外加磁场强度减小，即缺陷漏磁场增加。

5. 工件表面覆盖层的影响

工件表面非铁磁性覆盖层对缺陷漏磁场也有一定的影响。当覆盖层厚度增加时，漏磁场的强度将减弱。因此磁粉探伤前应尽量清除工件表面的覆盖层，如油漆、灰尘和各种污物等。

6. 缺陷性质的影响

不同性质的缺陷，磁导率不同。缺陷的磁导率愈小，磁阻就愈大，磁力线就愈难通过。这样磁力线在缺陷处泄漏就愈多，因此漏磁场就愈强。

【复习思考题】

1. 什么是磁性和磁极？凡是铁磁质都能吸附磁粉的说法对吗？为什么？

2. 什么是磁力线？什么是磁感应线？试说明磁体内外磁力线的方向？

3. 什么是磁通量、磁场强度、磁感应强度、磁导率？它们的单位是什么？

4. 磁介质如何分类和定义？

5. 什么是磁畴？试用磁畴理论说明铁磁质磁化的机理。

6. 什么是磁化曲线、磁滞回线？画图说明剩磁 B_r、矫顽力 H_c 的含义。

7. 软、硬磁性材料如何区分？简述它们各自的特点。

8. 什么是居里温度？

9. 钢铁材料的含 C 量、组织结构、热处理状态对磁特性有何影响？不锈钢都不能采用磁粉探伤吗？

10. 电流与磁场有何关系？

11. 电流磁场的方向如何确定？

12. 写出通电圆柱体、长直螺线管、中心棒空心圆柱体的磁场强度公式，并说明各公式的物理意义。

13. 什么是漏磁场？简述影响漏磁场强度的主要因素。

第二章 磁粉探伤方法与工艺

第一节 磁粉探伤原理

前面已经提到,铁磁性材料磁化后,在表面缺陷处会产生漏磁场现象。磁粉探伤就是根据缺陷处的漏磁场与磁粉的相互作用,利用磁粉来显示铁磁性材料表面或近表面缺陷的一种无损检测方法。

一、磁粉探伤的基本原理

铁磁性的零件磁化后,当表面或近表面存在缺陷(裂纹、气孔或夹杂)且与磁场方向垂直或呈较大角度时,由于缺陷内部介质是空气或非金属夹杂物,其磁导率远比零件小得多,磁阻大,因此,磁感应线通过缺陷时发生弯曲,一部分磁感应线遵循折射定律,逸出零件表面产生 N 极、S 极并形成可检测的漏磁场,如图 2-1,此时当磁悬液施加到零件表面,在缺陷处的磁粉就会被漏磁场磁化,也形成 N 极、S 极,并沿着漏磁场的磁感应线方向排列堆积起来,形成磁痕,从而显示缺陷的位置、形状和大小。如图 2-2。

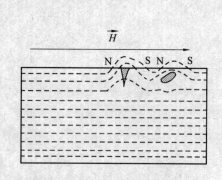

图 2-1 工件表面漏磁场

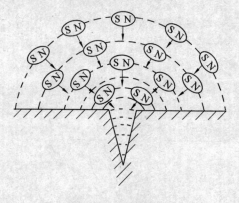

图 2-2 磁痕的形成

由于漏磁场的宽度比缺陷的实际宽度大数倍至数十倍,所以磁痕比实际缺陷宽很多,探伤时很容易观察出来。如图 2-3。

二、磁粉探伤的适用性与局限性

由于磁粉探伤显示缺陷直观,灵敏度高,检测速度快,操作简单和成本低,因而广泛应用于机械、化工、石油、航空、航天、压力容器、造船、铁道等部门的产品质量检验。但磁粉探伤也有一定的适用性与局限性。

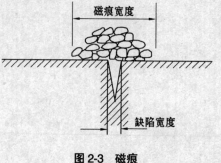

图 2-3 磁痕

(1)磁粉探伤只适用于检查铁磁性材料,如碳钢、合金钢等制造的零件,不适用于检查非铁磁性材料,如铝、镁、铜、钛及其合金和奥氏体不锈钢以及用奥氏体钢焊条焊接的钢板焊缝。

(2)只能用于检查零件表面及近表面缺陷,不能检查埋藏很深的内部缺陷。磁粉探伤可检测的皮下缺陷的埋藏深度与采用的探伤方法、磁化电流频率与种类以及缺陷特性有关。一般不超过 1～2 mm,采用低频(≤15 Hz),输出电压60 V,电流为200 A时,探伤深度可达8 mm。

(3)能用于检查与磁场方向夹角较大的缺陷,与磁场方向垂直的缺陷检测灵敏度最高。但不适用于检查与磁场方向夹角小于 20°或平行的缺陷。

第二节 磁粉探伤方法与操作程序

一、干法与湿法

在磁粉探伤中,根据磁粉分散介质不同将磁粉探伤分为干法磁粉探伤和湿法磁粉探伤两种。

1. 干法

采用干磁粉以空气为分散介质施加到磁化的工件表面上进行探伤的方法,称为干法。

干法探伤,必须确认磁粉和工件表面完全干燥后进行。施加磁粉一般采用低压压缩空气通过喷洒器把磁粉喷洒到工件表面上,也可将磁粉置于布袋中,用手轻轻拍打布袋,使磁粉散布到工件表面上。施加磁粉要薄而均匀,要避免局部堆积过多,可用压缩空气吹去多余磁粉,但应注意不要干扰缺陷磁痕。吹风时风压、风量和距离要适当,要顺序地连续移动风具,从一个方向吹向另一个方向。

干法探伤适用于粗糙表面的工件,如大型铸、锻件毛坯,大型焊接件焊缝局部的探伤,也可用于高温(315 ℃)和冻结温度条件下的探伤。但干法难以用于剩磁法探伤,与湿法探伤相比,灵敏度低。磁粉不能回收,污染环境,工作条件差。

干法常与便携式的支杆法和磁轭法探伤仪配合进行现场探伤。

2. 湿法

将磁粉按一定的比例与煤油或水配成磁悬液施加到磁化的工件表面上进行探伤的方法,称为湿法。

湿法探伤,磁悬液通常盛装在一个容器中,然后通过软管和喷嘴施加到工件上(喷洒法),或者将工件浸入磁悬液内(浸法)。喷洒法通常与连续法配合使用。采用剩磁法时,喷洒法和浸法都可以用,主要视检测工件、设备及现场情况而定。喷洒法的灵敏度略低于浸法。

湿法探伤操作简单,适用于复杂形状和大批量的工件探伤。湿法比干法灵敏度高,特别适用于检测表面细小的缺陷。但湿法不能在高温和冻结的低温条件下进行。

二、连续法与剩磁法

在磁粉探伤中,根据施加磁悬液或磁粉的时机不同,磁粉探伤方法分为两种:连续法和剩磁法。

1．连续法

在外加磁场磁化工件的同时,将磁悬液或磁粉施加到工件上进行探伤的方法,称为连续法或外加磁场法。

1）连续法的操作程序

（1）湿法连续法的操作程序：

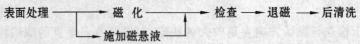

（2）干法连续法的操作程序：

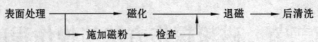

2）连续法的操作要点

（1）湿法:可先施加磁悬液均匀润湿工件,然后通电磁化1～3 s,与此同时,喷洒磁悬液,停止喷洒后再继续通电数次,每次0.5～1 s,或者停止喷洒后继续通电数秒,待工件上磁悬液基本不流动后再切断磁化电流。若过早切断电流,还在流动着的磁悬液会影响磁痕的形成。

（2）干法:应在施加干磁粉之前就开始通磁化电流,并在完成施加磁粉和吹掉多余磁粉之后才断开电流。

连续法适用于任何铁磁性材料,灵敏度较高,能用于复合磁化。但检测效率低,易出现杂乱显示。低碳钢和其他处于退火状态剩磁 B_r 较低的钢材必须采用连续法。对于形状复杂的大型工件,L/D 较小,反磁场影响较大的工件和技术要求高以及表面覆盖层较厚的工件宜采用连续法。此外,在检验委托书上未标明工件材质与热处理状态,探伤人员又无法了解其材质时,应采用连续法探伤。

2．剩磁法

利用工件停止磁化后的剩磁进行磁粉探伤的方法,称为剩磁法。

剩磁法的操作程序：

表面处理——→磁化——→施加磁悬液——→检查——→退磁——→后清洗

剩磁法操作要点:将工件通电磁化0.5～1 s,然后切断磁化电流,再在工件上喷洒磁悬液或将工件浸入搅拌均匀的磁悬液内20～30 s,取出后进行观察。

凡经淬火、调质等热处理的中、高碳钢和合金钢,其材料的剩余磁感应强度 B_r 在0.8 T、矫顽力 H_c 在800 A/m以上的工件可以采用剩磁法探伤。低碳钢以及处于退火状态的钢材不能进行剩磁法探伤。

剩磁法可以一人磁化工件,数人同时进行磁痕观察,探伤效率高,适用于批量大的工件探伤。此外,不易出现干扰磁痕识别的杂乱显示。但剩磁法,采用交流电磁化时,剩磁不稳定,需加断电相位控制器,对复合磁化不大适用。

探伤方法的选择,应根据工件材质和具体热处理状态下的剩磁、矫顽力大小以及对工件技术要求等来确定。

三、磁粉探伤一般操作程序

连续法与剩磁法探伤,工艺程序有所不同,但其主要工艺程序是基本相同的。

磁粉探伤的一般程序为：

工件表面处理——→磁化工件——→施加磁悬液或磁粉——→观察、检查——→退磁——→后处理——→记录与填写报告。下面分别说明。

1. 工件表面处理

工件表面状况对于磁粉探伤的操作和探伤灵敏度都有很大的影响，为此，探伤前必须对工件表面处理清洁、干燥。

磁粉探伤前，应清除工件表面的油脂、污垢、锈蚀、漆层、毛刺、砂土和松动的氧化皮等。工件表面的油脂、污垢可用有机涤剂清除，锈蚀、砂土和松动氧化皮可用金属刷或喷砂去除，油漆可用除漆剂去除，焊缝可用砂轮修整等。

此外，干法探伤时，工件表面不得有水和油，并应充分干燥。使用油磁悬液时，工件表面不应有水迹；使用水磁悬液时，工件表面应认真除油。

2. 磁化

在对工件进行磁化时，需要做好以下几项工作：

(1)根据工件所用材质和热处理状态，确定采用连续法还是剩磁法探伤。

(2)根据需要检出缺陷的深度，确定选用磁化电流的种类。检出表面缺陷，可选用交流电，需检出近表面缺陷，可选用整流电。

(3)根据工件的形状、尺寸和需要探伤部位及缺陷的方向，确定采用的磁化方法。选择磁化方法的一个重要原则是使磁场的方向尽可能与要检出的缺陷方向垂直。

(4)根据采用的探伤标准规定的磁化规范和工件尺寸，正确计算磁化电流值。

(5)按照以上确定的磁化参数，对工件进行磁化。

3. 施加磁悬液或磁粉

正确地施加磁悬液或磁粉是磁粉探伤基本操作中最重要的一个环节，是影响缺陷检出能力的重要因素之一，也是衡量探伤人员技术水平的重要依据之一。为此，重点强调两点：

(1)湿法剩磁法、湿法连续法和干法连续法，磁悬液或磁粉的施加是不同的。操作时必须按第二章第二节中提出的操作要点，精心操作。

(2)在这环节中，还应注意磁悬液浓度的定期测定，磁悬液喷洒时的压力和喷液量应适中。固定式磁粉探伤中循环使用的磁悬液，要求每班前测定磁悬液的浓度。锅炉和压力容器焊缝探伤中，新配制磁悬液或更换磁悬液均应测定磁悬液浓度，以保证在整个探伤过程中，磁悬液浓度保持一定，确保探伤质量。

4. 磁痕观察与检查

检查与观察工件表面上的磁痕应在磁粉吹去的同时(干法)或磁悬液喷洒终止后且磁悬液基本停止流动时(湿法)进行。

在这一环节中，需进行磁痕分析，识别真伪缺陷磁痕。确认缺陷磁痕后，要记录缺陷的位置、形状与大小，并应按标准进行评定。

非荧光磁粉探伤，在日光或灯光下观察，被检区的照度不低于1 500 lx。荧光磁粉探伤，在暗场紫外灯下观察，暗场白光照度不大于10 lx，被检区域的紫外线照度不应低于$1\,000\,\mu\text{W/cm}^2$。

5.退磁

磁粉探伤后的工件,不是所有的都要退磁。需要退磁的工件,按其具体工艺要求,选用能满足退磁要求的方法进行退磁。退磁效果,可用 XCJ 型袖珍式磁强计测量其剩磁。

6.后处理

磁粉探伤后,工件表面会残留部分磁粉或磁悬液。当残留的磁粉或磁悬液会影响工件以后的加工和使用时,应在检验后进行清洁处理。

干法探伤时,可用压缩空气吹去残留在工件表面上的磁粉。湿法探伤,油磁悬液,可用汽油涤液清除;水磁悬液,可用含防锈剂的水涤液清洗。此外,还可以将工件烘干,或用压缩空气吹干。

第三节　磁化方法

前面已经提到,与磁场方向垂直的缺陷,探伤灵敏度最高,与磁场平行的缺陷难以检出。磁粉探伤的工件有各种形状和尺寸。工件中缺陷有各种取向,为了能有效地检出各个方向的缺陷,发展了多种的磁化方法。

根据在工件上产生的磁场方向不同,磁化通常分为周向磁化、纵向磁化和复合磁化三种。

一、周向磁化法

利用产生环绕在工件上的周向磁场进行磁化的方法,称为周向磁化法。周向磁化法主要用来发现工件轴向的纵向缺陷以及与轴向夹角小于 45°的缺陷。

常用的周向磁化法有轴向直接通电法、中心导体法、支杆法和平行电缆法等。

1.轴向直接通电法

沿工件轴向直接通入磁化电流,在工件上产生周向磁场进行磁化的方法,称为轴向直接通电法。如图 2-4 所示。

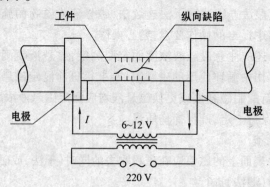

图 2-4　轴向直接通电法

这种方法一般是将工件轴向的两端面固定在卧式或立式固定式磁粉探伤机的两个电极上,磁化电流沿工件轴向直接通过,根据通电圆柱体产生磁场的原理,在工件上产生周向磁场,对工件进行磁化。这种方法可以检出与工件轴向平行的缺陷,或者说,可以检出与电流平行的缺陷。

轴向直接通电法适用于大批量的中小工件的探伤。探伤机可以是手工操作或半自动的,探伤效率高。但当电流较大,工件两端夹持不平正或有氧化皮,因接触不良易产生电火花烧伤工件,为此,探伤时应注意工件表面处理和正确夹持工件。

2．中心导体法

将一导体穿入空心工件孔中并使电流通过导体,在工件内外表面产生周向磁场的磁化方法,称为中心导体法或穿棒法,又叫心棒法。如图 2-5。从前面关于通电空心圆柱体导体内外磁场分布中知道,空心工件用直接通电法不能检出内表面的缺陷,因为内表面的磁场强度为零。中心导体法可以同时发现内外表面轴向缺陷和两端面的径向缺陷。空心件内表面磁场强度比外表面大,所以内表面缺陷检出灵敏度比外表面高。

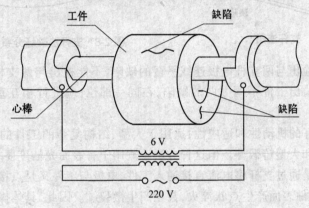

图 2-5　中心导体法

中心导体法适用于检查空心轴、轴套、齿轮等空心工件。对于小型工件,如螺帽,可将数个穿在导体上一次磁化。若工件内孔弯曲或检查工件孔周围的缺陷,可以用软电缆作为中心导体。中心导体的材料一般采用铜棒也可以用铝棒或钢棒,但钢棒易发热。

一般情况下,中心导体应尽量位于工件的中心。但当工件内直径太大,探伤机所能提供的电流不足以使工件表面达到所需的磁感应强度时,可将导体偏心放置进行磁化,如图2-6所示。这时有效的磁化周向长度为导体直径的 4 倍。转动工件,分段磁化,检查整个圆周。为了防止漏检,每相邻磁化区应有 10% 的覆盖。

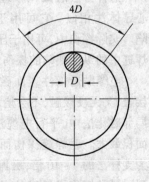

图 2-6　偏置心棒的有效磁化区

3．支杆法

通过两支杆电极将磁化电流通入工件,在电极处的表面上产生周向磁场,对工件进行局部磁化的方法,称为支杆法或触头法。有时又叫刺入法。如图 2-7 所示。

用支杆法磁化工件时,工件表面的磁场强度与磁化电流、支杆间距有关。支杆间距一定,磁化电流大,工件表面磁场强度大。电流一定时,支杆间距大,工件表面磁场强度小。为了达到规定的磁场强度,支杆间距大,磁化电流也应大。

当支杆间距为200 mm,磁化流为400 A(交流)时,用支杆法在钢板上产生的磁场分布如图2-8所示。由图可知,在两支杆电极的连线上产生的磁场强度最大,离该连线愈远,磁场强度愈小。

图2-7 支杆法图

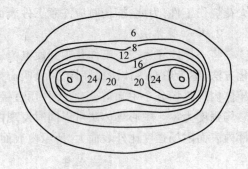

图2-8 支杆法磁场分布 (单位:A/cm)

支杆法可以检出与两支杆电极连线平行的缺陷,不能检出与两支杆电极连线垂直的缺陷,因此,为了检出工件不同方向的缺陷,在同一部位,应进行相互垂直两个方向的磁化。

支杆法有较好的机动性和适应性,适用于大型、结构复杂的工件的局部探伤,如压力容器各种角焊缝和大型铸锻件。但这种方法不宜用于有表面光洁度要求的工件探伤。

由于支杆法是通过支杆将电流直接通入工件,电极与工件又是点接触,操作不当极易烧伤工件,并使工件表面产生点状淬火,甚至产生微裂纹。因此,具体操作时应注意:磁化电流不宜过大,电极接触压力不宜过小,电极端头和工件表面清理干净。

4.平行电缆法

将一根绝缘通电的电缆平行置于被检工件表面部位,产生畸变的周向磁场,进行局部磁化的方法,称为平行电缆法。如图2-9所示。

这种方法的磁化原理,大致与常用的偏心中心导体法相似。它可用于发现与电缆平行的缺陷。实际探伤中,可用于压力容器焊缝,特别是角焊缝中的纵向缺陷的探伤。

电缆贴近工件表面磁化,与工件表面既无电接触,又无硬接触,不会烧伤和碰伤工件。在所有局部磁化法中,平行电缆法一次磁化可检出区域面积最大。就焊缝探伤而言,一次检出区域面积为支杆法的4~10倍,磁轭法的8~20倍。但为达到同样的探伤灵敏度的磁化电流大,磁场均匀性差。

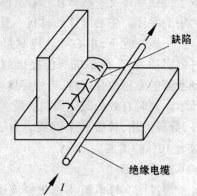

图2-9 平行电缆法

二、纵向磁化法

使工件上产生并利用纵向磁场进行磁化的方法,称为纵向磁化法。它可用于发现与工件轴向垂直或与轴向夹角大于45°的缺陷,即横向缺陷。

常用的纵向磁化法有磁轭法、线圈法和电缆法。

1. 磁轭法

利用电磁轭或永久磁铁在工件上产生的纵向磁场进行磁化的方法,称为磁轭法。

所谓电磁轭,就是绕有螺线管线圈的π型铁芯,工件置于铁芯两极间,工件与铁芯构成闭合磁回路,当线圈上通以电流后,铁芯中感应的磁通流过工件,对工件进行纵向磁化。实际应用中有两种基本形式。

1)整体磁轭法

整个工件置于磁轭法产生的纵向磁场中进行磁化的方法,叫整体磁轭法,如图 2-10 所示。这种方法可用于发现与工件轴向垂直或与轴向夹角大于 45°的缺陷。整体磁轭法主要在固定式磁粉探伤机上的磁轭中进行,适用于大批量中、小工件的探伤。为了便于磁化不同长度的工件,磁轭的一极是活动的,极距可以调节。整体磁化,对于形状规则,截面小的工件,也可在便携式探伤仪具有活动关节的磁轭中进行。整体磁化,要求磁轭极的截面应大于工件截面,否则达不到规定的磁场强度。同时,还要求工件两端面与磁极间隙尽量小,因为空气会降低磁化效果。

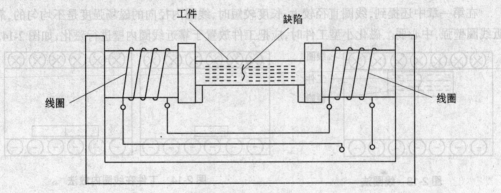

图 2-10　整体磁轭法

2)局部磁轭法

利用便携式磁轭或永久磁轭产生的纵向磁场,对工件表面局部区域进行磁化的方法,称为局部磁轭法,如图 2-11 所示。这种方法主要用于检出与两磁极连线垂直的缺陷。为此,采用局部磁轭法时,对同一部位,应作相互垂直两次磁化。

局部磁轭法,磁轭两极间的磁力线大致平行于两极的连线,磁化区为椭圆形,磁化区内磁场强度分布不均匀,在两极连线方向上,两极附近强,连线中间弱。在连线的垂直方向上,连线附近强,远离连线弱。

如图 2-12 所示,磁化区内的磁场强度和探伤有效范围与两磁极间距有关,磁极间距大,探伤有效范围大,但磁场强度小。磁极间距一般控制在 50～200 mm 之间。局部磁轭法,工件表面的磁场强度还与工件厚度有关,工件厚度大,磁力线分散,磁场强度低。直流磁化尤为突出。交流具有集肤效应,工件厚度影响小。一般厚度超过5 mm的工件,不宜采用直流磁轭。

2. 线圈法

将工件置于通电螺线管线圈内,用线圈内的纵向磁场进行磁化的方法,称为线圈法。如图 2-13 所示。它有利于检出与线圈轴垂直的缺陷。

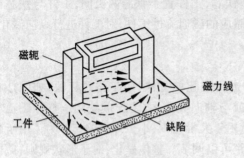

图 2-11　局部磁轭法

图 2-12　便携式电磁轭两极间的磁力线

线圈磁化法,在线圈中被磁化的工件,由于磁路是非闭合性而产生反磁场。在第一章节中已经提到,反磁场起着阻碍磁化的作用。

在第一章中还提到,线圈直径较大,长度较短时,线圈内径向的磁场强度是不均匀的,靠近线圈壁强,中心弱。磁化小型工件时,应把工件放置于靠近线圈内壁进行磁化,如图 2-14。

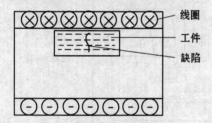

图 2-13　线圈法

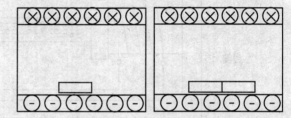

图 2-14　工件在线圈内放法

工件长度比线圈长度大时,由于线圈内磁场随着离开线圈端面距离的增加而迅速降低,工件在线圈之外较远的部位得不到必要的磁化,所以要将工件进行分段磁化,或将线圈沿工件移动磁化。如图 2-15 所示。

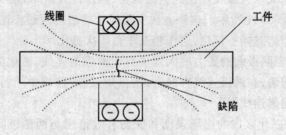

图 2-15　长工件线圈法

3. 电缆缠绕法

用绕在工件上的通电电缆,在工件上产生的纵向磁场进行磁化的方法,叫电缆缠绕法。如图 2-16 所示。它可以检出工件的横向缺陷。

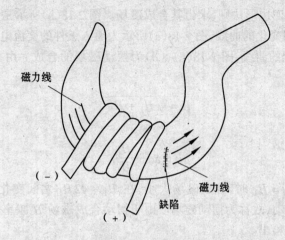

图 2-16　电缆缠绕法

电缆缠绕法一般可用于直径较大,或形状不规则,又不能放在固定式螺线管线圈中磁化的工件的探伤。

三、复合磁化法

在工件上同时施加两个相互垂直的磁场,利用其随时间不断变化的合成磁场进行磁化的方法,称为复合磁化法。这种方法,一次磁化便可检出工件各个方向的缺陷。

复合磁化可采用多种形式。常用的有摆动磁场法和交叉磁轭法(即旋转磁场法)等。

1. 摆动磁场法

工件用直流磁轭的纵向磁场和通以交流电的周向磁场的叠加,在工件上产生随时间不断摆动的合成磁场进行磁化的方法叫做摆动磁场的复合磁化法。如图 2-17 所示。它可以检出工件任意方向缺陷。

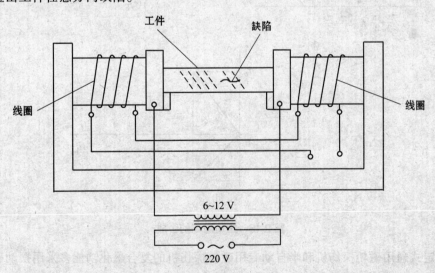

图 2-17　复合磁化法

复合磁化法是根据磁场强度叠加原理,当两个相互垂直的磁场同时作用于工件上时,可用矢量叠加的平行四边形法则,求出其合成磁场。图 2-18(b)所示是直流磁轭的纵向磁场(H_L = 常量)随时间变化的曲线,图 2-18(a)所示为通入工件的交流电的周向磁场($H_R = H_0 \sin \omega t$)随时间变化的曲线,图 2-18(c)、(d)为摆动磁场的合成。由摆动磁场合成图可看出,合成磁场为

$$H = \sqrt{H_L^2 + H_R^2}$$

合成磁场方向

$$\varphi = \text{arctg}\, \frac{H_R}{H_L}$$

由此可见,当 $H_R = H_L$ 时,合成磁场大小,在 $H_L \sim \sqrt{2} H_L$ 之间变化,合成磁场方向在 $\pi/4 \sim -\pi/4$ 范围内摆动,故称为摆动磁场。由于摆动合成磁场 H 频率也为 50 Hz,所以工件各个方向缺陷均可检出。

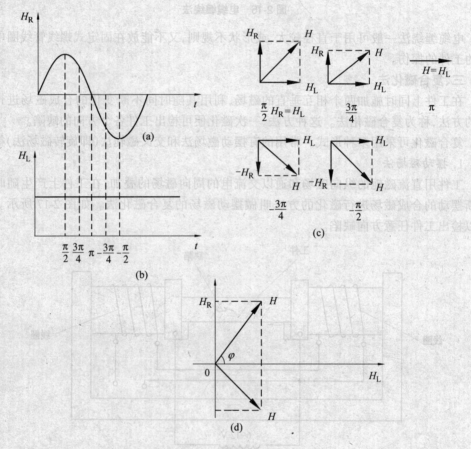

图 2-18 摆动磁场的合成

固定式通用磁粉探伤机和半自动专用磁粉探伤机的复合磁化功能多采用摆动磁场磁化法设计。它适用大批量中、小工件的在线探伤。

2. 旋转磁场法

大小和方向随时间作圆形旋转变化的磁场称为旋转磁场。利用旋转磁场进行磁化的

· 312 ·

方法称为旋转磁场法。又叫做交叉磁轭磁化法。一次磁化可检出工件各个方向的缺陷。

交叉磁轭是由两个参数相同的单磁轭构成。两个单磁轭的交叉角度为90°,并分别通以相位差为 $\varphi = 90°$,幅值相等的正弦交流电激磁,于是在四个磁极所在的被探工件表面上产生随时间而不断变化的圆形旋转磁场。如图 2-19 表示了四个磁极所在平面几何中心点 O 处旋转磁场的形成原理。图 2-19(b)为两相磁场变化曲线,图 2-19(c)为不同瞬时的合成磁场的方向和大小,图 2-19(d)为合成磁场的终端轨迹。

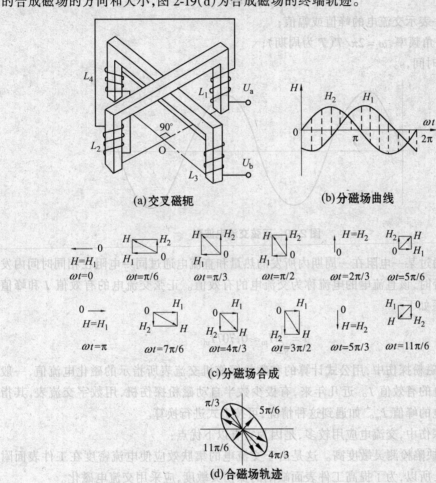

(a)交叉磁轭 (b)分磁场曲线

(c)分磁场合成

(d)合磁场轨迹

图 2-19　圆形旋转磁场形成原理

根据旋转磁场磁化法设计制造的旋转磁场探伤仪,广泛地用于压力容器钢板焊缝探伤。

磁化方法的选择原则是尽可能使磁力线与缺陷方向垂直。

第四节　磁化电流

用于在工件上产生磁化磁场的电流,称为磁化电流。磁化电流种类有多种,不同的磁化电流其磁化效果不同,各有其优缺点。所以,在磁粉探伤中,正确地选择磁化电流是很重要的。常用的磁化电流有交流电、整流电和直流电。

一、交流电

大小和方向随时间作周期性变化的电流,称为交流电。磁粉探伤用的交流电,就是电厂生产的按正弦规律变化的交流电,如图 2-20,频率为50 Hz,其电流瞬时值 i 为

$$i = I_m \sin \omega t$$

式中　　I_m——表示交流电的峰值或幅值;

　　　　ω——角频率,$\omega = 2\pi / T$(T 为周期);

　　　　t——时间,s。

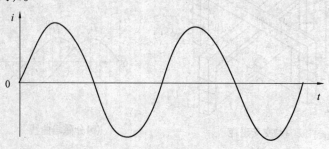

图 2-20　正弦交流电波形

交流电通过某一电阻在一周期内所发的热量和直流电通过同一电阻在相同时间内发生的热量相等时,该直流电的电流称为交流电的有效值。正弦交流电的有效值 I 和峰值 I_m 的换算关系如下

$$I = \frac{1}{\sqrt{2}} I_m \approx 0.707 I_m$$

通常,在磁粉探伤中,用公式计算的和磁粉探伤机交流表所指示的磁化电流值,一般都是指交流电的有效值 I。近几年来,有极少数半自动磁粉探伤机,用数字交流表,其指示的是交流电的峰值 I_m。如遇到这种情况,可按上式进行换算。

在磁粉探伤中,交流电应用较多,是因为它有以下优点:

(1)表面缺陷检测灵敏度高。这是由于交流电的集肤效应使电流密度在工件表面附近增大所致。所以,为了提高工件表面缺陷的探伤灵敏度,应采用交流电磁化。

(2)易于退磁。交流电的集肤效应,使磁场集中于工件表面,所以用交流退磁很容易退掉其剩磁。

(3)能实现复合磁化。在复合磁化法中,常用两个交流磁场的叠加来产生旋转磁场,或者,至少其中要一个磁场是交流电的,所以,复合磁化必须采用交流电。

(4)利于磁粉的迁移。交流电磁化工件时,磁场大小和方向也在不断变化,有利于磁粉的迁动,从而可以提高探伤灵敏度。

(5)设备结构简单。交流磁粉探伤机可直接使用工业电源输送交流电,所以其结构简单、轻便,易维修。

但利用交流电作为磁化电流也有缺点:

（1）探测深度小。由于集肤效应，对于表面下较深的缺陷，检测灵敏度低。

（2）剩磁不够稳定。交流电磁化工件，如果采用剩磁法探伤，由于断电时，相位不同，工件上的剩磁大小就不同。如图 2-21 所示。

当电流在 1～2 区间$(\pi/2～\pi)$或 4～5 区间$(3\pi/2～2\pi)$切断时，工件中的剩磁 B_r 最大，在 5～1 区间$(0～\pi/2)$或 2～4 区间$(\pi～3\pi/2)$切断电流，则剩磁小。不过，对于剩磁不稳定，也不能估计过于严重。通过大量试验证明，在标准磁化规范下，剩磁极弱的情况只占 1%～2%，剩磁极弱的几率随着磁化场增加可以降低。因此，采用交流剩磁法探伤时，适当提高磁化电流，剩磁可以趋于稳定。加断电相位器剩磁可达完全稳定。

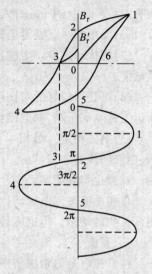

图 2-21　交流电剩磁法探伤

二、整流电

电流方向不随时间变化而大小随时间变化的电流，称为整流电，又称为脉动直流电。整流电有单相半波整流、单相全波整流、三相半波整流和三相全波整流等几种，其波形如图 2-22。

由整流电的波形图可知，三相半波和三相全波整流电，脉动小，接近于直流。单相半波和单相全波，电流波动较大，既

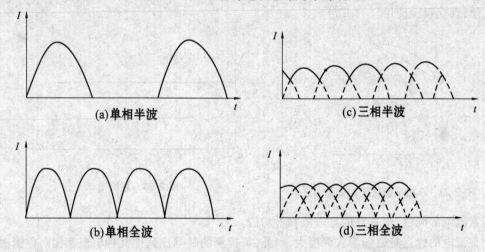

（a）单相半波　　　　　　　（c）三相半波

（b）单相全波　　　　　　　（d）三相全波

图 2-22　整流电波形

具有直流电性质，又具有交流电性质。因此，后两种整流电作为磁化电流具有独特的优点。在磁粉探伤中，也是应用较多的电流。

对于整流电，有效值 I 和峰值 I_m 之间的关系，单相半波整流有效值 $I = I_m/2$，单相全波整流电 $I = I_m/\sqrt{2}$。

单相半波整流磁化的优点：

（1）能产生较强的磁场强度。在磁粉探伤中，工件中的磁场强度取决于峰值电流，整流电的电流表一般指出的是平均电流 $\bar{I}$，对于单相半波整流电，$I_m = \pi\bar{I}$，而直流电 $I_m = \bar{I}$，

因此在平均电流相同的情况下,半波整流电的峰值电流比直流大得多,所以,半波整流产生磁场强度也大得多。

(2)探测深度较大。单相半波整流电具有直流性质,所以能探测近表面的缺陷。试验表明,对于钢中 Ø1 mm 的人工缺陷,交流探测时,剩磁法检测深度为 1 mm,连续法为 2.5 mm;而单相半波整流电探测深度,剩磁法为 1.5 mm,连续法为 4 mm。

(3)可扰动磁粉。半波整流仍具有交流性质,同样,它也具有扰动磁粉作用,提高探伤灵敏度。

(4)可获得较好的对比度。半波整流电磁化工件,由于磁场不会过分地集中于表面,所以工件本底干净,缺陷磁痕清晰,对比度好。

(5)剩磁稳定。单相半波整流电所产生的磁滞回线如图 2-23 所示。磁场是同符号的,磁滞回线是非对称的。因此,不论何时断电,剩磁都不会为零。所以,能获得稳定的剩磁。试验也得到证实。

单相全波整流电脉动比单相半波小,更接近于直流性质,电流渗透深度更大,可检测更深一些的缺陷。但退磁较困难。

三、直流

纯直流电是磁粉探伤中最初使用的磁化电流,如图 2-24 所示。它是通过蓄电池的并联或直流发生器而获得的。为了保证供给所要求的电流,电池需要经常充电。由于使用不方便,现在很少使用。

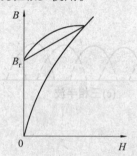

图 2-23 单相半波整流电磁滞回线

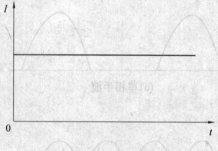

图 2-24 直流电

直流电的峰值,也是它的有效值和平均值。

直流电的优点是磁场渗入深度大,因此,可检测的缺陷比其他几种电流都深。但退磁较困难。

第五节 磁化规范

选择或计算磁化电流值所遵循的规则,称为磁化规范。

在磁粉探伤中,要制定一个工件的磁化规范时,首先要根据工件的材质和热处理状态确定采用哪种探伤方法,即剩磁法还是连续法,然后根据工件的形状、尺寸及需要检出的缺陷部位与缺陷的方向,确定采用哪种磁化方法和磁化电流种类,最后,根据工件设计技术要求,即需要检出的最小缺陷或者所要求的探伤灵敏度,确定能显示该最小缺陷的磁场

强度,从而计算出需要的磁化电流。计算磁化电流 I 可按下面理论公式

$$I = \frac{H}{320}D \qquad (2\text{-}1)$$

式中　H——磁场强度,A/m;

　　　D——受检工件的直径,mm。

例1:一圆柱形钢棒,直径 $D = 50$ mm,长度200 mm,材质为 40 号钢,退火状态,要求检查其表面纵向裂纹,应选多大的磁化电流?

解:因钢棒材质为 40 号钢,退火状态,应选连续法探伤;又因钢棒形状规则,尺寸较小,要求检出纵向缺陷,所以可采用直接通电法磁化。通过试验表明,连续法时,能显示一般材料裂纹的公认的工件表面磁场强度为2 400 A/m,所以磁化电流可按公式计算

$$I = \frac{H}{320}D = \frac{2\,400}{320}D \approx 8D = 8 \times 50 = 400(\text{A})$$

以上所说,就是选择或计算磁化电流所要遵循的规则。只要遵循这个规则,就可以较正确地选择磁化电流值。人们在长期的生产实践中,通过大量试验和生产实践,已制定了各种磁化方法的磁化规范,如表 2-1 中的工件周向磁化规范。它得到我国各工业部门的承认。它来源于苏联,是苏联航空材料研究所通过大量试验制定出来的。认为工件表面剩磁法施加8 000 A/m,连续法施加2 400 A/m的磁场强度即能满足探伤要求。俄罗斯及东欧各国至今沿用此规范,长期实践证明是合理的。英国提出的规范与此相同,日本规范极为接近,该规范得到世界性的认可。我国各工业部门在标准中提出的磁化规范也与此接近或吻合。

表 2-1　工件周向磁化规范

规范名称	适用于哪些工件	能发现哪些缺陷	检验方法	工件表面磁场强度（A/m）	工件磁化电流计算公式		
					圆筒形	圆板	板材
标准规范	表面光洁度较高,高负荷工件	深度超过 0.05 mm 的表面缺陷,以及埋藏深度在 0.5 mm 之内较大缺陷	连续法	2 400	$I = 8D$	$I = 5D$	$I = 5S$
			剩磁法	8 000	$I = 25D$	$I = 16D$	$I = 16S$
严格规范	弹簧、喷嘴管等高负荷工件及工件上应力高度集中区,这些部位易产生早期疲劳裂纹或细小磨削裂纹	在抛光表面上,凡深度在0.05 mm之内细小发纹和磨削裂纹均可发现	剩磁法	14 400	$I = 45D$	$I = 30D$	$I = 30S$
放宽规范	承受静力和重复静力(拉伸、压缩)的表面粗加工工件	能发现所有危险缺陷(表面裂纹、延伸于金属深处之发纹),也能部分发现细小缺陷	连续法	4 800	$I = 15D$	$I = 10D$	$I = 10S$
			剩磁法	4 800	$I = 15D$	$I = 10D$	$I = 10S$

注:I——磁化电流(交流有效值),A;D——工件直径,mm;S——板宽度,mm。

本节主要介绍用于锅炉和压力容器探伤的 JB4730—94 标准中提出的磁化规范。

一、轴向直接通电法的磁化规范

对于圆柱形以及类似轴类的工件进行轴向直接通电法磁化时,磁化电流可按表 2-2 规定计算。

表 2-2　轴向直接通电法磁化规范

检验方法	电流种类	磁化电流计算公式
连续法	整流电	$I = (12 \sim 20)D$
剩磁法	整流电	$I = (25 \sim 45)D$
连续法	交流电	$I = (6 \sim 10)D$

注:I——磁化电流值,A;D——工件直径,mm。

例 2: 有一紧固螺柱 M30×150,要求采用交流轴向直接通电连续法探伤,试求其磁化电流为多少?

解:根据题意,可按表 2-2 中 $I = (6 \sim 10)D$ 公式计算

下限 $I = 6D = 6 \times 30 = 180(\text{A})$

上限 $I = 10D = 10 \times 30 = 300(\text{A})$

答:磁化电流下限为 180 A,上限为 300 A。

二、支杆法磁化规范

对于大型铸、锻件或焊接构件焊缝,利用支杆法进行局部磁化时,支杆触头间距应控制在 75 ~ 200 mm 之间,磁化电流值按表 2-3 规定计算。

表 2-3　支杆法磁化电流值

工件厚度 T(mm)	电流值 I(A)
$T < 20$	$(3 \sim 4)L$
$T \geqslant 20$	$(4 \sim 5)L$

注:L——支杆触头间距 mm。

例 3: 当用支杆法对板厚 $T = 20$ mm 的钢板焊缝进行磁粉探伤时,支杆触头间距为 100 mm,磁化电流应选多少安培?

解:依据题意,可按表 2-3 中公式 $I = (4 \sim 5)L$ 计算,因 $T = 20$,可取公式下限

所以,$I = 4L = 4 \times 100 = 400(\text{A})$

答:磁化电流应选 400 A。

三、中心导体法磁化规范

空心或带孔的工件,要检查内外表面缺陷时应采用中心导体法。心棒材料以铜质为好。当工件内孔不大,比心棒直径大得很少时,心棒可正中放置,此时磁化电流可按轴向通电法规范计算。当工件内孔较大,心棒直径较小时,心棒应偏心放置。每次的有效磁化区约为 4 倍心棒的直径,且应有重复区不小于 0.4 倍心棒直径。此时,若心棒直径为 50 mm,磁化电流可按表 2-4 规定计算。

表 2-4　中心导体法磁化电流值

空心工件厚度(mm)	≥3～6	>6～9	>9～12	>12～15
电流值(A)	1 000	1 250	1 500	1 750

注:①当壁厚大于15 mm时,厚度每增加3 mm,电流增加250 A,厚度增加不足3 mm时,电流按比例增加。

②当心棒直径比规定值增加或减少 12.5 mm 时,则电流相应增加或减少 250 A。

四、平行电缆法磁化规范

检测角焊缝纵向缺陷时,可采用平行电缆法。磁化时,电缆应紧贴工件,但不要遮盖焊缝要检的区域,以免影响施加磁粉和观察。JB4730—94 标准规定,磁化电流应根据 A-30/100 灵敏度试片实测结果确定。通过试验也可按下式计算

$$I = 20b \tag{2-2}$$

式中　I——通过电缆的电流,A;

b——电缆至一侧要检出的距离,mm。

五、局部磁轭法磁化

采用局部磁轭法磁化工件时,磁极间距应控制在 50～200 mm 之间,检测的区域为两极连线两侧各 50 mm 范围内,磁化区域每次应有 15 mm 的重叠。磁化电流应根据 A-30/100 灵敏度试片试验确定。磁化电流用提升力确定时,要求两极间距在 200 mm 时,交流电磁轭的提升力至少应有44 N,直流电磁轭应为177 N。

六、线圈法的磁化规范

当采用低充填因数线圈(工件直径不应大于固定式环状线圈内径的 10%)对工件进行纵向磁化时,工件可以偏心或者正中放置在线圈中。

偏心放置时,磁化电流按下式计算

$$I = \frac{45\,000}{N\left(\dfrac{L}{D}\right)} \tag{2-3}$$

正中放置时,磁化电流按下式计算

$$I = \frac{1\,720R}{N\left[6\left(\dfrac{L}{D}\right) - 5\right]} \tag{2-4}$$

式中　I——电流值,A;

R——线圈半径,mm;

N——线圈匝数,匝;

L——工件长度,mm;

D——工件直径,mm。

以上两式不适用于长径比(L/D)小于 3 的工件,当 $L/D \geq 10$ 时,公式中的 L/D 取10。

当工件太长时,分段进行磁化,重叠应不小于分段检测长度的 10%。

例4:有一长为300 mm,直径为20 mm的螺栓,用线圈纵向磁化法检出其周向缺陷,当线圈匝数 $N = 10$ 匝时,应选多大的磁化电流?

解：因螺栓直径小，采用低充填因素线圈，偏心放置，可应用公式(2-3)计算磁化电流。

又因 $\dfrac{L}{D} = \dfrac{300}{20} = 15$，所以可取 10

所以 $I = \dfrac{45\,000}{N\left(\dfrac{L}{D}\right)} = \dfrac{45\,000}{10 \times 10} = 450(\text{A})$

答：应选450 A的磁化电流。

七、电缆缠绕法的磁化规范

对不适宜在固定式线圈中检测的大型工件，可采用电缆缠绕法磁化，磁化电流可按下式计算

$$I = \frac{35\,000}{N\left[\left(\dfrac{L}{D}\right) + 2\right]} \tag{2-5}$$

式中　I——电流值，A；

　　　N——缠绕匝数，匝；

　　　L——工件长度，mm；

　　　D——工件直径，mm。

上式适用于 $L/D \geqslant 3 \sim 10$，当 $L/D > 10$，可取 10。

第六节　磁痕分析

磁粉探伤中，要求探伤人员根据磁痕特征、生产工艺和材料种类，分析磁痕的性质、大小以及形成原因，这一分析过程，称为磁痕分析。

磁痕分析是磁粉探伤的重要内容之一，它是获得正确磁粉探伤结论的一个重要环节。因为磁粉探伤所发现的磁痕有假磁痕、非相关磁痕和相关磁痕之分，探伤人员在观察磁痕过程中必须进行磁痕分析，识别真伪缺陷磁痕，才能保证产品质量，所以磁痕分析是一项重要工作。

一、关于磁痕的几个概念

(1)磁痕：探伤时工件表面上的磁粉聚集而形成的图像，称为磁痕。

(2)不连续性：材料均匀状态受到的破坏称为不连续性。

(3)缺陷：影响工件使用性能的不连续性，称为缺陷。

(4)相关磁痕：通常把缺陷处产生的磁痕，称为相关磁痕，又称为缺陷磁痕。

(5)非相关磁痕：虽不是来源于缺陷，但还是由于漏磁场形成的磁痕，称为非相关磁痕，也称为非缺陷磁痕。

(6)假磁痕：不是由于漏磁场引起的磁痕，称为假磁痕。

二、假磁痕的种类

磁粉探伤中出现的假磁痕可能由于以下几种情况引起：

(1)工件表面粗糙(如焊缝两侧咬边，粗糙的机加工表面和铸造表面)会滞留磁粉而形成磁痕。特别是铸件粗糙表面最容易出现假磁痕。

(2)工件表面氧化皮、锈蚀和油漆斑点边缘上会出现这种磁痕。

(3)工件表面不清洁,存在油、油脂和棉纱等脏物都会出现假磁痕。

(4)磁悬液浓度过大,也可能引起假磁痕。

三、非相关磁痕

磁粉探伤中出现的非相关磁痕种类较多,常见的非相关磁痕如下:

(1)工件截面尺寸突变处,如内孔台阶、键槽等处出现的磁痕。

(2)刀痕和划伤处,如螺钉颈部,刀痕严重,磁化电流过大又采用连续法探伤,常出现这种磁痕。

(3)两种材料交界处,如用奥氏体钢焊条补焊铸钢件或焊接的焊缝边缘出现的磁痕。

(4)磁写:已磁化的工件互相接触,或者已磁化工件与其他强磁体接触,在接触处产生漏磁场而形成的磁痕,称为磁写。在剩磁法探伤中,已磁化工件都浸入同一磁悬液槽中时,最容易出现磁写。

(5)金相组织不均匀:材质为45号钢,变速箱中各种花键轴,在高频淬火时,由于冷却速度不均而产生金相组织差异,形成有规律的磁痕。如图2-25所示。

识别非相关磁痕时,只要记住以下几点,还是不难识别的:

(1)非相关磁痕松散、不清晰,具有一定的宽度,有些很有规律地重复出现在同类工件的同一部位上。

(2)非相关磁痕的线状较规则,有些与工件加工线相似,且有一致的方向和尺寸。

(3)有些与工件形状和结构有关。

四、缺陷磁痕

磁粉探伤所能发现的常见缺陷有裂纹、分层(夹层)、折叠、发纹、白点、夹杂等。其中裂纹是最常见的,也是磁粉探伤必须检出的危害性最大的缺陷。裂纹种类很多,根据其产生的原因不同,又分为原材料裂纹、锻造裂纹、铸造裂纹、热处理裂纹(淬火裂纹)、焊接裂纹、磨削裂纹和疲劳裂纹等。在锅炉和压力容器的磁粉探伤中常见的缺陷,主要是原材料裂纹、焊接裂纹、分层、淬火裂纹和疲劳裂纹等,本节重点介绍这几种缺陷磁痕的特征及其识别。

1. 原材料裂纹

坯料上有裂纹或皮下气泡、夹杂以及轧制变形量选择不适当等原因,在钢材表面产生的裂纹,称为原材料裂纹。裂纹磁痕一般呈直线状,有时也分叉,多与拔制方向一致。如图2-26。

2. 分层(或夹层)

分层是板材中常见的缺陷。在钢锭中存在缩孔、疏松或密集气孔等,在轧制时,又没有压合而产生。位于钢板内部,平行于轧制面,有些可露出钢板边端侧面。在焊板的坡口检查时,常发现分层。磁痕呈条状,断续或连续分布。

3. 焊接裂纹

焊缝磁粉探伤的主要目的是检出焊道和热影响区的表面裂纹。

焊缝裂纹产生的原因有以下几种:

(1)母材金属的碳含量或硫、磷含量过高时,其焊接性能变差,容易产生裂纹。

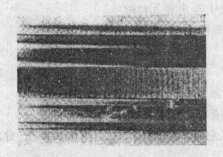
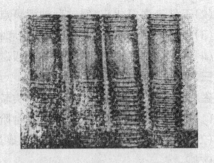

图2-25　金相组织不均匀产生的磁痕　　　　图2-26　原材料裂纹磁痕

（2）焊条、焊剂等焊接材料中的合金元素和硫、磷含量过高。

（3）低温或有风的情况下焊接，致使焊接的冷却速度过快所致。

（4）焊接厚度或其结构的刚性大也易产生裂纹。

焊接裂纹，按其裂纹产生的位置分为三类：

（1）焊缝裂纹：它是焊接裂纹中常见的一种，它产生在焊缝金属中。按其形态与取向主要有三种，即纵向裂纹（平行于焊缝方向）、横向裂纹（垂直于焊缝方向）和树枝状（或放射状）裂纹。如图2-27所示。

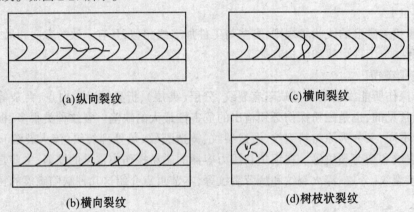

(a)纵向裂纹　　　　　　　　　(c)横向裂纹

(b)横向裂纹　　　　　　　　　(d)树枝状裂纹

图2-27　焊缝裂纹

（2）影响区裂纹：它产生在热影响区内。这类裂纹一般向母材扩展而止于熔合线。也有平行于焊缝方向的。

（3）熔合线裂纹：它产生在焊缝与母材的交界处即熔合线上。

在开始焊接或停止焊接时，由于热源使用不当常可产生弧坑裂纹（或火口裂纹）。火口裂纹具有不同的形状和方向，有星状裂纹、纵向裂纹和横向裂纹。

焊接裂纹长短不一，由几毫米至数百毫米。磁痕浓密、清晰，有的呈直线状，有的呈弯曲状，也有呈树枝状。

4. 淬火裂纹

淬火裂纹是在淬火过程中，由于材料、淬火工艺和设计加工等原因而产生的裂纹。它一般出现在工件应力集中的部位，如孔、槽、夹角及截面尺寸突变处。磁痕浓密、清晰，一般呈细直的线状,尾端尖细,有时呈锯齿形或弧形。

5.疲劳裂纹

疲劳裂纹是工件在运行中,长期受交变应力作用下产生的。钢中冶金缺陷、表面机械损伤、腐蚀坑等都可能成为疲劳源,引起疲劳裂纹。它常出现在应力集中处,与应力方向垂直。疲劳裂纹中间粗、两端细,磁痕浓密、清晰,有时成群出现,在主裂纹的旁边还有一些平行的小裂纹。

五、缺陷磁痕的评定

经过磁痕分析,确认是缺陷磁痕后,就可以根据缺陷磁痕的性质、尺寸和数量,按有关标准进行缺陷的分类和等级评定,然后对工件质量作出是否合格的判定。

各工业部门、各种产品均有其具体的标准,本节重点介绍 JB4730—94 标准中关于缺陷磁痕的分类及等级评定。

JB4730—94 将缺陷磁痕分为圆形缺陷、线性缺陷。圆形缺陷是指长度与宽度之比小于或等于 3 的缺陷磁痕。线性缺陷是指长度与宽度之比大于 3 的缺陷磁痕。

按缺陷方向不同又分为横向和纵向缺陷磁痕。横向缺陷是指缺陷长轴方向与工件轴线夹角≥30°的缺陷,其他按纵向缺陷处理。

标准还规定,当两条或两条以上缺陷磁痕在同一直线上且间距小于或等于2 mm时,按一条缺陷处理,其长度为两条缺陷之和加间距。

JB4730—94 标准规定,下列缺陷不允许存在:

(1)任何裂纹和白点;

(2)任何横向缺陷显示;

(3)焊缝及紧固件上任何长度大于1.5 mm的线性缺陷显示;

(4)锻件上任何长度大于2 mm的线性缺陷显示;

(5)单个尺寸大于或等于4 mm的圆形缺陷显示。

缺陷显示累积长度的等级评定按表 2-5 进行。

表 2-5　缺陷显示累积长度的等级评定　　　　　　　　　　(单位:mm)

等　　级	I	II	III	IV	V
焊缝及高压紧固件评定区 (35×100)	<0.5	≤2	≤4	≤8	大于IV级者
锻件评定区 (100×100)	<0.5	≤3	≤9	≤18	大于IV级者

第七节　退　磁

一、退磁的必要性

工件进行磁粉探伤后,总是保留一定的剩磁。有些情况,工件中的剩磁不影响使用,可以不退磁,但大多数情况,工件上的剩磁是有害的,所以,应该进行退磁。

退磁就是将工件内的剩磁减少到不妨碍使用程度的操作或过程。

下述几种情况必须进行退磁：

(1)需要再次进行磁粉探伤的工件，而前一次探伤留下的剩磁对工件以后的磁化有影响时；

(2)工件上的剩磁对以后的机械加工会造成困难时；

(3)工件上的剩磁对测量仪器的动作或精度会造成不良影响时；

(4)配合良好的运动件，如轴承、轴套、齿轮等，如有剩磁存在，会吸引金属微粒，加快工件的磨损而损坏时；

(5)工件上的剩磁会影响工件后处理清除磁粉时。

下述情况不必退磁：

(1)要求不高的非运动件；

(2)探伤后还要进行热处理的工件。

二、退磁原理

无论哪一种退磁方法都是将工件置于交变磁场中并将磁场的幅值逐渐降到零，即实现了退磁。如图2-28所示，将工件置于交流磁场中产生磁滞回线，当交变磁场的幅值逐渐递减时，回线的轨迹也越来越小，当磁场降到零时，工件中的剩磁也接近于零，退磁就是利用这种原理。

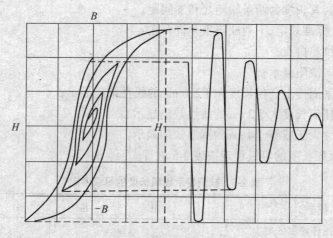

图 2-28 退磁原理

三、退磁方法

常用的退磁方法有两种：交流退磁法和直流退磁法。

1．交流退磁法

应用交流电产生的磁场对工件进行退磁的方法，称为交流退磁法。

常用的交流退磁法是把工件放入通以交流电的退磁线圈中，然后将工件通过并逐渐离开线圈至0.5 m以外，或者将工件放入退磁线圈中不动，而逐渐将电流降低到零，即可实现退磁。交流电衰减波形如图2-29所示。

交流退磁深度较浅，只适用交流电磁化的工件。

2. 直流退磁法

用直流电产生的磁场对工件进行退磁的方法,称为直流退磁法。

常用的直流退磁法,一般采用特殊开关装置不断地变换直流电的正负极,改变电流的方向,从而得到反转磁场。反转磁场的频率(即每秒钟磁场反转的次数)在直流退磁装置中用时间继电器调节。而磁场减弱可通过调压器自动降压来控制。

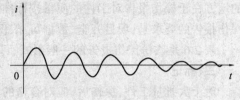

图 2-29　交流退磁法

国产固定式磁粉探伤上,一般都装有直流自动退磁装置,以保证在退磁时,除了磁场反转外,还能逐渐减弱磁场。其方法是通过调压器自动降压,再经整流器,使得电流在变换正负极的同时,逐渐降至零,从而减弱磁场。直流退磁法常用的电流为整流电。如图2-30所示。

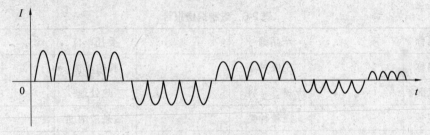

图 2-30　整流电衰减波形

直流退磁法,可以退去工件较深的剩磁,退磁效果比交流好。

第八节　记录、报告与标记

磁粉探伤过程中,探伤人员应记录工件情况、探伤条件和缺陷情况,然后根据探伤原始记录和规定的验收标准,对工件质量进行评价,确定质量级别,作出工件是否合格的结论,并填写与签发探伤报告。最后,用适当的方式对工件作出合格标记。

一、探伤记录

探伤记录是指探伤过程中的原始记录,它是填写探伤报告、评价工件质量的基础,因此要求探伤记录条理清楚,数据齐全、准确。

磁粉探伤中原始记录主要应记录内容如下:

(1)工件情况:产品名称、编号、部件(或工件)名称、主要尺寸(如板厚或直径)、材料及热处理状态等。

(2)探伤条件:所用仪器型号、磁粉种类、磁悬液浓度、标准试片、检验方法(即连续法还是剩磁法)、磁化方法、磁化电流种类及磁化电流值等。

(3)缺陷情况:探伤检出的缺陷磁痕位置、形状、尺寸和数量等,在工件草图上标明或用文字说明。

二、探伤报告

探伤报告是根据探伤原始记录内容整理得到的正式技术文件。探伤报告与记录不同的地方在于探伤报告对工件的质量按标准进行了评价,并给出工件质量是否合格的结论。探伤报告的要求是:项目齐全、数据可靠、图示完整规范、结论正确。

表2-6是磁粉探伤报告的一般形式,可作为设计探伤报告时参考。

三、标记

对于大批量工件,探伤后,应对合格的工件或不合格的工件给出明确的标记,以免在生产过程中又把废品混入合格件中造成事故。对于大型工件或锅炉压力容器,探伤后,应对探出的缺陷处,给出明确标记,以利于返修及监视之用。

标记的方法很多,但在磁粉探伤中常用的标记方法是着色法。一般在合格的工件上涂上"绿色",在不合格的工件上涂上"红色"。标记时应注意:标记位置应合理、醒目、可靠,无碍于工件的使用,并应得到有关部门的认可。

表2-6 磁粉探伤报告

产品名称		产品编号		委托单位	
部件名称		主要尺寸		检验单位	
表面状况		材　料		热处理	
仪器型号		磁粉种类		磁悬液浓度	
检验方法		磁化方法		磁化电流	
磁极间距		灵敏度试片		探伤比例	
磁化时间		执行标准			
缺陷分布图					
探伤结果					
结　论					
备　注					

审核＿＿＿＿＿＿＿＿　　　　　检验＿＿＿＿＿＿＿＿　　　　　报告日期＿＿＿＿＿＿＿＿

【复习思考题】

1. 简述磁粉探伤的基本原理。

2. 叙述磁粉探伤的适用性与局限性。

3. 什么叫做连续法? 叙述湿法和干法连续法的操作程序及其操作要点。

4. 什么叫做剩磁法? 叙述剩磁法的操作程序及其操作要点。

5. 什么情况下可以采用剩磁法探伤?

6. 探伤方法的选择应根据什么来确定?

7. 根据在工件上产生的磁场方向不同,磁化方法可以分为哪三大类?

8. 什么叫轴向直接通电法? 它可检出工件什么方向的缺陷?

9. 什么是中心导体法? 它可检出工件哪些方向的缺陷?

10. 支杆法可检出工件哪个方向缺陷? 具体操作时应注意些什么?

11. 什么叫整体磁轭法,它可检出哪些方向的缺陷?

12. 什么是局部磁轭法? 它可检出什么方向的缺陷?

13. 什么是线圈法? 它可检出什么方向的缺陷?

14. 线圈法磁化工件时,为减少反磁场影响,应采取哪些措施?

15. 什么是复合磁化法? 它可检出什么方向的缺陷?

16. 什么是旋转磁场法? 它可检出哪些方向的缺陷?

17. 什么条件下的交叉磁轭可以产生圆形旋转磁场?

18. 什么是磁化电流? 常用磁化电流有哪些?

19. 什么叫整流电? 它有哪几种? 单相半波整流电有哪些优缺点?

20. 什么是磁化规范? 如何制定一种工件的磁化规范?

21. 有一钢制轴类工件,直径 $D = 120$ mm,要求采用交流轴向通电连续法探伤,按 JB4703—94 标准,应选择多大的磁化电流(选高灵敏度)?

22. 有一螺母 M30,最大外径 $D = 53.1$ mm,采用整流电中心导体剩磁法探伤,按 JB4703—94 标准,计算其磁化电流(用低灵敏度)?

23. 用支杆法对厚度为 50 mm 的钢板焊缝进行磁粉探伤,触头间距为 150 mm,按 JB4703—94 标准,应选多大的磁化电流值?

24. JB4703—94 标准对局部磁轭法提出怎样的磁化规范?

25. 长为 500 mm,直径为 20 mm,的钢制轴工件,需检查周向(横向)缺陷。若选用连续法线圈纵向磁化,按 JB4703—94 标准,线圈匝数为 10 匝,应选多大的电流?

26. 什么叫做磁痕分析? 叙述它在磁粉探伤中的重要性。

27. 什么是相关磁痕和非相关磁痕? 常见的非相关磁痕有哪几种?

28. 钢板中常见的原材料缺陷有哪几种? 叙述它们产生的原因及其磁痕特征。

29. 焊接裂纹按其形态与取向主要有哪几种裂纹? 在什么地方最容易产生火口裂纹?

30. 什么叫做退磁? 简述退磁原理。常用的退磁方法有哪两种?

第三章 磁粉探伤设备与器材

第一节 磁粉探伤设备

一、磁粉探伤设备的分类

磁粉探伤中,为了适应在不同条件对各种不同工件进行探伤,需要采用不同的磁化方法,由此研制开发了种类繁多的磁粉探伤设备。通常按方便携带与否把它们分为固定式、移动式和便携式三大类。

1. **固定式磁粉探伤机**

固定式探伤机工作位置固定,一般由机身、磁化电源和附属装置组成。体积大,重量大。采用降压变压器降压到 12 V 以下,磁化电流高达 10^4 A 以上。可以实现周向、纵向和复合磁化,磁化电流和夹头间距可调。一般用于湿法检验,带有磁悬液循环系统和喷枪,喷洒压力和流量可调节。可实现交直流退磁。还备有紫外灯,用于荧光磁粉探伤。

这种设备主要用于中小型工件探伤,有些设备有支杆触头和电缆,便于对大型工件探伤。

目前常用的固定式磁粉探伤机有 CEW-2000 型、CEW-4000 型、CEW-6000 型、CEW-10000型等。

2. **移动式磁粉探伤机**

移动式磁粉探伤机,一般由磁化电源、电缆和小车等部分组成,小车上装有滚轮可以自由移动,便于探测不易搬动的大型工件。常利用支杆法探伤,采用降压变压器降压至 12 V 以下,磁化电流在 3 000 ~ 6 000 A 之间,磁化电流为交流电或整流电。适用于湿法或干法磁粉检验。

常用的移动式磁粉探伤机有 CYD-3000 型、CYD-5000 型等。

3. **便携式磁粉探伤机**

便携式磁粉探伤机,一般由磁轭(或磁化电源)、电缆组成,重量轻,体积小,便于携带。适用于野外或高空作业。干法、湿法检验均可。在锅炉压力容器和飞机制造等部门应用较广。

常用的便携式探伤机有电磁轭型、永久磁轭型和支杆型几种。

(1)电磁轭型:电磁轭是在一个铁芯上绕一组线圈,利用磁轭线圈通电产生磁场来磁化工件。这种探伤机小巧轻便,不烧损工件,磁极间距可调,可用直流激磁,常用于焊缝检验。

电磁轭探伤机的主要技术指标是提升力。交流激磁,磁极间距最大时,提升力不小于 44 N。直流激磁,磁极间距为 50 ~ 100 mm 时,提升力不小于 134 N,间距为 100 ~ 150 mm 时,提升力不小于 177 N。

(2)交叉磁轭型:交叉磁轭由两个电磁轭交叉组成,磁轭线圈通电后产生一个方向不断改变的旋转磁场。一次磁化探伤可以同时检出不同方向的缺陷。特别适用于大型构件的焊缝和轧辊探伤。

(3)永久磁轭型：永久磁轭由永久磁铁制成，不需要通电就可以磁化工件。适用于无电源的飞机检修和野外检验。

(4)支杆型：支杆型由小型磁化电源与支杆组成。支杆通过电缆与磁化电源相连接。采用支杆法探伤，磁化电流可达 2 000 A，采用可控硅调压，输出 500 A 的探伤机重只有 7 kg，适用于锅炉压力容器焊缝和飞机检修探伤。

二、磁粉探伤机的组成

不同种类的磁粉探伤机结构型式不同，组成也不一样。固定式探伤机主要由机身、磁化电源和附属装置(工件夹持器、指示仪表、磁悬液喷洒装置、照明装置、退磁装置、断电相位控制器等)组成，如图 3-1。移动式探伤机主要由磁化电源、支杆触头、磁化线圈和软电缆组成。便携式探伤机主要由磁化电源、电缆与磁轭或支杆组成。如图 3-2、图 3-3 所示。

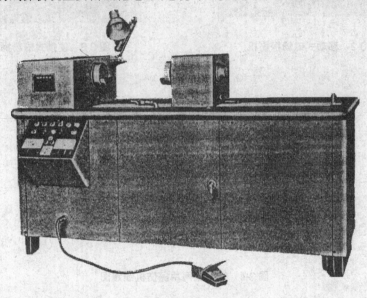

图 3-1　固定式磁粉探伤机

下面以固定式探伤机为主简单说明之。

1. 磁化电源

磁化电源是探伤机的核心部分，其主要作用是将 220 V 或 380 V 的电源电压变为 12 V 以下的低电压，以大电流输出，必要时进行整流，以便获得所需的磁化电流，使工件磁化。一般磁化电源由调压和整流两部分组成。

图 3-4 为交直流两用探伤机的磁化电流线路图。图中采用可控硅调压和半波整流换向开关。磁化电流可直接通过工件进行周向磁化，也可通过线圈对工件进行纵向磁化。还可以同时操作进行全方位的复合磁化。

2. 工件夹持器

工件夹持器用于夹持被检工件进行通电磁化。夹头间距可用电动或手动方式调节。

电动调节是利用行程电机和传动机构使夹头在导轨上移动,由弹簧配合夹紧工件。手动调节是利用齿轮与导轨上的齿条传动,使夹头沿导轨移动,也可用手推动夹头移动来夹紧工件,工件夹紧后自锁。

图 3-2　移动式磁粉探伤机

图 3-3　便携式磁粉探伤机

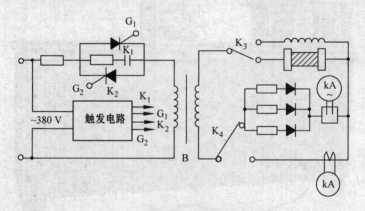

图 3-4　交直流两用探伤机线路图

磁化夹头由钢或铜制成,夹持工件时要衬以铅或铜,以利接触,防止通断电时起弧烧伤工件。

有些探伤机的夹头在夹紧工件后可以转动,便于观察,但转动时不要通电磁化。

3. 磁悬液、磁粉喷洒装置

固定式探伤机磁悬液喷洒装置由磁悬液槽、电动泵、软管和喷嘴组成循环系统。电动泵搅动磁悬液,并加压至 $(2 \sim 3) \times 10^5$ Pa,使磁悬液从喷嘴喷出,浇洒在工件表面上,然后又回到磁悬液槽。在回流口上装有过滤网,滤去杂物。

移动式和便携式探伤机无循环磁悬液喷洒系统,可用带喷嘴的塑料瓶来喷洒磁悬液,其容积为 100 ~ 200 mL。喷洒时,要不断摇动,以免沉淀。

干磁粉可用空气压缩机或电动送风器来进行喷洒。有时也可用带孔的手动喷洒器来喷洒。

4. 照明装置

工件上的磁痕要在一定的照明条件下观察,非荧光磁粉在白光下观察,荧光磁粉在紫外灯下观察。

紫外灯又称黑光灯。紫外灯的光谱强度峰值波长在 365 mm 附近,这正是激发荧光磁粉发出荧光(550 mm 左右)所需的波长。波长更短的紫外线对激发荧光无益,却对人眼有害。波长更长的紫外线也无益于荧光激发,而且影响缺陷磁痕的观察。因此,要用滤光片将不需要的紫外线滤掉。

使用紫外灯时应注意:检验工件应在点燃灯 5 min 以后进行,因为刚点燃时功率达不到要求。使用过程中要尽量减少开关次数,以免影响灯的寿命。紫外灯在使用 1 000 h 后,强度约下降 10%,因此要定期检查紫外灯的强度。要求距灯 40 cm 处强度不低于 1 000 $\mu W/cm^2$。

常用的紫外灯型号有 GXF-125 型、GXF-2215 型等。

5. 退磁装置

退磁装置用于对工件进行退磁处理。退磁装置可固定在探伤机上,也可分离出来单独使用。其原理是使通过磁场方向不断改变,强度逐渐减弱至零的磁场来消除工件上的剩磁。

常用的退磁装置有以下几种:

(1)交流退磁线圈:交流退磁线圈是利用交流电自动换向改变磁场方向,使工件缓慢从线圈中通过,并远离线圈,直至离开线圈 0.5 m 以上,使磁场强度逐渐减弱至零,从而实现退磁。另外也可以将工件放在线圈中,使线圈电流强度逐渐减少至零来退磁。线圈框架一般为 300 mm×300 mm、400 mm×400 mm、500 mm×500 mm 等几种,电源为 220 V 或 380 V,线圈中心磁场强度为 16~20 kA/m。

交流退磁线圈只能消除工件表面的剩磁,因此对于直流磁化的工件退磁效果不太理想。

(2)直流退磁线圈:直流退磁线圈是使工件通过直流电正负极性不断变换并逐渐减弱至零的磁场来退磁。直流退磁深度较大,对直流磁化的工件退磁效果较好。

(3)交流磁轭退磁:交流磁轭可以作为便携式退磁装置,退磁时将磁轭通电,使磁轭像使用电熨斗一样在工件表面来回移动,最后磁轭远离工件,切断电源,即实现对工件退磁。这种退磁方法常用于大型焊接构件退磁。

6. 设备操作

(1)接通电源,打开仪器面板电源总开关和磁悬液泵开关。

(2)按下进给方向行程开关,夹持工件。

(3)磁化工件:根据确定的磁化方向,将探伤机功能选择开关转向相应的磁化方法位置,打开磁化开关对工件进行磁化。在磁化工件的同时,用喷液枪喷洒磁悬液(连续法)或使工件磁化后再喷洒磁悬液(剩磁法)。

(4)观察磁痕显示。

(5)退磁:按下退磁开关,使工件自动退磁。用退磁频率旋钮,可获得不同的退磁速度。

7. 设备维护及使用注意事项

(1)要保护好夹头,夹持工件应平整,保证接触良好。

(2)夹头和滑轨等部位要经常擦洗,以防生锈。

(3)工作时应使用前挡板,以免磁悬液溅到仪器控制板上,造成短路。

三、国产磁粉探伤设备型号命名编制方法

磁粉探伤设备型号命名执行国家行业标准 ZBN70001—87 编制方法。产品型号由 5 部分组成,各部分含义如下:

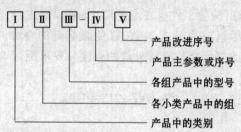

例:

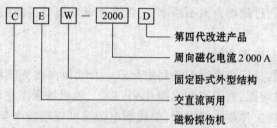

国产磁粉探伤设备型号代码及其含义见表 3-1。

表 3-1　国产磁粉探伤设备型号代码及其含义

（Ⅰ）类	（Ⅱ）组	（Ⅲ）型	（Ⅳ）主参数	（Ⅴ）改进序号	含　义
C					磁粉探伤设备
M					退磁机及其他退磁装置
Y					荧光探伤灯
	Z				直流全波磁化装置
	J				交流磁化装置
	E				交直流磁化装置
	B				半波直流磁化装置
	D				多功能或多种作用
	X				旋转复合磁场
	P				电容充电直流
	S				磁迹实时成像
	M				脉冲直流
		W			固定卧式机电一体化外型结构
		L			固定立式外型结构
		G			固定式分立组合型结构

（Ⅰ）类	（Ⅱ）组	（Ⅲ）型	（Ⅳ）主参数	（Ⅴ）改进序号	含 义
		T			特殊外型结构
		Q			超低频退磁直流磁化电源部分
		D			移动式外型结构
		X			携带式外型结构
		E			磁轭式外型结构
			（例）6 000		额定周向磁化电流或主要参数
				A	产品生产(改进)序号第一代 A
				B、C、D…	第二代为 B、第三代为 C……

第二节 磁粉与磁悬液

磁粉是磁粉探伤的外在显示介质,磁粉的性能、磁悬液的配制及其载体的选定,对磁粉探伤的灵敏度至关重要。

一、磁粉种类

磁粉是一种粒度细小的磁性粉状物质,主要成分为 Fe_3O_4、Fe_2O_3 和纯铁粉。

磁粉的种类较多,按磁痕的观察方法不同可分为荧光磁粉和非荧光磁粉。按保存形态不同可分为干磁粉和湿磁粉。湿磁粉包括浓缩磁粉和磁膏等。此外还有一些特种磁粉,如空心球形磁粉、湿法固着磁粉等。

1. 荧光磁粉与非荧光磁粉

在紫外灯下观察,磁痕能发出黄绿色荧光的磁粉是荧光磁粉。它是将荧光物质粘贴在磁粉表面制成的,在紫外灯照射下,能与工件表面形成良好的对比度,因此能发现微小的缺陷磁痕,探伤灵敏度高。但探伤成本高,并且需借助辅助器材观察。

非荧光磁粉是黑色的 Fe_3O_4 与红褐色的 Fe_2O_3 的机械混合物,在日光或灯光下观察,常染成红色、黑色或白色,以提高与工件表面颜色的对比度。这种磁粉是锅炉压力容器行业磁粉探伤最常用的。

2. 干磁粉与湿磁粉

以干磁粉粒状形态保存的磁粉是干磁粉。它具有较好的磁性和流动性,可用于干法探伤。

以磁膏或浓缩磁粉形态保存的磁粉是湿磁粉。它是将磁粉与添加剂均匀混合为稠浆或在磁粉外面包上一层添加剂制成的,使用前需要进行稀释,只能用于湿法探伤。锅炉压力容器行业磁粉探伤所用的磁粉多以磁膏形态保存。

二、磁粉的性能

1. 磁性

磁粉应具有高磁导率和低剩磁性质,磁粉之间不相互吸引。磁粉的磁导率 μ 高,易磁化,磁化后磁性强,这样容易被漏磁场吸附。磁粉的 B_r 和 H_c 低,磁粉容易分散和流动,探伤后清除也比较方便。如果 B_r 和 H_c 较高,磁粉会凝聚成团,不易分散开,悬浮性能差,容易沉积。同时还会吸附在工件表面上,不便清除。

2. 粒度

粒度是指磁粉颗粒的大小。磁粉的粒度应均匀。

磁粉的粒度对磁粉的分散性、悬浮性和漏磁场对磁粉的吸附有较大的影响。磁粉粒度大,分散性好,悬浮性差,不容易被缺陷处微弱的漏磁场吸附。磁粉粒度小,分散性差,悬浮性好,容易被微弱的漏磁场吸附。当然,缺陷对磁粉的吸附还与缺陷同磁粉的相对大小有关。一般认为,当磁粉的粒度大小为缺陷宽度的 0.5 ~ 1 倍时,磁粉最容易被漏磁场所吸附。

不同探伤方法对磁粉粒度要求不同。干法探伤,要求磁粉分散性好,磁粉粒度平均不大于 90 μm,最大应不大于 180 μm,以 10 ~ 60 μm 为宜。湿法探伤,要求磁粉悬浮性好,磁粉粒度以 1 ~ 10 μm 为宜,最大应不大于 45 μm。荧光磁粉探伤,要求磁粉的分散性和流动性都较好,其粒度要求以 5 ~ 25 μm 为宜。

3. 形状

磁粉的形状有条状、椭圆状、球状和各种不同规则形状。

磁粉的形状不同,其磁性和流动性也不一样。条状磁粉,易磁化,出现明显的磁极,易结成磁粉链,被弱磁场吸附,形成清晰的磁痕。对于宽而浅的缺陷和近表面缺陷检出率很高。但条状磁粉流动性很差。球状或椭圆状磁粉流动性好,但磁化较难,磁性较弱,漏磁场的吸附力较小。为了使磁粉具有良好的磁性又具有良好的流动性,常将条状磁粉和球状磁粉按一定比例混合而成。

4. 流动性

为了有效地检出缺陷,磁粉必须能在工件表面移动,以便被漏磁场吸附,因此要求磁粉具有良好的流动性。

干法探伤时,干磁粉的移动与磁化工件的电流种类有关。使用直流电,磁粉落到工件表面后不易移动,而用交流电,特别是半波整流后的交流电或脉冲直流电,能使磁粉在工件表面振动和"跳动"。

湿法探伤时,所加的液体能挟带磁粉流动,因此,磁粉在工件表面有较好的流动性。

5. 密度

磁粉的密度对磁粉的磁性、悬浮性、流动性有影响。磁粉密度大,磁性强,悬浮性差,流动性也不好,吸附磁粉所需的磁场力大。磁粉密度小,磁性弱,悬浮性好,流动性好,吸附磁粉所需的磁场力小。

一般干法检验用纯铁磁粉密度为 8 g/cm^3,湿法检验用 Fe_3O_4 和 Fe_2O_3 磁粉密度为 4.5 g/cm^3,空心球形磁粉密度为 0.71 ~ 2.3 g/cm^3。

6. 识别度

识别度是指磁粉的光学性能,包括磁粉的颜色或荧光亮度以及与工件表面颜色的对比度。

对于非荧光磁粉,磁粉颜色很重要,一般光亮表面的工件宜用黑磁粉,黑色表面的工件宜用白磁粉,荧光磁粉可用于任何表面颜色的工件。

磁粉的识别度高低,对探伤灵敏度很关键,如果选用的磁粉识别度很低,缺陷磁痕就会不清楚,细小缺陷就容易漏检,那么磁粉的其他性能再好对磁粉探伤也没意义。

三、磁悬液

1. 磁悬液的分类

将磁粉均匀地调配在水或油中所组成的悬浮液体称为磁悬液。磁悬液中悬浮磁粉的液体称为分散剂或载液。

为了配制满足磁粉探伤要求的磁悬液,所选用的载液必须符合下列条件:

(1)具有适当的黏度和较好的流动性,以便使磁粉能较好地悬浮在分散剂中。

(2)表面张力小,以便使分散剂能较好地润湿磁粉和工件,施加时能迅速均匀地覆盖在工件表面上。

(3)闪点高,不易燃,挥发性小,化学稳定性好,经久耐用。

(4)对工件无腐蚀,对人体无害,价格低廉,来源广。

目前,虽有一些特殊用途的载液,但水和煤油仍是最常用的磁悬液载液。

以水为载液的磁悬液称为水磁悬液。水磁悬液黏度低,流动性好,检验灵敏度较高,成本低,无着火危险,应用广泛。但磁粉易沉淀,使用时须不停地搅动,并且容易使工件生锈。

以油为载液的磁悬液称为油磁悬液。油磁悬液悬浮性能好,不易使工件生锈,适用于带油性的工件表面。但流动性差,有着火危险。

2. 磁悬液浓度

磁悬液的浓度是以一升磁悬液中所含的磁粉重量来表示的,单位为克/升(g/L)。

磁悬液的浓度与探伤灵敏度有一定关系。浓度过高使衬底差,磁痕辨别比较困难;浓度过低,则会降低检测灵敏度,使小缺陷漏检。因此 JB4730—94 标准规定:一般情况下,新配制的非荧光磁粉浓度为 10~20 g/L,荧光磁粉浓度为 1~3 g/L。对循环使用着的磁悬液,可以用 100 mL 磁悬液中磁粉沉淀体积来定期测定磁悬液的浓度,非荧光磁粉为 1.2~2.4 mL,荧光磁粉为 0.1~5 mL。

3. 常用磁悬液的配方和配制方法

常用磁悬液的配方见表 3-2、表 3-3、表 3-4。

表 3-2　油磁悬液配方

序号	材料名称	比例(%)	磁粉含量(g/L)	说明
1	灯用煤油	100	1~3	荧光磁粉
2	灯用煤油 变压器油	50 50	10~20	非荧光磁粉
3	灯用煤油 10 号机油	50 50	10~20	非荧光磁粉

油磁悬液的配制方法:配制时先取少量的混合油液与磁粉混合,使磁粉全部润湿,并搅拌成均匀的糊状,然后加入其余的混合油液,再搅拌均匀。对于浓缩磁粉,不需要预先

混合,可以直接加入混合油液中适当搅拌,即可使用。

表 3-3　水磁悬液配方(非荧光磁粉)

材　料　名　称	比　例	磁　粉　用　量
乳 化 剂	10 g	10 ~ 20 g
亚硝酸钠(随季度改变)	5、10、15 g	
消 泡 剂	0.5 ~ 1 g	
水(50 ~ 60 ℃)	1 000 mL	

　　水磁悬液(非荧光磁粉)配制方法:将乳化剂与消泡剂混合搅拌均匀,加入水中制成载液。用少量载液与磁粉拌和均匀,再加入余下的载液,最后加入亚硝酸钠。

表 3-4　水磁悬液配方(荧光磁粉)

材　料　名　称	比　例	荧光磁粉用量
乳 化 剂	10 g	1 ~ 2 g
三乙醇胺	5 g	
亚硝酸钠	5 g	
消 泡 剂	0.5 ~ 1 g	
水(50 ~ 60 ℃)	1 000 mL	

　　水磁悬液(荧光磁粉)配制方法:将乳化剂加到 50 ~ 60 ℃ 的温水中,搅拌至完全溶解,再加入三乙醇胺、亚硝酸钠和消泡剂制成载液。然后取少量载液与磁粉充分混合,最后将其余的载液加入,并搅拌均匀。

　　表中乳化剂和三乙醇胺的作用是降低水对磁粉和工件的表面张力,增强润湿能力;亚硝酸钠的作用是防止工件锈蚀;消泡剂的作用是防止和抑制搅拌时产生气泡。

四、磁粉和磁悬液的质量控制

　　磁粉的磁性和粒度是评价磁粉性能的主要参数,磁悬液的浓度和运动黏度是衡量磁悬液的重要指标。它们的强弱、大小对磁粉探伤的有效性影响很大,要进行测试和控制。

　　1.磁粉的磁性测试

　　磁粉的磁性常用称量法来测定。称量法是根据标准电磁铁吸附磁粉重量的多少来评价磁粉的磁性。磁粉磁性称量仪的结构原理如图 3-5 所示。

　　具体称量方法如下:

　　(1)接通电源,调节变阻器,使安培表电流达 1.3 A,然后切断电源。

　　(2)将干磁粉装入圆环内并刮平,然后利用托盘将磁粉移至与电磁铁的吸盘接触,通电 5 s 后,将托盘放回原处。

　　(3)待吸盘吸住的磁粉稳定后切断电源,取下吸盘上吸住的全部磁粉,用天平称量磁粉的质量。

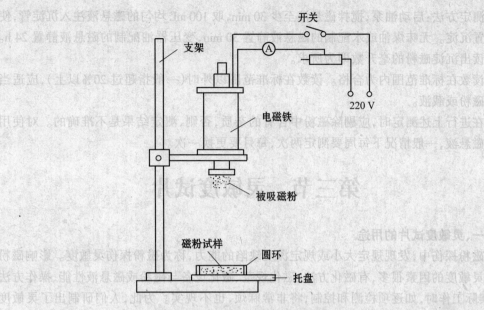

图 3-5 磁粉磁性称量仪的结构原理

重复测试三次,取平均值为所求。磁粉探伤标准规定非荧光磁粉的磁性称量值不少于 7 g 为合格,大于 7 g 可用于湿法,大于 15 g 可用于干法;荧光磁粉不少于 6 g 为合格。

2.磁悬液浓度的控制

新配制的磁悬液浓度明确。而循环使用的磁悬液和一次配好分几次用完不回收的磁悬液的浓度是有变化的,在使用前和使用过程中要进行浓度测定。

磁悬液静置一定时间后,会产生磁粉沉淀。磁粉沉淀的量与磁悬液浓度有关,沉淀的量愈多,磁悬液的浓度愈大。目前用来测定磁悬液浓度的梨形沉淀管就是根据这一原理制成的。梨形沉淀管如图 3-6 所示。

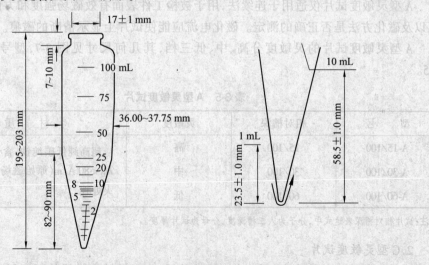

图 3-6 梨形沉淀管

测定方法：启动油泵，搅拌磁悬液至少 30 min，取 100 mL 均匀的磁悬液注入沉淀管，使其静置沉淀。无味煤油或水配制的磁悬液静置 30 min，变压器油配制的磁悬液静置 24 h。然后读出沉淀磁粉的毫升数即为所求。

读数在标准范围内为合格。读数在标准范围以外时（一般指超过 20% 以上），应适当添加磁粉或载液。

在进行上述测定时，应剔除磁粉中含有的杂质，否则，测定结果是不准确的。对使用中的磁悬液，一般情况下每周要测定两次，每月要更换一次。

第三节　灵敏度试片

一、灵敏度试片的用途

磁粉探伤中，发现规定大小或规定深度缺陷的能力，称为磁粉探伤灵敏度。影响磁粉探伤灵敏度的因素很多，有磁化方法、磁化规范、磁化设备与磁粉或磁悬液性能、操作方法等，实际工作时，如逐项检测和控制，将非常麻烦，也不现实。为此，人们研制出了灵敏度试片，用来综合反映磁粉探伤的灵敏度。

灵敏度试片（块）上含有各种不同的人工缺陷，可以用来鉴别探伤设备、磁粉、磁悬液的综合性能；确定探伤灵敏度和磁化规范；判别工艺操作方法是否妥当；考察工件表面各点的磁场分布情况等。

二、灵敏度试片的型号、规格与特征

灵敏度试片（块）的种类较多，目前，我国用得较多的有 A 型灵敏度试片、C 型灵敏度试片、磁场指示器等。

1.A 型灵敏度试片

A 型灵敏度试片仅适用于连续法，用于被检工件表面有效磁场强度和方向、有效检测区以及磁化方法是否正确的测定。磁化电流应能使试片上显示清晰的磁痕。

A 型灵敏度试片的灵敏度分高、中、低三档，其几何尺寸见图 3-7，型号及槽深见表 3-5。

表 3-5　A 型灵敏度试片 （单位：μm）

型　　号	相对槽深	灵敏度	材　　质
A-15/100	15/100	高	超高纯低碳纯铁，含 C < 0.03%，
A-30/100	30/100	中	$H_0 < 80$ A/m（原始磁场强度），经退
A-60/100	60/100	低	火处理

注：试片相对槽深表达式中，分子为人工槽深度，分母为试片厚度。

2.C 型灵敏度试片

当检测焊缝坡口等狭小部位，由于尺寸关系，A 型灵敏度试片使用不便时，可用 C 型灵敏度试片。C 型灵敏度试片的几何尺寸见图 3-8，型号及槽深见表 3-6。

表 3-6　C 型灵敏度试片　　　　　　　　　　　（单位：μm）

型　号	厚　度	人工缺陷深度	材　　　　　质
C	50	8	超高纯低碳纯铁,含 C < 0.03%, $H_0 < 80$ A/m,经退火处理

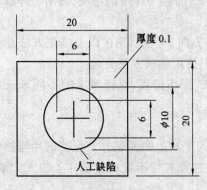

图 3-7　A 型灵敏度试片　（单位：mm）

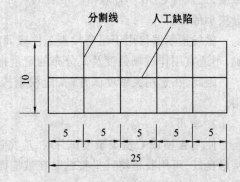

图 3-8　C 型灵敏度试片　（单位：mm）

3. 磁场指示器(八角试块)

磁场指示器是一种用于表示被检工件表面磁场方向、有效检测区以及磁化方法是否正确的一种粗略的校验工具,但不能作为磁场强度及其分布的定量指示。它有使用方便、易于保养的优点。其几何尺寸见图 3-9。

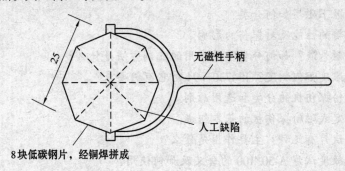

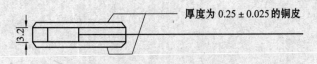

图 3-9　磁场指示器　（单位：mm）

三、灵敏度试片的正确选择与使用

1. 选择

A 型与 C 型灵敏度试片只用于连续法探伤,不用于剩磁法探伤。因为试验证明,连续法中,试片的磁痕显示几乎不受工件材料的影响;而剩磁法中,试片的磁痕显示受工件材料、试片与工件接触状态影响较大。

另外,A 型试片的刻槽是综合型的,适用于检测任意磁场方向的探伤灵敏度。并可根据检查要求的不同而选择不同规格的灵敏度试片。当需要检出微细缺陷时,用 A-15/100 型,当只需检出较大缺陷时,用 A-60/100 型试片。锅炉压力容器磁粉探伤一般选用 A-30/100型试片。而 C 型试片的刻槽是直线型的,只能用于检测确定磁场方向的探伤灵敏度,且只有 8/50 一种规格。但它的尺寸较小,为 5 mm × 10 mm 的小块,适用于焊缝坡口等狭小部位。

磁场指示器仅用于粗略检查工件表面的磁场方向、有效检测区以及磁化方法是否正确,不适宜用作磁场强度及其分布的定量指示。但使用起来方便快捷。

因此,在选用灵敏度试片时,应根据探伤方法、探伤位置、探伤要求的不同来正确选用。

2. 使用

使用 A 型或 C 型灵敏度试片时,应将试片无人工缺陷的面朝外。为使试片与被检面接触良好,可用胶带将其平整粘贴在被检面上,并注意胶带不能覆盖试片上的人工缺陷。测试时,应使用连续法。

使用磁场指示器时,应在用连续法对工件磁化的同时,将其平放在被检面上,并对其表面施加磁悬液,以是否出现"＊"形磁痕来判断工件磁化是否适当。

【复习思考题】

1. 一般情况下磁粉如何分类?
2. 简述磁粉的性能及对探伤的影响。
3. 什么是磁悬液? 如何分类? 最常用的配制方法是什么?
4. 磁悬液浓度如何测定? JB4730—94 对它有何要求?
5. 简述磁粉探伤机的分类和选用原则。
6. 简述固定式磁粉探伤机的基本组成。
7. 灵敏度试片有几种? 主要作用是什么?
8. 说明灵敏度试片 A-30/100 的含义及如何使用?

第四章 磁粉探伤的实际应用

磁粉探伤是检测钢铁制件表面裂纹的最佳方法,同时,它具有设备简单、操作方便、检查迅速、灵敏度可靠和成本低等优点,因此得到各工业部门普遍采用。

本章重点介绍磁粉探伤在锅炉压力容器焊接构件和锻钢件等方面的应用。

第一节 焊接件的磁粉探伤

一、焊接件探伤的内容与范围

焊接件磁粉探伤包括两个方面,一是焊接件制造过程中不同工序间的探伤,如坡口探伤、焊接过程中的层间探伤、焊缝探伤、机械损伤部位探伤等;二是重大设备和锅炉压力容器在运行中的定期检验。

1. 焊接件制造过程中工序间探伤内容与范围

(1)坡口探伤:坡口探伤的缺陷主要是分层和裂纹。分层是材料缺陷,前面已提过。裂纹有两种,一种是沿分层端部开裂的裂纹,方向大多平行于板面;另一种是火焰切割裂纹。探伤的范围是坡口和钝边处。

(2)焊接过程中层间探伤:主要是厚板的多层焊,要求每焊一层用磁粉探伤一次,主要检查裂纹。探伤范围是焊缝金属和临近坡口。

(3)焊缝探伤:焊接结束后的焊缝检查,探伤主要内容是焊接裂纹。探伤范围应包括焊缝金属和母材的热影响区。

(4)机械损伤部位的探伤:焊接件在组装过程中,临时焊接的吊耳和卡具,组装完毕后将其割掉,要求这些部位经打磨后进行探伤。主要检查裂纹。

2. 重要设备和锅炉压力容器的定期检验

《在用压力容器检验规程》中规定,一般要求3年或6年进行一次全面检验。全面检验时要求对罐体内外表面对接焊缝和角焊缝进行表面探伤。主要探伤内容是使用过程中产生的表面裂纹。探伤范围是焊缝和母材上热影响区。

二、探伤方法的选择

对于尺寸小、重量轻、形状规则,适用整体磁化的焊接件,可在固定式探伤机上检验。大型焊接件,只能用便携式探伤仪进行焊缝的局部探伤。大型焊件焊缝常用的磁化方法有局部磁轭法、支杆法、交叉磁轭法、线圈法、电缆缠绕法和平行电缆法等。

1. 磁轭法

磁轭法常用于平板对接焊缝探伤,如图4-1所示。带关节磁轭,也可用于角焊缝的探伤。

使用磁轭法时应注意以下几点:

(1)磁轭主要用于发现与磁极连线垂直的缺陷,因此,要检出焊缝各方面缺陷,必须在同一部位作两次互相垂直的探伤。

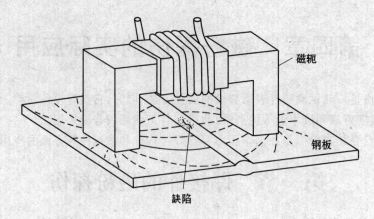

图 4-1 磁轭法

（2）一次磁化有效范围与磁轭磁场和磁极间距有关。实际探伤中，可用 A 型灵敏度试片确定。或按标准规范要求，决定每次探伤磁极移动的距离，从而保证焊缝探伤不漏检。

2. 交叉磁轭法（即旋转磁场法）

旋转磁场法，一次磁化可以检出各方向的缺陷，并且可以连续行走磁化，探伤效率高。

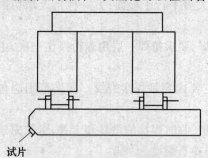

图 4-2 交叉磁轭探伤坡口

旋转磁场法适用于平板对接焊缝探伤，特别适用于较大型压力容器，如球罐、槽车、储罐等对接焊缝探伤。也可以利用交叉磁轭外侧磁场进行坡口探伤，如图 4-2 所示。探伤时，沿着坡口方向行走。为检验探伤灵敏度，可在远离磁轭一侧的坡口上贴灵敏度试片试验。一般情况下，检验板厚 50 mm 以下钢板坡口，可达 A-30/100 的探伤灵敏度。当灵敏度达不到时，可在坡口两侧各进行一次探伤。

使用交叉磁轭应注意以下几点：

（1）交叉磁轭比单磁轭重，磁化与施加磁悬液一般由二人操作，交叉磁轭是连续行走磁化，磁轭移动较快时，磁悬液施加到已磁化过的区域，会将已形成的磁痕冲掉，造成漏检。这就要求探伤人员必须配合好。

（2）交叉磁轭的行走速度必须适宜。一般要求 2～3 m/min。实际探伤中可这样来控制，待工件表面上的磁悬液基本不流动时，磁轭才能离开磁化区。因为在连续法探伤中，磁轭行走速度太快，磁悬液还在流动，磁轭离开，过早切断磁场，磁痕难以形成，将造成漏检。

（3）为了避免磁悬液的流动而冲掉已形成的缺陷磁痕，并使磁粉有足够的时间聚集到缺陷处，喷洒磁悬液的原则最好是：如在检查球罐的环缝时，磁悬液应喷洒在行走方向的前上方，见图 4-3；在检查球罐的纵缝时，磁悬液应喷洒在行走方向的正前方，如图 4-4 所示。

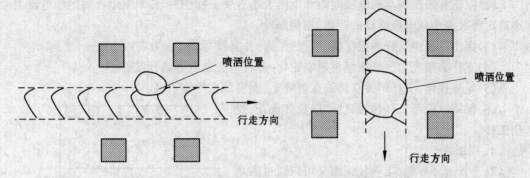

图 4-3　检查球罐环缝磁悬液喷洒位置　　　图 4-4　检查球罐纵缝磁悬液喷洒位置

(4)磁极端面与工件表面的间隙不宜过大。间隙大,漏磁大,磁极附近探伤盲区也大。

(5)定期校验交叉磁轭产生的磁场是否均匀。因为四磁极内磁场不均匀,会使某方向缺陷造成漏检。检查办法,可在每次探伤时,用 A 型灵敏度试片进行试验,观察试片上各方向缺陷是否均匀显示。

3.支杆法

支杆法,其主要优点是两支杆单独分开,使用时灵活、方便。所以它适用于任何形状工件表面的局部探伤。但其最大缺点是电极与工件表面直接接触,容易产生电火花,烧伤工件。在压力容器探伤中,可用于坡口的探伤、各种对接焊缝和角焊缝探伤。由于它的缺点以及探伤效率低,平板对接焊缝用得很少,主要用于角焊缝探伤。

使用支杆法应注意以下几点:

(1)支杆法也是单方向磁化的,为检出各方向缺陷,同一部位也要进行相互垂直的两次探伤。可采用图 4-5 的支杆位置布置方法。

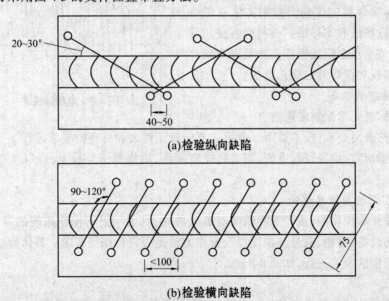

(a)检验纵向缺陷

(b)检验横向缺陷

图 4-5　支杆法检验焊缝的支杆放置　(单位:mm)

(2)探伤有效范围与两电极间距和电流大小有关。探伤时,应根据电极间距和电流大小确定每次探伤两电极移动的距离,避免漏检。

(3)探伤过程中支杆间要保持一定的距离,并且按标准控制在 75～200 mm 之间。

(4)支杆必须先与工件接触再通电磁化,并且应先断电再离开工件。

(5)焊缝探伤,支杆不要直接放在焊缝上,而应放在焊缝边缘。

(6)保持电极与工件接触良好,以免打火花,烧伤工件。

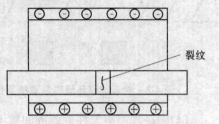

图4-6　线圈法检查管缝

4.线圈法

对于管道环焊缝,工件较短而又可以通过固定式线圈时,可采用线圈磁化法,如图4-6所示,它可检出焊缝和热影响区的纵向裂纹。

5.电缆缠绕法

当管道环焊缝的工件较长或者已安装在设备上无法通过线圈时,可采用电缆缠绕法进行探伤。如图4-7所示。它可检出管道环缝的纵向裂纹。

6.平行电缆法

压力容器中各种角焊缝,也可采用平行电缆法探伤。可参见本篇图2-9。

三、钢板对接焊缝的磁粉探伤

各种锅炉压力容器筒体的纵、环焊缝大多属于钢板对接焊缝。掌握了钢板对接焊缝的磁粉探伤操作方法,便可从事各种锅炉压力容器对接焊缝的探伤。常用方法有磁轭法、旋转磁场法和支杆法。前两种方法用的较多,本节重点介绍磁轭探伤法及采用磁轭法探伤钢板对接焊缝的操作方法。

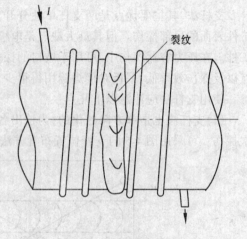

图4-7　电缆缠绕法

1.探伤前的准备

(1)按标准要求配制磁悬液。

(2)工件表面处理:按本篇第二章第二节中对工件表面处理的要求进行。

(3)仪器调节:接好仪器电源,调节好磁轭间距,磁轭置于焊板上,通电检查仪器是否正常等。

2.探伤系统灵敏度试验

在每次开始探伤前,或者更换新配制磁悬液时,都必须进行探伤系统的灵敏度试验,以检查探伤设备、磁粉、磁悬液浓度以及操作方法是否符合探伤要求。具体做法按本篇第三章第三节中的要求进行,如图4-8所示。

3.磁化

磁化就是给工件被检区域施加外磁场,它是磁粉探伤过程中最重要的一道工序。

压力容器钢板的材料是16MnR、20g等低碳合金钢,退火状态,剩磁小,探伤方法必须

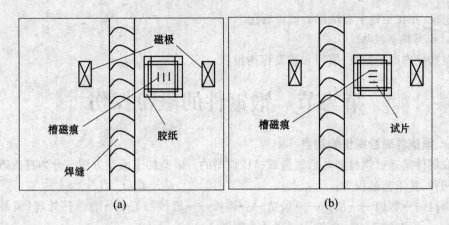

图 4-8　探伤系统灵敏度试验

采用连续法。

磁轭法是检查单方向缺陷的,所以,检查同一部位须作相互垂直的两次磁化。

探伤时应注意磁轭磁极每次移动的距离。

可按图 4-9(a)布置磁极,检测焊缝纵向缺陷,然后按图 4-9(b)布置磁极,检测焊缝横向缺陷。

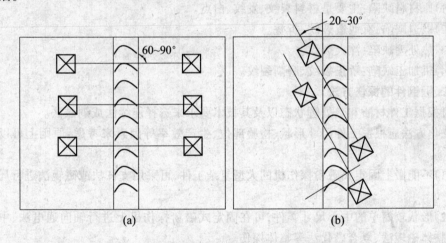

图 4-9　检测焊缝纵向、横向缺陷时磁极布置方位

采用湿法连续法探伤,施加磁悬液应注意:①施加磁悬液可采用喷、浇等方法,不能采用刷涂法;②磁悬液必须施加到正在磁化的区域,切勿施加到已经磁化过的地方,以免把已经形成的磁痕冲掉;③磁化的同时施加磁悬液,磁化时间为 1~3 s,要停止磁化移开磁头时,应先停止施加磁悬液,待磁悬液基本不流动时,再切断电流停止磁化,然后移开磁头。

4. 磁痕观察与分析

认真对磁痕进行观察,并做出客观分析。

5. 缺陷记录

发现并确认有缺陷磁痕后,应按本篇第二章第九节提出的探伤记录要求,做好缺陷情况的记录,并在工件上有缺陷处做好标记。

6. 填写探伤报告

根据探伤原始记录,填写和签发探伤报告。

第二节　锻钢件的磁粉探伤

一、锻钢件磁粉探伤的特点

锻钢件是通过钢材加热后锻造或挤压成型的。锻造加工成型方法又分为自由锻造和模锻两种,其工艺过程为:

棒材——→剪切——→加热——→锻造——→调质——→机械加工——→表面热处理(或最终热处理)——→磨削加工——→探伤——→成品入库。

从上面工艺路线可以看出,锻钢件磁粉探伤的范围是工件整个外表面及近表面。探伤内容,也就是所要检出的缺陷类型是较多的。因为生产过程中各工序都可能产生不同性质的缺陷,这就要求探伤人员,不但要检查工件上不允许存在的缺陷,而且还要识别哪道工序产生的哪一种性质的缺陷。

锻钢件中缺陷的来源可分为以下几方面:

(1)原材料缺陷:主要是材料裂纹、发纹、白点。

(2)锻造缺陷:有锻造裂纹、折叠。

(3)热处理缺陷:淬火裂纹。

(4)机加工缺陷:矫正裂纹、磨削裂纹。

二、锻钢件的探伤方法

可根据工件材质和热处理状态以及其技术要求来选择连续法或剩磁法。

磁化方法应根据工件尺寸形状、检验部位、生产效率等因素来考虑,原则上可以这样考虑:

(1)不能搬上固定式磁粉探伤机的大型复杂工件,可采用支杆法或磁轭法进行局部探伤。

(2)形状较简单的中小尺寸零件,可在固定式磁粉探伤机上进行轴向通电法、中心导体法、整体磁轭法、复合磁化法等整体探伤。

(3)形状规则、尺寸较小的工件,数量较少时也可采用带活动关节的便携式磁轭进行整体磁化检查其横向缺陷。也可用线圈法检查横向缺陷。

三、锅炉压力容器紧固件的磁粉探伤

锅炉和压力容器人孔盖上采用的紧固件,主要是螺栓和螺帽,材料为45号钢,调质热处理。制造的成品探伤,主要检查各工序可能产生的缺陷,如材料裂纹、锻造裂纹、淬火裂纹等,有纵向和横向缺陷。容器定期检验时,螺栓探伤,主要检查其疲劳裂纹。螺帽易产生于螺孔内,裂纹方向与孔轴方向平行。螺栓,易产生在螺纹根部和螺栓头颈部,裂纹方向多为横向。

一般在固定式磁粉探伤机上进行。因材料为45号钢,调质热处理,选择连续法探伤时,在螺纹根部易产生非相关磁痕,所以,可采用剩磁法探伤。检查螺栓纵向缺陷,应采用轴向通电法磁化,检查横向缺陷,采用整体磁轭法或线圈法磁化。检查螺帽内孔疲劳裂纹,可用中心导体法磁化。现以 M25×150 螺栓为例,介绍用 CEW-2000A 固定式磁粉探伤机探伤螺栓的操作程序。

1. 探伤前准备

(1)插上探伤机电源,开启设备控制面板电源总开关,打开油泵开关,搅拌磁悬液 30 min,用喷油枪将磁悬液注入梨形沉淀管,测定磁悬液浓度,应符合标准要求。

(2)按标准要求进行工件表面处理,并测量工件长度和直径,做好记录。

(3)将工件夹持到探伤机两电极上。

2. 磁化工件

(1)检查螺栓纵向缺陷,采用交流轴向通电剩磁法探伤。将探伤机功能开关转向周向位置,计算磁化电流 $I = (20 \sim 30)D$,取 $I = 30D = 30 \times 25 = 750 (\text{A})$,调节探伤机交流电流表指示为 750 A,接通磁化电流开关,对工件进行轴向通电法磁化。然后,喷洒磁悬液,取下观察磁痕,发现有缺陷磁痕,做好记录。最后,在交流退磁线圈中退磁,为下次探伤做准备。

(2)检查螺栓横向缺陷,采用整流电整体磁轭磁化剩磁法探伤。将探伤机功能开关转向纵向磁化位置,计算磁化电流,$I = \dfrac{45\,000}{N\left(\dfrac{L}{D}\right)} = \dfrac{45\,000}{4\,000 \times \dfrac{150}{25}} \approx 2 \; (\text{A})$,调节探伤机整流电流表指示为 2 A,接通磁化开关,对工件进行整体磁轭法磁化,然后喷洒磁悬液。

3. 磁痕观察

取下工件,观察磁痕,检查是否有横向缺陷磁痕。

4. 探伤记录

按本篇第二章第九节提出的探伤记录要求,做好探伤记录。

5. 填写探伤报告

根据探伤原始记录,填写和签发探伤报告。

【复习思考题】

1. 试述钢制压力容器焊接件磁粉探伤的内容和范围。
2. 锅炉压力容器焊缝常用的磁化方法有哪些?
3. 采用局部磁轭法探伤焊缝时应注意什么?
4. 使用旋转磁场探伤焊缝时应注意些什么?
5. 使用支杆法探伤焊缝时应注意些什么?
6. 线圈法、电缆缠绕法和平行电缆法在焊缝探伤中有什么用途?
7. 叙述局部磁轭法探伤对接焊缝的操作方法(或程序)。
8. 锻钢件磁粉探伤的特点是什么?
9. 试述压力容器使用的螺栓在固定式磁粉探伤机上探伤的操作程序。

第五章　磁粉探伤实验

实验一　磁悬液浓度的测定

一、实验目的

(1)了解和掌握磁悬液浓度的测定方法。

(2)通过梨形沉淀管法的浓度测定,校验所用磁悬液是否符合 JB4730—94 标准规定的浓度要求。

二、实验原理

从搅拌均匀的磁悬液中,取 100 mL 注入如本篇图 3-6 所示的带有刻度的梨形沉淀管中,使其沉淀一定时间,磁粉将会沉淀。然后,读出沉淀管管底的磁粉的容积就表示磁悬液的浓度。JB4730—94 标准规定,每 100 mL 磁悬液中,非荧光磁粉沉淀体积为 1.2~2.4 mL,荧光磁粉沉淀体积为 0.1~0.5 mL。

三、实验器材

(1)梨形沉淀管两只。

(2)荧光和非荧光水磁悬液各一瓶。

(3)250 mL 烧杯或量筒一只。

四、实验方法

(1)分别将两种磁悬液搅拌 5 min,直至充分均匀为止。

(2)各取出 100 mL 分别注入梨形沉淀管中。

(3)沉淀 30 min 和 60 min,分别以 0.1 mL 的精度读入磁粉沉淀的体积,做好记录。

五、实验结果

磁粉沉淀体积(mL) ＼ 沉淀时间(min) ＼ 磁粉种类	30	60
荧　光　磁　粉		
非　荧　光　磁　粉		

实验二　探伤系统综合性能的测试

一、实验目的

(1)了解和掌握用 A 型灵敏度试片检查设备、磁悬液的性能和确定磁轭一次磁化有效探伤范围。

(2)掌握 A 型灵敏度试片正确的使用方法。

二、实验原理

A 型灵敏度试片可以作为选择磁化规范的主要手段,用于检查探伤设备、磁粉、磁悬液的性能,工件表面有效磁场的方向、有效的检测范围和探伤是否正确等。

三、实验设备与器材

(1)带活动关节磁轭探伤仪一台。

(2)旋转磁场探伤仪一台。

(3)A 型灵敏度试片一套。

(4)浓度为 5、10、15 g/L 的非荧光磁悬液各一瓶。

(5)焊板一块。

(6)钢板尺(200 mm)一支。

四、实验方法

(1)用 A-30/100 灵敏度试片,浓度为 15 g/L 的磁悬液,用连续法探伤,检查所用旋转磁场探伤仪四个磁极内磁化区磁场强度与分布是否均匀,即观察 A-30/100 灵敏度试片各方向人工缺陷显示是否完整、清晰。

(2)用 A-30/100 灵敏度试片和已校验好的旋转磁场探伤仪,在仪器磁场强度不变的情况下,用连续法探伤,考察不同浓度(5、10、15 g/L)的磁悬液对 A-30/100 试片人工缺陷显示的影响。

(3)用 A-30/100 灵敏度试片,测定磁轭间距为 80、120、160 mm 时,磁轭一次磁化的有效探伤范围。

五、实验结果

(1)人工缺陷显示与浓度的关系:

磁 悬 液 浓 度(g/L)	5	10	15
A-30/100 试片缺陷显示程度			

(2)有效探伤范围的测定结果:

磁 极 间 距(mm)	80	120	160
有 效 探 伤 范 围			

六、实验结果分析与结论

应对实验结果进行认真分析,并综合各方面情况得出结论。

实验三　锅炉压力容器焊缝的磁粉探伤

一、实验目的

了解和掌握锅炉压力容器焊缝常用的磁轭法、旋转磁场法和支杆法。

二、实验设备和器材

(1)磁轭探伤仪一台。

(2)旋转磁场探伤仪一台。

(3)支杆法探伤仪一台。

(4)A 型灵敏度试片一套。

(5)有裂纹的焊缝若干块。

(6)非荧光磁悬液一瓶。

三、实验原理

锅炉和压力容器的焊缝探伤常用磁轭法、旋转磁场法和支杆法进行磁化。

磁轭法,是磁轭产生纵向磁场,对工件局部进行纵向磁化的一种方法,它每次磁化只能检查一个方向缺陷,所以,在同一部位要作互相垂直的两次探伤。

旋转磁场法,是利用其大小和方向随时间作圆形旋转变化的磁场,对工件表面进行局部复合磁化的方法,一次磁化可以检查各方向的缺陷。

支杆法,是用在工件表面产生的周向磁场进行局部磁化的方法,它也只能检查单方向缺陷,在同一部位,也应作相互垂直的两次磁化。

四、实验方法

1.磁轭法

(1)按照标准要求清理工件表面。

(2)接好仪器电源,调节好磁轭磁极间距,磁轭置于焊板上通电检查仪器是否正常。

(3)选取 A-30/100 灵敏度试片,进行探伤系统的灵敏度试验。

(4)按本篇第四章第一节图4-9所示布置磁极对焊板进行探伤。采用湿法连续法探伤,应注意磁悬液的施加方法。

(5)磁痕观察与分析。

(6)记录缺陷。

(7)填写探伤报告。

2.旋转磁场法

(1)按标准要求清理焊板表面。

(2)接好仪器电源,将交叉磁轭置于焊板上检查仪器是否正常。

(3)选取 A-30/100 灵敏度试片,进行探伤系统灵敏度试验。

(4)按本篇第四章第一节中提出的旋转磁场行走速度对焊缝进行行走式的探伤,注意磁悬液的施加方法。

(5)、(6)、(7)步骤与磁轭法相同。

3．支杆法

(1)按标准要求清理焊板表面。

(2)接好仪器电源,确定支杆电极间距,按标准计算好磁化电流,将电极置于焊板上调节仪器电表中的电流值。

(3)用 A-30/100 灵敏度试片,确定一次磁化有效探伤范围,从而确定支杆电极每次移动的距离。

(4)按本篇第四章第一节中图 4-5 布置支杆位置,对焊缝进行探伤。

(5)、(6)、(7)步骤要求与以上相同。

五、实验结果

整理探伤记录,写出三份探伤报告。

实验四　锅炉压力容器紧固件的磁粉探伤

一、实验目的

了解和掌握锅炉和压力容器使用的螺栓和螺帽的探伤方法。

二、探伤设备与器材

(1)CEW-2000A 固定式磁粉探伤机一台(或 CYD-2000 移动式磁粉探伤机一台)。

(2)整流电磁化线圈一只。

(3)交流退磁线圈一只。

(4)有缺陷螺栓、螺帽若干件。

(5)非荧光磁悬液一瓶。

(6)XCJ－A 型袖珍磁强计一只。

三、实验原理

锅炉压力容器采用的紧固件,材料一般为 45 号钢,调质热处理。同时为避免螺纹易产生非相关磁痕,探伤方法一般采用剩磁法。螺栓类似轴类,检查纵向缺陷,应采用轴向直接通电法,检查横向缺陷,可采用整体磁轭法或线圈法。螺帽类似空心工件,一般采用中心导体法探伤。

四、实验方法

1．螺栓(M15×100)探伤

(1)接上固定式探伤机电源,打开设备控制面板上电源总开关和油泵开关,搅拌磁悬液 30 min,测定磁悬液浓度。

(2)按照标准要求,清理工件表面。

(3)将工件夹持到探伤机两电极上。

(4)将探伤机功能开关转到周向磁化位置,计算磁化电流,调节探伤机电流,接通磁化开关,对工件进行轴向通电法磁化。断开磁化开关后喷洒磁悬液 30 s,取下工件观察磁痕。检查完毕,在交流退磁线圈中退磁。

(5)再将此工件夹持到探伤机夹头上,并将探伤机功能开关转到"纵向磁化"位置,计算磁化电流,调节探伤机电流表,接通磁化开关,对工件进行整体磁轭法磁化,断开磁化开关后,喷洒磁悬液 30 s。

(6)取下工件,观察磁痕,检查工件的横向缺陷。并做好缺陷记录。

2. 螺帽探伤

(1)按标准要求清理工件表面。

(2)把螺帽套入中心导体后,将中心导体夹持到探伤机两电极中。

(3)将探伤机功能开关转到"周向磁化"位置上,按公式 $I = (20 \sim 30)D$ 计算磁化电流,调节探伤机交流电表指示所需要值,接通磁化开关,对螺帽进行磁化,断开磁化开关,取下工件,喷洒磁悬液 30 s。

(4)观察磁痕,记录缺陷情况。

(5)填写探伤报告。

渗 透 篇

第一章　渗透探伤的物理化学基础

第一节　浸润现象和表面张力

一、浸润现象

液体与固体接触时,液体与固体接触面能扩大而相互附着的现象,叫浸润现象。

若接触面趋于缩小而不能附着,则叫"不浸润"。同一种液体,能浸润某些固体,但不能浸润另一些固体。例如,水能浸润玻璃,但不能浸润石蜡;水银不浸润玻璃,却能浸润干净的锌板、铜板、铁板。如图 1-1 所示。液体能否浸润固体,由它们之间的附着力和内聚力的相对大小而定。当固体分子和液体分子间的相互作用力(附着力)大于液体分子之间的作用力(内聚力)时,表现出浸润,反之为不浸润。

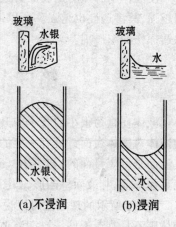

图 1-1　浸润现象

二、液体的表面张力

在液体表面上存在这样一种力,它恰好抵消在反方向使液体表面积增加的外拉力,我们把这个力叫做液体的表面张力。如碗中装满水时,当水面略高于碗边时,水并不溢出;放在水里的毛笔毛是蓬松的,但毛笔一出水面就很自然的拢在一起,这些现象,都是表面张力作用的结果。表面张力总是力图使液体表面积收缩到可能达到的最小程度。这些是经典物理中的内容。

三、接触角

如图 1-2,将一滴液滴在固体平面上,可有三种界面,即有液—气、固—气及固—液界面。与三种界面一一对应,存在三种界面张力。液—固界面经过液体内部到液—气界面之间的夹角称为接触角,以 θ 表示。当液滴停留在固体平面上时,三种界面张力相平衡,各界面张力与接触角的关系是

$$\cos \theta = \frac{f_{固气} - f_{液固}}{f_{液气}} \tag{1-1}$$

显而易见,表面张力 $f_{液气}$ 就是液体的表面张力,从式(1-1)中可清楚得出:

(1)若 $f_{固气} - f_{液固} = f_{液气}$,则 $\theta = 0°$,固体表面完全浸润。

(2)若 $f_{液气} > f_{固气} - f_{液固}$,则 $1 > \cos \theta > 0$,$\theta < 90°$,固体表面可以被液体浸润。

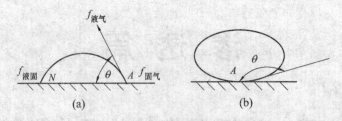

图 1-2　液体对固体表面的浸润作用

(3)若 $f_{固气} < f_{液固}$，则 $\theta > 90°$，固体表面不能被液体浸润。

式(1-1)表明，液体对固体的浸润作用强弱与液体表面张力密切相关，表面张力小时，浸润作用强，对窄小缝隙的渗透能力亦大，反之则相反。

浸润作用的强弱是表征渗透液渗透性能的一个比较直观的指标，可以这样讲，浸润作用越强，其渗透性也越强。所以渗透液的表面张力过大，浸润作用弱的液体不宜用来作为渗透探伤的渗透剂。

第二节　液体的毛细现象

液体在直径很小的管子中升高和降低的现象称为毛细作用。由于任何具有浸润作用的液体对固体表面都具有一定的附着力，所以当毛细管插入液体中后，液体沿着管壁上升其液面是呈弯月面的，如图 1-3(a)所示。而不具有浸润作用的液体，不能在毛细管内升高而只能降低，其液面呈凸形，如图 1-3(b)所示。

图 1-3 所示的现象也可以说明具有浸润作用的液体具有一定的渗透性，而不浸润的液体则不具有渗透性。浸润液体在毛细管内上升的高度、不浸润液体在毛细管内下降的高度，与液体面张力、浸润作用强弱、液体密度、毛细管的直径及重力加速度有关。

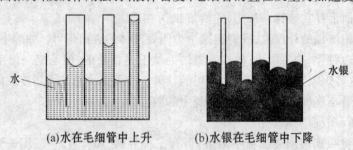

(a)水在毛细管中上升　　(b)水银在毛细管中下降

图 1-3　液体的毛细现象

液体的毛细作用除了用来定性地解释渗透性能外，也可以用来解释显像材料对渗透液的吸附形成缺陷显示痕迹的过程。液体渗透探伤中所使用的显像材料是一种多孔性的质地比较疏松的白色粉末(常用的有氧化镁粉末)，当工件渗透处理结束，在工件表面施加这种材料以后，就会使渗入缺陷内的渗透液沿着粉末颗粒的微小孔隙产生毛细现象，渗透到粉末颗粒内，使白色粉末颗粒成为载色体形成缺陷显示痕迹。

综上分析，表面张力所产生的浸润液体的毛细管升高现象，定性地描述了渗透液渗入表面缺陷以及被显像材料吸附的基本物理过程。在渗透探伤实践中具体缺陷比普通毛细管要复杂得多。但是,液体和固体表面的相互作用是导致渗透液渗入缺陷内部和被显像材料从缺陷内部吸附出来的基本原因。在实践上渗透液进入缺陷的能力还与工件表面光洁度、缺陷的形状和尺寸、液体的表面张力和浸润工件材料的能力等因素有关,所以至今还没有一种渗透理论可以定量地描述渗透液的渗透能力。

这就是渗透探伤的基本原理。"浸润"在渗透探伤中的工程学名称是"润湿"。

第三节　表面活性剂的乳化作用

一、表面活性剂

我们可以把含有某种物质的水溶液的表面张力随浓度增加逐渐下降性质的物质称为表面活性剂。

我们可以把表面活性剂按化学结构上的特点予以简单的归纳,由此区分出离子型表面活性剂与非离子型表面活性剂两大类。离子型表面活性剂溶于水时,能电离产生离子(分阳离子型、阴离子型及两型三类);非离子型表面活性剂溶于水时,不能电离产生离子。渗透探伤时,通常使用非离子型表面活性剂。

二、乳化现象和乳化剂

众所周知,油和水是两种互不相溶的液体,当它们被注入同一容器中时,明显地分成两层并处于平衡状态。但在容器中再注入一些乳化剂并充分搅拌以后,乳化剂可以把油变成无数微小的颗粒并稳定地分散在水中形成乳白色的液体,这种现象称为液体的乳化作用,能使液体产生乳化作用的物质称为乳化剂,所形成的乳白色液体称为乳化液。

液体渗透探伤中使用的乳化剂是一种能与不溶于水的渗透液相结合,使渗透液变成可溶于水而极容易被水清洗的化学试剂。乳化剂可以分成亲水性和亲油性两大类别,它能吸附在油与水的界面上,使油和水这两种互不相溶的物质在界面上变化不致突然,防止两种物质的分子相互排斥,相反地把它们紧密地联系在一起使其不分离,形成一种分散的乳化液。

由乳化剂作用后所形成的乳化液有两种类型,即水包油型和油包水型。水包油型乳化液微小颗粒内部是油,其外面是水(O/W),油包水型乳化液(W/O)恰好相反。

在渗透探伤中,常常要用水冲洗多余的渗透液,所以采用的乳化剂应是能形成水包油型的乳化液。

乳化剂的亲水性是一个比较重要的指标,它关系到乳化剂的性能和作用。乳化剂的亲水性常用 HLB 值来衡量(HLB 值与其作用的对应关系见图1-4)。即

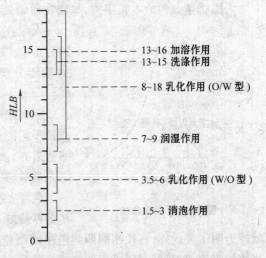

图1-4　表面活性剂 HLB 值与其作用的对应关系

・ 355 ・

$$HLB = \frac{亲水基部分的分子量}{表面活性剂的分子量} \times \frac{100}{5}$$

三、非离子型乳化剂的凝胶现象和加溶作用

水溶液中乳化剂的存在能使原来不溶或微溶于水的有机混合物的溶度显著增加,此即乳化剂的加溶作用。加溶作用与溶液中胶团的形成有密切关系。乳化剂不但具有使渗透液乳化和降低渗透液表面张力,增强浸润作用的功能,还可以利用乳化剂的凝胶现象提高渗透探伤的检测灵敏度。非离子型乳化剂与水混合,其黏度随含水量而变化,在某一含水量范围内黏度有极大值,此范围称为凝胶区。清洗时工件表面接触大量的水,乳化剂的含水量超过凝胶区,到达临界胶团浓度后,乳化剂才明显表现出加溶作用,而易被水洗掉。缺陷缝隙处接触水量少,含水量在凝胶区内形成凝胶。所以缺陷内的渗透液不易被水冲洗掉,从而提高渗透探伤的检测灵敏度。

非离子型表面活性剂为主要成分的乳化剂,凝胶现象示意图见图1-5。

以上论述是溶剂化学理论,与Ⅱ级探伤人员关系不大。

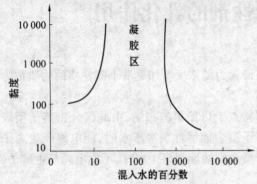

图1-5 非离子型乳化剂的凝胶现象

第四节 裂纹俘获率

裂纹俘获率表征相对于背景及外部光等条件,裂纹缺陷内的渗透液能形成可用肉眼直接观察显示的能力。所谓背景是缺陷图形周围的衬底。

人眼辨别颜色的本领很差,却能在黑暗处看见微弱发光的物体。

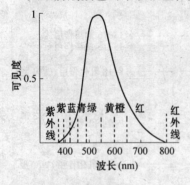

图1-6 可见度曲线

人眼在强白光下的辨别对象是点时,能分辨的视角约为1′;以线为对象时,可以说只有(1/3)′,也就是约20″就能分辨。就是说对"形"的分辨能力线状较点要高。

用肉眼能从颜色上来区别光的波长,其感觉程度随波长不同而异。波长550 nm(1 nm = 10^{-6} mm)附近的光感觉最亮,波长越远离此值,光的感觉越弱,即肉眼对黄绿光最敏感。见图1-6。

色泽及亮度反差对观察有影响。相似颜色相邻时,其交界线就不清晰,而如果白与红两种色泽并列的话,就较为明了。此外,波长相同即颜色相同而色度高的对肉眼的感觉就比较强。这是理所当然的事实,与显像时所吸出的渗透液的量有关。就是说只使缺陷部分呈色,在其周围即背底上不沾颜色的做法,是提高分辨率的一个重要因素。其次,将周围比被观察部分明亮

的状态(称为明视场)与周围比要观察部分灰暗的状态(称为暗视场)作比较,后者极易观察,甚至连小点也容易分辨出来。

通常认为,对于缺陷的检出灵敏度来说,荧光渗透探伤方法较着色渗透方法要好,其理由之一,在于对上述波长(色泽)的感觉,还在于缺陷显示痕迹与周围的亮度之间的关系。

着色探伤可见光的波长为 $400 \sim 760$ nm,荧光探伤所用紫外光的波长为 $330 \sim 390$ nm,其中心波长约 360 nm。由于紫外光是不可见的,所以又称黑光。

紫外光能使荧光液产生荧光,荧光探伤就是利用荧光液受紫外光照射而激发产生荧光这一现象为基础的。荧光探伤常用的荧光波长约 $510 \sim 550$ nm,它呈黄绿色。

【复习思考题】

1. 什么叫液体的表面张力? 试举例说明。

2. 什么叫润湿? 润湿有哪几种形式? 它对渗透探伤有何联系?

3. 什么叫接触角? 它是一个固定值吗? 如何使用接触角去判断润湿状态?

4. 什么叫毛细现象? 试举例说明。

5. 什么叫表面活性剂? 离子型与非离子型表面活性剂各有什么特点? 渗透探伤时常用哪些表面活性剂?

6. 什么叫非离子型乳化剂的凝胶现象? 为什么利用凝胶现象,可以提高探伤灵敏度?

7. 什么叫乳化现象? 什么叫乳化剂? 乳化机理是什么?

8. 简单叙述荧光探伤比着色探伤有更高的裂纹俘获率的原因。

9. 可见光、紫外光及荧光三者的区别是什么? 试写出三者的波长范围。

第二章　渗透探伤剂和渗透探伤装置

第一节　渗透剂

一、渗透检测剂

渗透检测剂一般包括渗透剂、乳化剂、清洗剂和显像剂。

二、渗透剂的分类

渗透剂分为荧光和着色渗透剂两大类,按清洗方法不同又可进一部分成水洗型、后乳化型、溶剂清洗型渗透剂,各种渗透剂基本上由颜料、溶剂和表面活性剂构成。

三、渗透剂应具备的性能

渗透力强,容易进入零件的表面缺陷;荧光渗透剂应具有鲜明的荧光,着色渗透剂应具有鲜艳的色泽;清洗性好,容易从零件表面清洗掉;润湿显像剂的性能好,容易从缺陷中吸附到显像剂表面而显示出来;无腐蚀,对零件和设备无腐蚀性;稳定性好,在光与热作用下,材料成分和荧光亮度或色泽能维持较长时间;毒性小;具有适当的粘度。

其他:检查钛合金与镍合金工件时,要求渗透剂中硫及氯的含量较低;检查与氧、液氧接触的工件时,要求渗透剂与氧不发生反应,表现为惰性。

四、渗透剂的质量控制要求

(1)在每一批新的渗透剂中应取出 500 mL 贮藏在玻璃容器中作为样品保存起来,作为参照基准。贮存温度为 15～50 ℃,并应避免阳光照射。

(2)渗透剂应装在密封容器中,放在低温暗处保存。各种渗透剂的相对密度应根据制造厂说明书的规定进行校验,应保持相对密度不变。

(3)渗透剂的浓度应根据制造厂说明书规定进行校验。校验方法是将 10 mL 待校验的渗透剂和基准渗透剂分别注入盛有 90 mL 无色煤油或其他惰性溶剂的量筒中,搅拌均匀。然后将两种试剂分别放在比色计试管中进行颜色的比较。如果被校验的渗透剂与基准渗透剂的颜色浓度差超过 20%,就应作为不合格。

(4)对正在使用的渗透剂做外观检验,如发现有明显的混浊或沉淀物,变色或难以清洗,则应予报废。

(5)各种渗透剂用对比试块与基准渗透剂进行性能对比试验,当被检渗透剂显示缺陷的能力低于基准渗透剂时,应予报废。

(6)荧光渗透剂的荧光效率不得低于 75%。试验方法按 GB5097 标准附录 A 中的有关规定进行。

第二节　去除剂

渗透探伤中,用来去除零件表面多余渗透剂的溶剂叫去除剂。

水洗型渗透剂,直接用水去除,水就是一种去除剂。

溶剂去除型渗透剂采用有机溶剂去除,通常采用的去除溶剂有煤油、乙醇、丙酮、三氯乙烯等。

后乳化型渗透剂是在乳化后再用水去除,它的去除剂就是乳化剂和水。

一、清洗剂

使用溶剂清洗型荧光、着色渗透剂进行探伤时,在渗透处理结束后采用与渗透剂相配伍的清洗剂(溶剂)进行清洗。清洗剂主要是由一些化学试剂配制而成的液体,其基本性能要求是对渗透剂具有一定的溶解度,并在对工件清洗时,易于在工件表面铺展以驱除渗透剂的残液。并且还应具有较高的挥发性,对材料无腐蚀性,保存时其性能稳定以及无毒,对人体健康无明显的影响。

二、乳化剂

使用后乳化型荧光、着色渗透剂进行探伤时,在渗透处理结束以后先进行乳化处理,然后再用水清洗。

乳化剂的构成主要是由表面活性剂和适当的溶剂,为了能区别荧光和着色乳化剂,在配制的液体中可适当添加一些荧光或着色颜料,并以此增加缺陷的着色牢度,使缺陷显示痕迹色泽浓艳。

乳化剂的黏度不宜过大,除了应具备易于渗透剂发生乳化作用被清洗干净的性能以外,其外观必须与渗透剂有明显的区别,其余性能应符合渗透剂的性能要求。

亲水型乳化剂的黏度一般比较高,通常都是用水稀释后再使用的。稀释后的乳化剂浓度按乳化剂制造厂推荐的浓度使用。亲油型乳化剂不加水使用。

第三节 显像剂

显像剂的作用是将缺陷中的渗透剂吸附到零件表面上来,加以放大。显像是渗透检验中一个重要环节。液体渗透探伤中所使用的显像剂主要有湿式、速干式和干式显像剂三种。

一、显像剂应具备的性能

吸湿能力要强,吸湿速度要快,能很容易被缺陷处的渗透剂所湿润并吸出足量渗透剂。

显像粉末颗粒细微,对零件的表面有一定的粘附力,能在零件表面形成均匀而薄的覆盖层,将缺陷显示的宽度扩展到足以用肉眼看到。

用于荧光法的显像剂应不发荧光,也不应有任何减弱荧光的成分,而且不应吸收黑光。

用于着色法的显像剂应与缺陷显示形成较大的色差,以保证最佳对比度,对着色染料无消色作用。

保存过程中性能稳定,无分解和变质,对工件材料无腐蚀作用。

在工件检验全部结束以后,易于从工件表面清除。

无毒或低毒,对人体健康无显著的影响。

湿式和速干式显像剂中白色粉末在溶液中呈悬浮分散状态,无结块成团现象,并且沉淀速度慢。

干式显像剂颗粒度小,密度低,不可受潮结块。

显像剂的性能良好与否直接影响在工件表面所形成的缺陷显示痕迹的形状及清晰度,影响对缺陷的辨认及评估。

二、显像剂的质量控制

《JB4730—94》对显像剂的质量控制规定如下:

(1)对干式显像剂应经常进行检查,如发现粒子凝聚、有显著的残留荧光或性能低下者要废弃。

(2)对湿式显像剂的浓度应保持在制造厂规定的工作浓度范围内,其容重应经常进行校验。

第四节 便携式装置和压力喷罐

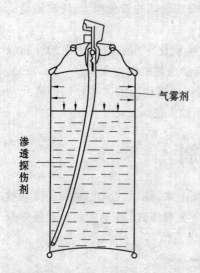

气雾剂

渗透探伤剂

图 2-1 内压式渗透探伤剂喷罐

便携式设备,一般是一个小箱子,内装有渗透剂喷罐、清洗剂喷罐和显像剂喷罐,以及擦洗零件用的金属刷、毛刷。如果是采用荧光法,还要装有紫外线灯。便携式设备多用于现场检查。

渗透探伤剂(包括渗透剂、清洗剂和显像剂),通常装在密闭的喷罐内使用,喷罐一般由探伤剂的盛装容器和探伤剂的喷射机构两部分组成,典型结构如图 2-1 所示。

喷罐携带方便,适用于现场。罐内装有渗透探伤剂和气雾剂,气雾剂采用乙烷、氟利昂等。通常在液态时装入罐内,常温下气化,形成高压,使用时只要压下头部的阀门,探伤剂就会成雾状从头部的喷嘴自动喷出。喷罐内部压力因探伤剂和温度不同而异。温度越高,压力越高,40 ℃左右可产生 0.29 ~ 0.49 MPa 的压力。

第五节 渗透探伤分离装置

分离式布置的流水作业线通用性强,劳动生产率较整体化布置高,且当探伤方法需要变更时可以重新改变原设计方案而重新排列组成新的设计方案,适应各种工件的渗透探伤。

分离式探伤装置由预处理装置、渗透装置、乳化装置、清洗装置、显像装置、干燥装置、检验室和后处理装置按渗透探伤的需要组成。荧光渗透探伤时在检验室中装有紫外线照射装置。如图 2-2 ~ 图 2-6 所示。

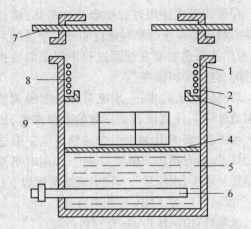

1—冷却水入口;2—冷却水出口;3—冷凝液集槽;
4—格栅;5—三氯乙烯溶液;6—加热器;7—活动盖板;
8—蛇形管冷凝器;9—被清洗零件

图2-2　三氯乙烯蒸气除油槽

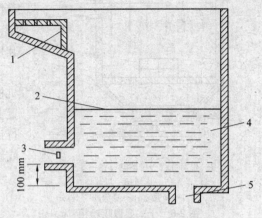

1—滴落架;2—正常液面高度标记;3—排液口;
4—渗透液;5—排污口

图2-3　渗透剂槽和滴落架

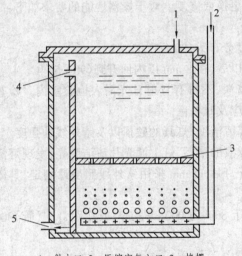

1—供水口;2—压缩空气入口;3—格栅;
4—限位口;5—排水口

图2-4　空气搅拌水槽

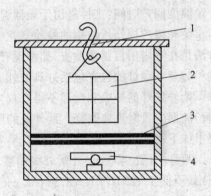

1—带吊钩盖板;2—被干燥零件;
3—电阻加热器;4—电风扇

图2-5　井式空气循环干燥装置

　　乳化装置包括乳化剂槽及滴落架。该装置的结构及大小与渗透装置相似,但需设备搅拌器,供乳化剂不连续的定期或不定期搅拌用。不宜采用压缩空气搅拌,因为会产生大量的乳化剂泡沫。

　　显像装置按显像技术要求可分成湿式和干式显像装置两种。

　　荧光渗透探伤的检验室必须布置成光线暗淡,在检验室内装有紫外线照射装置、布幔、白色强灯光、排气扇、旋转工作台等装置,便于观察操作。

　　后处理装置比较简单,无特殊的技术要求。

　　分离式布置是一种通用性较强的设计,按照需要适当选择前面所述的各种装置,根据操作顺序进行布置。

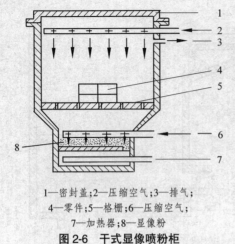

1—密封盖;2—压缩空气;3—排气;
4—零件;5—格栅;6—压缩空气;
7—加热器;8—显像粉
图 2-6　干式显像喷粉柜

探伤装置在使用过程中会产生损坏,将会直接影响探伤操作的顺利进行和导致错误的判断,为此各探伤装置在使用过程中应定期检查其性能,进行维护保养。

清洗装置上对水压、水流量和水温的调节机构是保证工件清洗效果好坏的重要部件,装置上水压表、流量计和水温表的精度应定期进行计量,发现有损坏及精度不够时,应随时更换或修复。水压、水流量和水温的调节范围如下:

水压:0.1 ~ 0.3 MPa 范围内可调。

水流量:12 ~ 25 L/min 范围内可调。

水温:20 ~ 45 ℃ 范围内可调。

干燥装置一般采用干燥温度可调的热风循环干燥器。干燥器内的温度、温度分布及温度回升等性能会直接影响工件干燥后所形成的缺陷显示痕迹,在使用过程中对干燥器的控温系统必须进行定期检验,发现损坏及时更换或修复。对干燥器性能的要求如下:

最高温度:≤90 ℃

温度分布:开机 40 min 以后,干燥器内温度分布为(90 ± 5) ℃。

温度回升时间:工件进出干燥器温度下降以后,在 8 min 以内回升到(90 ± 5) ℃。

荧光渗透探伤所使用的检验室光线必须暗淡,不得有直射日光漏入检验室内。检查方法是在室内用目视法检查,如发现有漏光处应及时堵塞。

对紫外线灯的检查包括灯具的外表及内部清洁度,灯具的破损以及紫外线的强度。

紫外线灯的外表和内部不得有灰尘及显像液的玷污,灯上滤光片清洁明亮,发现灯泡(管)破损应及时更换修复。紫外线的照度在开灯后 15 min 采用紫外线照度计测定,具体要求如下:

距灯泡(管)400 mm 处紫外线照度不得低于 800 ~ 1 000 $\mu W/cm^2$,或在距灯泡(管)300 mm 处不低于 125 lx(1 lx = 8.36 $\mu W/cm^2$)。

第六节　渗透探伤固定式装置

工作场所流动性不大,工件数量较多,要求布置流水作业线时一般采用固定式探伤装置,所采用的探伤方法一般为水洗型、后乳化型渗透探伤。

图 2-7 所示的设计和布置是按水洗型渗透——湿式显像探伤方法要求布置的,包括预处理、干燥、渗透(排液)、水洗、湿式显像、冷却、观察等装置。

这种布置一般在专业较强的场合下采用。在这些专用的渗透探伤设备上不宜多安排操作人员,一般宜 2 ~ 3 人,否则易造成窝工浪费及管理混乱。大批量生产时,需要连续地批量地进行渗透探伤,可采用高效率的自动操作整体型装置。

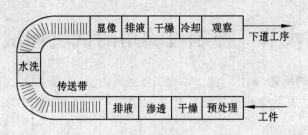

图 2-7　流水作业线的设计及布置

第七节　渗透探伤照明装置

照明对渗透探伤有重要意义,它不仅涉及检验灵敏度,也关系到操作人员的视力。

一、白光灯

着色探伤用日光或白光照明,光的照度应不低于 500 lx,在没有照度计测量的情况下,可用 80 W 日光灯在 1 m 远处的光强为 500 lx 作为参考。

二、黑光灯

荧光探伤需要波长为 365 nm 的紫外线束激发荧光。紫外线灯一般采用水银石英灯。水银石英灯,可以分成固定式(功率为 400 W)和便携式(功率为 100 W 和 500 W)两种。高压水银石英灯结构如图 2-8 所示。

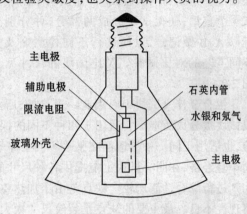

图 2-8　紫外线灯

黑光灯所放射出的光谱范围很宽,除了黑光以外,尚有可见光和红外线,波长在 390 nm 以外的可见光会在零件上产生不良的衬底,使荧光显示不鲜明。330 nm 以下的短波黑光会伤害人的眼睛,所以黑灯光所选用的起滤光作用的深紫色玻璃应只能通过 330 ~ 390 nm 的波长。

黑光灯本身质量的差异、灯的类型和滤光片不同,黑光灯的输出功率不同;即使是同一制造厂生产的黑光灯,输出功率也可能不同。

黑光灯点燃并稳定工作后,石英内管中的水银蒸气压力很高。这种状态下关闭电源时,断电的一瞬间,镇流器上产生一个阻止电流减少的反电动势,这个反电动势加到电源电压上,使得在断电的一瞬间,两主电极之间电压高于电源电压。此时,由于石英内管中水银蒸气压力很高,会造成黑光灯处于瞬时击穿状态,缩短黑光灯的使用寿命。每断电一次,灯的寿命大约缩短 3 h。因此,要尽量减少不必要的开关次数。通常每个工作班只开关一次,即黑光灯开启后直到本班不再使用才关闭。

第八节　控制校验用的试块和试件

一、对比试块的用途

对比试块主要用于检验检测剂性能及操作工艺。

二、渗透探伤中常用对比试块

1.铝合金试块

将一块如图2-9中的LY12硬铝合金试块用喷灯在中央部位加热至510～530℃，然后迅速投入冷水中,通过淬火处理使试块表面产生条状和网状裂纹,再在试块中间加工一个直槽,使得试块分成两部分,并分别标以 A、B 做记号,以便进行不同检测剂及不同工艺的对比试验。对比试块的尺寸见图2-9。

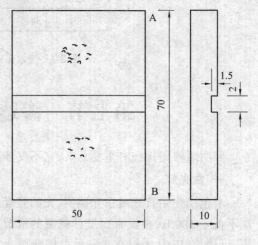

图2-9　铝合金淬火试块　（单位:mm）

铝合金淬火试块中心因有一道沟槽,所以试块被分成两半。它适用于两种不同的探伤剂在互不污染的情况下进行灵敏度对比试验,也适用于同一种渗透剂在某一不同工序下进行灵敏度对比试验。这种试验的优点是简单且经济,在同一试块上能提供各种尺寸的裂纹,且形状近似于自然裂纹,适合于对探伤剂进行综合性能比较。缺点是由于加热急冷,所产生的裂纹尺寸不能控制,多次使用后再现性不良。最主要的缺点是裂纹尺寸太大,不能用于高灵敏度探伤剂的性能鉴别。

2.镀铬试块

将一块尺寸为 130 mm × 40 mm × 4 mm、材料为0Cr18Ni9Ti 或其他不锈钢材料的试块上单面镀镍(30 ±1.5)μm,在镀镍层上再镀铬,然后退火,在未镀面上以直径10 mm 的钢球,用布氏硬度法按7 500 N、10 000 N、12 500 N 打三点硬度,使镀层上形成三处辐射状裂纹。如图2-10 所示。

不锈钢镀铬裂纹试块的优点是裂纹的尺寸很小,可作为高灵敏度探伤剂的性能测定,而且不易堵塞,可以多次重复使用。其缺点是镀层形成光滑镜面使渗透液易于洗去,与实际情况差异较大,制作也比较困难。

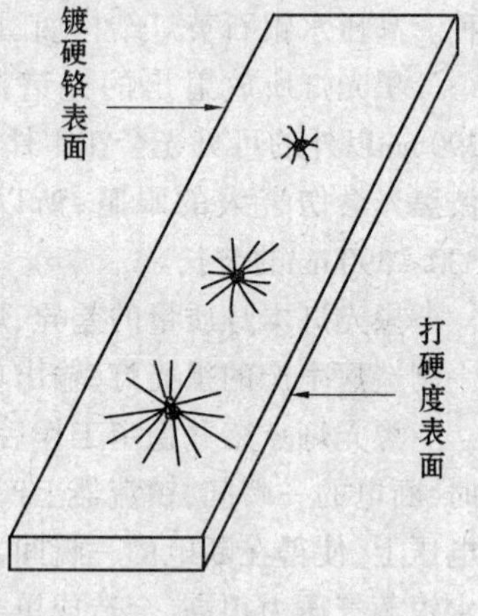

三、缺陷试件

人工裂纹表面与实际检验零件表面之粗糙度相差较大。因此清洗时间也相差较大,为克服这一缺点,可选择带有缺陷的零件作为缺陷试件与人工裂纹试块一起使用。

缺陷试件选择原则如下:

图2-10　不锈钢压痕裂纹对比试块

（1）在被检零件中挑选有代表性的零件；

（2）在所发现的缺陷中，挑选有代表性缺陷的零件，裂纹是最危险的缺陷，通常必须选择带有裂纹的缺陷试件；

（3）要选择带有细小裂纹和其他细小缺陷的试件，同时还要选择带有浅而宽的开口缺陷的试件；

（4）选择好的缺陷试件，其缺陷位置、大小要做草图记录，最好做照相记录，以备校验时对照用。

渗透探伤中所使用的对比试块的主要用途是检查渗透探伤剂的性能以及探伤剂在使用过程中性能下降情况，并通过对比决定取舍与否；另外还可以用来检查渗透探伤的操作条件是否恰当并加以调整，保证探伤结论的正确性。对比试块应符合下述要求：

（1）试块上必须存在符合检测极限的微小缺陷。

（2）在同一试块上应存在几个尺寸、分布情况相似的裂纹，以供对比试验。

（3）试块上所形成的缺陷显示痕迹易于判定和辨认。

（4）经久耐用、制造工艺简单，易获得相似的缺陷，价格便宜。

【复习思考题】

1. 渗透剂应具备哪些主要性能？

2. 溶剂去除型渗透剂的有机溶剂应具备哪些基本性能？

3. 显像剂应具备哪些基本性能？

4. 简述黑光灯的使用注意事项。

5. 简述黑光强度需要检测的原因。

6. 控制校验用试块（或试件）常用哪几种？

第三章 渗透探伤方法

第一节 渗透探伤法的分类

一、渗透探伤一般可按下述方法分类

1. 根据渗透剂所含染料成分分类

根据渗透剂所含染料成分,渗透探伤分为荧光法、着色法和荧光着色法三大类。渗透剂内含有有色染料,缺陷图像在白光或日光下显色的为着色法。荧光着色法兼备荧光和着色两种方法的特点,缺陷图像在白光或日光下能显色,在紫外线下又激发出荧光。

2. 根据渗透剂清洗方法分类

根据渗透剂清洗方法,渗透探伤分为水洗型、后乳化型和溶剂清洗型三大类。水洗型渗透法是渗透剂内含有一定量的乳化剂,零件表面多余的渗透剂可直接用水洗掉。后乳化型渗透法的渗透剂不能直接用水从零件表面洗掉,必须增加一道乳化工序,即零件表面上多余的渗透剂要用乳化剂"乳化"后方用水洗掉。溶剂清洗型渗透法是用有机溶剂清洗零件表面多余的渗透剂。

3. 根据显像剂类型分类

根据显像剂类型,渗透探伤分为干式显像、湿式显像两大类。干式显像是以白色微细粉末作为显像剂,撒在经过清洗并干燥后的零件表面上。湿式显像是将显像粉悬浮于水中(水悬浮显像剂)或溶剂中(溶剂悬浮显像剂)。水悬浮显像剂又称湿式显像剂。溶剂悬浮显像剂又称速干式显像剂,湿式显像也可将显像粉溶解于水中(水溶性显像剂)。此外,还有塑料薄膜显像剂,也有不使用显像剂而自显像的。

二、《JB4730—94》标准

根据渗透剂和显像剂种类不同,渗透检测方法可按表 3-1 和表 3-2 进行分类。

表 3-1　按渗透剂种类的渗透检测方法

方　法　名　称	渗　透　剂　种　类	方　法　代　号
荧光渗透检测	水洗型荧光渗透剂	FA
	后乳化型荧光渗透剂	FB
	溶剂去除型荧光渗透剂	FC
着色渗透检测	水洗型着色渗透剂	VA
	后乳化型着色渗透剂	VB
	溶剂去除型着色渗透剂	VC

表 3-2　按显像方法分类的渗透检测方法

方 法 名 称	显 像 剂 种 类	方 法 代 号
干式显像法	干式显像剂	D
湿式显像法	湿式显像剂	W
	快干式显像剂	S
无显像剂显像法	不用显像剂	N

这种英文字母代码的分类方式是等效运用 ISO 标准的分类代码。

三、渗透探伤方法的应用

着色渗透探伤法一般使用的渗透剂是采用红色的颜料配制而成的红色油状液体。在自然光(白色光)线的照射下可以观察到红色的缺陷显示痕迹,所以在观察时不必使用任何辅助光源,只需要在明亮的光线照射下进行观察。着色渗透探伤法较荧光渗透探伤法使用方便,适应面广,尤其更适宜于远离电源和水源的场合下使用。着色渗透探伤法的不足之处是检测灵敏度低于荧光渗透探伤法,常用于奥氏体不锈钢焊缝(对接焊缝和表面堆焊缝层)的表面质量检验。

由于着色渗透探伤法一般用于现场作业对工件表面质量进行检验,而溶剂清洗型着色渗透探伤法在操作过程中不需要电源和水源,且操作方便,检测灵敏度优于另两种着色渗透探伤法,所以在现代工业探伤中被广泛应用。但溶剂清洗型着色渗透法在工件表面不易将工件表面多余的渗透液清洗干净,随着工业的发展,对粗糙表面的工件进行渗透探伤的要求也日益突出,所以近几年来清洗方便的水洗型着色渗透探伤法异军突起,在对毛面工件的着色渗透探伤方面显示出其无与伦比的优越性,而后乳化型着色渗透探伤法由于多一道乳化工序,显得操作不便而至今还不大采用。

荧光渗透探伤法使用的渗透剂是采用黄绿色荧光颜料配制而成的黄绿色液体。荧光渗透探伤法探伤的渗透、清洗、显像步骤与着色渗透探伤相仿,观察则在波长为 3 650 Å 的紫外线照射下进行,缺陷显示呈黄绿色的荧光痕迹。这种渗透探伤方法的检测灵敏度较着色渗透探伤法为高,且缺陷分辨明显,常应用于重要工业部门的零件表面质量的检验。其不足之处是在观察时要求工作场所光线暗淡,在紫外线照射下进行观察,人眼容易疲劳,并且紫外线对人体皮肤长期照射有一定影响,探伤适应面较着色渗透探伤法为窄。

由于荧光渗透探伤法检测灵敏度较高,所以常应用于重要工业(航空、宇航)的零件表面质量检验,由于工件成批生产且工件尺寸较小,所以往往在生产流水线上作业。各道操作工序基本上采用浸渍法。因此水洗型和后乳化型荧光渗透探伤法被广泛应用,而溶剂清洗型荧光探伤法由于清洗不宜采用浸渍法(易造成清洗过度)及清洗较困难,所以一般不采用。

在上述探伤方法中,显像最常用的是溶剂悬浮显像与干式显像两种,其中干式显像主要与荧光法配合使用。

第二节　渗透探伤的操作步骤

一、渗透探伤操作的基本步骤

渗透探伤的基本步骤如下：

(1)预清洗；

(2)施加渗透液；

(3)清洗多余的渗透剂；

(4)施加显像剂；

(5)观察及评定显示痕迹，如图3-1所示。

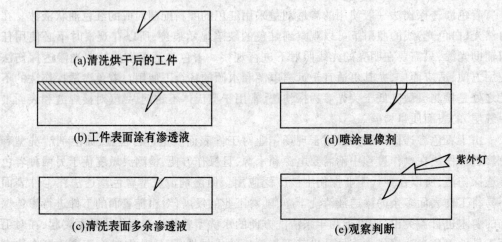

(a)清洗烘干后的工件

(b)工件表面涂有渗透液

(d)喷涂显像剂

(c)清洗表面多余渗透液

(e)观察判断

图 3-1　渗透探伤的基本步骤

二、各种渗透探伤方法的操作步骤

《JB4730—94》标准对各种渗透探伤方法的操作步骤的规定见表3-3。

表 3-3　检测步骤

所使用的渗透剂和显像剂的种类	检测方法符号	前处理	渗透	乳化	清洗	去除	干燥	显像	干燥	观察	后处理
水洗型荧光渗透剂-干式显像剂	FA-D	○	○		○		○	○		○	○
水洗型荧光渗透剂或水洗型着色渗透剂-湿式渗透剂	FA-W VA-W	○	○		○			○	○	○	○
水洗型荧光渗透剂或水洗型着色渗透剂-快干式渗透剂	FA-S VA-S	○	○		○		○	○		○	○
水洗型荧光渗透剂-不用显像剂	FA-N	○	○		○		○			○	○

所使用的渗透剂和显像剂的种类	检测方法符号	前处理	渗透	乳化	清洗	去除	干燥	显像	干燥	观察	后处理
后乳化型荧光渗透剂-干式显像剂	FB-D	○	○	○	○			○		○	○
后乳化型荧光渗透剂-湿式显像剂	FB-W	○	○	○	○			○		○	○
后乳化型荧光渗透剂-快干式显像剂	FB-S	○	○	○	○			○		○	○
溶剂去除型荧光渗透剂-干式显像剂	FC-D	○	○			○		○		○	○
溶剂去除型荧光渗透剂或溶剂去除型着色剂-湿式显像剂	FC-W VC-W	○	○			○		○		○	○
溶剂去除型荧光渗透剂或溶剂去除型着色剂-快干式显像剂	FC-S VC-S	○	○			○		○		○	○
溶剂去除型荧光渗透剂-不用显像剂	FC-N	○	○			○				○	○

从表 3-3 可知,渗透探伤中应用最多的溶剂去除型着色渗透探伤(VC－S)的操作步骤为:前处理→渗透→去除多余渗透剂→显像→观察→后处理。

第三节　渗透探伤方法的选用原则

各种渗透探伤方法都有一定的独特之处,也都具有一定的局限性,所以在具体进行渗透探伤时,渗透检测方法的选用可根据被检工件表面粗糙度、检测灵敏度、检测批量大小和检测现场的水源、电源等条件来决定。如:

(1)对于表面光洁且检测灵敏度要求较高的工件宜采用后乳化型着色法或后乳化型荧光法,也可采用溶剂去除型荧光法。

(2)对于表面粗糙且检测灵敏度要求低的工件宜采用水洗型着色法或水洗型荧光法。

(3)对于现场无水源、电源的检测宜采用溶剂去除型着色法。

(4)对于大批量的工件检测,宜采用水洗型着色法或水洗型荧光法。

(5)对于大工件的局部检测,宜采用溶剂去除型着色法或溶剂去除型荧光法。

(6)荧光法比着色法有较高的检测灵敏度。

此外,在具体工作中还可参考表 3-4 进行选择。

表 3-4　液体渗透探伤方法的选择

检验内容及要求	推荐选用的方法	备　　注
要求检验微小的缺陷	FB	缺陷显示痕迹色泽鲜明,检测灵敏度较高
检验刮伤和较浅的缺陷	FB、VC	乳化程度可以获得有效的控制
检测线状工件或工件上的销槽内的缺陷	FA、VA、VC	若采用方法 FB,在细小接角处不易清洗
检测尺寸较小的点状缺陷	VC	
检测阳极电化处理的工件	VC、FB、FA	按推荐顺序有目的地选择
在阳极电化处理后出现的裂纹	VA	
复探或设备维修过程中的渗透探伤	VC、FB	重复检测次数不得超过 5～6 次
渗透检漏	FA、VC、VA	仅仅指贯穿性的缺陷检测

第四节　渗透探伤操作技术要点

　　渗透探伤的检验灵敏度取决于渗透探伤剂性能的优劣以及探伤操作顺序、方法正确与否,两者不可缺一,否则就不可能获得良好的缺陷检测灵敏度。

　　对渗透探伤的操作进行定量的规定是十分困难的,在一般情况下都取决于探伤人员具体的操作经验。为此,渗透探伤人员必须具有能够适当掌握探伤时机的能力和经验,并应充分了解所使用的探伤剂性能、渗透探伤操作的方法和不正确操作带来的危害性。

　　干活不但要用手,更要用脑。经验的积累在于操作手法的稳定性和对自己操作结果的解剖认定。

一、表面清理和预清洗

《JB4730—94》对表面清理和预清洗有如下几项规定。

1. 表面清理的要求

(1)工件表面不得有铁锈、氧化皮、焊接飞溅、铁屑、毛刺以及各种防护层。

(2)被检工件机加工表面粗糙度 R_a 值为 6.3 μm;被检工件非机加工表面的粗糙度值为 12.5 μm。但对不能打磨的工件可适当放宽。

(3)局部检测时,准备工作范围应从检测部位四周向外扩展 25 mm。

2. 清除的方法

(1)机械方法:包括振动光饰、抛光、干吹砂、湿吹砂、钢丝刷及超声波清洗等。振动光饰适用于去除轻微的氧化皮、毛刺、锈、铸件型砂或模料等,不能用于铝、镁、钛等软金属材料。抛光适用于去除零件表面的积碳、毛刺等。干吹砂适用于去除氧化皮、熔渣、铸件型砂、模料、喷涂层积碳等。湿吹砂用于清除沉积物比较轻微的情况。钢丝刷用于去除氧化皮、熔渣、铁屑、铁锈等。超声波清洗是利用超声波的机械振动,去除零件表面的油污,它常与洗涤剂或有机溶剂配合使用,适用于批量小零件的情况。由于机械方法去除污物时产生的金属粉末、砂末等可能堵塞缺陷,所以,经过机械处理的零件,一般在渗透探伤前应进行酸洗或碱洗。焊接件和铸件吹砂后可不酸洗或碱洗而进行渗透探伤,精密铸造的关键零件,吹砂以后必须酸洗方能渗透探伤。

(2)化学方法:包括碱洗和酸洗。碱洗适用于去除锈、油污、积碳等,多用于铝合金。强酸溶液用于去除严重的氧化皮,中等酸度的溶液用于去除轻微氧化皮,弱酸溶液用于去除零件表面薄层金属。高强度钢酸洗时,容易吸进氢气,产生氢脆现象。因此,应在适合的温度下烘烤一定时间,去除氢气。烘烤应在酸洗后尽快进行,浸蚀后要进行综合处理,然后在流动水中进行彻底清洗,清洗后要烘干零件,以去除零件表面和可能渗入缺陷中的水分。

(3)溶剂去除方法:包括溶剂蒸气除油和溶剂液体清洗。溶剂蒸气除油通常为三氯乙烯蒸气除油。溶剂液体清洗通常用酒精、丙酮或汽油、三氯乙烷等溶剂清洗或擦洗。三氯乙烯蒸气除油操作十分方便,只需将零件放入蒸气区中,蒸气便迅速在零件表面冷凝,而将零件的油污溶解掉。除油过程中,零件表面温度不断上升,达到蒸气温度时,除油也就结束了。三氯乙烯在使用过程中受热、光、氧的作用分解成酸性,因此,在使用过程中,要经常测量酸度值。钛合金应采用加特殊抑制剂的三氯乙烯进行蒸气除油,因为这些零件会受到三氯乙烯的破坏,铝、镁合金零件在除油后,容易在空气中锈蚀,应尽快浸入渗透剂中。

3.预清洗

检测部位的表面状况在很大程度上影响着渗透检测的检测质量。因此,在进行过表面处理之后还要进行一次预清洗,以去除检测表面的污垢。清洗时,可采用溶剂、洗涤剂等进行。清洗后,检测面上遗留的溶剂、水分等必须干燥,且应保证在施加渗透剂之前不被污染。

必要时,在预清洗后进行加热干燥,以保证缺陷缝隙不但能将开口暴露于表面,且其间只含有空气而无其他。这一点非常重要。

二、渗透

1.渗透剂施加方法

施加方法应根据零件大小、形状、数量和检测部位来选择。所选方法应保证被检部位完全被渗透剂覆盖,并在整个渗透时间内保持润湿状态。

采用喷涂和刷涂时,为防止渗透剂干涸,常在刷涂过程中再施加一次渗透液。具体施加方法如下:

(1)喷涂:可用静电喷涂装置、喷罐及低压泵等进行,适用于大工件的局部或全部检测。

(2)刷涂:可用刷子、棉纱、布等进行,适用于大工件的局部检测、焊缝检测。

(3)浇涂:将渗透剂直接浇在工件被检面上,适用于大工件的局部检测。

(4)浸涂:把整个工件浸泡在渗透剂中,适用于小零件的全面检测。

2.渗透时间及温度

在 15～50 ℃的温度条件下,渗透剂渗透时间一般不得少于 10 min。当温度条件不能满足上述条件时,应对操作方法进行修正。

如当渗透检测不可能在 15～50 ℃温度范围内进行时,则要求对较低或较高温度时的检测方法作出鉴定。通常使用铝合金对比试块进行。

(1)温度低于15℃条件下渗透检测方法的鉴定:在试块和所有使用材料都降到预定温度后,将准备的低温检测方法用于B区。然后把试块加热到15~50℃之间,在A区用标准方法进行检测,比较A、B两区的裂纹显示痕迹。如果显示痕迹基本上相同,则可以认为准备采用的方法是可行的。

(2)温度高于50℃条件下渗透检测方法的鉴定:如果准备采用的检测温度高于50℃,则将试块加温至这一温度,在B区进行检测。然后把试块冷却到15~50℃之间,在A区用标准方法进行检测,比较A、B两区的裂纹显示痕迹。如果显示痕迹上相同,则可以认为准备采用的方法是可行的。

渗透时间是指施加渗透剂到开始乳化处理或清洗的时间,包括排液所需的时间,具体指施加渗透剂时间和滴落时间之和。零件施加渗透剂后应进行滴落,以减少渗透剂的损耗。因为渗透剂在滴落过程中仍在继续往缺陷中渗透,所以滴落时间是渗透时间的一部分。渗透时间又称接触时间或停留时间。零件不同,要求发现的缺陷种类和大小不同,零件表面状态不同及所用渗透剂不同,渗透时间的长短也不同。

缺陷越狭(宽度小)、越浅(深度小)、越短(长度小),越不易被发现,所需的渗透停留时间越长。例如细小的疲劳裂纹、应力腐蚀裂纹及晶间腐蚀裂纹等,能提供的缺陷显示尺寸太小,肉眼很难发现,以致渗透停留时间常常长达数小时。

当渗透温度超过50℃或低于15℃时,渗透时间应另行考虑决定。

渗透操作的技术原则之一:确保渗透剂渗入缺陷内部。

三、去除

去除多余渗透剂:对于水洗型渗透剂,可用布擦后用清水清洗;对后乳化型渗透剂,还要增加乳化剂的乳化工序,而后水洗干净。这一过程越快越好,一般不能超过5 min。溶剂清洗型渗透剂用溶剂擦除。去除或擦除渗透剂时,要防止过清洗或过乳化。同时,为取得较高灵敏度,应使荧光背景或着色底色保持在一定水准上。

后乳化型渗透剂的去除方法是先用水预清洗,然后乳化,最后再用水冲洗。施加乳化剂时,只能用浸涂、浇涂和喷涂,不用刷涂,因为刷涂不均匀。要防止过乳化,在保证允许的荧光背景和着色底色的前提下,乳化时间应尽量短。乳化时间具体指从施加乳化剂到开始清洗处理的时间。乳化时间在1~5 min之间,可根据受检表面粗糙及缺陷的程度确定。

乳化剂温度太低,会使乳化能力下降。一般规定,乳化剂温度在21~32℃范围较好。

水洗型渗透剂可用水喷法洗净。水喷法的水管压力以0.21 MPa为宜,水压不得大于0.34 MPa,水温不超过43℃。水洗型荧光液用水喷法洗净时,应由下往上进行,以避免留下一层难以去除的荧光薄膜。水洗型渗透剂中含有乳化剂,所以水洗时间长,水洗压力高,水洗温度高,都有可能把缺陷中的渗透剂洗掉,产生过清洗。水洗时间在得到合格背景的前提下,愈短愈好,荧光液的去除可用黑光灯控制清洗质量。

溶剂去除型渗透剂用清洗剂清洗。除特别难于清洗的地方外,一般先用干净不脱毛的布依次擦拭,直至将被检面上多余的渗透剂全部擦净。但必须注意,不得往复擦拭,不得用清洗剂直接在被检面冲洗。

清洗的目的是把工件表面多余的渗透剂用水或溶剂清洗掉,千万不可清洗过度,以免降低缺陷检测灵敏度。但也不可以清洗不足,增加工件背景色泽,影响缺陷的辨认。

渗透操作的技术原则之二:清洗时确保工件表面多余的渗透剂清洗干净而不把渗入缺陷内部的渗透剂清洗掉。

四、干燥和显像

1. 干燥

干燥是显像操作步骤的附带操作,按显像方法不同其操作顺序也不同。

溶剂清洗型不必进行专门的干燥处理即可进行干式、速干式、湿式和无显像剂显像四种显像方法。湿式显像后应进行干燥。

用水清洗的零件,采用干粉显像时,零件在显像前必须进行干燥处理。若采用水基湿显像,水洗后直接显像,然后进行干燥处理。

《JB4730—94》对于干燥的规定如下:

(1)施加快干式显像剂之前或施加湿式显像剂之后,检测面必须经干燥处理。一般可用热风进行干燥或进行自然干燥。干燥时,被检面的温度不得大于 50 ℃。

(2)当采用清洗剂清洗时,应自然干燥,不得加热干燥。

(3)干燥时间通常为 5~10 min。

2. 施加显像剂

《JB4730—94》对施加显像剂规定如下:

(1)使用干式显像剂时,须先经干燥处理,再用适当方法将显像剂均匀地喷洒在整个被检表面上,并保持一段时间。

(2)使用湿式显像剂时,在被检面经过清洗后,可直接将显像剂喷洒或涂刷到被检面上或将工件浸入到显像剂中,然后迅速排除多余显像剂,再进行干燥处理。

(3)用快干式显像剂时,经干燥处理后,再将显像剂喷洒或刷涂到被检面上,然后应进行自然干燥或用低温空气吹干。

(4)显像剂在使用前应充分搅拌均匀,显像剂施加应薄而均匀,不可在同一地点反复多次施加。

(5)喷施显像剂时,喷嘴离被检面距离为 300~400 mm,喷洒方向与被检面夹角为 30~40°。

(6)禁止在被检面上倾倒快干式显像剂,以免冲洗掉缺陷内的渗透剂。

(7)显像时间取决于显像剂种类、缺陷大小以及被检工件温度,一般不应少于 7 min。

因为着色法在清洗时,无法直接了解清洗的程度,所以要记住擦拭下来的红色浅到什么状态时,可以达到浅粉红色的合格背景。

显像的过程是用显像剂将缺陷处的渗透剂吸附至零件表面,产生清晰可见的缺陷图像。

所谓显像时间,在干粉显像法中,指施加显像剂到开始观察的时间;在湿式显像法中,指从显像剂干燥到开始观察的时间。

显像时间不能太长,显像剂不能太厚,否则缺陷显示会变模糊,显像剂涂层的厚度以恰好盖没工件表面底色,能略略看到工件的表面为准。

速干式显像主要采用压力喷罐喷涂。喷涂前应摇动喷罐中的弹子,使显像剂均匀。喷涂时要预先调节,调节到边喷边形成显像剂薄膜的程度。速干式显像有时也采用刷涂、浸涂,浸涂要迅速,刷涂笔要干净,一个部位不允许往复刷涂几次。

水湿显像可采用浸涂、流涂或喷涂,多数采用浸涂,涂覆后进行滴落,然后再在热空气循环烘干装置中烘干。干燥过程就是显像过程。为防止显像粉末的沉淀,显像时,要不停地进行搅拌。若显像剂被渗透剂污染泛色,则检验灵敏度下降,应及时更换新液。

干粉显像主要用于荧光法。零件干燥后,应立即进行显像,因热零件能得到较好的显像效果。干粉显像可将零件埋入显像粉中进行,也可用喷枪或静电喷粉显像,但最好采用喷粉枪进行喷粉显像。喷粉显像是将零件放入粉末柜中,用经过过滤的干净干燥的压缩空气或风扇将显像粉吹扬起来,使呈粉雾状,将零件包围住,在零件上均匀地覆盖一薄层显像粉。把工件表面多余不起作用的显像剂用微风吹净,压力为 0.03 MPa,风嘴距工件表面不得小于 300 mm。

干式显像与湿式显像相比,干式显像剂只附着在缺陷部位,即使经过一段时间后,缺陷轮廓图形也不散开,仍能显示出清晰的图形,所以使用干式显像时,可以分开显示出互相接近的缺陷。另外,通过缺陷轮廓图形进行等级分类时,误差也小。相反,湿式显像的缺陷轮廓图形经不住时间的考验,长时间放置后,缺陷图像便扩展散开,形状与大小都发生变化。

对一些灵敏度要求不高的检验,例如铝、镁合金砂型铸件等,常可采用自显像法的检验工艺,即在干燥后,停留 10 ~ 15 min,等缺陷中的渗透液重新回渗及蔓延到零件表面上后,再进行检验。为保证足够的灵敏度,通常采用较高等级的渗透剂进行渗透,在更强的黑灯光下进行检验。自显像法,省掉了显像操作,简化了工艺,节约了检验费用和时间。

渗透操作的技术原则之三:形成鲜明、清晰可辨的缺陷显示痕迹。

五、观察检验

《JB4730—94》对观察的规定如下:

观察显示痕迹在显像剂施加后 7 ~ 30 min 内进行。如显示痕迹的大小不发生变化,也可超过上述时间。

着色渗透检测时,观察应在被检表面可见光照度大于 500 lx 的条件下进行。

荧光渗透检测时,所用紫外线灯在工件表面的紫外线强度应不低于 1 000 $\mu W/cm^2$,紫外线波长在 0.32 ~ 0.40 μm 的范围内。观察前要有 5 min 以上时间使眼睛适应暗室。暗室内可见光照度应不大于 20 lx。

判伤检查:对着色法,可用眼直接看,对细小缺陷可借助 3 ~ 10 倍放大镜观察。对荧光法,则要借助紫外光源的照射,以使荧光物质发出荧光来观察。显示痕迹的荧光强度约在 10 min 时达到最佳点,然后随时间增加而迅速下降。如显示痕迹在显像剂施加后 7 ~ 30 min 内大小不发生变化,则可超过上述时间。

六、后清洗

检验后,零件表面上残留的渗透剂和显像剂,一般应去掉。钢零件使用压缩空气吹去显像粉末、用干净布擦去零件表面干燥形成的显像薄膜。铝、镁、钛合金零件应在煤油中清洗。

检测的废弃物必须带走处理,以防污染环境。

第五节　工艺性能的控制校验

一、工艺性能

工艺性能是指检测系统的工艺性能。检测系统包括检测剂、设备、试块、检测方法。

渗透检测剂使用的原则是成套配置。按国际惯例即是以使用同一家生产的同一牌号、同一系列、同一灵敏度等级的产品配伍使用。

二、工艺性能的控制校验

用不锈钢压痕裂纹对比试块校验操作方法和工艺系统灵敏度的方法如下:

在每个工作班开始时,先将该试块按正常工序进行处理,观察辐射状裂纹显示情况。该试块不像前种试块可分成两半以资比较,通常与塑料复制品或照片对照使用。如果和复制品或照片一致,则可以认为设备和材料正常。

大批量工作时,将人工缺陷试块和自然缺陷试件,放在第一批被检验的零件中,按正常的操作工艺进行渗透探伤,最后在紫外线光下或白光下检验试块和零件,与预先保存的该试件或试块的缺陷复制板或照相记录进行比较,达到相同效果时,才开始本班工作。

试块和试件是要反复使用的,因此每次使用后要进行彻底的清洗,以保证去掉缺陷中的荧光液或着色液的残余。

用试块和试件在每班开始前所作的以上控制校验,是对渗透探伤工艺的综合检查,故称为工艺性能的控制校验。

使用中的渗透剂、乳化剂、显像剂等探伤剂,应定期进行校验,其校验周期如下:

工艺性能的控制校验:每个工作班。

渗透剂,每半年应用 C 型试块进行一次灵敏度校验,每半年进行一次腐蚀性试验,每三个月进行一次含水量试验。

荧光液,每三个月进行一次荧光亮度的测定校验。

乳化剂,每月进行一次乳化能力和可去除性校验。

荧光渗透剂系列的乳化剂,每周应用紫外线光检查一次,检查乳化剂中有否荧光污染。

干粉显像剂,每个工作班进行一次外观检查,检查有否荧光及凝聚现象。湿式显像剂每月一次悬浮试验。

光源检查:每月一次。

紫外线灯强度校验:每半年一次。

第六节　影响渗透探伤灵敏度的主要因素

一、渗透剂性能的影响

1. 渗透能力

液体的渗透能力越强,探伤灵敏度越高。而渗透性能又取决于以下三个方面的因素:

①润湿作用;②表面张力;③渗透剂的黏度。

一般情况下液体的表面张力越小时,润湿能力就越强。所以要求液体的黏度不能过高,当黏度过高时液体的渗透能力减弱,而且会给清洗工作带来困难,但是对于渗透液在缺陷中保留的性能有一定好处。对于黏度很低的液体,虽然易于渗入,但清洗时也易于被洗掉。从综合效果来看,黏度稍高些为好,但要适当加大渗透的时间,以保证探伤灵敏度。

2. 着色强度和荧光强度

荧光渗透剂的发光强度越强,灵敏度越高,这主要是指发现缺陷的难易程度而言。当着色渗透剂的浓度越高时,其颜色越深,即便于发现极小缺陷。对于荧光液来讲,除提高荧光物质的浓度以外,还可以提高紫外线光源的功率,来达到提高荧光强度的目的。

但是当荧光物质的浓度大于某一值时,由于荧光的自熄灭和内滤现象的作用,使荧光强度不仅不随浓度的增加而增强,反而随浓度的增加而下降,这一点是值得我们注意的。

3. 在缺陷中的保留性能

这一性能是指在清除表面多余渗透剂时,在缺陷中的渗透液不致被清除掉的能力。显然,这一性能越好,灵敏度就越高。这一性能与以下两个因素有关:第一是渗透液的黏度,黏度越大越好。第二是水洗型渗透剂采用具有凝胶现象的非离子型乳化剂时,当用水洗时在缺陷处形成一个凝胶层,封住了裂纹开口处,保护缺陷中的渗透液不会被水冲走,从而提高了探伤灵敏度。

二、乳化剂的乳化效果

在探伤中乳化效果不好,便冲洗不净,从而使判伤困难,降低灵敏度。

三、显像剂性能的影响

这一性能的好坏主要是指显像剂的挥发性能和对缺陷内渗透液的吸附能力,这一性能越强,显像效果就越好。

四、操作方法的影响

如渗透时间不足,清洗不干净,乳化清洗时间过长,显像涂层不及时、不均匀或太厚等,都会降低探伤灵敏度。

五、缺陷本身性质的影响

缺陷有线状缺陷和点状缺陷等,如裂纹、折叠、未焊透及气孔、砂眼点状夹渣等,缺陷的性质不同,被显示的难易程度不一样。如宽裂纹比窄裂纹对渗透液的保留能力为差,但比凹坑形缺陷又好得多;对于贯穿型缺陷,因气体易排出,阻力小,渗透液就易于渗入。

实践告诉我们:渗透探伤的灵敏度同缺陷的宽深比密切相关。所谓宽深比,就是指裂纹的宽度 b 和深度 d 的比值 K。即

$$K = \frac{b}{d} \tag{2-1}$$

式(2-1)说明 b 越小,d 越大,则 K 值就越小,K 值越小,对缺陷内的渗透液保留能力就越强,反之如凹坑的 K 值很大,所以对渗透液的保留能力就很差。但缺陷窄的程度不是无限的,至少不能窄于 $0.5\ \mu m$。

六、外界条件的影响

主要是指温度和压力的影响,当然渗透时为促进气体的排出而加以振动也是有益的。

它可加快渗透速度,缩短时间。

温度的影响:由于液体的表面张力和黏度随温度的升高而减小,使渗透性能得到改善。

另外,也可以把工件加热到渗透液允许的温度(即不致使渗透液变质),而后放在渗透液中,由于温度的下降,缺陷内气体收缩,产生负压,使渗透液容易渗入缺陷,这也可使灵敏度提高。

外界压力的影响:外界压力 P_0 越小,渗透的深度就越大。如果施加渗透剂后,迅速减小外界压力 P_0,缺陷中气体的反压强就会大于渗透液的附加压强,气体易于排出,有利于渗透继续进行。所谓液体真空渗透法,就是利用这个道理。如果着色剂一般操作法只能发现 0.01 mm 宽的缺陷,而采用真空法灵敏度大为提高,可发现 0.005 mm 宽的缺陷。

第七节　安全防护

液体渗透探伤所使用的探伤液大多数内含可燃、易燃的油类和有机化学试剂,对人体的健康有一定的影响,所以在使用时必须注意防火和卫生保护。

一、储存探伤剂的防火安全措施

贮存及盛装探伤剂的容器应加盖,并且盖需要密封。

储存地点应尽量挑选冷暗处,并且避免烟火、热风、直射阳光等。

压力喷罐严禁在高温处存放,因为在高温时,罐内的压力将增大,则有发生自燃自爆的危险。

使用可燃性探伤剂时,不仅必须充分注意防火,而且为了防止万一,还应该在现场及探伤剂储存处设置灭火器。废弃的喷罐应打孔泄压后才可丢弃。

二、劳动卫生的防护措施

(1)在不影响探伤灵敏度、满足零件技术要求的前提下,尽可能采用低毒配方。

(2)采用先进技术,改进探伤工艺和完善探伤设备,特别是增设必要的通风装置,降低毒物在操作场所空气中的浓度。

(3)严格遵守操作规程,正确使用个人防护用品,例如口罩、防毒面具、橡皮手套、防护服和涂敷皮肤的防护膏等。

(4)当紫外线光通过三氯乙烯时,将产生有害光气,在除油过程,注意不要让三氯乙烯滞留在零件的盲孔里或其他凹陷之处。

(5)波长在 330 nm 以下的紫外线光对人眼有害,所以严禁使用不带滤波片或滤波片破裂的紫外灯。必要时应戴上防紫外线辐射的特殊眼镜。人体皮肤尽量不直接暴露在紫外线照射场内,减少皮肤与紫外线接触的机会。

在暗室里检验,检验者很容易疲劳,所以检验员在暗室里连续检验的时间不能太长。

(6)避免在火焰附近以及高温环境下操作。特别是压力喷罐,如果环境温度超过50 ℃,应特别引起注意。操作现场禁止明火存在。操作现场严禁吸烟。若吸烟或饮食,应远离现场并将手洗干净后方可进食。

(7)若在通风不良条件下(如在压力容器内)进行渗透探伤时,应加装通风排气装置,降低空气中探伤液挥发蒸气的浓度,操作时间不宜过长。若采用喷雾装置,工件操作人员应站在上风处,使喷出的雾状物不向人体飘洒。

保护环境,爱惜生命。

【复习思考题】

1. 什么叫渗透探伤? 渗透探伤有哪些优缺点?

2. 渗透探伤可以按什么形式分类? 各分为哪几类?

3. 渗透探伤前,为什么要对探伤表面进行清理和预清洗? 它们包括哪些主要内容?

4. 探伤表面前清理及清洗固体、液体污物有哪几种主要方法? 各种方法应注意哪些事项?

5. 简述三氯乙烯蒸气除油的工作原理及操作注意事项。

6. 施加渗透剂的基本要求是什么? 有哪几种施加方法? 适用范围是什么?

7. 施加渗透剂时,渗透时间及温度应如何控制?

8. 去除工序的基本要求是什么? 水洗型、后乳化型及溶剂清洗型渗透剂的去除方法有何不同? 去除时应注意哪些问题?

9. 试分析不同的去除方法对缺陷中渗透剂被除掉的可能性大小。

10. 渗透探伤操作有哪几个基本步骤? 水洗型、后乳化型及溶剂清洗型渗透探伤法有哪几个基本操作程序?

11. 简述使用不同的渗透剂与显像剂时,干燥工序应如何安排?

12. 干燥方法有哪几种? 实际应用中,如何应用这些干燥方法?

13. 干燥时,干燥温度及干燥时间应如何控制?

14. 简述干粉显像、非水湿显像、水湿显像及自显像应如何进行?

15. 什么是"合格背景"? 荧光法操作中如何掌握? 着色法操作中如何掌握?

16. 渗透探伤工艺性能的控制校验常进行哪些项目? 一般应如何进行?

17. 选择渗透探伤方法的基本原则是什么? 分别叙述下列情况选择什么方法较为适宜?

(1)在役压力容器焊缝的局部检验;

(2)检验场所无电源、水源及暗室;

(3)大批量表面粗糙的小零件的检验;

(4)检验场所无电源、水源及暗室,回工厂后用荧光法校验;

(5)大批量螺纹零件的检验;

(6)疲劳裂纹、晶间腐蚀裂纹、磨削裂纹及其他微小裂纹的检验;

(7)表面粗糙度要求高而且宽而浅的细小裂纹的检验;

(8)盛装液氧的容器(不允许接触油类)的检验。

18. 储存探伤剂时应注意哪些事项?

19. 劳动卫生主要采取哪些防护措施?

第四章 渗透探伤的应用

第一节 压力容器焊缝的检验

一、压力容器表面质量检验

压力容器焊缝渗透检验主要是检测焊缝表面的针孔和裂纹等危害性较大的缺陷,在检验时具有如下特点:

(1)焊缝表面不平,凹凸现象较为严重。

(2)要求的检测灵敏度较高。

(3)工件尺寸较大,工作现场往往缺少电源及水源,尤其是野外或高空作业时更甚。

为此,对压力容器焊缝进行渗透检验时,一般不采用荧光渗透探伤法,而较多地采用着色渗透探伤法。若现场有水源,且检测灵敏度要求不高的场合,优先考虑采用水洗型着色渗透探伤,因为水洗型着色渗透剂在凹凸不平的表面上易被清洗,较溶剂清洗型着色渗透剂优越。若现场条件不允许,且检测灵敏度要求较高,则采用溶剂清洗型着色渗透探伤方法。

着色探伤前,焊缝表面的准备,必须借助于机械的方法,如铁刷、压缩空气等手段来清除焊渣、飞溅、焊药、氧化皮等脏物。在对焊缝进行表面准备时(例如打磨焊缝时),特别要注意不要让铁屑粉末堵塞表面开口缺陷。脏物基本清除后,应用清洗剂洗净焊缝表面的油污,最后用压缩空气吹干。搁置较久的焊缝,若已生锈,则必须除锈后才能进行探伤。清洗工件的同时清洗试块表面。

焊缝的渗透常用涂刷法。涂刷时,用蘸有渗透剂的刷子在焊缝上反复涂刷 3～4 次,每次间隔 3～5 min。

渗透完毕后,先用干净的纱布大体擦去焊缝上的剩余渗透剂,然后用溶剂清洗。清洗时,常用擦洗法。第一步,应用清洗剂将棉布润湿;第二步,用此种棉布擦洗焊缝表面检验区。也可用压缩空气将渗透剂赶至焊缝两侧以外,用干净布擦净焊缝表面,然后按上述方法,用蘸有清洗剂的布擦洗。在保证清洗干净的前提下,应尽量缩短溶剂与焊缝的接触时间,以避免产生"过洗"现象,一般以丙酮或溶剂清洗剂作溶剂。清洗干净后的焊缝表面用压缩空气吹干。

焊缝显像以喷涂法为最好。利用压缩空气或压力喷罐将溶剂悬浮显像剂均匀喷洒于焊缝表面,喷嘴距受检表面不要太近,显像层应薄而均匀,显像时间以 15～30 min 为宜。

显像 3～5 min 后,可用肉眼或借助于 3～5 倍放大镜观察所显示的图像。为发现细微缺陷,可间隔 5 min 观察一次,重复观察 2～3 次。焊缝的起弧和熄弧处易产生细微的火口裂纹,应特别注意。

显像时间结束后,先检查试块表面,观察辐射状裂纹显示是否符合要求。如果显示符合要求,说明整个渗透系统及操作符合要求。即可对所发现缺陷作出评定和记录。

焊缝被渗透探伤检验后,应进行后清洗。多层焊道的焊缝,每层焊缝渗透探伤后的清洗更加重要,必须清洗干净,否则,渗透剂及显像剂残留在焊缝,会使随后进行的焊接产生严重缺陷。

二、压力容器检漏

压力容器泄漏往往是由于工件中存在的贯穿压力容器壁厚的针孔、裂纹所引起的,对这些缺陷的检测称为检漏。在检漏要求较高的场合往往采用气体(氦气)进行检漏,但在要求不是太高的场合下也可以采用荧光法渗透探伤进行检漏,其最大的优点是采用这一技术以后,可以在被检部位相对应的另一表面进行显像,所以缺陷分辨力大大提高。压力容器检漏方法如图 4-1 所示。

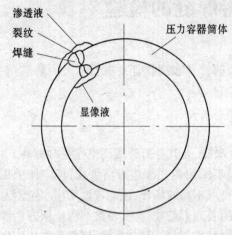

图 4-1 压力容器检漏方法

具体的检漏工艺如下:

在工件表面用清洗剂进行预清洗。用刷涂(喷涂)法均匀地涂布溶剂清洗型荧光渗透剂,渗透时间 15 ~ 20 min。在工件内表面用喷罐喷涂法把显像剂均匀地喷涂在相应部位上。让工件自然干燥,10 min 以后用便携式(功率为100 W)黑光灯观察贯穿性缺陷所形成的显示痕迹。

采用溶剂清洗型荧光渗透检漏法的具体理由如下:

检漏灵敏度要求比较高,荧光渗透探伤法检测灵敏度高于着色渗透探伤法。

对缺陷的观察在压力容器内进行,光线较暗淡有利于对荧光痕迹观察和辨认。

溶剂清洗型荧光渗透剂的渗透力较水洗型、后乳化型荧光渗透剂强,易于发现微小缺陷。

检漏时在工件外表面进行渗透,不必清洗直接在工件内表面进行观察,所以不存在清洗困难的问题。

为保证检验出厚焊缝或厚大零件上的泄漏,要求渗透时间较长,一般渗透若干小时,甚至几十小时。

第二节 锻件的检验

锻件晶粒很细,且有方向性,缺陷更紧密细小,因此渗透探伤时,要求使用较高灵敏度的后乳化型荧光液,渗透时间也较长。

锻件表面的准备可使用三氯乙烯蒸气除油或汽油清洗。若零件表面油污极少,则可用浸蘸酒精或丙酮的纱布擦拭干净。若零件表面氧化皮较多,则应用抛光、铁刷、喷砂或超声清洗等机械方法清理。也可以用酸洗或碱洗等化学方法清理。高强度钢酸洗时,要注意防止氢脆现象。

清理干净的锻件放入干燥箱内干燥,干燥温度仍为 80 ℃左右。锻件烘干后,让其冷却到 30 ℃左右,以得到较适宜的渗透温度。因为渗透温度过高,会使渗透剂强烈挥发后干在零件表面和变质,从而影响零件的清洗及渗透剂的再使用,并会降低探伤灵敏度。

干燥后的锻件进入渗透工序,渗透时间一般在 15 ~ 30 min,渗透温度一般在 15 ~ 40 ℃。锻件体积小并且数量多时,可放入金属网篮中一起浸入后乳化型荧光液,这样渗透完毕,从荧光液中取出也方便。渗透剂应均匀,且在被检锻件表面均有覆盖。

锻件表面剩余荧光液基本排除后,就可浸涂乳化剂,锻件在乳化槽内浸涂后,应立即取出,放在排液栅格适当排液。

乳化后的锻件,用 30 ~ 40 ℃的温水冲洗,水流应呈淋浴状,均匀地洒于锻件表面。清洗效果可用紫外线灯检查。当锻件表面清洗干净后,再用纱布擦去锻件表面上的水分,或用压缩空气将锻件表面吹干,必要时还可放在烘箱内烘干,但以零件表面水分干燥为限。锻件表面干燥后,就可进行显像。

显像可用干粉显像,也可用溶剂悬浮显像剂显像。干粉显像时,可使用静电喷枪喷涂,也可将锻件浸埋于干粉显像剂中,还可将锻件置于喷粉柜中喷涂。溶剂悬浮显像剂显像时,可用压力喷罐喷涂,显像时间一般为 20 min 左右。

显像后的零件可送入暗室,在紫外线灯下观察。

第三节　其他零件的检验

1. 机加工零件的检查

机加工零件的毛坯是铸件、焊接件和锻件时,零件经机加工后,诸如气孔、夹杂、发纹之类的内部缺陷,可能露出表面。渗透探伤时,可用原毛坯件的检查方法。

机加工工艺规范不当,也会产生缺陷,如磨削裂纹。机加工零件热处理规范不当,也会产生缺陷,如淬火裂纹。渗透探伤检查淬火裂纹比较容易。

2. 外场及使用中的检查

外场及使用中的检查主要用于保养和检修。渗透探伤一般使用荧光液,不使用着色液。疲劳裂纹检查,渗透时间最少需要半小时,而检查应力腐蚀或晶间腐蚀裂纹时,渗透时间则需要长达 4 h。大多数情况下,使用干粉显像剂。某些情况下,为更好地检查紧闭的裂纹,应采用加载法。

外场及使用中的检查,零件的预清洗特别重要,它包括如下内容:

(1)零件表面的油漆、橡胶密封剂等应去除。

(2)疲劳裂纹、应力腐蚀裂纹及晶间腐蚀裂纹等常被油污或腐蚀产物所污染,应清除。

(3)装配系统的部件需要拆开,螺栓和其他连接件需要拆除,被检零件的油污应清洗掉等。清洗方法可采用打磨、蒸气喷射或液体磨蚀等;也可采用化学腐蚀法去除漆层;如果在清洗过程中,采用了酸,应把零件烘干,以去除零件表面的氢,防止氢脆现象的发生。

【复习思考题】

1. 钢制压力容器焊接件渗透探伤应按哪个标准执行？使用溶剂清洗型着色液对焊缝探伤时,应注意哪些事项？

2. 简述使用渗透剂检漏法的工作原理、具体方法及注意事项。

3. 对机加工零件进行渗透探伤,应注意哪些事项？

4. 对外场使用的零件进行渗透探伤,应注意哪些事项？

5. 渗透工序应如何安排？

第五章　痕迹的解释和缺陷的评定

第一节　痕迹的解释

痕迹的解释是对看到的着色或荧光痕迹进行研究分析,确定产生这些痕迹的原因。即确定出看到的痕迹究竟是真实缺陷引起的,还是由零件的结构等原因所引起的,或仅仅是表面未清洗干净而残留的渗透剂。

一、真实痕迹

真实痕迹是指从裂纹、气孔、夹杂、疏松、折叠、分层等真实缺陷中渗出的渗透剂所形成的显示,它是缺陷存在的标志。

二、无关痕迹

一类无关痕迹是零件的加工工艺所造成的。例如装配压印和电阻焊时不焊接的搭接部分所产生的显示。它是加工工艺过程中造成的。这种显示在一定深度范围内是允许存在的,甚至是不可避免的。

另一类无关痕迹是由零件的结构外形引起的。例如键槽、花键及装配结合的缝等引起的显示,这些显示常发生在零件的不连续处,故也称为无关痕迹。

还有一类无关痕迹是由划伤、刻痕、凹坑、毛刺、焊斑或铸件上松散的氧化皮等原因引起的显示。这些痕迹目视检验可以发现。渗透探伤时,可能产生显示,也可能不产生显示,由于这类痕迹显示通常不能作为渗透探伤拒收零件的依据,也常称为无关痕迹。

三、伪缺陷痕迹

伪缺陷痕迹是由零件表面渗透剂的污染产生的。产生这类痕迹的原因如下:

(1)操作者手上的渗透剂污染;

(2)检验工作台上的渗透剂污染;

(3)显像剂受到渗透剂的污染;

(4)清洗时,渗透剂飞溅到干净的零件上;

(5)擦布或棉花纤维上的渗透剂污染。

《JB4730—94》标准要求:当出现显示迹痕时,必须确定迹痕是真缺陷还是假缺陷,必要时应用5~10倍放大镜进行观察或进行复验。

第二节　伪显示与复验

伪缺陷显示痕迹往往是由于工件表面多余的渗透剂未清洗干净而引起的,若工件表面有小圆形凹坑,如清洗不净会形成类似圆形缺陷显示痕迹,易与针孔、气孔或点状夹渣相混淆,区别的方法是局部擦去白色显像薄膜,对工件表面仔细观察。

在渗透探伤操作过程中,对工件表面若采用绒毛纤维多的布、回丝擦拭,棉纱纤维如残留在工件表面又浸渍有渗透剂的话,则会形成类似于裂纹显示痕迹的伪像,若对其仔细观察,往往可以发现这类伪像略凸出于工件表面的显像薄膜,用手指可以把它剔除。检验员在黑光灯下发现显示后,需用干净的布或棉球蘸一点酒精,擦拭显示部位,如果被擦去的是真实缺陷显示,擦拭后,显示能再现。若在擦拭后撒上少许显像粉末,可放大缺陷显示,提高细微缺陷的重视性。如果被擦去的显示不再重现,一般都是虚假显示。在黑光灯下,确定为缺陷显示后,要进一步确定缺陷性质,对于缺陷性质不能确定的、缺陷尺寸怀疑超出标准的,需要在白光灯下用放大镜或双目放大镜进一步检查。

若发现有不能明显分辨的显示痕迹,则在这一部分可以重新进行渗透探伤,或采用其他手段进行综合验证分析。对缺陷重新进行渗透探伤时,缺陷内部残留的渗透剂和工件表面显像剂粉末必须清除干净,然后按相应的操作顺序和方法进行探伤。在重新进行渗透探伤时宜采用同样的渗透探伤方法进行探伤,以免不同的探伤剂混淆后变质,影响探伤结果。

第三节 缺陷显示痕迹的分类

一、缺陷显示痕迹的辨认

1. 裂纹显示痕迹

裂纹显示痕迹包括冷加工、热加工、疲劳、锻造、磨削、机加工、酸洗、过烧、收缩等裂纹所引起的显示痕迹。

紧密结合的裂纹(疲劳裂纹)在材料表面开口较窄,所显示的痕迹比较细小。由于应力在材料的某一部位比较集中而引起开裂,其裂口都具有一定的尺寸,所显示的痕迹也比较粗大。仔细观察裂纹显示痕迹都可以发现细微的弯曲并带有一定棱角,大裂纹可以带有分枝甚至显示网状痕迹,裂纹尾部一般都较为尖细,轮廓比较清晰可辨。焊缝中的热影响区裂纹常与焊缝和本体材料的熔合线相吻合,易与焊缝边缘的表面缺陷(咬边)相混淆,但对焊缝中的横向、纵向裂纹则明显可以分辨。

在尺度较大的工件中一般易产生比较大的裂纹,所以显示的痕迹也比较明显可辨。

2. 线状显示痕迹

线状显示痕迹有连续和不连续之分或连续分布的点状缺陷。连续线状的缺陷痕迹是由裂纹、冷隔、锻造折叠等缺陷产生的。

断续线状缺陷痕迹可能是排列在一条直线或曲线上的相距很近的单个缺陷组成的。

3. 圆形显示痕迹

圆形显示痕迹包括由气孔、收缩孔、穿孔、咬边、偏析、砂眼以及点状不规则缺陷引起的显示痕迹。

圆形显示痕迹常由工件表面开口的针孔、气孔和点状夹渣所引起。这类缺陷显示痕迹一般色泽较浓,仔细观察可以发现圆点显示痕迹,其外形一般呈圆形和椭圆形,由点状夹渣引起的显示痕迹外形呈不规则形。

圆形显示痕迹在工件上分布一般没什么规律可循,有单独或密集分布之分。

二、《JB4730—94》对缺陷显示迹痕的分类

（1）除确认显示迹痕是由外界因素或操作不当造成的之外，其他任何大于或等于 0.5 mm 的显示迹痕均应作为缺陷显示迹痕处理。

（2）长度与宽度之比大于 3 的缺陷显示迹痕，按线性缺陷处理；长度与宽度之比小于或等于 3 的缺陷显示迹痕，按圆形缺陷处理。

（3）缺陷显示迹痕长轴方向与工件轴线或母线的夹角大于或等于 30 ℃时，按横向缺陷处理，其他按纵向缺陷处理。

（4）两条或两条以上缺陷显示迹痕在同一直线上，间距小于或等于 2 mm 时，按一条缺陷处理，其长度为显示迹痕长度之和加间距。

第四节　缺陷的评定

一、缺陷显示尺寸

缺陷容积（长×宽×深）越大，所容纳的渗透剂就越多，留在缺陷中输送给显像剂形成显示的渗透剂就越多，缺陷显示越明显。

缺陷的长度是缺陷显示的主要尺寸，它能提供一个肉眼可观察的实测尺寸。缺陷越狭（宽度小）、越浅（深度小）、越短（长度小），越不易被发现。

渗透探伤一般不能确定缺陷的深度，因为深的缺陷吸出的渗透剂多，所以有时可根据这一现象来粗略估计缺陷的深浅。

二、《JB4730—94》标准对缺陷显示迹痕的等级评定

下列缺陷不允许存在：

（1）任何裂纹和白点；

（2）任何横向缺陷显示；

（3）焊缝及紧固件上任何长度大于 1.5 mm 的线性缺陷显示；

（4）锻件上任何长度大于 2 mm 的线性缺陷显示；

（5）单个尺寸大于或等于 4 mm 的圆形缺陷显示。

缺陷显示累积长度的等级评定见表 5-1。

表 5-1　缺陷显示累积长度的等级评定　　　　（单位：mm）

评定区尺寸		35×100 用于焊缝及高压紧固件	100×100 用于各类锻件
等　级	Ⅰ	<0.5	<0.5
	Ⅱ	≤2	≤3
	Ⅲ	≤4	≤9
	Ⅳ	≤8	≤18
	Ⅴ	大于Ⅳ级者	

在该标准中仅仅规定每个级别允许存在的缺陷长度或数量，但未规定缺陷的验收级

别,缺陷的验收级别在产品技术条件中予以规定。所以使用本标准时应按照产品技术条件中的规定,根据本标准中所规定的允许存在的缺陷对缺陷进行验收。

对明显超出标准的缺陷,可立即作出不合格的结论。对于那些缺陷尺寸接近验收标准的,需在白光下用放大镜测出缺陷的尺寸和定出缺陷的性质后,才能作出合格或不合格的结论。超出标准又允许打磨或补焊的零件,应在打磨后再次进行渗透探伤,确认缺陷被打磨干净后,才可以验收或补焊。

当缺陷被去除后不要求补焊时,去除区域应与周围区域表面平滑过渡,以避免存在尖锐的凹口、缝隙或尖角。当缺陷被去除后要求补焊时,则去除区域应当清洗并按一定的焊接规范进行补焊,修补完成后应当用原来的检验条件和方法重新检验,补焊区域应与周围区域的表面平滑过渡。

补充:

(1)对于密集性缺陷,《JB4730—94》没有规定,需由委托方指定验收方式。

(2)超标缺陷是否打磨,磨除深度多少,如何测定磨除深度,都要在委托书中有明确的条文说明。

第五节　记录与报告

一、原始记录

工件探伤记录反映了工件探伤的过程和探伤条件、操作工艺、方法、工件质量情况,所以工件的探伤记录是工件的原始档案资料之一,在客观上反映了工件的质量。工件探伤记录一般都要长期保存,保存的目的如下:

(1)查考:若工件制造完毕以后在使用过程中发现质量方面的问题,在质量问题的分析中,工件的探伤记录可以提供原始的资料以及在制造过程中的质量情况,便于进行分析得出合乎科学的结论。

(2)积累数据:工件探伤记录在一定程度上反映了探伤工艺和操作方法、操作的条件,经过工件长期运行考验,可以得出这些方面及工艺条件是否恰当,验收标准是否合适的结论,为制定专业标准及规程在一定程度上提供了科学数据。

(3)复核:渗透探伤不像射线照相那样有照片可供其他人员进行复核,它只有从探伤记录上提供一定的探伤参数及数据,所以在签发产品探伤报告或其他人员复核校对时都只能以记录为准。若要对工件重复探伤,也只能在记录中查得有关原来探伤的参数,从而决定下一步的工作。

由于工件的探伤记录在长期保存中起到以上三个重要的作用,所以探伤记录应尽可能详细地把探伤过程中的主要情况及各技术参数予以记录。液体渗透探伤的记录包括如下的内容:

(1)工件:包括工件名称,工件编号,工件形状、尺寸、材质、表面粗糙度及热处理状态等。

(2)探伤方法:包括探伤中所使用的渗透剂、清洗剂、乳化剂、显像剂的种类型号;探伤前处理方法;渗透剂、乳化剂及显像剂施加方法;清洗或去除方法;干燥方法;渗透时间及显像时间。

(3)探伤条件:包括温度、清洗用水的水压、水流量、水温、干燥温度和时间等。

(4)探伤结论:包括缺陷名称、大小、对不允许存在的缺陷的去除。

(5)示意图:包括探伤部位、缺陷部位。

缺陷评定后,有时需要将发现的缺陷记录下来。缺陷记录方式有如下几种:

画出零件的草图,在草图上标出缺陷的相应位置、形状和大小,并说明缺陷的性质。

采用可剥性塑料膜显像剂,显像后,剥落下来,贴到玻璃板上,保存起来。剥下的显像剂薄膜包含有缺陷显示,在白光下(着色探伤)或在紫外线灯下(荧光探伤)可看见缺陷显示。

用照相机直接把缺陷拍照下来。着色显示在白光下拍照,最好用彩色胶卷,这样记录的缺陷显示更真切。荧光显示在紫外线灯下拍照。拍照时,镜头上要加黄色滤光片,且采用较长的曝光时间。紫外线灯拍照需要熟练的照相技术,可采用在白光下极短时间曝光,这样可得到在清楚的零件背景上的缺陷的荧光显示。

(6)其他:包括探伤日期、探伤人员姓名、复核校对人员姓名。

必要时,现场记录可采用空白的检测工艺单代替,以免记录有遗漏项目。

二、探伤报告

渗透探伤进行时,应做好原始记录,渗透探伤结束后,应发出检验报告。

《JB4730—94》标准对检测报告规定至少应包括下列内容:

(1)委托单位、工件名称、编号、形状、尺寸、材质及热处理状态;

(2)检测部位、检测比例、渗透剂牌号;

(3)检测方法,包括渗透剂类型、显像方式;

(4)操作条件,包括渗透温度、渗透时间、乳化时间、水压及水温、干燥温度和时间、显像时间;

(5)操作方法包括预清洗方法、渗透剂施加方法、乳化剂施加方法、清洗方法、干燥方法、显像剂施加方法;

(6)检测结果及缺陷等级评定、检测标准名称;

(7)缺陷示意图;

(8)检测人员、责任人员签字及其技术资格;

(9)检测日期。

三、报告的填写与交出

报告应以现场记录为依据进行整理。报告还应注意以下细节:

(1)报告应满足委托单位所有的要求项目。

(2)对于允许打磨的工件,应注明打磨的范围及磨除的深度。

(3)缺陷示意图应以工件的明显特征为基准点进行定位,以保证委托人能将图与工件对应起来找到缺陷位置。

(4)填写完毕的报告应在校对各项无误后,签署检测人的姓名、资格后,交检测责任人(或实验室责任工程师)。

(5)检测责任人应对检测报告的内容进行工艺方法的认定,确认其符合委托书指定的标准规定,方可认为检测有效。

(6)检测责任人还应复核检测部位及检测范围是否符合委托书指定的要求。

(7)检测责任人最后还要确认报告结论,符合委托书的检验目的的要求。

满足以上三认定,即可认为检测正确,报告有效。经过认定的报告,应由检测责任人签署审核人的姓名、资格后,在指定日期内,交给检测委托人。

【复习思考题】

1. 痕迹分成哪几类? 它们各是怎样形成的? 举例说明。

2. 缺陷痕迹分成哪几类? 它们各是如何形成的? 举例说明。

3. 记录缺陷有哪几种常用方法?

4. 渗透探伤时,原始记录及探伤报告应包括哪些内容?

第六章　质量控制

第一节　校验试块的清理与收藏

渗透探伤灵敏度试块的使用,与其他探伤方法的试块不同。如超声探伤灵敏度试块,拿来就用,不受使用次数的影响;而渗透探伤灵敏度试块,在重复使用时,必须加以清洗处理,渗入缺陷中的渗透液等杂物尽可能地被全部清洗干净,常采用以下两种方法:

(1)水煮法:把试块浸在盛有水的烧杯中,然后加热煮沸半小时,缺陷中的杂物基本除净,取出后,用三氯乙烯蒸气除油,在 110 ℃的烘箱中烘干 15 min,最后可将试块放在干燥器中保存备用。

(2)溶剂浸泡法:将试块浸泡于清洗剂里 24 h(当然时间长些更好),也可达到清洗的目的。这种溶剂应根据探伤剂的配方选择,一般常选用丙酮浸泡。

《JB4730—94》关于对比试块的清洗保存规定如下:

对比试块使用后要进行彻底清洗。清洗时,通常是用丙酮仔细擦洗后,再放入装有丙酮和无水酒精的混合液(混合比为 1:1)的密闭容器中保存,或用其他等效方法保存。

只要做过着色渗透探伤试验的对比试块,一般情况下不能再做荧光渗透探伤试验,反之亦然。

第二节　渗透剂性能校验

一、外观检查

着色液在白光下观察,颜色应是红色。荧光液在紫外线灯照射时应发黄绿色或绿色荧光。着色荧光渗透剂在日光下观察,其颜色应是红色、橙色或紫色,用紫外线灯照射时应发荧光。

渗透剂外观应清澈透明、色泽鲜艳、无污物等。

二、润湿性能检查

可用脱脂棉球蘸少量渗透剂到清洁发光的铝板表面,并涂抹成薄层,10 min 后观察,渗透剂液膜层不应收缩,且不应形成小泡。所有渗透剂应很容易润湿铝板表面。

三、渗透剂的含水量和容水量的测定

水洗型渗透剂用图 6-1 所示的水分测定器测量含水量。使用中,含水量控制在 2% 以下。测量方法如下:

取 100 mL 渗透剂和 100 mL 无水溶剂(如二甲苯)置于容量为 500 mL 的圆底玻璃烧瓶中,摇动 5 min,使均匀混合,用电炉、酒精灯或小火焰煤气灯加热烧瓶,并控制回流速度,使冷凝管的斜口每秒钟滴下 24 滴液体。含水量按下式计算

$$含水量 = \frac{集水管中水的容量(mL)}{100(mL)} \times 100\% \qquad (6-1)$$

在开口槽中使用的水洗型渗透剂,需测量其容水量,测量方法如下:

取 50 mL 渗透剂置于 100 mL 的量筒中,以 0.5 mL 的增量逐次往渗透剂中加水,每次加水后,用塞子塞住量筒,颠倒几次并观察渗透剂是否有混浊、凝胶、分层等现象,检查灵敏度是否下降。记录逐次加进水的含量,当出现混浊、凝胶或检验灵敏度下降现象时,停止加水,并计算其容水量

$$容水量 = \frac{加入水总量(mL)}{50\ mL + 加入水总量(mL)} \times 100\% \qquad (6-2)$$

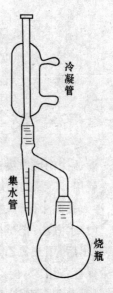

图6-1 水分测定器

四、腐蚀性检查

用镁合金 MB-2、ZM-5,铝合金 LC-4,铬钼结构钢 30CrMoA 按 100 mm × 10 mm × 4 mm 的规格加工成试样,加入渗透剂中。试样一半浸入液体,一半留在液面之上,将渗透剂置于 (50 ± 1)℃ 的恒温水槽中,3 h 后,将试样从渗透剂中取出。水洗型渗透剂直接用水冲洗、干燥,后乳化型渗透剂则用乳化剂乳化后,用水冲洗、干燥。最后目视观察试样两面有无失光、变色和腐蚀现象。

五、去除性校验

用吹砂钢试片进行试验。将渗透剂涂于试片表面,或将试片浸于渗透剂中,时间 15 min,用压力约为 0.4 MPa 的水冲洗,冲洗角 45°,水洗时间为 30 s,然后用热风干燥,在白光或紫外线光下观察是否有余色或余光,也可与标准渗透剂和使用标准去除方法处理的试板相比较,看是否符合要求。如果是后乳化渗透剂,先用水预洗 5 s,然后用乳化剂乳化 5 s,再用水压为 0.4 MPa 的水冲洗 30 s,热风干燥后在白光或紫外光下观察,也可用上述比较法比较。

溶剂清洗型渗透剂的去除性校验可参照上述方法进行,但用溶剂清洗。

六、渗透剂亮度的比较测定

粗略的测定方法:用两根玻璃试管,一根装上标准渗透剂,另一根装上测量的渗透剂,密封装置 4 h 以上,在白光下或紫外线光下比较颜色的鲜艳程度或荧光亮度,并观察渗透剂有否分层、沉淀现象。

《JB4730—94》规定了标准对比渗透剂的制备方法:在每批新的渗透剂和乳化剂中取 0.5 kg,分别藏在密封的玻璃容器内,注明材料批号标志,避免阳光的照射,防止温度对它的影响,以此作为标准对比渗透剂。

荧光液亮度的比较测定可用紫外照度计测定,其方法步骤如下:

用两张干净滤纸,分别用标准荧光液和测量荧光液浸湿并烘干,在紫外线光下比较,如两者发光强度无明显差别,则说明使用中的荧光液发光强度合格。若有明显差别,再做进一步比较试验。具体步骤如下:

(1)先用二氯甲烷分别将标准荧光液和测量荧光液稀释到 10% 的浓度;

(2)再用两张 80 mm×80 mm 的滤纸分别在上述两种稀释液中浸湿,并在 85 ℃以下的烘干装置中烘干;

(3)将紫外线照度计置于紫外线光下,移动照度计得最大值,再调节紫外线灯高度使照度计读数为 250 lx;

(4)取出紫外线照度计中的荧光板,换上浸过荧光液的滤纸,分别记下两张滤纸的读数;

(5)两者读数之差除以浸标准荧光液的滤纸读数的百分数,应不大于 25%,大于 25% 时,荧光液应更换。

测定后乳化型荧光液在紫外线光照射下的稳定性的方法如下:

(1)打开紫外线灯,用紫外线光强度检测仪 ZQJ-1 型检测紫外线光强度,使其为(860±40)$\mu W/cm^2$;

(2)将荧光液 500 mL 置于广口玻璃容器中;

(3)将 10 张定性滤纸浸入到荧光液中,取出用试样夹子夹好,干燥 5 min;

(4)将 5 个挂有滤纸试样的夹子悬挂在无强光、强热和空气流的地方,其余 5 个试样暴露在紫外线光下,5 个试样应受到均匀照射,曝光时间 1 h;

(5)曝光后,使用紫外线光照度计交替测试 5 个未暴露和 5 个暴露的试样。以未暴露试样的照度值作为 1%,与暴露试样暴露于紫外线光的一面测量的照度值(应取平均值)作比较,确定是否符合要求。

七、灵敏度黑点试验

渗透剂的灵敏度试验用本篇第二章第八节中介绍的铝合金淬火裂纹试块进行。试块的一半用标准渗透剂,另一半用测量中的渗透剂,两者进行比较。荧光液可用黑点试验法测定灵敏度。

黑点试验又叫新月试验,这种方法是测量荧光液扩展成多厚的薄膜时,在一定强度的黑光照射下,具有最大发光亮度的一种方法。这一厚度就是临界厚度。由于临界厚度以上的荧光亮度与临界厚度处相同,故常用临界厚度值来表示荧光液在黑光辐照下的发光强度。临界厚度愈小,发光强度愈大。

黑点试验方法如下:

在一块平板(如玻璃板)上滴几滴荧光液,将一块曲率半径为 1.06 m 的平凸透镜的凸面压在荧光液上,这时透镜与平板之间的荧光液呈薄膜状,见图 6-2。透镜与平板相接触的一点,荧光液的厚度为零,接触点附近的荧光液形成薄膜,离中心愈近,薄膜愈薄。

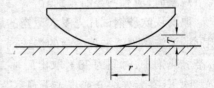

图 6-2　黑点试验示意图

在紫外线光的照射下,临界厚度以上的薄膜能发出最大的荧光亮度,而在接触点处及临界厚度以下的极薄层荧光液不能发出荧光,而形成黑点。黑点愈小,说明临界厚度愈小。临界厚度用下式求得

$$T = \frac{r^2}{2R} = \frac{d^2}{8R} \tag{6-3}$$

式中　r——黑点半径；

　　　d——黑点直径；

　　　R——透镜曲率半径，即 1.06 m。

从上式可知，黑点直径愈小，临界厚度愈小，说明荧光液的发光强度愈高，超亮的荧光液，其黑点直径可达 1 mm 以下，只有针尖那么大。

临界厚度愈小，说明荧光液扩展成薄膜时，在紫外线光下被观察到的可能性愈大。从这个意义上讲，也可说该荧光液的灵敏度高。因此，常用临界厚度或黑点直径来作为荧光液的灵敏度的衡量尺度。黑点愈小，灵敏度愈高。

八、其他

渗透剂表面张力可使用滴重法或毛细管法测量。

渗透剂对温度的稳定性可通过耐热耐冷试验测定。可将渗透剂样品在 8 h 内，温度在 −18～66 ℃连续变化两次，然后观察其有无沉淀和分离层，可使用烘箱和冰箱进行试验。

荧光液亮度还可采用亮度计测量，美国德科莫尔金（Divkollmorgen）公司生产的点光计，国内北京师范大学生产的 L-77 型亮度计均可采用。使用荧光分光光度计测出荧光光谱图，也可获知荧光强度。

以上检查方法主要是取用操作简便的目视法和对比试块比较法对渗透探伤剂作出比较性的评价。

《JB4730—94》对检测剂的有害元素控制量的测定规定如下：

检测剂的氯、硫、氟含量的测定可按下述方法进行：

取检测剂试样 100 g，放在直径 150 mm 的表面蒸发皿中沸水浴加热 60 min，进行蒸发。如蒸发后留下的残渣超过 0.005 g，则应分析残渣中氯、硫、氟的含量。

第三节　乳化剂性能校验

着色染料系列和荧光染料系列乳化剂与相应渗透剂的颜色，相应地在白光或紫外线光下观察时，应有明显的差别。

取两块吹砂钢试片先浸入适当的后乳化渗透剂中，垂直悬挂滴落 3 min 后，用冷水以相同的清洗条件清洗掉多余的渗透剂。然后，一个试片浸入测量的乳化剂中，另一个浸入标准乳化剂中，时间为 30 s，取出后垂直滴落 3 min，再用冷水以相同的条件清洗，并用压缩空气吹干，在紫外线光或日光下观察荧光背景或着色背景。如果相差悬殊，则应更换乳化剂。测量的乳化剂可以是使用中的乳化剂，也可以是新购置的乳化剂。

吹砂钢试片采用 100 mm × 50 mm 的退火不锈钢片制成。在试片的一面，用平均粒度为 100 目的砂子进行吹砂，吹砂喷枪距试片表面 450 mm，压缩空气压力为 0.4 MPa，一直把试片表面吹成毛面状态，制作好的试片用干净纸包好备用。

第四节　显像剂性能校验

一、外观检查

用于着色渗透剂的显像剂应能提供一个良好的对比背景。用于荧光渗透剂的显像剂,当其暴露在紫外线光下时,不应比相应的标准显像剂呈现更多的荧光。

用铝合金淬火试块(A 型试块)检查时,显像剂显像能力要强,附着状态良好。

二、干粉显像剂的校验

干粉显像剂是一种颗粒极细、附着性极强的白色粉末,不应具有聚结颗粒和块状物。干粉显像剂常常配合荧光渗透剂使用,因此,在紫外线光下不应发荧光。干粉显像剂的密度应进行测定,具体试验方法如下:

(1)先把容量为 1 L 的烧杯精确称量,记录下此烧杯净重(g);

(2)然后在烧杯中装满干粉显像剂,并在侧面轻轻敲击,使显像剂下沉,用刮刀或直尺刮平烧杯顶部的显像粉;

(3)再把装满显像粉的烧杯精确称重,记下此总重量(g);

(4)用总重量减去烧杯净重,即为干粉显像剂的密度,其值不应大于 130 g/L。

三、非水湿显像剂悬浮性的校验

将显像剂充分搅拌,取 25 mL 置于 25 mL 的量筒中,量筒静置 15 min,观察沉淀后的分界线。分界线离上表面距离应不大于 2 mL 的刻度。

四、水湿显像剂的校验

试验方法同非水湿显像剂悬浮性的校验方法,要求分界线离底面不小于 25 mL 量筒的一半高度。

非水湿显像剂即是溶剂悬浮显像剂,我国又称速干式显像剂,以(S)表示。

第五节　黑光灯强度的校验

紫外线灯强度用黑光强度检测仪测量,测量方法如下:

开启紫外线灯 20 min 后,将黑光强度检测仪置于紫外线灯下,调节检测仪过滤片与灯泡的距离为 380 mm,读出检测仪上的读数,读数值应大于 $1\,000\ \mu W/cm^2$。

【复习思考题】

1. 简述校验试块的清理与收藏。

2. 渗透剂性能常进行哪几项校验? 简述其试验步骤。

3. 简述乳化剂性能校验时的试验步骤。

4. 显像剂性能常进行哪几项校验? 简述其试验步骤。

5. 简述紫外线灯强度校验的试验步骤。

6. 黑光强度检测仪有哪几种型式? 分别简述其作用原理。

第七章 实 验

实验一 焊缝着色渗透探伤

一、实验目的
了解和掌握焊缝的溶剂去除型着色渗透探伤方法。

二、实验器材
(1)溶剂去除型着色渗透检测剂一套;

(2)不锈钢镀铬辐射状裂纹试块;

(3)对接焊缝试板和试管各一件;

(4)铁刷、砂纸、凿子、卫生纸等工具。

三、实验步骤

1. 清理焊缝表面

使用铁刷、凿子、砂纸等工具,按《JB4730—94》要求清理焊缝与热影响区,去除表面飞溅、焊渣、铁锈等杂物。

2. 预清洗

用清洗剂清洗试件焊缝和对比试块受检表面,并随后自然干燥。

3. 施加渗透剂

采用喷涂的方法,将渗透剂充分、均匀地施加到焊板和对比试块被检表面。在 15 ~ 50 ℃的温度条件下,渗透时间一般不得少于 10 min。在整个渗透时间内,全部受检表面必须保持润湿状态。

4. 去除多余的渗透剂

应先用干净不脱毛的布或纸依次擦拭,直至大部分多余渗透剂被清除后,再用喷有或蘸有清洗剂的干净布或纸进行擦拭,直至将受检表面多余的渗透剂擦拭干净。但必须注意,不得往复擦拭,不得用清洗剂直接冲洗受检表面,以防止过洗。

5. 施加显像剂

显像剂在使用前应充分摇晃均匀,显像剂施加应薄而均匀,不可在同一地点反复多次施加。喷嘴离被检面距离为 300 ~ 400 mm,喷洒方向与被检面夹角为 30 ~ 40°。显像时间应不少于 7 min。

6. 观察与检验

显像时间结束后,在白光下观察显示迹痕。先观察对比试块辐射状裂纹显示迹痕是否符合要求。如果显示符合要求,说明整个渗透探伤系统工艺性能及操作符合要求。此时,可以观察焊板显示迹痕,必要时,可用 5 ~ 10 倍放大镜进行观察。

确认缺陷迹痕时,按《JB4730—94》标准进行缺陷评定,并做好缺陷记录。